Andreas Gruber

Herzgrab

Thriller

GOLDMANN

Dieses Buch ist auch als E-Book erhältlich

MIX
Papier aus verantwor-
tungsvollen Quellen
FSC® C014496

Verlagsgruppe Random House FSC® N001967
Das FSC®-zertifizierte Papier *Pamo House* für dieses Buch
liefert Arctic Paper Mochenwangen GmbH.

4. Auflage
Originalausgabe Dezember 2013
Wilhelm Goldmann Verlag, München,
in der Verlagsgruppe Random House GmbH
Copyright © 2013 by Wilhelm Goldmann Verlag, München,
in der Verlagsgruppe Random House GmbH
Ein Projekt der AVA international GmbH
Autoren- und Verlagsagentur
www.ava-international.de
www.agruber.com
Umschlaggestaltung: UNO Werbeagentur, München
Umschlagmotiv: © FinePic®, München
Th · Herstellung: Str
Satz: Buch-Werkstatt GmbH, Bad Aibling
Druck und Bindung: GGP Media GmbH, Pößneck
Printed in Germany
ISBN: 978-3-442-48017-3
www.goldmann-verlag.de

Besuchen Sie den Goldmann Verlag im Netz

Für Norl,

treue Seele und Fan der ersten Stunde,
keep on rockin'

*»Auge um Auge – und die ganze Welt
wird blind sein.«*

PROLOG

Toskana, Samstag, 24. April

Ohne anzuklopfen, betrat Zenobia das Zimmer. Teresa hätte es wissen müssen! Mutter hatte ihre Privatsphäre noch nie respektiert. Warum hätte sich das in den letzten fünfzehn Jahren ändern sollen?

»Draußen warten über hundert Gäste, und du stehst hier seelenruhig herum, hörst Radio und bist noch nicht mal angezogen!« Zenobias kühler Blick sprach Bände.

Teresa konnte es kaum glauben. Nach so langer Zeit waren das die Begrüßungsworte ihrer Mutter! Keine Umarmung, kein Kuss. Aber eigentlich, gestand sie sich ein, hätte sie das auch nicht gewollt.

Sie schlang den Frotteebademantel enger und verknotete den Gürtel. »Hallo, Mama«, sagte sie, während sie ein Handtuch um ihr nasses Haar wickelte.

Zenobia reagierte nicht. Ihr bodenlanges schwarzes Kostüm raschelte, als sie durch den Raum schritt. »Ich habe dich hergebeten, um deine Brüder zu verabschieden, aber du nutzt jede Gelegenheit, um mich vor den Gästen zu blamieren.«

Matteo und Lorenzo konnten ihr gestohlen bleiben. Teresa war aus einem anderen Grund hergekommen. Nachdem der Detektiv, den Monica und sie angeheuert hatten, so kläglich versagt hatte, wollte sie nun selbst etwas über Salvatores Verschwinden erfahren. Dafür gab es keinen besseren Ort als San Michele, wo alles begonnen hatte.

Zenobias Blick fiel auf das Bett, wo Teresas offener Koffer lag. »Es war dir offensichtlich nicht möglich, früher zu kommen?«

Typisch Zenobia! Unterstellungen und spitzfindige Fragen, die eigentlich Anschuldigungen waren. Teresa hätte nie gedacht, dass sie sich mit knapp vierzig Jahren von ihrer Mutter noch wie ein Kind behandeln lassen musste. »Mama, mein Job.«

»Ach was«, unterbrach Zenobia sie. »Hier hättest du eine bessere Arbeit gefunden – oder du hättest geheiratet, dann wäre das gar nicht nötig gewesen. An Interessenten hat es nie gemangelt.«

Teresa wurde übel bei dem Gedanken. Außerdem liebte sie ihren Beruf. »Ich habe in der Klinik nicht früher freibekommen, und mein Auto fährt nicht schneller.«

Zenobia stolzierte durch den Raum, die Arme hinter dem Rücken verschränkt. »Ist Monica deshalb nicht mitgekommen, weil dein Auto dann noch langsamer gefahren wäre?«

Teresa warf im Spiegel einen kurzen Blick auf ihre Mutter. »Sie wollte zu Hause in Wien bleiben.«

»*Hier* ist ihr Zuhause!«, zischte Zenobia.

Da täuschst du dich, Mama! Die Toskana ist schon lange nicht mehr unsere Heimat.

Äußerlich gelassen trug Teresa Lippenstift auf, doch innerlich fühlte sie sich wie ein Hochdruckkessel kurz vor der Explosion.

»Was ist das überhaupt für eine schreckliche Musik?«

Teresa versuchte, weiterhin ruhig zu bleiben. »Alles ist schrecklich, was nicht aus Italien stammt, nicht wahr?«

»Stell das ab! Ist das zu viel verlangt?«

»Mama, ich komme, sobald ich fertig bin.«

Ihre Blicke trafen sich für einen Moment. Zenobias Kiefer mahlten. Mit den silbergrauen Haaren, dem breitkrempigen Hut, den schmalen Lippen und hohen Wangenknochen sah sie trotz ihres Alters immer noch graziös und erhaben aus. Aber unter der Fassade wirkte sie kalt wie eine Statue. Sie war vor kurzem siebzig geworden, und mittlerweile hatte sich die Verbitterung tief in ihr Gesicht gegraben. Immerhin war sie die Grand Dame der Del Vecchios – und an einem Tag wie diesem erst recht.

»Roberto steht draußen und wird ein Auge auf dich haben. Lass uns nicht zu lange warten.« Zenobia zog den schwarzen Schleier übers Gesicht, machte kehrt und verschwand aus dem Raum.

Teresa warf den Lippenstift auf die Kommode, steckte sich hastig eine Zigarette an und trat auf den Balkon. Eben schritt Zenobia unter der steinernen Brüstung hindurch zur Familienkapelle, die zwischen den Weinstöcken am Rand des Grundstücks lag. Es roch nach Frühling. Die Zypressen, Olivenhaine und blühenden Rapsfelder sahen aus wie immer. Der blecherne Klang der Kirchenglocke im einige Kilometer entfernten San Michele klang vertraut, als hätten die letzten fünfzehn Jahre nicht existiert. Was für ein merkwürdiges Gefühl, nach all den Jahren wieder in der Toskana zu sein.

Teresa stiegen Tränen in die Augen. Sie drückte die Zigarette im Aschenbecher aus. Dann nahm sie das Handtuch vom Kopf und schüttelte das feuchte schulterlange Haar aus. Die nach Raps duftende Brise, die von den Hügeln herunterwehte, würde es rasch trocknen lassen. Teresa würde wieder die dichten Locken bekommen, die sie normalerweise mit dem Glätteisen straffte, und so aussehen wie früher.

Wie früher …

Sie versuchte, den Gedanken abzustreifen. Doch es ging nicht. Wo fühlte sie sich eigentlich zu Hause? Sie blickte über die Brüstung auf den Vorplatz der Villa, wo die protzigen Autos parkten. War das ihre Heimat? Wo sie aufgewachsen und zur Schule gegangen war und zum ersten Mal einen Jungen geküsst hatte? Unweigerlich kam die schmerzhafte Erinnerung an ihren Vater. *Maledetto!* Diese gottverfluchte Toskana. Sie hatte seit mindestens zehn Jahren nicht mehr auf Italienisch gedacht und nicht einmal in Gedanken italienisch geflucht. Doch kaum war sie eine Stunde hier und hatte ein paar Worte gewechselt, war ihr alles bereits so vertraut wie eh und je. Was hatte sie auch erwartet? Konnte man die Vergangenheit mit einem einfachen Fingerschnippen aus dem Gedächtnis löschen?

Ihr blaues Ford Cabrio mit dem Wiener Kennzeichen parkte zwischen einem Maserati und einem Lamborghini auf den Terrakottasteinen des Vorplatzes und bildete im Moment den einzigen Bezugspunkt zu ihrer Wahlheimat. Ein frecher Spatz setzte sich zwitschernd auf die Oberleiste der Windschutzscheibe, plusterte sich zur doppelten Größe auf und reckte die Schwanzfedern über die Armaturen.

Scheiß mir bloß nicht in den Wagen, verdammter Italiener!

Sie hatte CDs von Gabalier, den Cranberries und ein paar *Voice-of-Germany*-Sampler mitgenommen, damit sie nach dem Grenzübergang nicht die lokalen Radiosender hören musste. Vergeblich! Der Auftritt ihrer Mutter hatte genügt, um die Vergangenheit binnen Sekunden wieder aufleben zu lassen.

Auf dem Bett lag Teresas geöffneter blauer Samsonite-Koffer. In der Seite steckte ihr Maniküre-Etui, daneben ein gerahmtes Foto ihrer Nichte, das sie auf den Nachttisch stellen wollte. Monica war einundzwanzig und lebte in Teresas Haus am Stadtrand von Wien. Eine weitere Erinnerung an zu Hause. Als Einzige hatten sie es gewagt, Zenobia zu trotzen und der Familie den Rücken zu kehren. Wären Teresas Brüder nicht kürzlich tödlich verunglückt, hätten sie keine zehn Pferde dazu gebracht, in die Toskana zu reisen. Das stille Begräbnis im kleinen Rahmen hatte bereits stattgefunden, und Zenobia hatte verlangt, dass Teresa zumindest bei der heutigen Trauerfeier anwesend war.

Gott, lass mich diesen Tag überstehen und etwas über Salvatores Verschwinden herausfinden.

Sie blickte zur Kapelle, wo bereits an die hundert Trauergäste warteten. Die Frauen mit schwarzen Gesichtsschleiern, die Männer in dunklen Anzügen und Hüten. Teresa besaß nur ein dunkelblaues Kostüm, das viel zu modisch aussah, was ihre Familie gewiss als Provokation empfinden würde. Noch dazu, wenn sie neben Zenobia stand und die Gäste an ihnen vorbeistolzierten, um ihr heuchlerisches Beileidsgelaber loszuwerden. Immerhin bezog es sich auf ihre Brüder. Doch bei deren dubiosen Geschäften und ausschweifendem Lebensstil war klar gewesen, dass sie nicht lange am Leben bleiben würden. Auch ein Grund, weshalb sie mit der Familie gebrochen hatte.

»Teresa?«, drang eine dumpfe Stimme aus dem Raum.

Roberto nervte! Sie drehte sich um, betrat ihr ehemaliges Jugendzimmer und warf das Handtuch aufs Bett. Über dem Kopfkissen drehten sich der Traumfänger und die Holzmobiles, die sie als Mädchen gebastelt hatte.

»Teresa, bist du so weit?«

»*Sì, sì.*«

Roberto stand mit verschränkten Armen in der geöffneten Tür. Mit Vollbart, Pferdeschwanz, Tattoo am Hals und der Statur eines Rausschmeißers in einem Florentiner Nachtklub.

»Schließ die Tür«, sagte sie.

»Du hast Zenobia gehört. Ich soll dir nicht von der Seite …«

»Was soll mir schon passieren? Schließ die Tür! Ich muss mich ankleiden.«

Roberto rührte keine Miene.

Cretino!

Sie wusste nicht, worüber sie sich mehr ärgern sollte. Über diesen Affen oder darüber, dass sie wieder italienisch geflucht hatte. Die groß angelegte Trauerfeier diente ohnehin bloß Zenobias Selbstdarstellung – zudem war das Grundstück bewacht, als befürchte Zenobia einen weiteren mysteriösen Todesfall. Auf dem Anwesen der Del Vecchios? Das war lächerlich.

Teresa nahm ihr Kostüm und die Unterwäsche aus dem Koffer und ging ins Badezimmer. Sie schlüpfte in den schwarzen Slip und frisierte sich die Haare. Da hörte sie einen dumpfen Knall aus dem Zimmer. Der *cretino* hatte die Tür also doch geschlossen. Offensichtlich hatte er sich damit abgefunden, dass er diesmal keinen Blick auf ihren nackten Körper erhaschen würde.

Oder hatte er die Tür etwa *von innen* geschlossen? Unsicher spähte sie zur Badezimmertür. Im Schloss steckte kein Schlüssel. Womöglich guckte er durchs Schlüsselloch. Das wäre typisch für ihn gewesen! Roberto war zwar ein entfernter Cousin von ihr, was ihn jedoch nicht daran gehindert hatte, ihr seit ihrem zwölften Lebensjahr nachzustellen. Was für ein Spanner! Damals hatte er sie heimlich aus dem Orchideenhaus oder hinter den Zypressen an der Grundstücksgrenze stehend beobachtet, während sie sich mit einem Glas Limettensaft in der Hand neben dem Natursteinbecken in der Sonne rekelte. Oben ohne, nur mit dem Kabel des Walkmans auf ihrer gebräunten Haut. Früher wollte sie ihn damit provozieren, zuerst heiß machen, aber dann abblitzen lassen. Doch diese Zeiten waren vorbei. Heute würde sie einen Kerl wie Roberto nicht einmal eine Sekunde lang dazu ermutigen, in ihre Nähe zu kommen.

Sie schlich zur Tür und spähte durchs Schlüsselloch. Als direkt vor ihrem Auge ein Schatten vorbeihuschte, fuhr sie zurück.

Verfluchter Mistkerl! Sie schlüpfte in den Bademantel und riss die Tür auf. »Du Bastard!«

Sie verstummte. Roberto lag mit halb geöffneten Augen auf dem Bett und starrte zur Decke. Seine Hand lag auf ihrem Koffer. Spielte ihr dieser Idiot etwa einen Herzanfall vor?

»Verschwinde aus meinem Zimmer!« Sie trat gegen sein Schienbein, doch er rührte sich nicht. »Roberto?«

Seine Schläfe war blau unterlaufen.

Ihr Herzschlag beschleunigte sich. »Roberto!«

Plötzlich wurde ihre Kehle trocken. Sie beugte sich über ihn und berührte ihn an den Wangen. Dabei spürte sie, wie kalt ihre eigenen Hände waren.

»Roberto, verdammt. Sag doch was!«

Sein Mund stand offen. Die leblosen Pupillen blickten zur Zimmerdecke. Teresa griff nach seinem Handgelenk, fühlte aber nur noch einen schwachen Puls, der jeden Moment versiegen konnte. Wie war das möglich? Rasch ließ sie seinen Arm los, der schwer aufs Bett fiel.

Es dauerte einige Sekunden, bis sie begriff, in welcher Situation sie sich befand. Hastig sah sie sich im Zimmer um. Die Balkontür stand noch offen. Der Wind wehte den durchsichtigen weißen Vorhang ins Zimmer. Draußen stand niemand. Durch den Türspalt erhaschte sie einen Blick in den leeren Korridor. Für einen Augenblick hielt sie den Atem an. Nichts war zu hören. Doch irgendjemand musste hier gewesen sein.

Oder war immer noch hier!

Sie lief zur Kommode und griff zum Handy. Wie durch ein Wunder erinnerte sie sich an die internationale Notrufnummer 112. Mit zittrigen Fingern wartete sie auf eine Verbindung. Die Polizei würde einen Krankenwagen herschicken. Sollte sie in der Zwischenzeit auf den Balkon laufen und um Hilfe rufen? Niemand würde sie hören. Bis auf Roberto und sie waren alle zur Kapelle gegangen.

In diesem Moment erklangen die Glocken. Sie lief noch einmal zum Bett, um an Robertos Halsschlagader nach dem Puls zu fühlen.

Nichts mehr! Nicht einmal ein schwaches Pochen.

»*Pronto?*«, sagte endlich eine Stimme am anderen Ende der Telefonverbindung.

»Hier spricht Teresa Del Vecchio«, rief sie. »Ich bin in San Michele und …«

In diesem Moment sank Robertos Kopf zur Seite. Teresa wollte etwas sagen, doch ihre Stimme versagte. Sein Hemdkragen färbte sich rot. Stoff und Bettlaken nahmen das Blut auf und sogen sich voll.

»*Pronto?*«, wiederholte die Stimme.

Sie drehte Robertos Kopf ganz zur Seite – und schrie auf. In seinem Nacken steckte eine Nagelschere. Sie war mit solcher Wucht zwischen Schädelknochen und ersten Halswirbel ins Rückenmark getrieben worden, dass nur noch die runden Griffe aus der Haut ragten. War das *ihre* Schere? Wie konnte das sein? Sie starrte zu ihrem Koffer. Ihr Maniküre-Etui war … *geöffnet*. Die Nagelschere fehlte.

Ihre Gedanken überschlugen sich. Roberto war tot! Mittlerweile war da so viel Blut auf dem Laken! Jeder würde glauben, sie hätte ihn ermordet! Schließlich war sie als Einzige hier gewesen, und ihre Mutter hatte sie beide zuletzt gesehen. Was würde die Polizei vermuten? Dass Roberto ihr wieder an die Wäsche gehen wollte wie früher – nur dass sie sich diesmal heftiger zur Wehr gesetzt hatte?

Das alles war verrückt!

»*Pronto?*«, hörte sie die Stimme erneut aus dem Handy. Sie unterbrach die Verbindung.

Alle würden sie des Mordes verdächtigen.

Aber das war doch völlig unlogisch!

Trotzdem kreischte eine hysterische Stimme in ihrem Kopf. *Schlüpf in deine Kleider und nimm deinen Koffer! Du musst endlich von hier abhauen!*

Da sah sie im Kommodenspiegel, wie sich hinter ihr langsam die Tür des begehbaren Schranks öffnete.

Sie wagte nicht zu atmen, auch nicht, sich umzudrehen. Gebannt fixierte sie die Holzlamellen. Das Innere des Schranks lag im Dunkel, und es war nichts zu erkennen. Die Scharniere quietschten. Etwas befand sich darin.

Im nächsten Moment würde sie erfahren, was es war – während das Radio plärrte und das Läuten der Glocken immer noch von draußen ins Zimmer drang.

I

Wien, einen Monat später
Montag, 24. Mai

»Wer stärker liebt,
ist immer der Schwächere.«

Eleonora Duse

1

Das Hotel Caruso in der Wiener Innenstadt versprach von außen weit mehr, als die schäbige Einrichtung hielt. Das wusste Elena Gerink von früheren Besuchen. An den zuckenden Leuchtreklamen der Kondom- und Zigarettenautomaten neben dem Rezeptionstisch hingen Spinnweben. Die Tapete löste sich an den Ecken von der Wand, und die Dielenbretter knarrten, als stammten sie noch aus dem neunzehnten Jahrhundert. Wahrscheinlich war das auch so. Doch wer um zehn Uhr vormittags in diesem Etablissement ein Zimmer für eine Stunde mietete, war nicht an den Tapeten interessiert.

Soeben stieg wie erwartet eine Blondine mit Sonnenbrille und Kopftuch vermummt aus dem Taxi. Sie war etwa in Elenas Alter, Anfang dreißig. Seit einer Woche das gleiche Prozedere. Die Frau kam in Begleitung eines Mannes mit Stoppelbart und kantigen Gesichtszügen. Sie bezahlte das Taxi, und beide verschwanden im Hotel.

Elena stand auf der gegenüberliegenden Straßenseite im Schatten einer Hauseinfahrt und wartete noch ein paar Minuten. Schließlich kramte sie eine Sonnenbrille aus ihrer Handtasche, setzte sie auf und überquerte mit ihrem schweren Aktenkoffer die Straße. Es war ein merkwürdiges Gefühl, mit den Stöckelschuhen plötzlich fünf Zentimeter größer zu sein, einen so kurzen Rock und eine enge Bluse zu tragen. Sie selbst besaß solche Klamotten nicht. Mit ihrer schlanken Figur, der strubbligen brünetten Kurzhaarfrisur, den Sommersprossen und der Stupsnase hatte sie das nicht nötig. Aber Toni hatte gemeint, damit würde sie in einer Absteige wie dem Hotel Caruso *angemes-sener* aussehen, und ihr die Kleidung geliehen.

Elena blickte sich um. Niemand folgte ihr. Als sie die Treppe zum Hotelfoyer erreichte, trat ein Mann aus der Einfahrt des Nebengebäudes. Ihr Herzschlag setzte für einen Moment aus. Gerhard Hödel! Der hochgewachsene graumelierte Mann im Anzug ging ebenfalls auf das Hotel zu. Rasch versperrte sie ihm den Weg.

»Was zum Teufel machen Sie hier?« Elena schob ihre Sonnenbrille auf die Nasenspitze und warf ihm über den Brillenrand einen unmissverständlichen Blick zu.

»*Sie* sind es!«

»Natürlich, was dachten Sie?« Sie schob die Brille wieder hinauf. »Warum sind Sie mir gefolgt?«

»Ich bin nicht *Ihnen* gefolgt«, rechtfertigte er sich, während er zum Hoteleingang blickte. »Ich habe in Lydias Büro angerufen, und ihre Sekretärin sagte mir, sie sei außer Haus. Im Kalender war aber kein Termin eingetragen.«

Elena konnte es nicht fassen. »Und das hat Sie ausgerechnet hierhergeführt?«

Er zog eine Streichholzschachtel aus der Hosentasche. *Hotel Caruso* stand darauf. »Habe ich in ihrer Manteltasche gefunden.«

Jetzt war Elena alles klar. Hödel war nicht dumm und hatte seine eigenen Schlüsse gezogen. Doch im Moment war er so hilfreich wie eine halbseitige Lähmung.

»Ich habe volles Vertrauen in Ihre Arbeit«, rechtfertigte er sich. »Aber …«

»Ich kann Sie gut verstehen«, unterbrach sie ihn. »Aber Sie sollten wieder zurück in Ihre Bank gehen. Ich kann Sie hier nicht brauchen.« Sie blickte sich um. Einige Passanten auf der anderen Straßenseite sahen zu ihnen herüber. »Ich gehe allein in dieses Hotel – es ist besser so.«

Sie durfte nicht noch mehr Zeit verlieren. Ohne weiteren Kommentar wandte sie sich von ihm ab und betrat mit dem Aktenkoffer das Etablissement.

In dem langen Vorraum roch es nach süßem Damenparfüm. Am Ende des Flurs befand sich der Rezeptionstisch. Dahinter saß ein schmächtiger Knabe im blauen Hemd, der kaum älter als neunzehn war. Vielleicht ein Student. Irgendwo lief ein Fernsehgerät. Sie hörte Gelächter und Charlie Sheens Synchronstimme. Eine alte Folge von *Two and a Half Men*.

»Ein Zimmer für eine Stunde«, sagte Elena.

Der Junge blickte nicht einmal auf. »Allein?«

Bevor sie antworten konnte, hörte sie hinter sich das Knarren der Eingangstür. Ihr Magen krampfte sich zusammen. *Bitte nicht!* Sie schielte zur Glasvitrine. In der spiegelnden Scheibe sah sie, wie Gerhard Hödel zielstrebig auf sie zukam.

Sie wusste, dass er alles vermasseln würde.

2

Die Woche begann übel für Peter Gerink. Das ahnte er, als er sein Büro im Wiener Bundeskriminalamt betrat und die Akte auf seinem Schreibtisch sah. Der Name auf dem Deckblatt lautete: *Teresa Del Vecchio*. Er schlug die Mappe auf und überflog die ersten paar Seiten. Eiserts Handschrift. Natürlich hatte *sie* ihm den Fall zukommen lassen. Und das bedeutete, dass er wieder mit Scatozza zusammenarbeiten durfte – ausgerechnet mit jenem Kollegen, mit dem Elena ihn betrogen hatte.

Gerink holte erst gar nicht seine Dienstpistole aus dem Waffenschrank oder startete den PC, um die Abwesenheitsnotiz zu deaktivieren, sondern marschierte mit der Mappe durch den Korridor zum Büro seiner Chefin.

Als er an Dino Scatozzas offener Tür vorbeikam, warf ihm dieser nur einen knappen Blick zu. Bestimmt wusste der Sizilianer bereits, dass ihnen ein gemeinsamer Fall bevorstand.

Gerink klopfte an Lisa Eiserts Tür.

»Herein.«

Er trat ein. Eisert trug eine cremefarbene Bluse. Ihr blauer Blazer hing über einer Stuhllehne. Als sie den Telefonhörer auf die Gabel legte, hielt Gerink ihr die Akte vor die Nase.

»Warum schon wieder ich?«, knirschte er.

Gelassen nahm Eisert die Lesebrille ab. Obwohl sie erst Mitte vierzig war, hatte ihr kurzes dunkles Haar an den Seiten bereits eine graue Färbung angenommen. Zudem zierten einige Sorgenfalten ihr Gesicht. Gerink wusste, dass seine Chefin nie auf den Gedanken gekommen wäre, sich die Haare zu färben.

Eisert war ebenso uneitel wie unnachgiebig, weshalb die Kollegen auf dem Revier sie »Grauer Wolf« nannten.

Sie zog eine Augenbraue hoch, als sie seine neue Frisur bemerkte. Doch sie sagte nichts.

Heute Morgen hatte Gerink sich die braunen Haare mit der Maschine und einem Zwölf-Millimeter-Aufsatz geschoren und festgestellt, dass auch er die ersten grauen Haare an den Schläfen bekam – was ihn nicht gerade heiter stimmte.

Trotz seines Auftritts blieb Eisert gut gelaunt. »Kaum aus dem Urlaub zurück, schon hast du alle guten Manieren verlernt. Guten Morgen.« Sie lächelte knapp.

»Guten Morgen«, knurrte Gerink. Von *Urlaub* konnte keine Rede sein, das wusste sie genau. Wer aus dem Urlaub kam, war entspannt, ausgeglichen und braun gebrannt. Doch er hatte einen Dreitagebart und seinen sonst so strahlenden Blick eingebüßt. Schon von Weitem sah jeder, dass er eine Mordswut im Bauch mit sich herumtrug. Darüber konnte nicht einmal sein angeblich so charmantes Lächeln hinwegtäuschen. Jedenfalls hatte er im Moment keine Lust, *irgendjemanden* anzulächeln, und schon gar nicht Dino Scatozza.

Seinetwegen hatte er sich die letzte Woche innerlich zerfleischt und keine Nacht durchgeschlafen. Noch dazu beantwortete Elena seine Anrufe nicht – und selbst wenn! Was hätte er ihr sagen sollen? Er wusste nicht einmal, ob er sie zurückhaben wollte, ob er ihr verzeihen konnte. Dass er bei der letzten Begegnung mit ihr in seiner Wut eine Flasche Jack Daniel's in die Glasvitrine geworfen hatte, machte die Sache nicht einfacher.

In der darauf folgenden Woche hatte er intensiver als in den Monaten zuvor im Fitnesscenter trainiert. Außerdem hatte er die staubige Plane von seiner Harley-Davidson abgezogen, die Maschine aus dem Schuppen gerollt, Motor und Chrom poliert, sich abends zu viel Alkohol reingekippt und war am nächsten Morgen mit einem grässlichen Kater die alte Strecke über die Wiener Hausberge abgefahren. Zum Glück war der Gedanke, seine Kumpels von früher zu besuchen, von denen einige den Knast von innen gesehen hatten, rasch wieder verflogen. Diese Zeiten waren vorbei! Aber vielleicht hätte das mehr geholfen, seinen Kopf von destruktiven Gedanken zu befreien, als nachts wie ein verletztes Raubtier durch die Wohnung zu tigern.

»Wir waren uns doch einig«, sagte er, »keinen dieser Fälle mehr.«

»*Dieser* Fälle?«, wiederholte sie.

Er kochte innerlich. Diese Frau konnte so scheinheilig sein. »Ja, *dieser* Fälle. Ich rede von Ermittlungen in Italien.«

Seit kurzem hasste er alle Italiener, deren Selbstgefälligkeit und aufbrausendes, lautes Temperament. Nur ein Wort, das sie liebend gern in die falsche Kehle bekamen, und schon waren sie tagelang in ihrer Ehre gekränkt. Gerink wusste genau, mit wem er an seinem nächsten Fall zusammenarbeiten durfte: Dino Scatozza.

Eisert warf einen beiläufigen Blick auf den Kalender in ihrem Laptop, der voller Termine war. »Die Entscheidung fiel mir nicht leicht, aber du bist nun mal unser Entführungsspezialist.«

Das stimmte – einige behaupteten sogar, er sei der Beste in der Abteilung. Aber manchmal täuschte das über die traurige Wahrheit hinweg, dass er während seiner Laufbahn beim BKA zwar alle Entführungsopfer gefunden, aber nur wenige lebend und gesund hatte heimbringen können.

Trotzdem widersprach er ihr. »Die Kollegen sind ebenso gut.«

Eisert verzog das Gesicht. »Erstens weißt du ganz genau, dass das nicht stimmt, und zweitens wollen die nicht mit Scatozza zusammenarbeiten.«

Gerink spürte, wie ihm die Halsschlagadern schwollen. »Ach

so, und nach allem, was passiert ist, denkst du, *ich* will mit ihm zusammenarbeiten?«

Sie hob die Augenbrauen. »Was erwartest du von mir? Er war sieben Jahre lang dein Partner und …«

»Du sagst es«, unterbrach Gerink seine Chefin. »Er *war* mein Partner! Das alles haben wir doch schon vor meinem ›Urlaub‹ besprochen.« Sie waren sich einig gewesen. Wie konnte sie nur zwei Männer zusammenspannen, die sich gegenseitig den Tod an den Hals wünschten?

Eisert faltete die Hände vor dem Mund und blickte Gerink wortlos an. Er kannte diesen Blick. Es würde eines jener typischen Zehn-Sekunden-Gespräche werden, die damit endeten, dass er einen Puls von hundertachtzig bekam und doch das tat, was der Graue Wolf von ihm wollte.

»Peter, hör zu.« Eisert beugte sich vor. Ihr Telefon klingelte, aber sie schaltete den Anruf auf eine andere Leitung. »Körner ist immer noch krank, und Eichinger ist mit einem anderen Fall beschäftigt. Außerdem setzen mich Innenministerium und Staatsanwaltschaft mächtig unter Druck. Was zwischen dir und Scatozza vorgefallen ist, interessiert die einen Scheißdreck und mich im Moment auch nicht.«

»Obwohl Elena deine Schwester ist? Ich …«

»Findet eine Lösung für eure Männer-Macho-Scheiße!«, unterbrach sie ihn. »Mehr will ich dazu nicht sagen.«

Männer-Macho-Scheiße nannte sie das also! Er merkte, wie sich sein Magen zusammenkrampfte, sobald er an Scatozza dachte.

»Fakt ist: *Du* übernimmst den Fall, denn *du* kannst ihn lösen. Es ist noch lange nicht gesagt, dass du tatsächlich mit Scatozza zusammenarbeiten musst. Fahr zum Haus, befrag die Kleine und schreib deinen Bericht. Dann sehen wir weiter.«

»Ich …«

»*Dann* sehen wir weiter! Und jetzt raus!« Die zehn Sekunden waren längst um. Eisert griff zum Hörer.

Gerink atmete tief durch. Eisert hatte recht. Natürlich war nicht gesagt, dass er mit diesem italienischen Hundesohn zusammenarbeiten musste – aber er würde einen Besen fressen, wenn das BKA nicht schon längst eine Auslandsdienstreise für zwei Beamte beantragt hatte.

Gerink holte seine Dienstwaffe aus der Kammer, Marke und Wagenschlüssel aus dem Büro und klemmte sich die Akte unter den Arm. Während er im Lift nach unten fuhr, las er den Bericht der Kollegen. Es war das Übliche, und er wollte es so rasch wie möglich hinter sich bringen.

Einige Männer, die er flüchtig kannte, stiegen im zweiten Stockwerk zu.

»Na, wie war dein Urlaub?«

Gerink blickte kurz auf, sagte aber nichts und vertiefte sich wieder in die Akte.

Er verließ den Lift und drückte sich in der Eingangshalle einen Kaffee aus dem Automaten. Für dieses Gesöff waren sogar die fünfzig Cent zu viel, aber in seiner derzeitigen Verfassung war es ihm unmöglich, auch noch gegen schlechte Gewohnheiten anzukämpfen.

In seiner Abteilung – neben Scatozza und den anderen Kollegen, die ihn ständig nach dem Urlaub fragen würden – hätte er es keine zehn Minuten ausgehalten. Also warf er sich in der Aula in die Ledersitzecke, wo ihn niemand beachtete, und blätterte durch die Papiere.

Teresa Del Vecchio war hübsch, dem Foto nach zu urteilen etwa vierzig Jahre alt. In Florenz geboren, lebte aber seit fünfzehn Jahren in Wien. Die letzten fünf Jahre davon als österreichische Staatsbürgerin. Hatte er richtig gelesen? Die erste Italienerin, die ihm sympathisch werden könnte. Den Grund für ihren Sinneswandel würde er bestimmt noch erfahren.

Beim Anblick des nächsten Fotos war klar, wen Eisert mit »die Kleine« gemeint hatte: Teresa Del Vecchios Nichte Monica. Sie war einundzwanzig und sah aus wie ein Fotomodel aus einer Agenturmappe. Bestimmt würde sie ihm aus hundert Metern Entfernung anmerken, dass er soeben eine ziemlich frustrierende Phase durchlebte. Er war noch nie gut darin gewesen, seine Gefühle zu verbergen. Jedenfalls hatte die Kleine genauso hübsches rabenschwarzes Haar wie ihre Tante, mit der sie im selben Haus lebte. Allerdings war Teresa Del Vecchio seit einem Monat abgängig, und die italienische Kripo brachte nichts auf die Reihe. Typisch!

Unter Monicas Foto fand er ihre Adresse sowie zwei Telefonnummern für Handy und Festnetz. Offensichtlich war sie Teresas einzige Angehörige in Österreich. Während er den Schriftverkehr zwischen Wien und Florenz überflog, wählte er bereits die erste Nummer. Monica war zu Hause, und Gerink kündigte seinen Besuch an.

Kurz darauf warf er den Kaffeebecher in den Mülleimer, verließ das Gebäude des Bundeskriminalamts und ging über den Josef-Holaubek-Platz zu seinem Wagen. Waren die Italiener nicht berühmt für ihren tollen Kaffee? Bestimmt konnte Monica ihm eine Tasse brühen, die besser war als dieses Gesöff, das ihnen der Automatenaufsteller des BKA zumutete. Währenddessen würde er sich zusammenreißen müssen, die junge Frau nicht anzustarren und dabei ständig an Elena zu denken.

3

Der Bursche an der Rezeption blickte sie desinteressiert an.

»Einen Augenblick«, sagte Elena. Sie ging zu Hödel. »Verschwinden Sie!«, raunte sie ihm zu.

»Nein, ich will es wissen!«, flüsterte er. Seine Stimme duldete keinen Widerspruch.

Elena atmete tief durch. Hödel war zu keinem Kompromiss bereit. Eigentlich hätte sie den Job in diesem Moment abbrechen müssen. Doch sie stand so knapp vor den ersten wirklich interessanten Ergebnissen.

»Na schön«, murmelte sie, als sie die Entschlossenheit in seinen kalten Augen sah. »Nehmen Sie meinen Koffer, setzen Sie ein Lächeln auf und kommen Sie.« Sie drehte sich um und ging mit wiegenden Hüften auf den Rezeptionstisch zu. Hödel folgte ihr.

Sie zog den Rock etwas höher. »Werfen Sie gelegentlich einen Blick auf meine Beine, vielleicht entspannt Sie das – heute dürfen Sie.«

Er blickte eisern geradeaus.

»Und denken Sie daran, dass wir per Du sind«, raunte sie ihm zu, bevor sie die Rezeption erreichten.

»Ja, mein Schatz«, antwortete er, aber es klang nicht echt.

Elena lehnte sich an den Tresen.

»Also doch zu zweit«, sagte der Bursche. »Name?«

Elena übernahm das Reden. »Herr und Frau Kaminski.« Ihre Eltern stammten aus Polen, und manchmal verwendete sie ihren Mädchennamen. Sie buchstabierte »Kaminski«.

Ohne eine Miene zu verziehen, blickte der Bursche ins Gästebuch, als müsse er prüfen, ob überhaupt noch ein Zimmer frei sei. Am Montagvormittag um zehn!

Währenddessen suchte Elena das Board mit den Zimmerschlüsseln ab. Zwei fehlten. 103 im ersten und 214 im zweiten Stock. In eines davon war die Blondine mit dem stoppelbärtigen Kerl verschwunden.

»Zimmer 311 ist frei.«

Elena blieb gelassen. Sie warf einen Blick über den Rand der Sonnenbrille und spähte hinter den Tresen. Das Gekritzel in dem Gästejournal war kaum zu entziffern, doch sie glaubte die Zahl 214 in der letzten Zeile zu erkennen.

»Wir hätten gern Zimmer 215«, sagte sie rasch. »Alte Gewohnheit.« Dabei lehnte sie sich an den Tresen und warf ihrem Begleiter einen schmachtenden Blick zu. »Nicht wahr, mein Großer?« Sie rieb ihr Knie an seinem Bein.

»Ja natürlich … Schatz«, antwortete Hödel.

»Von mir aus.« Der Junge kritzelte ins Buch. »Macht siebzig Euro.«

Elena warf Hödel einen auffordernden Blick zu. Wenn er schon unbedingt mitwollte, sollte er auch bezahlen.

»Natürlich.« Er stellte den Koffer ab und griff nach dem Portemonnaie in der Anzugtasche.

Erst jetzt sah der Junge auf und musterte die beiden. An Elenas Körper blieb sein Blick etwas länger haften. Vielleicht fragte er sich, wie viel sie ihrem grauhaarigen Kunden abknöpfte, der aussah wie eine recht passable Kopie eines alternden Filmstars und es nicht nötig zu haben schien, in so eine Absteige zu gehen.

Nachdem der Junge das Geld genommen hatte, reichte er Elena den Schlüssel zu Zimmer 215. Hödel nahm den Koffer und ging voraus.

Elena bemerkte, dass der Junge auf den Aktenkoffer glotzte, und zwinkerte ihm über den Brillenrand zu. »Spielzeug!«

Als sie im Zimmer waren und Elena die Tür abgesperrt hatte, wischte sich Hödel den Schweiß von der Stirn. »Gott, ist mir heiß.«

»Alles in Ordnung«, beruhigte sie ihn. »Knoten Sie Ihre Krawatte auf und machen Sie sich im Bad frisch. Ich brauche noch etwa zehn Minuten.«

»Ich muss in einer Stunde wieder in der Bank sein.«

Daran hätte er früher denken sollen. »Keine Sorge, bis dahin ist alles erledigt.«

Er zerrte an der Krawatte. »Hoffentlich.«

Hödel schwitzte seinen Anzug nass, doch er tat ihr nicht leid. Die emotionale Achterbahnfahrt, die ihm in der nächsten Stunde bevorstand, würde ihm noch mehr Schweiß aus den Poren treiben.

Sie warf ihren Aktenkoffer aufs Bett und ließ ihn aufschnappen. In den schwarzen Schaumstoffvertiefungen lagen ein kleiner Laptop, Kabel, Akkus, Netzteile, Mikrofone und Kameraobjektive.

»Warum ausgerechnet dieses Zimmer?«, fragte er aus dem Bad.

Elena rollte ein Kabel auseinander. »Weil Ihre Tochter nebenan ist.«

4

Teresa Del Vecchios Haus lag am Ende der Cobenzlgasse. Diese Gegend am nördlichen Stadtrand von Wien war nicht gerade eine Villengegend. Der Großteil der Reihenhaussiedlung war so alt wie die umliegenden Weingärten. Es gab hier kaum ein modernes Gebäude mit Pool, Alarmanlage oder Satellitenschüssel.

Die Reihenhäuser waren einstöckig, und Peter Gerink schätzte sie mit Keller auf nicht einmal hundertzwanzig Quadratmeter. Teresa Del Vecchios Vorgarten mit den Blumenbeeten war als Einziger gepflegt, und das, obwohl sie seit einem Monat vermisst wurde. Offensichtlich kümmerte sich ihre Nichte Monica um den Garten mit dem winzigen Seerosenteich, über dem ein Holzklöppelspiel an einem Balken im Wind schwang und ab und zu ein hohles *Klick-Klack* von sich gab.

Monica Del Vecchio öffnete die Tür. In echt sah sie noch besser aus als auf dem Foto. Einige Jahre älter, das Gesicht schlanker und der Blick ernster. Ein gewisser Ausdruck von Härte und Trotz lag in ihren Augen. Sie erinnerte ihn an eine jugendliche Mischung aus Monica Bellucci und Ornella Muti. Allerdings kannte er sich mit Filmen nicht besonders gut aus – und mit Frauen noch weniger. Er verstand ja nicht einmal seine eigene Ehefrau.

»Sie sind der Kripobeamte, der eben angerufen hat, nicht wahr?«, stellte sie fest. Ihre Stimme klang rauchig und reserviert.

Er nickte.

Sie musterte ihn ausgiebig. »Kommen Sie herein.«

Er blieb einen Moment auf dem Schuhabstreifer stehen und

blickte ihr nach, wie sie durch den Vorraum ging. Sie trug weiße Socken und einen eng anliegenden orangefarbenen Jogging-
anzug. Aber diese Frau würde sogar in einem alten Jutesack gut
aussehen.

Monica stand im Wohnzimmer und winkte ihn weiter. »Kommen Sie.«

Gerink säuberte die Schuhe und betrat das Haus.

»Sie können sie anlassen, es regnet ja nicht.«

Ein milder Duft von Räucherstäbchen lag in der Luft. Im Vorraum hingen einige Ölgemälde.

»Haben Sie die Bilder gemalt?«

Sie kam in den Vorraum zurück und schaltete das Licht an.
»Die stammen von meinem Vater. Er hatte eine eigene Maltechnik. Ich erwähne das nur, weil das bei so einem Druck nicht zur
Geltung kommt. Die Originale sind etwa zwei mal zwei Meter
groß, hängen entweder in einem Museum oder wurden längst
über Galerien an anonyme Sammler versteigert.«

Gerink würde noch herausfinden, weshalb sie von ihrem Vater in der Vergangenheit sprach. Er betrachtete eines der Gemälde, das eine Kirche zwischen Olivenhainen zeigte, die in
der Mittagshitze ihr von Weihrauch geschwängertes Innerstes
regelrecht nach außen schwitzte. Das Motiv erinnerte ihn an
seinen letzten Urlaub mit Elena im September vorigen Jahres
auf Korsika. Sie hatten sich ein Motorrad geliehen, waren um
die Insel gefahren und hatten in Herbergen übernachtet. An einem Sonntag waren sie sogar nur zum Essen aus dem Bett gekrochen. All das hatte sie an den ersten gemeinsamen Urlaub
erinnert, als sie mit Zelt und Motorrad in Irland unterwegs gewesen waren. Elena war in Korsika schwanger geworden, hatte
das Baby aber im dritten Monat verloren. Nachher war nichts
mehr so gewesen wie früher.

Er betrachtete das Gemälde. Es war nicht schlecht, allerdings bezweifelte er, ob er selbst auf dem Original erkannt hätte, dass der Künstler eine besondere Maltechnik verwendet hatte. Gerink konnte einen Picasso nicht von U-Bahn-Graffiti unterscheiden.

Am unteren Rand entzifferte er die schwungvolle Signatur von *Salvatore Del Vecchio*. Der Namenszug war farblich in das Motiv des Gemäldes eingearbeitet und nicht gleich auf den ersten Blick erkennbar. Ohne den surrealen Touch und die überzogenen Farben hätte ihm das Bild sogar gefallen. Doch offenbar machte genau das die Einzigartigkeit aus – andernfalls würden die vier Quadratmeter großen Gemälde wohl kaum in Museen hängen.

Er ging weiter. Im Wohnzimmer roch es dezent nach Zimt und Vanille. Der Raum war mit hellen Holzmöbeln eingerichtet. Der Flickenteppich sah aus wie selbst gewebt. In der Ecke standen eine bequeme Couch, jede Menge CD- und Bücherregale, aber kein Fernsehgerät. Gerink bemerkte eine Werkausgabe von Charles Bukowski, die er auch besaß und in seiner Jugend gelesen hatte, als er viel mit dem Motorrad unterwegs gewesen war. Eine Tür führte in die Küche und eine geschwungene Holztreppe ins obere Stockwerk. Durch das Wohnzimmerfenster sah Gerink in den Garten des Nachbargrundstücks, wo einige Kinder auf einer Holzschaukel turnten.

Er wedelte mit der Akte. »Ich bin heute Morgen mit der Suche nach Ihrer Tante beauftragt worden.«

»Ach, doch so schnell? Wie großartig!« Ihr Blick blieb ernst. »Was hat die italienische Polizei bisher herausgefunden?«

»Vermutlich nichts, aber das soll sich ändern. Deshalb bin ich hier.«

Schlagartig wurde der Ton in ihrer Stimme kälter. »Ich habe die Vermisstenanzeige vor *einem Monat* gemacht – und erst jetzt werden Sie mit dem Fall betraut, und Sie kommen her, um mir zu sagen, dass Sie nichts wissen! Die Del Vecchios sind keine unbekannte Familie. Wie kann das sein?« Ihre braunen Augen verfinsterten sich.

Er hätte es wissen müssen. Hinter der Fassade der jungen Italienerin, die bereitwillig über die künstlerischen Erfolge ihres Vaters sprach, verbarg sich eine jähzornige Göre. Gerink konnte ihre Verbitterung gut nachvollziehen. Aber wenn sie Dampf ablassen wollte, war sie bei ihm an der falschen Adresse. Im Moment hatte er selbst große Lust, jemandem in den Hintern zu treten.

»Ich verstehe Ihren Zorn, doch lassen Sie mich erst einmal erklären, was bisher geschehen ist.«

Sie sah aus dem Fenster. »Was gibt es da zu erklären?«

Er erzählte ihr, dass sich das Landeskriminalamt Wien vor einem Monat um die Vermisstenanzeige ihrer abgängigen Tante gekümmert hatte. Über das Bundeskriminalamt war der Auslandsschriftverkehr mit der Kripo in Florenz aufgenommen worden. Allerdings erwies sich die Florentiner Kripo als zu träge, in ihrem Land eine österreichische Staatsbürgerin mit Wiener Hauptwohnsitz zu finden, wie Gerink es vorsichtig formulierte. Faxmeldungen wurden verschlampt, E-Mails blieben unbeantwortet, und telefonische Rückrufe wurden zwar angekündigt, erfolgten aber nie.

Schließlich verfassten die Beamten einen Anlassbericht an die zuständige Wiener Staatsanwältin – seitenlanges Gewäsch, das nichts Konkretes aussagte und das Gerink nun in Händen hielt. Währenddessen entschied die Staatsanwältin, wie es weitergehen sollte.

»Ich beginne praktisch bei null«, gestand Gerink, »eben deshalb möchte ich Sie bitten, mir zu helfen.«

»Tut mir leid, dass ich Sie vorhin angeschnauzt habe«, entschuldigte sie sich.

»Schon gut. Wie gesagt: Ich verstehe Ihren Zorn.«

Ihre Gesichtszüge entspannten sich. »Darf ich Ihnen etwas anbieten?«

Gerink dachte an den Kaffeebecher, den er kürzlich entsorgt hatte. »Einen starken italienischen Kaffee.«

Sie sah ihn an, als wollte er sie auf den Arm nehmen.

»Illy, Lavazza oder etwas in der Richtung …« Er verstummte, als er ihren Blick sah.

»Das ist der Grund, weshalb ich die Toskana verlassen habe.«

»Der Kaffee?«

Nun lachte sie zum ersten Mal. »Der italienische Lebensstil. Wie wäre es mit einer Wiener Melange?«

»Danke.«

»Danke, ja oder danke, nein?«

»Danke, ja.« Diese Frau verwirrte ihn.

Sie ging in die Küche, drückte eine Taste der Kaffeemaschine, setzte sich auf die Arbeitsfläche und ließ die Beine lässig über die Kante baumeln.

»Sie kennen vielleicht nur Rom, den Schiefen Turm von Pisa, Spaghetti, Pizza oder Lavazza, und das alles mag Sie faszinieren, doch mir steht es bis hier.« Sie hob die Hand über den Kopf. »Vor allem die Lebenseinstellung der Italiener.«

Mir auch! Im Moment konnte Gerink das gut nachvollziehen. Er stand im Türrahmen und hörte ihr zu. Sie sprach ein schönes Deutsch, aber mit einem abgehackten südländischen Akzent.

»Meine Tante und ich sind Seelenverwandte. Sie lernte vor über fünfzehn Jahren am Strand von Livorno einen Wiener Geschäftsmann kennen und zog mit ihm in dieses Haus. Ein Großhändler. Er verkaufte Waschmaschinen, aber nach ein paar Schleudergängen war der Saft raus.« Sie schmunzelte. »Die Beziehung hielt nicht lange, doch Tante Teresa blieb hier. Vor einiger Zeit hat sie die italienische Staatsbürgerschaft abgelegt und die österreichische angenommen. Sehr zum Missfallen meiner

Großmutter Zenobia … *uhhh*!« Monica ließ die Hände über ihrem Kopf kreisen, als wollte sie Gespenster vertreiben.

»Der Clan der Del Vecchios sieht es nicht gern, wenn jemand der Familie den Rücken kehrt. Aber Teresa ging schon immer eigene Wege. Dabei ließ sie sich von nichts und niemandem unterkriegen. Sie ist starrköpfig wie ein Esel – eine echte Del Vecchio eben.«

Und nun ist sie verschwunden.

»Sind Sie ebenfalls eine Abtrünnige?«, fragte er.

»›Abtrünnige‹ ist gut.« Sie lachte. »Kann man so sagen.«

»Warum?«

Sie hob die Schultern. »Ich bin froh, wenn ich mit der Familie nichts mehr zu tun habe. Belassen wir es dabei.« Sie sprang von der Arbeitsfläche und reichte ihm die Tasse.

Sie gingen ins Wohnzimmer und setzten sich auf die Couch.

»Sind Sie nach Wien gezogen, weil Ihre Tante hier lebt?«

»Nicht bloß deswegen. Sehen Sie, mein Vater – Teresas Bruder – war Maler, und meine Mutter studierte vor mehr als zwanzig Jahren an der Kunstakademie in Wien.«

»Ist sie auch Italienerin?«

»Sie *war* es.« Monica machte eine Pause. »Sie ist vor einem Jahr bei einem Reitunfall gestorben.«

»Das tut mir leid. Und Ihr Vater?«

Sie starrte lange Zeit aus dem Fenster, ehe sie antwortete. »Ich bin allein.«

Erst jetzt wurde Gerink die Tragweite des Falls bewusst. Monica hatte keine Eltern mehr, und wie es schien, war Teresa das einzige Familienmitglied, an dem sie hing.

»Ist schon okay.« Sie zuckte mit den Achseln. »Möglicherweise habe ich ein wenig vom Talent meines Vaters geerbt. Ich kam nach Wien, um wie meine Mutter an der Luttenberg Akademie Kunst und Malerei zu studieren.«

»Bei Ihrem Deutsch hätte ich meine Hand dafür ins Feuer gelegt, dass Sie seit mindestens fünfzehn Jahren hier leben.«

»Vielen Dank. Tatsächlich sind es aber erst drei. Teresa sprach von Anfang an Deutsch mit mir, weil wir …«

»… Seelenverwandte sind?«, half Gerink nach.

»So ist es.«

Er stellte die Tasse auf den Tisch und lehnte sich auf der Couch zurück. »Erzählen Sie mir von Ihrer Tante. Hatte sie Feinde? Ist sie untergetaucht? Könnte sie jemand entführt haben?«

»Das ist es ja gerade. Sie ist ein großartiger Mensch, den alle lieben.« Monica erhob sich und nahm ein Fotoalbum von einem der Wandregale.

Während sie es durchblätterten, erzählte Monica von ihrer Tante. Teresa war ausgebildete OP-Schwester und arbeitete in der Chirurgie des Wiener Allgemeinen Krankenhauses. Nach mehreren gescheiterten und kinderlosen Beziehungen war sie die letzten drei Jahre Single geblieben. An interessierten Männern hatte es jedoch nie gemangelt. Sie begleitete Monica öfter zu Studententreffs oder Künstlerpartys, wo sie sich trotz ihrer vierzig Jahre unter den bedeutend Jüngeren wohl fühlte wie ein Fisch im Wasser.

Je mehr Fotos Gerink sah, desto eher kam er zu dem Schluss, dass Teresa und Monica nicht seiner Klischeevorstellung der italienischen Hausfrauen und *Mamas* entsprachen, die mit einer Schürze um die breiten Hüften in der Küche vor dem Herd standen. Zwei moderne und selbstständige Frauen, die dem Familienclan und der italienischen Lebensweise den Rücken gekehrt hatten.

Auf der letzten Seite klebte nur noch ein Foto. Es zeigte Monica und Teresa vor dem Schauhaus eines Autohändlers neben einem nagelneuen glänzenden Ford Cabrio. Die Frauen waren sommerlich gekleidet und strahlten übers ganze Gesicht.

»Das war in diesem Frühjahr an einem verdammt heißen Tag«, erklärte Monica. »Vor einem Monat ist Teresa, ohne es wirklich zu wollen, in die Toskana gefahren.« Sie saß im Schneidersitz auf der Couch und spielte mit einer langen Haarsträhne. »Meine Großmutter, Zenobia, übte so viel Druck auf sie aus, dass Teresa letztendlich eine Woche Urlaub nahm, ihren Koffer packte und mit dem Wagen nach San Michele fuhr.«

»Weshalb?«

Monica hob die Schultern. »Teresa erzählte etwas von einer Trauerfeier, aber das hat mich nicht interessiert.«

»Wissen Sie für wen?«

Sie hob die Schultern. »Keine Ahnung. Ist mir auch egal.«

»Hätten Sie Ihre Tante nicht begleiten sollen?«

»Bestimmt hätte Zenobia das gewollt, doch wie gesagt: Ich will mit meiner Verwandtschaft nichts mehr zu schaffen haben. Außerdem musste ich mich Ende April auf meine vorletzte Abschlussprüfung an der Akademie konzentrieren, und ich hatte meine erste eigene Vernissage. Teresa akzeptierte meine Entscheidung.«

»Wie ist die Ausstellung gelaufen?«

»Sie hätte besser sein können.«

Eine Frage interessierte Gerink noch. »Stammte Ihre Mutter auch aus einem – wie Sie es nennen – Familienclan?«

Mit einem bitteren Lächeln schüttelte Monica den Kopf. »Meine Mutter ist in einem Waisenhaus in Siena aufgewachsen. Sie besaß nichts, aber sie war elegant, bildhübsch und intelligent. Und sie hat sich nach oben gekämpft, als Näherin, Kellnerin und Setzerin in einer Druckerei geschuftet, bei der Weinlese geholfen, Rebstöcke geschnitten und sogar bei einem Tierarzt Kälber zur Welt gebracht. Kein Job war ihr zu anstrengend. Schließlich hat sie in Wien studiert und ist zurück nach Siena gegangen, wo sie den großen Maler Salvatore kennengelernt und in den

Clan der Del Vecchios eingeheiratet hat. *Was für eine Ehre!*« Sie presste die letzten Worte mit einem zynischen Unterton hervor.

Nach einer Schweigeminute, in der nur das Lachen der Nachbarskinder zu hören war, klappte Gerink sein Notizbuch zu. Er hatte die wichtigsten Details mitgeschrieben und hoffte, dass er genug über Teresa Del Vecchio erfahren hatte, um sich in ihre Lage zu versetzen. Wer immer sie in San Michele hatte verschwinden lassen, musste einen triftigen Grund dafür gehabt haben.

»Darf ich das Foto von Ihnen und Ihrer Tante behalten?«

Sie blickte nicht einmal herüber. »Wenn es Ihnen hilft.«

Gerink nahm es aus den Fotoecken und steckte es wie ein Lesezeichen in das Notizbuch. Dann erhob er sich. »Ich rufe Sie an, sobald ich etwas herausgefunden habe.«

Sie kaute an der Unterlippe, dann hob sie den Blick. »Wird das passieren?«

Er war seit mehr als zehn Jahren Entführungsspezialist beim BKA, und diese Zeit hatte ihn gelehrt, dass eine Lösegeldforderung von Entführern stets ein gutes Zeichen war. Doch hier gab es keine. Er wusste nicht einmal, ob es überhaupt eine Entführung war. Er wusste *nichts*. Und in der Zwischenzeit war ein Monat vergangen. Falls er recht behielt, war es nur eine Frage von Wochen oder Monaten, bis Teresas Leiche irgendwo auftauchen würde.

»Ich werde Ihre Tante finden.« Er wollte sich bereits abwenden, als er in ihren Augen sah, dass ihr noch etwas auf dem Herzen lag.

»Ich möchte Sie um einen Gefallen bitten.« Die Worte schienen ihr schwerzufallen. »Vielleicht könnten Sie Ihre Ermittlungen etwas ausdehnen?«

Er sah sie fragend an. »Ausdehnen?«

»Mein Vater ist ebenfalls spurlos verschwunden … vor einem Jahr.«

5

Elena startete das Notebook. Der Akku reichte für drei Stunden. Während sie sicherheitshalber das Netzteil bereitlegte, kam Gerhard Hödel mit einem Handtuch aus dem Badezimmer. Er hatte sich frisch gemacht, so wie sie es ihm geraten hatte – mit dem Effekt, dass ihm die wenigen grauen Haare zerzaust vom Kopf abstanden.

Hödel liebte seine Tochter abgöttisch. Bestimmt wusste Lydia, dass sie alles von ihrem Vater verlangen konnte und er ihr das meiste verzeihen würde. Möglicherweise auch Diebstahl oder ein Verhältnis mit einem zwielichtigen Kerl. Doch was sich soeben im Nebenzimmer abspielte, war keine gewöhnliche Affäre – das sagte Elenas Bauchgefühl. Sie beobachtete das Paar nun schon seit einer Woche. Hödels Tochter trug stets Kopftuch und Sonnenbrille. Sie und ihr Liebhaber tauschten in der Öffentlichkeit nie Zärtlichkeiten aus. Nach Elenas Meinung dauerte dieses merkwürdige Tête-à-Tête noch nicht lange – falls es überhaupt eines war. Sie wusste nicht, ob Gerhard Hödel diesen Teil der Geschichte eigentlich hören wollte.

Elena nahm die gerade mal einen Zentimeter große Minikamera mit dem Weitwinkelobjektiv und der eingebauten Tonübertragung aus dem Koffer. Hödel stand mit den Händen in den Hosentaschen vor dem Bett und betrachtete das Equipment in den Schaumstoffvertiefungen.

»Sieht nach Geheimdienstkram aus«, murmelte er. »Ist das die Standardausrüstung einer Privatdetektivin?«

Jetzt kamen die Fragen. Auch ein Grund, warum sie ihn eigentlich nicht hatte mitnehmen wollen. »Das hat mir ein Bekannter geliehen. Er arbeitet im Zoo. Die Kameras werden verwendet, um Vogelnester zu beobachten.« Etwas Besseres fiel ihr nicht ein.

Hödel nickte. Offensichtlich gab er sich mit der Antwort zufrieden. Er brauchte nicht zu wissen, woher die Ausrüstung tatsächlich stammte.

»Und damit können Sie …?«

»Ja«, unterbrach sie ihn. »Lassen Sie mich meine Arbeit machen. Sie werden es sehen, wenn ich so weit bin.«

Sie musste seine Neugier abwürgen, denn die Zeit drängte. Das Pärchen im Nebenraum war bestimmt schon seit zehn Minuten zugange, und Elena hatte keine Zeit gehabt, die Hotelzimmer vorher auszukundschaften. Sie stand auf und blickte zur Zimmerdecke. Sie musste einen Weg für die Kamera finden. Normalerweise benutzte sie die Klimaanlage, die alle Zimmer miteinander verband, doch diesen Luxus bot das Hotel nicht. Durch die Steckdose an der Wand konnte sie ebenso wenig gehen, denn falls die Zimmer wie üblich spiegelverkehrt angeordnet waren, würde ihr der Nachtschrank die Sicht aufs Bett verdecken.

Okay, denk nach! Du musst einen Weg finden. Sie blickte zur Tür. Der untere Türspalt war zu schmal, und der Teppich ließ sich nicht tief genug eindrücken, damit sie vom Gang aus die Kamera ins Zimmer schieben konnte. *Verdammt!*

Indessen ging Hödel auf und ab und knetete eine Camel-Packung in der Hand. Er hielt vor dem Fenster und zog den Vorhang auf. »Stört es Sie, wenn ich auf dem Balkon eine rauche?«

Der Balkon! Sie starrte ihren Auftraggeber an, der angespannt vor der Glastür stand. *Das ist die Lösung!*

Sie ging auf ihn zu. »Sie können im Zimmer rauchen, hier gibt es keine Feuermelder.«

Elena öffnete die Balkontür und trat ins Freie. Um diese Uhrzeit hatte sich der Frühverkehr in der Wiener Innenstadt einigermaßen beruhigt. Eine Straßenbahn ratterte unter dem Balkon vorbei, und wie üblich hupten einige Taxifahrer. Wenn man das Erdgeschoss hinzuzählte, befand sie sich in der dritten Etage. Ein Balkon verband jeweils zwei Apartments miteinander, doch dummerweise lag das Zimmer, in dem Hödels Tochter vermutlich gerade aus ihrem Stringtanga schlüpfte, auf der anderen Seite. Die beiden Balkonbrüstungen lagen jedoch nur einen Meter auseinander. Die Vorhänge im Nebenraum waren zugezogen, aber das Fenster neben der Balkontür war gekippt. Das zehn Meter lange Kabel für die Kamera würde ausreichen.

»Können Sie mir kurz helfen?«, flüsterte sie.

Hödel drückte die Zigarette aus und trat auf den Balkon. Elena schlüpfte aus den Stöckelschuhen, raffte ihren Rock hoch und setzte sich auf die Brüstung. »Geben Sie mir die Hand.«

»Sie wollen doch nicht etwa da hinüberklettern?«

»Natürlich. Machen Sie schon!«

»Sind Sie verrückt?«, ächzte er und warf einen Blick zur Straße hinunter. »Das sind mindestens zehn Meter!«

»Leiser!«, zischte sie und nickte zum gekippten Fenster des Nachbarbalkons. »Ich habe nicht vor abzustürzen.« Sie klemmte sich das Kabel, an dem die Minikamera hing, zwischen die Zähne. »Los jetzt!«, nuschelte sie.

Er reichte ihr den Arm. Sein Händedruck war kräftig. »Seien Sie um Himmels willen vorsichtig.«

Dank ihres Jiu-Jitsu-Trainings, das sie seit ihrem zwölften Lebensjahr machte, war sie gelenkig und immer noch in Form. Diese kleine Übung auf dem Balkon sollte kein Problem darstellen. Sie schwang die Beine über die Steinbalustrade, stellte sich auf den Sims und machte einen Schritt auf den anderen Balkon. Als Hödel ihre Hand losließ, umklammerte sie die andere Brüstung und zog sich hinüber. Unter ihr hupten die Autos, doch keiner der Passanten bemerkte, dass eine Frau in Minirock und Netzstrümpfen über die Balustrade des Hotels kletterte.

Es war nicht notwendig, dass sie den Balkon betrat. Nach vorn gebeugt erreichte sie mit ausgestreckter Hand das gekippte Fenster. Sie bog das Hartplastikkabel zu einem Haken, steckte die Minikamera in den Spalt und schob sie um den Vorhang herum in den Raum. Gewiss war Lydia Hödel zu sehr damit beschäftigt, ihrem raubeinigen Lover das Hemd aufzuknöpfen, als dass sie die Kamera bemerkte.

»In meinem Koffer liegt eine Rolle Klebeband«, flüsterte sie Hödel zu, der das Kabel in der Hand hielt, als wollte er sie damit sichern, falls sie abstürzte.

Er brachte ihr das Band. Sie riss mit den Zähnen einen Streifen von der Rolle ab und fixierte das Kabel am Fensterrahmen. Anschließend kletterte sie zurück.

»Ach Kacke!«, schimpfte sie.

Hastig blickte er sich um. »Was …?«

»Ich habe mir die Strümpfe zerrissen.«

Für einen Augenblick gaffte er auf ihre Beine, dann sah er weg.

Elena musste schmunzeln. »Sie wären ein prima Detektivhelfer. Wollen Sie als Juniorpartner bei mir einsteigen?«

Er sah sie mit ernstem Blick an. »Ich kann nicht, meine Bank …«

»Natürlich, war bloß ein Scherz.«

Bestimmt hatte er schon in seiner Jugend ziemlich gut ausgesehen und war stets höflich gewesen, dachte sie. Doch das Leben hatte ihn verändert. Als junger Witwer und alleinerziehender Vater wollte er, nach eigenen Angaben, nur das Beste für seine Tochter erreichen – womöglich ihr ganzes Leben lang. Mittlerweile war Lydia einunddreißig, hatte einen Job und verdiente recht gut, aber Hödel umsorgte sie immer noch, als könne sie nicht auf eigenen Beinen stehen. Elena war klar, warum Lydia Abenteuer und Abwechslung in einem zwielichtigen Stundenhotel suchte. Nicht jede Frau war für das Leben als Tochter an der Seite eines korrekten und langweiligen Bankiers geschaffen. Manche mussten aus der Rolle ausbrechen, die ihnen das Leben aufzwang.

Andererseits war Hödels Absicht, seine Tochter überwachen zu lassen, nicht unberechtigt. Kürzlich waren mehrere Geldbeträge und schließlich zwei größere Summen von seinem Privatkonto verschwunden, auf das seine Tochter Zugriff hatte. Lydia verschob in letzter Zeit private und berufliche Termine, änderte ihre Frisur, ließ sich von ihrer Sekretärin verleugnen und war nur noch selten am Handy zu erreichen. Außerdem wollte sie alles über ihren Vater wissen. Irgendetwas hatte sich im Leben der jungen Frau dramatisch geändert, und in wenigen Minuten würden sie vielleicht den Grund dafür erfahren.

Elena saß mit dem Notebook an dem kleinen Tisch und schob den Stecker des Kamerakabels in den Computer. Gerhard Hödel hatte die Balkontür angelehnt, die Vorhänge zugezogen und kam zu ihr. Der Mauszeiger schwebte über dem Icon des Videoprogramms. Gleich kam der Moment der Wahrheit.

»Wollen Sie wirklich zusehen?«, fragte sie.

»Schließlich bezahle ich Sie dafür.«

»Ich weiß, aber es könnte sein, dass Sie Dinge sehen werden, die Sie niemals wieder aus dem Kopf bekommen.«

»Ich kann mir denken, was da drüben vorgeht.« Er öffnete einen Hemdknopf. Schweiß perlte auf seiner Stirn. »Aber ich brauche Gewissheit, wozu sie mein Geld verwendet. Lydia ist krank. Sie ist mein einziges Kind, verstehen Sie das?«

Natürlich. Sie verstand nur zu gut. »Ich möchte bloß verhindern, dass Sie den Verstand verlieren, hinüberlaufen und die Tür eintreten. Dann wäre alles umsonst gewesen.«

Er atmete tief durch. »Halten Sie mich für so unkontrolliert?«

»Ja.«

»Sie täuschen sich, ich bin auf alles gefasst.«

»Gut.« Sie klickte das Videoprogramm an.

Die Minikamera war mit den besten Bildsensoren ausgestattet, die kristallklare Farbbilder in hoher Auflösung lieferten. Normalerweise! Peter, von dem das Equipment stammte, hatte ihr versichert, dass die Videoübertragung absolut ruckelfrei war. Trotzdem war das Bild unscharf. Möglicherweise lag es an der veralteten Grafikkarte des Notebooks. Außerdem stand die Aufnahme auf dem Kopf. Elena drehte das Bild um hundertachtzig Grad und bekam die Totale des Nachbarzimmers im Weitwinkel zu sehen. Gewöhnlich reichte der Kamera eine geringe Lichtmenge von 0,5 Lux, doch das Bild war zu grell. Elena musste die Helligkeit reduzieren. Im Nebenraum waren die Vorhänge zwar zugezogen, doch offensichtlich brannten alle Lampen.

Hödels Kopf wanderte näher zum Monitor. »Was zum Teufel geht dort drüben vor?«

»Einen Moment noch.« Elena erhöhte die Lautstärke.

»*Werden Sie es machen?*«, fragte Hödels Tochter.

»*Kommt auf den Preis an, den Sie zu zahlen bereit sind. Und darauf, was Sie erfahren haben*«, antwortete ihr Begleiter.

»*Hier sind die Unterlagen.*«

Der Mann blätterte durch einen Stapel Papiere. »*Ich brauche Details. Orte und Uhrzeiten.*«

»*Das ist schwierig wegen seiner Dienstreisen.*«

»*Haben Sie Zugriff auf den Kalender in seiner Bank?*«

6

Peter Gerink sah Monica erstaunt an. »Ihr Vater ist auch verschwunden? Wurde er möglicherweise entführt?«

Sie schüttelte den Kopf. »Kurz nachdem meine Mutter gestorben war, ist er abgehauen und hat nur einen kurzen Abschiedsbrief hinterlassen«, erklärte sie. »Er schrieb, dass er um sie trauern müsse und sich deshalb an einen nur ihm bekannten Ort zurückziehen wolle.«

Der jungen Frau war nichts erspart geblieben. Aber im Fall ihres Vaters konnte Gerink ihr nicht helfen. Außerdem ergab die Geschichte keinen Sinn – zumindest im Moment noch nicht.

Er setzte sich wieder auf die Couch. »Ich dachte, Sie wollten mit Ihrer Verwandtschaft nichts zu tun haben?«

»Mit Ausnahme meines Vaters. Er war anders als der Rest der Familie. Für ihn war ich immer seine Sternschnuppe. Er platzte vor Stolz, als er erfuhr, dass ich Kunst studieren wollte, um eines Tages …«

»… in seine Fußstapfen zu treten?«

Sie lächelte. »Dann wäre ich immer einen Schritt hinter ihm geblieben. Nein, ich sollte meinen eigenen Zugang zur Kunst finden, um seine Werke eines Tages zu *verstehen*.«

Gerink dachte an das schreckliche Gemälde mit der schwitzenden Kirche im Vorraum. Was gab es da zu verstehen? Musste man tatsächlich studieren, um diese Art Kunst zu begreifen?

»Wo wurde Ihr Vater zuletzt gesehen?«

»In San Michele, letztes Frühjahr auf dem Familiensitz der Del Vecchios.«

Wie Teresa.

»Lebte er in Italien?«

Sie nickte.

Die Sache sah düster aus. »Ich würde Ihnen gern helfen, doch dafür ist die italienische Kripo zuständig.«

»Ich weiß.« Frust klang in ihrer Stimme mit.

»Außerdem wirkt es so, als wollte sich Ihr Vater freiwillig absetzen. Falls also nichts gegen ihn vorliegt und keine – beispielsweise – Unterhaltszahlungen von ihm ausständig sind, wird die Kriminalpolizei nicht gerade Himmel und Hölle in Bewegung setzen, um ihn zu finden.«

»Die haben *gar nichts* getan.«

Das war zu erwarten gewesen. Ein nettes Kerlchen, dieser Salvatore Del Vecchio. Monicas Mutter starb, und er machte sich aus dem Staub und hinterließ seiner »Sternschnuppe« bloß einen Brief. Trotzdem wollte sie ihn finden. Das Mädchen tat Gerink leid, aber für diesen Fall war das österreichische Bundeskriminalamt nicht zuständig. Bestimmt sah sie die Antwort in seinem Gesicht.

»Was raten Sie mir?«, fragte sie.

»An Ihrer Stelle würde ich mich an einen italienischen Privatdetektiv wenden.«

Sie lachte laut auf. »Oh, danke für den großartigen Tipp. Das haben Tante Teresa und ich letztes Jahr bereits getan und sechstausend Euro hingeblättert, für die ich sieben Monate lang neben der Uni als Aushilfskraft in einem Pub schuften musste. Und was ist dabei rausgekommen?«

Das tat Gerink in der Seele weh. Jemand hatte das Mädchen kräftig ausgenommen. »Möglicherweise haben Sie den falschen Detektiv engagiert.«

»Teresa ist OP-Schwester, und ich studiere Kunst – woher sollen wir wissen, wer der Richtige für diesen Job ist?«

Gerink erhob sich und zog eine Visitenkarte aus seiner Brieftasche.

Monica betrachtete sie. »Eine Frau?«

»Sie wohnt in Wien und ist die Beste, die ich kenne. Außerdem lässt sie beim Honorar mit sich reden und knöpft einer Studentin bestimmt keine sechstausend Euro ab.«

»Elena Gerink«, murmelte Monica. »Ist das etwa Ihre …?«

»Mhm, ja.« Es klang wehmütig. Der Gedanke an Elena fuhr ihm wie eine Klinge in den Magen. »Sie wird Ihnen helfen – und falls nicht, kann sie Ihnen bestimmt einen Rat geben, was zu tun ist.«

Monica drehte eine Haarsträhne zwischen den Fingern. »Ich weiß nicht. Seit Teresa verschwunden ist, muss ich allein für die Betriebskosten des Hauses aufkommen.«

»Versuchen Sie es«, riet Gerink ihr. »Elena hat Rechtswissenschaften studiert, führt seit drei Jahren eine eigene Detektei, bildet nebenbei jüngere Kollegen aus und hat schon viele scheinbar unlösbare Fälle erfolgreich abgeschlossen. Das ist der einzige seriöse Tipp, den ich Ihnen geben kann. Vergessen Sie alles andere.«

»Danke.« Monica erhob sich und begleitete ihn zur Tür.

Bevor er das Haus verließ, drehte er sich noch einmal um und deutete auf die Karte in ihrer Hand. »Falls Sie mit ihr telefonieren, würden Sie ihr bitte etwas von mir ausrichten?«

Monica sah ihn verwirrt an. »Ich dachte, sie sei Ihre Frau?«

»Das ist kompliziert. Jedenfalls … Sie hat immer noch mein Notebook mit der Ausrüstung.«

7

Gerhard Hödel stand neben dem Tisch, einen Fuß auf dem Stuhl, und starrte ungläubig auf den kleinen Monitor. »Was zum Teufel macht Lydia da?«, presste er hervor.

»Ich schätze …«

In diesem Moment vibrierte Elenas Handy. *Ausgerechnet jetzt!* Sie griff in die Handtasche, warf einen Blick auf die ihr unbekannte Nummer und drückte den Anruf weg.

»Wird sie erpresst?«, fragte Hödel.

Elena schüttelte den Kopf. Sie ahnte bereits nach den ersten Sätzen, die sie belauscht hatten, worum es ging. Am liebsten hätte sie die Übertragung gestoppt und den Beschattungsauftrag abgebrochen. Das war eine Sache für die Kripo.

Gerhard Hödel war knapp sechzig Jahre alt, eine charismatische Person, Gründer und Vorstandsvorsitzender der Hödel-Immobilien-Bank mit zwölf Niederlassungen in Wien und Osteuropa und nagte nicht gerade am Hungertuch. Trotzdem zahlte er bestimmt keine dreitausend Euro, um jetzt auszusteigen.

Mittlerweile wusste er, dass seine Tochter ein dubioses Verhältnis unterhielt, für das sie viel Geld benötigte. Was er mit dem Videomaterial anfangen wollte, blieb ihm überlassen. Er hätte seine Tochter damit fertigmachen, beruflich und privat ruinieren können. Aber Elena vermutete, dass er nur Gewissheit brauchte, was seine Tochter in ihrer Freizeit trieb, um seine kleine Familie zusammenzuhalten. Sie schätzte, dass er Lydia nicht einmal würde wissen lassen, dass er von ihren geheimen Treffen und den abgebuchten Geldbeträgen wusste. Er wollte ihr helfen, falls sie in Schwierigkeiten steckte. Die Frage war allerdings, ob das funktionieren würde, wenn man einander misstraute und nachspionierte. Doch das war Hödels Problem.

Jedenfalls war Lydia mit dem raubeinigen Mann nicht ins Bett gestiegen. Sie saßen beide *auf* dem Bett – angekleidet – und unterhielten sich. Lydia hatte nicht einmal ihre Sonnenbrille abgenommen, und ihr Begleiter hatte nur das Sakko abgelegt.

»Können Sie den Ton lauter stellen?«, fragte Hödel.

Elena schüttelte den Kopf. Die Lautsprecher des Notebooks waren bereits bis zum Anschlag aufgedreht.

Sie lauschten.

»Reichen diese Unterlagen?«, erklang Lydias Stimme vom Verkehrslärm der Straße überlagert aus dem Notebook.

Der Mann nickte. »Denke schon.«

Elena konnte es nicht genau identifizieren, aber seine Stimme hatte einen bosnischen oder serbischen Akzent. Die Bewegungen seiner Lippen erschienen zeitverzögert auf dem Monitor.

Lydia kramte ein Foto aus ihrer Handtasche und legte es zwischen ihnen auf das Bett. »Hier ist noch ein Foto von ihm.«

»Falls sich eine Änderung in seinem Terminkalender oder bei seinen Dienstreisen ergibt, rufen Sie diese Nummer von einer Telefonzelle aus an. Ich sage Ihnen, wann es losgeht. Dann sollten Sie am besten im Ausland sein.«

Gerhard Hödel zog an seinem Krawattenknoten. »Meine Tochter will jemanden überwachen lassen?«

»Vermutlich geht es um Sie.«

Hödel starrte sie ungläubig an. »Das ist doch ein Witz! Ich bin seit fünfzehn Jahren Witwer und hatte seit dem Tod meiner Frau keine Beziehung mehr. Ich habe mein gesamtes Leben für sie …«

»Ihre Tochter möchte Sie nicht beschatten lassen«, unterbrach Elena ihn.

»Was zum Teufel dann? Ich dachte …«

Elena ließ die Aufzeichnung weiterlaufen, schaltete jedoch den Ton ab. Hödel musste nicht alle Details erfahren.

Irritiert blickte er auf die verstummten Lautsprecher. »Was tun Sie da?«

»Atmen Sie tief durch.« Elena hatte mit vielem gerechnet, aber nicht damit. Hödel missverstand die Situation. So abgebrüht er möglicherweise als Bankvorsitzender agierte, so blauäugig war er als Vater. »Ich fürchte, Ihre Tochter hat jemanden engagiert, der Sie töten soll.«

Hödel stand einfach nur da und starrte zuerst auf Elena, dann auf die tonlosen Bilder. Kein Wutausbruch, kein Nervenzusammenbruch, kein verzweifeltes Jammern oder Schluchzen.

»Das ist doch Blödsinn«, sagte er schließlich.

»Ich fürchte, nicht. Alles, was ich bisher gehört habe, deutet darauf hin.«

»Aber warum?«

»Sie sind vermögend.«

»Lydia doch auch«, hielt er dagegen. »Sie ist Geschäftsführerin und handelt mit Gemälden und Antiquitäten. Sie hat alle Freiheiten. Hätte sie weiterhin nur kleine Beträge vom Konto abgehoben, wäre ich dem nie nachgegangen. Ich verstehe das nicht.«

»Meines Erachtens haben Sie drei Möglichkeiten. Wollen Sie sie hören?«

Hödel hob den Blick und nickte schwach.

»Erstens: Sie gehen mit diesem Video zur Kripo, erstatten Anzeige gegen Ihre Tochter und ersuchen um Personenschutz. Ich habe einen Kontakt zum Bundeskriminalamt …«

Er schüttelte den Kopf. Natürlich wollte er sein einziges Kind, das er über alles liebte, nicht in den Knast bringen.

»Zweitens: Sie spielen mit offenen Karten und zeigen die Aufnahme Ihrer Tochter.«

Diesmal schüttelte er noch energischer den Kopf. Damit würde er schließlich zugeben, dass er ihr misstraute und sie überwachen ließ. Selbst wenn er allen Grund dazu gehabt hatte – was machte das für einen Unterschied?

»Dann bleibt nur noch eine Option: Sie behalten diese Information für sich und schlagen Ihrer Tochter so bald wie möglich ein Vorausvermächtnis vor. Machen Sie ihr eine Schenkung über beispielsweise hunderttausend Euro Bargeld, die im Fall Ihres Todes auf Lydias Pflichtteil angerechnet werden und ...«

»Ich weiß, wie das funktioniert!«, unterbrach er sie.

»Sie sollten Ihre Tochter dabei möglichst großzügig abfertigen, damit ...« Elena verstummte, denn diese Variante schien ihm genauso wenig zu gefallen.

»Oder viertens«, murmelte er, »ich erfülle ihr den Wunsch und nehme mir das Leben.«

»Reden Sie nicht so einen Schwachsinn!«

»War nur ein Scherz.«

In Anbetracht der Lage war Elena nicht zu Scherzen aufgelegt – auch wenn es sich um einen Anfall von Galgenhumor handelte. Sie selbst hatte ihre Detektivkollegen in der Ausbildung stets davor gewarnt, Klienten in Beschattungsaufträge zu involvieren. Eine der goldenen Regeln in diesem Geschäft! Sie waren ein zu großes Risiko. Bisher hatte sie sich stets daran gehalten. Zum ersten Mal in ihrem Leben war sie von ihrem eigenen Prinzip abgewichen – und prompt in eine kritische Situation geraten. Jetzt musste sie das Beste daraus machen. Ihr war klar, dass Hödel zutiefst enttäuscht war. Doch es irritierte sie, dass er in diesem Moment so ruhig war ... *zu ruhig*. Sie befürchtete, er könnte die Fassung verlieren.

»Meine eigene Tochter möchte mich für immer loswerden.« Seine Stimme wurde leise. »Wie viel Hass muss in ihr stecken?«

»Hören Sie, wir sollten jetzt nichts überstürzen. Lassen Sie uns einen klaren Kopf bewahren ...« Elena zuckte zusammen, als ihr Handy erneut vibrierte. Das Display zeigte dieselbe unbekannte Nummer von vorhin.

»Einen Moment!« Sie nahm das Gespräch entgegen. »Hallo?«

»Mein Name ist Monica Del Vecchio ...« Die jugendliche Frauenstimme am anderen Ende der Verbindung zögerte.

Del Vecchio? Ein italienischer Akzent. Von irgendwoher kannte Elena den Namen. »Kann ich Sie am Nachmittag zurückrufen?«

»Ich würde Sie gern für einen Auftrag engagieren.«

»Liebend gern – aber im Moment ist es bei mir leider unpassend. Ich rufe Sie zurück, sobald ...«

»Es ist dringend, und ich soll Ihnen von Ihrem Mann etwas ausrichten.«

»Aha.« Elena stand auf und ging zum Balkon. »Ich höre.«

»Er möchte sein Notebook mit dem Equipment zurückhaben.«

Das passte ja wunderbar! Elena blickte zum Monitor. »Das geht im Moment leider nicht.« Sie dachte nach. »Ist es Ihnen recht, wenn wir uns wegen Ihres Auftrags heute Abend treffen?«

»Ausgezeichnet.«

»Ich verspreche, ich rufe Sie später zurück.«

Die Italienerin war einverstanden, und Elena legte auf. Ihr Blick glitt durch das Zimmer. Wo war Hödel? Die Tür zum Korridor stand offen.

Verdammt!

Sie riss aus ihrer großen Handtasche die Glock heraus, die sie sicherheitshalber immer bei sich trug. Halbautomatik, Kaliber 9 Millimeter und siebzehn Schuss. Damit eilte sie zur Tür. Als sie das Zimmer eben verlassen wollte, sah sie aus dem Augenwinkel eine Bewegung auf dem Bildschirm des Notebooks. Sie hielt inne und beobachtete, wie Lydia und der osteuropäische

Auftragsmörder gleichzeitig vom Bett hochsprangen und sich einen fragenden Blick zuwarfen. Dann öffnete die Frau die Tür.

Langsam kehrte Elena in das Zimmer zurück. Im ersten Moment wollte sie nicht glauben, was sie sah. Gerhard Hödel betrat das Zimmer und griff nach der Hand seiner Tochter. Elena schaltete den Ton ein. Während sie die Szene auf dem Monitor mit Argusaugen beobachtete, um kein Detail zu übersehen, schlug ihr das Herz bis zum Hals.

Hödel sprach mit seiner Tochter. Währenddessen griff der Auftragsmörder hektisch nach seinem Sakko und den Unterlagen auf dem Bett, drängte sich an den beiden vorbei und verschwand durch die Tür. Hödel bekam das nicht einmal mit.

Ohne den Monitor aus dem Auge zu lassen, ging Elena mit Waffe und Handy zum Fenster, versteckte sich hinter dem Vorhang, spähte auf die Straße und bereitete auf ihrem Mobiltelefon die Fotofunktion vor. Wenn es so weit war, musste es rasch gehen. Als der Mann mit dem osteuropäischen Akzent das Hotel verließ, über die Straße lief und sein Blick dabei einmal kurz nach oben wanderte, fotografierte Elena ihn vom Fenster aus mehrmals mit dem Handy.

8

»Das also ist dein Bericht«, stellte Lisa Eisert fest, während sie durch die Akte blätterte.

Ihrem Gesicht war nicht abzulesen, ob sie die Informationen zufriedenstellten oder nicht. Aber Peter Gerink war das egal. Er blickte aus dem Fenster ihres Büros auf die Sonne, die soeben hinter den Kaminen und Hausdächern verschwand. Er hatte sich den gesamten Nachmittag durch die E-Mails, Telefonprotokolle und Faxnachrichten des Landes- und Bundeskriminalamts gelesen. Ein bürokratischer Irrgarten! Im Prinzip wussten sie genauso wenig wie an jenem Tag, als Monica die Vermisstenanzeige ihrer Tante bei der Polizei aufgegeben hatte.

»Setz dich!«, murmelte Eisert, ohne den Blick zu heben.

Er nahm auf einem der beiden Besucherstühle Platz, die vor ihrem Schreibtisch standen.

Sie nahm die Lesebrille ab und sah ihn an. »Wie schätzt du den Fall persönlich ein?«

Dass der Graue Wolf an seiner Meinung interessiert war, kam äußerst selten vor. Gewöhnlich hatte Eisert sich bereits ein Bild von den Fällen gemacht, bevor sie ihre Mitarbeiter damit betraute.

Gerink räusperte sich. »Teresa Del Vecchio wurde von ihrer Mutter genötigt, an einer Trauerfeier der Familie teilzunehmen. Sie kommt in San Michele an, und Stunden später reißt der Kontakt zu ihrer Nichte in Wien ab. Irgendetwas ist auf dem Grundstück passiert. Ich weiß nicht, was. Die Nichte hat versucht, es herauszufinden, doch die Familie hält dicht wie eine

Mauer. Soviel wir wissen, gibt es weder eine Lösegeldforderung noch einen Hinweis auf einen Entführer – sofern überhaupt eine Entführung stattgefunden hat.«

»Andere Ideen?«

Gerink hob die Schultern. »Es ist möglich, dass Teresa untergetaucht ist – wie ihr Bruder vor einem Jahr. Salvatore Del Vecchio lebte in Italien, die Sache geht uns also nichts an. Allerdings hinterließ er einen Abschiedsbrief. In Teresas Fall gibt es *keine* Nachricht. Gegen eine Flucht spricht auch die Tatsache, dass Teresa Reisepass, Handy und ihr Cabrio zurückgelassen und das Geld auf ihrem Konto nicht angerührt hat. Leider liegen uns die Protokolle von den Zeugeneinvernahmen der italienischen Kripo nicht vor. Wir tappen also völlig im Dunkeln.«

»Denkst du, die Kleine ist in Gefahr?«

»Die Nichte?« So klein war sie gar nicht. Gerink strich sich gedankenverloren über die kurz geschorenen Haare. Er musste sich erst noch an seine Stoppelfrisur gewöhnen. »Ich glaube, die Sache hat nichts mit ihr zu tun. Im Moment dürfte Monica sicher sein, zumindest solange sie in Wien bleibt.«

»Sagt dir das dein Bauchgefühl?«

Gerink nickte. »Wenn ich mehr herausgefunden habe, können wir sie immer noch unter Polizeischutz stellen.«

»Okay.« Mehr sagte sie nicht.

Sie vertraute auch diesmal wieder auf sein Bauchgefühl. Bisher hatte er sich selten getäuscht, und Eisert wusste das.

Sie schlug den Aktendeckel zu. »Meiner Meinung nach sollten wir unseren italienischen Kollegen auf den Zahn fühlen.«

Natürlich war das der einzig denkbare Weg. Gerink hatte gewusst, worauf es hinauslaufen würde, seit er heute Morgen die Akte mit Teresas Namen auf seinem Tisch gefunden hatte.

»Oder siehst du das anders?«

»Nein«, krächzte er.

Sie betätigte eine Taste auf ihrem Telefon. Er sah, dass es Scatozzas Nebenstelle war.

»Ja?«, knarrte es aus dem Lautsprecher.

»Dino, komm in mein Büro.« Kein »Bitte«, kein »Danke«. Der Graue Wolf war in seinem Element.

Sekunden später hörte Gerink Schritte im Gang. Die Tür ging auf, und Dino Scatozza trat ein. Er hatte sein dunkles Haar mit Gel zurückgeklebt, sodass es aussah, als wäre er soeben durch den Regen gelaufen. Er trug immer Krawatte mit Nadel, blitzblanke Manschettenknöpfe, duftete vierundzwanzig Stunden am Tag nach Rasierwasser und hatte permanent dieses Gewinnerlächeln im Gesicht, bei dem Gerink schlecht wurde. Dass es immer wieder Frauen gab, die auf seine Masche hereinfielen, war klar. Aber dass ausgerechnet Elena zu ihnen zählte, hatte Gerink den Rest gegeben.

Eisert deutete auf einen Stuhl. »Setz dich, Dino.«

Scatozza nahm Platz und schlug die Beine übereinander. Eine Aftershave-Wolke hüllte Gerink ein. Obwohl sie mit ihren sechsunddreißig Jahren gleich alt waren, hatten sie absolut nichts gemein – bis auf sieben Jahre Dienstzeit als Partner und diese Sache, die ihm seit einer Woche wie ein Betonklotz im Magen lag.

»Peter, du erzählst deinem Partner anschließend, worum es in dieser ...«

»Expartner«, unterbrach Gerink sie.

»*Mamma mia.*« Scatozza verdrehte die Augen.

»Okay, hört zu!« Eiserts Blick nahm den kalten Blauton der Arktis an. »Was zwischen euch vorgefallen ist, interessiert niemanden auf diesem Revier und mich am allerwenigsten! Daran ändert auch die Tatsache nichts, dass Elena meine Schwester ist. Sie ist alt genug, um zu wissen, was sie tut. Klärt es von mir aus mit Musketen und Vorderladern, aber außerhalb der Dienstzeit.

Verstanden? In diesem Fall seid ihr Partner, und zwar für die nächsten drei Tage. Es geht nicht anders.«

Eisert griff in die Schublade und holte einige Papiere hervor. »Ich wollte eine Woche, aber die Staatsanwältin hat nur eine dreitägige Auslandsdienstreise für zwei BKA-Beamte beantragt, die heute Vormittag vom Richter genehmigt wurde. Das Übliche: Ihr nehmt den Pajero, und hier ist das Rechtshilfeersuchen der Staatsanwaltschaft.« Sie schob die Originaldokumente über den Tisch zu Gerink. »Eine italienische Übersetzung haben die Kripobeamten in Florenz bereits per Fax erhalten. Die Kollegen erwarten euch morgen Nachmittag. Sie kümmern sich um eure Unterkunft und sind instruiert, euch Akteneinsicht in den Fall zu gewähren. Findet raus, was mit Teresa Del Vecchio passiert ist.«

Scatozzas Grinsen gefror zu Eis. »Wow, wow, wow!«, murmelte er. »Die nächsten drei Tage? Ich kann nicht. Laut Dienstplan habe ich morgen frei.«

Eisert blickte auf ihren Laptop und klickte zweimal mit der Maus. »Stimmt, aber ich habe den Dienstplan soeben geändert.«

»Aber …«

»Besorg mir einen Beamten, der Italienisch spricht und dich vertritt. Falls nicht, ist das dein neuer Fall.« Sie schob den Autoschlüssel für den Dienstwagen über den Tisch.

Gerink nahm den Schlüssel an sich. Normalerweise bestand Scatozza nur darauf, an *Ferragosto* freizuhaben, dem 15. August, der in ganz Italien gefeiert wurde. Dieses Datum war ihm heilig; an welchen Tagen er sonst Urlaub bekam, war ihm bisher egal gewesen. Warum war er ausgerechnet jetzt so erpicht darauf?

»Aber räumt die verdammte Kiste vorher aus«, sagte Eisert. »Im Kofferraum liegen seit einer Woche die Nachtsichtgeräte und die Tuben Tarnfarbe von eurem letzten Einsatz mit der WEGA.«

Gerink riss sich zusammen, um nichts zu sagen. Scatozza, dieser Idiot, hätte der Spezialeinheit den Krempel längst zurückgeben müssen – Zeit genug hatte er gehabt.

»Außerdem habe ich übermorgen einen wichtigen Arzttermin«, murrte Scatozza.

»Einen Arzttermin? Den musst du verschieben«, säuselte Eisert in einem süffisanten Ton. Dann wurde ihre Stimme wieder ernst. »Wir bleiben in Kontakt. Die Staatsanwältin wünscht täglich einen Bericht und ich sowieso. Abmarsch!«

Gerink erhob sich und ging an Scatozza vorbei. »Falls wir in Florenz keinen Arzt für dich finden, fällst du eben tot um. Dann findet der nächste *Ferragosto* ohne dich statt.«

Und ich habe eine Sorge weniger, fügte er in Gedanken hinzu.

9

Als die Sonne hinter den Dächern verschwand, kam Elena in die Fußgängerzone der Innenstadt. Die Arbeitszeit in den Büros ging zu Ende, und an den ersten sonnigen Abenden des Jahres wimmelte es in den Gassen von Touristen und Straßenmusikern, die die Parks und Lokale mit Leben erfüllten. Die Markisen waren noch ausgerollt, und Eisdielen und Kaffeehäuser hatten Hochkonjunktur.

Das Gespräch zwischen Hödel und seiner Tochter hatte etwa eine Stunde gedauert. Aber solange nicht klar war, ob Lydia ihre Pläne endgültig aufgegeben hatte, war der Konflikt noch nicht ausgestanden. Elena wollte sich morgen mit Hödel treffen, um mit ihm über die neue Situation zu sprechen.

Im Moment stand der Termin mit Monica Del Vecchio bevor. Elena hatte auf Facebook ein Foto von ihr gesucht und tatsächlich eines gefunden. Nun sah sie sich vor dem Café Habsburg nach einer etwa zwanzigjährigen Frau mit schmalem Gesicht, braunen Augen und langen schwarzen Haaren um. Sie entdeckte sie unter einem Sonnenschirm, wo sie Schlagsahne von einem Eiskaffee löffelte. Monica trug ein helles Sommerkleid mit Spaghettiträgern und hatte vermutlich von Natur aus diesen gleichmäßig intensiven dunklen Teint, den man in keinem Solarium der Welt bekam. Völlig natürlich, nicht einmal die Fingernägel waren lackiert. Lediglich Armreifen aus Holz zierten ihre Handgelenke. Mit der Sonnenbrille im Haar sah sie aus wie eine südländische Filmschauspielerin. Einige Männer schielten ständig zu ihr hinüber.

Elena trat an ihren Tisch. »Monica Del Vecchio?« Erneut kam ihr der Name bekannt vor, doch sie wusste nicht, wo sie ihn schon einmal gehört hatte. Das Mädchen erhob sich und reichte ihr die Hand.

»Elena Gerink«, stellte sie sich vor.

»Danke, dass Sie so rasch kommen konnten.«

»Keine Ursache.« Elena setzte sich und bestellte ebenfalls einen Eiskaffee – allerdings ohne Schlagsahne. Sie bemerkte, dass Monica sie verstohlen aus dem Augenwinkel musterte. »Alles in Ordnung?«

Die junge Frau verzog die Lippen zu einem Schmollmund. »Es ist nur so … Ich habe noch nie eine Privatdetektivin kennengelernt.«

Elena schmunzelte. »Und die haben Sie sich wohl anders vorgestellt? Eine graue Maus mit Hornbrille und Aktentasche?«

»Ja, so in der Art.«

Nach ihrem Einsatz im Hotel Caruso hatte Elena ihre gesamte Aufmachung – angefangen von den Stöckelschuhen bis über die Bluse und den Minirock – wieder in Tonis Schrank verstaut. Danach hatte sie ausführlich mit Monica telefoniert und sie um einige Unterlagen gebeten. Jetzt trug Elena Jeans, Sommerschuhe und ein enges schwarzes T-Shirt. Notizblock brauchte sie keinen. Sie würde sich die Informationen merken – so wie immer. »Haben Sie alles mit?«, fragte sie.

Monica zog einen Papierstapel aus ihrer Handtasche. »Wie viel wird es kosten?«, fragte sie, bevor sie Elena die Dokumente gab.

Das arme Ding wirkte, als besäße es nicht viel Geld. Dazu kam ein skeptischer Blick, als befürchtete sie, übers Ohr gehauen zu werden.

»Der Eiskaffee geht auf meine Rechnung«, sagte Elena, »und dieses Gespräch kostet Sie nichts. Ich höre mir Ihren Fall an, und danach sage ich Ihnen, welche Möglichkeiten Sie haben.«

»Danke.« Monica lächelte und schob Elena den Packen herüber. »Ihr Mann versicherte mir, Sie seien fair.«

»Das hat er gesagt?« Es versetzte ihr einen Stich ins Herz, als sie an Peter dachte. Am liebsten hätte er sie wahrscheinlich zum Mond geschossen.

Elena nahm das Foto zur Hand. Es zeigte einen älteren Herrn um die fünfzig. Graues, straff nach hinten gekämmtes Haar, enorme Geheimratsecken und einen typischen Schnauz- und Kinnbart, wie exzentrische Künstler ihn oft trugen. Die Brauen waren buschig und markant, und der intensive Blick der dunklen Augen nahm sie sofort gefangen. Dieser Mann sah aus wie ein Patriarch, der keinen Widerspruch duldete. Ein Foto zeigte ihn mit brauner Reiterhose und kariertem offenem Hemd neben einem Rappen auf einer Pferdekoppel, weitere Bilder in einem Orchideenglashaus und in einem chaotischen Maleratelier. Sämtliche Fotos waren im Sommer aufgenommen worden.

Plötzlich erkannte sie den Mann! *Salvatore Del Vecchio.* Natürlich! Vor einigen Wochen hatten die Kulturbeilagen der Tageszeitungen Porträts über ihn gebracht.

»Sie sagten, Ihr Vater sei Maler, aber ich wusste nicht, dass es sich dabei um *den* Salvatore Del Vecchio handelt.«

Monica antwortete nicht. Offensichtlich wurde sie nicht gern damit konfrontiert, Tochter eines weltberühmten Malers zu sein.

»Er verwendete eine besondere Maltechnik, nicht wahr?«

»Er malte stets auf einer bestimmten Leinwand«, antwortete Monica. »Die Keilrahmen wurden in Norditalien gefertigt, und er benutzte spezielle Pinsel und eigens zusammengemischte Farben.«

Am Telefon hatte Monica etwas von einer »Sternschnuppe« gesagt und dass sie ihren Vater unbedingt finden wolle. Warum ausgerechnet jetzt? Elena hatte schon für einige Klienten gearbeitet, deren wahre Motive erst im Lauf des Auftrags ans Tageslicht gekommen waren. Möglicherweise war das auch hier der Fall.

»Stammen alle Fotos aus der Toskana?«

»Aus San Michele, dem Familiensitz meines Vaters.«

Elena deutete auf einen handgeschriebenen Zettel, der in einer Klarsichtfolie steckte. »Ist das der Abschiedsbrief?«

»Das ist alles, was Salvatore seiner ›Sternschnuppe‹ hinterlassen hat.« Monica betonte den Kosenamen auf abfällige und ironische Weise.

Möglicherweise war die Sache mit der Sternschnuppe bloß ein zu dick aufgetragener Köder, den Elena schlucken sollte, und es ging lediglich um Geld … oder um etwas völlig anderes.

Das Schreiben begann mit den Worten »*Cara Monica!*« Es war auf Italienisch und etwa eine Seite lang.

»Blättern Sie weiter. Ich habe den Brief für Sie übersetzt.«

Elena fand die deutsche Fassung und überflog den Text. »Isabella ist Ihre Mutter?«

Monica nickte. »Sie ist zwei Wochen vor Vaters Verschwinden in der Toskana bei einem angeb… bei einem Reitunfall ums Leben gekommen.«

»Angeblich?«, hakte Elena nach. »Zweifeln Sie daran?«

»Nein, eigentlich nicht.« Monica hob die Schultern. »Sie war eine gute Reiterin. Trotzdem stürzte sie bei ihrem abendlichen Ausritt auf ihrer üblichen Strecke vom Pferd und war auf der Stelle tot.«

»Wurde der Fall untersucht?«

»Mein Vater setzte alles dran, dass die Umstände geklärt wurden. Doktor Alchieri kam auf das Grundstück und stellte Mutters Tod fest. Sie war auf einen Stein gestürzt und hatte sich die Halswirbel gebrochen. Zudem untersuchten auf Drängen meines Vaters zwei Kripoermittler den Unfall. Gioretti und Guliano.«

»Mein aufrichtiges Beileid.« Innerhalb so kurzer Zeit ihre Eltern zu verlieren war für Monica bestimmt nicht leicht gewesen.

Elena wurde die finanzielle Situation des Mädchens bewusst. Solange ihr Vater offiziell noch nicht für tot erklärt worden war, würde sie kein Erbe erhalten. Von dem Telefonat, das sie mit der jungen Frau geführt hatte, wusste sie, dass Monica an der Luttenberg Akademie Malerei studierte, was bei Gott kein Garant für ein späteres regelmäßiges Einkommen war.

»Ist das die Handschrift Ihres Vaters?«

»Mir ist nichts Ungewöhnliches aufgefallen.« Monica zog einige Ansichtskarten aus der Handtasche.

Elena verglich die Schriften miteinander. Sie schienen identisch zu sein. »Wurde bereits ein grafologisches Gutachten erstellt?«

Monica sah sie mit großen Augen an. »Wozu? Ich dachte …«

»Sollten wir vielleicht veranlassen. Ich kenne jemanden, der kein Geld dafür verlangt.«

Während sie Monica über diesen Vorschlag nachdenken ließ, las Elena die deutsche Übersetzung.

Liebe Monica,

meine Sternschnuppe, es zerreißt mir die Seele, während ich das schreibe, aber ich sehe keinen anderen Weg.

Du wirst vermutlich kein Verständnis dafür aufbringen, aber wenn Du nur ansatzweise erahnst, wie sehr mir der Tod Deiner Mutter das Herz zerreißt, wirst Du verstehen, warum ich nicht mehr hier leben kann und die Anwesenheit all jener nicht länger ertrage, die Isabella stets mit Argwohn begegnet sind. Sie war so gütig und großzügig und hat immer über den Hass der anderen hinweggesehen. Hier erinnert mich zu viel an sie.

Ich habe eine Entscheidung getroffen. Ich muss fort und

werde mich an einen abgeschiedenen Ort zurückziehen, an dem ich trauern kann. Bitte suche nicht nach mir. Lass mir die nötige Zeit, mich und mein Leben wieder in den Griff zu bekommen. Die Zeit hat noch nie alle Wunden geheilt. Welch ein Narr, der das behauptet. Aber Du weißt, für mich ist die Malerei die beste Therapie. In meinem selbst gewählten Exil werde ich ein Gemälde schaffen. Vielleicht mein letztes. Es wird mich ablenken, mir helfen, und ich bin sicher, die Arbeit wird meinen Schmerz in etwas Kreatives verwandeln. Falls nicht, werde ich daran zerbrechen.

Jedenfalls werde ich dieses Werk in einem Jahr vollendet haben. Rede mit Franco Citti, er soll es wie üblich versteigern. Der Erlös soll dir zukommen.

In Liebe
Salvatore

Der Brief war mit Datum vom Mai letzten Jahres versehen worden. Elena faltete das Blatt zusammen. Wie theatralisch! Die schwülstigen Worte passten nicht zu den Fotos von diesem Patriarchen.

»Wer ist Franco Citti, und was meinte Ihr Vater mit ›wie üblich versteigern‹?«, fragte Elena.

»Citti ist der Leiter einer Galerie in Florenz, in der seit fünf Jahren eine Dauerausstellung mit den Werken meines Vaters stattfindet. Wobei … ›Galerie‹ ist etwas übertrieben. Die Einheimischen nennen das Gebäude *Del-Vecchio-Museum,* weil es nach Vaters Verschwinden ziemlich heruntergekommen ist. Hin und wieder wird eines seiner Gemälde bei Rinaldi's in Wien versteigert.«

Bei Rinaldi's? Nach Christie's und Sotheby's war Rinaldi's das drittgrößte Versteigerungshaus in Europa. Dort wurden keine kleinen Brötchen gebacken. Elena war keine Kunstexpertin, doch ihr war klar, dass Salvatore Del Vecchio einen guten Namen in der Szene besitzen musste. Ein solches Auktionshaus würde nicht das Gekleckse eines unbedeutenden Malers ins Programm aufnehmen. Außerdem hätten sonst die Medien nicht über ihn berichtet.

»Werden Sie den Fall übernehmen?«

Elena wiegte den Kopf. Zwei Antworten waren entscheidend, ehe sie sich festlegen wollte. »Wie hat die Familie Ihres Vaters in San Michele auf diesen Brief reagiert?«

»Die Familie«, wiederholte Monica geringschätzig. »Meine Mutter hat in eine Großfamilie eingeheiratet. Sie war zu hübsch, zu selbstbewusst und zu starrköpfig, als dass sie sich jemals den Anweisungen meiner Großmutter gebeugt hätte oder sich etwas vorschreiben ließ. Mutter wurde nie als eine *echte* Del Vecchio angesehen.« Sie machte eine Pause und biss zornig die Zähne zusammen. »Wenn Vater dem Tod ›dieser Schlampe‹ nachtrauern will, dann soll er das tun, aber er braucht dann nie zurückzukommen. So lautete der einstimmige Tenor in San Michele.«

»Ziemlich hart«, kommentierte Elena.

»Scheinheilige, notgeile alte Böcke und Olivenklauber!«

Nette Beschreibung. Diese Formulierung hätte Elena dem hübschen Mädchen nicht zugetraut. Möglicherweise wollte Monica der Großfamilie eins auswischen. Immerhin zweifelte sie am Unfalltod ihrer Mutter und hasste ihren Vater für dessen plötzliches Verschwinden.

»Ich habe einen italienischen Privatdetektiv auf Vaters Spuren angesetzt, meine gesamten Ersparnisse investiert und darüber hinaus Schulden gemacht. Völlig ergebnislos. Glauben Sie, irgendjemand in San Michele hätte auch nur einen Finger krumm gemacht oder einen Cent beigesteuert, um mir zu helfen?«

Von den scheinheiligen, notgeilen alten Böcken, fügte Elena in Gedanken hinzu. Obwohl die Geschichte so traurig klang, wusste sie nicht, ob sie dem Mädchen helfen konnte. »Es gibt noch etwas, was mich interessiert.« Elena rührte in ihrem Eiskaffee. »Weshalb möchten Sie ausgerechnet jetzt, ein Jahr nach dem Verschwinden Ihres Vaters, die Suche nach ihm wiederaufnehmen?« Vor allem wenn Monica ohnehin kein Geld hatte …

»Ich dachte, Vaters Schreiben über dieses letzte Werk, das er angeblich vollenden wollte, sei bloß eine Ausrede, um mich hinzuhalten. Nichts weiter als eine Rechtfertigung für sein Verschwinden. Doch vor drei Wochen wurde in der Toskana tatsächlich ein neues Gemälde in das Museum geliefert.«

»Könnte es sich um eine Fälschung handeln?«

Monica winkte ab. »Die Experten sind sich einig: Es ist ein echter Del Vecchio mit der üblichen Perfektion. Für die Malerei hat er gelebt, die war sein Ein und Alles!«

Wieder klang ein verbitterter Unterton mit, der Elena nicht entging. »Welches Motiv ist auf dem Gemälde zu sehen?«

»Bis auf die Fachleute hat das Gemälde noch niemand zu Gesicht bekommen, was in dieser Branche unüblich ist. Soviel ich weiß, handelt es sich um eine Arbeit in Öl auf Leinwand, zwei mal drei Meter. Trotz der Geheimniskrämerei werden zahlreiche internationale Kunstsammler bei der Versteigerung erwartet.«

Oder vielleicht gerade deswegen!

»Der Rufpreis wird vermutlich dreihunderttausend Euro betragen … Vielleicht sogar mehr. Ein letztes unabhängiges Gutachten steht noch aus.«

Elenas Mund klappte auf. »Dreihundert…« Es verschlug ihr die Sprache. *»Dreihunderttausend Euro?«*

Monica nickte.

»Moment mal …« Elena massierte ihre Schläfen. Sofern man Salvatores Abschiedsbrief ernst nehmen durfte, würde der Versteigerungserlös Monica Del Vecchio zukommen. Elenas Vermutung, dass die junge Frau ihren Vater finden wollte, um an sein Erbe heranzukommen, war somit hinfällig. Vor ihr saß möglicherweise eine künftige Millionärin.

Ihre Gedanken überschlugen sich. War Salvatores Verschwinden vielleicht bloß ein raffinierter Schwindel, um den Preis des Gemäldes hochzutreiben? Die Geheimhaltung um das Motiv ein weiterer Marketinggag? Falls ja, wirkte Monicas Auftreten nicht so, als sei sie darin verwickelt. Es sei denn, sie war eine verdammt gute Schauspielerin.

»Dieses Exponat ist eine neue Spur, die zum Aufenthaltsort meines Vaters führen könnte«, ergänzte Monica. »Nach einem Jahr erfolgloser Suche ist das der einzige Hinweis, der mir geblieben ist. Beantwortet das Ihre Frage, weshalb ich die Suche ausgerechnet *jetzt* wiederaufnehmen möchte?«

»Das tut es«, murmelte Elena. Außerdem wäre es interessant zu erfahren, wer an der Auktion teilnehmen würde – und vor allem, was auf Salvatore Del Vecchios letztem Werk zu sehen war.

»Wann findet die Versteigerung statt?«, fragte Elena.

»Morgen Vormittag um elf Uhr.«

»Morgen schon?« Die Leute von Rinaldi's verloren keine Zeit, das Gemälde an den Mann zu bringen. »Als Begünstigte werden Sie doch bestimmt hingehen?«

Monicas Finger zitterten. »Ich wurde zwar eingeladen … aber ich kann nicht.«

»Nicht doch.« Elena rückte näher und griff nach Monicas Hand. Sie war eiskalt. »Natürlich können Sie.«

»Dieser ganze Rummel macht mich krank. Man wird mich erkennen, und die bohrenden Fragen werden mich umbringen …«

»Nichts von alldem …«

Monica sah hoch. »Übernehmen Sie die Suche nach meinem Vater?«

»Ja, und ich beginne damit, dass ich Sie morgen zur Versteigerung begleite.«

Einen Monat vorher

Teresa Del Vecchio öffnete die Augen, aber das grelle Licht fuhr ihr schmerzhaft durch den Kopf, sodass sie die Lider gleich wieder schloss. Allerdings verschwanden die Schmerzen dadurch nicht.

Der Druck, der sich wie ein Bohrer hinter ihren Schläfen in den Schädel schraubte, drohte ihren Kopf zu sprengen.

Wo war sie?

Sie registrierte den Geruch von Chloroform. Sie kannte diesen intensiven Gestank von ihrer Tätigkeit im Krankenhaus. Er haftete an ihren Wangen, Lippen und Kleidern.

Ihr Magen rebellierte. Sie würgte und wollte sich aufsetzen, um den galligen Geschmack im Rachen auszuspucken, doch sie hatte keine Kraft.

Tief durchatmen. Bloß keine Panik! Lass die Augen geschlossen und atme langsam durch. Alles wird wieder gut.

Würde es das werden?

Merkwürdigerweise dachte sie an einen Song von den Cranberries, der ihr im Kopf herumspukte. Warum ausgerechnet der?

What's in your heeeaaaeeed,
in your heeeaaaeeed,
zombie, zombie, zombie ...ie ...ie?

Diese Zeilen waren das Einzige, woran sie sich erinnern konnte. Bestimmt hatte sie den Song kürzlich gehört, und nun saß er als Ohrwurm in ihrem Kopf fest – gemeinsam mit den Schmerzen.

Wo gehört?

Sie zermarterte sich das Gehirn. Schlagartig entstand eine Assoziationskette, die wie eine Dominoreihe umfiel: Cranberries ... CD ... Autoradio ... italienischer Radiosender ... Grenzübergang. Plötzlich wusste sie, was geschehen war. Sie hatte in ihrem ehemaligen Kinderzimmer in der Toskana geduscht und war aus dem Bad gekommen. Die blaue Schwellung an Robertos Stirn! Der dünne Blutfaden im Genick! Die blutige Decke. Die Nagelschere in seinem Nacken! Sie hatte fliehen wollen, doch jemand war aus dem begehbaren Schrank gekommen ... Danach setzte ihre Erinnerung aus. Sie fühlte nur noch Schmerzen.

Befand sie sich immer noch in ihrem Elternhaus in San Michele? Erneut versuchte sie, sich aufzusetzen. Erfolglos. Sie öffnete die Augen und blinzelte ins Licht. Der grelle Schein schnitt ihr wie ein Sägeblatt durch den Schädel. Trotzdem sah sie ins Licht. Die Lampe musste sich unmittelbar über ihrem Kopf befinden. Hinzu kam das Gefühl, als drehte sich der Raum langsam im Uhrzeigersinn.

Da bemerkte sie den Schweiß auf ihrer Stirn. Er lief ihr in einem kleinen Rinnsal über die Schläfe in die Ohrmuschel, wo er sich sammelte. Für einen Moment entstand ein hässlicher Druck in ihrem Ohr wie bei der Landung eines Flugzeugs.

Verdammt! Sie musste von hier weg.

Sie umklammerte die metallene Kante des Betts, auf dem sie lag, und versuchte, sich hochzustemmen. Es war zwecklos. Ihre Arme lagen bleiern an der Seite. Sie konnte weder Arme noch Beine oder Kopf bewegen.

»Hilfe ...«, krächzte sie.

Ihre Stimme klang so kraftlos, fremd und weit entfernt, dass bestimmt niemand kommen würde, weil sie ihren Ruf ja selbst kaum hörte.

»Hilfe …«

Mund und Rachen waren entsetzlich trocken. Sie hatte das Gefühl, als wäre ihre Zunge dicker als sonst, und sie müsste daran ersticken. Wieder würgte sie.

Bestimmt war sie noch in der Toskana. Niemand würde sie verstehen.

»Aiuto! Aiuto!«, presste sie hervor.

Die Schmerzen im Kopf blieben, ebenso die Krämpfe im Magen, doch langsam stellte sich ihr Blick scharf. Das Licht stammte von einer Glühlampe unter einem rostigen Blechschirm, der etwa einen Meter über ihr von der Decke baumelte. Das Drehen des Zimmers beruhigte sich etwas. Sie konnte den Kopf zwar nicht wenden, doch wenn sie zur Seite schielte, sah sie, dass der unverputzte Raum nicht größer als drei oder vier Quadratmeter war. Wohin hatte man sie verschleppt?

Kein Fenster.

Möglicherweise befand sie sich in einem Keller. An der Wand stand eine Werkbank mit mehreren Schubladen. Aus einer Nierenschale ragten das Ende eines Kunststoffschlauchs, eine Kanüle und der Griff eines Skalpells. Verflucht, warum hatte sie nur hingesehen? Das alles wirkte wie der Albtraum eines Wahnsinnigen. Trotzdem blickte sie noch einmal hin. Neben der Schale lehnte ein Handspiegel. Möglicherweise hatte ihr Entführer damit herausgefunden, ob sie noch atmete. In dem verschmutzten Glas sah sie, dass sich unmittelbar hinter ihr eine massive Eisentür mit Belüftungsschlitzen befand. Jenseits der schmalen Öffnungen lag Dunkelheit.

Aufsetzen!

Sie wollte sich hochstemmen und bemerkte erst jetzt, dass sie etwas an den Handgelenken einschnürte. Sie drehte die Hand und tastete mit den Fingerkuppen zu ihrem Gelenk. Lederriemen!

Mit aller Gewalt versuchte sie, den Kopf zu bewegen. Doch auf ihrer Stirn befand sich ebenfalls ein Lederband, das ihren Kopf wie ein Schraubstock an die Metallpritsche presste. Das Gleiche an den Fußgelenken.

Ihr Herzschlag beschleunigte sich. Panik kroch in ihr hoch. Wieder stieg ein galliger Geschmack in der Speiseröhre nach oben. Die Nachwirkungen des Chloroforms würden noch länger andauern. Bestimmt war sie betäubt worden, und ihr Entführer hatte garantiert mehrmals nachdosieren müssen.

»Hilfe … Aiuto!«

Da hörte sie Schritte. Sie hielt den Atem an. Es klang, als käme jemand über eine lange Betontreppe in den Keller. Es waren schwere Schritte – bestimmt die eines Mannes. Sie stoppten in ihrer Nähe.

Kurz darauf hörte Teresa, wie direkt hinter ihr ein Schlüssel ins Schloss geführt wurde. Es klickte zweimal. Eine Sicherheitstür! Sie hörte, wie mehrere Metallbolzen oben und unten in die Tür fuhren. Warum dieser Aufwand? Ihretwegen? Wollte man sie misshandeln oder töten? Ging es um Lösegeld … oder um etwas völlig anderes? Informationen über die Familie? Sie wusste doch nichts! Weil Monica und sie einen Privatdetektiv engagiert hatten, der Salvatore finden sollte? Aber das lag Monate zurück, und er hatte nichts erfahren!

Ein Riegel wurde zur Seite geschoben. Mit einem Quietschen öffnete sich die Tür.

Instinktiv verkrampfte Teresa sich.

Jemand betrat den Raum. Sie hörte den tiefen, schweren Atem, der vermutlich von einem Mann stammte. Er stand unmittelbar hinter ihr, aber im Spiegel war nichts weiter als ein dunkler Schatten zu erkennen.

»Was wollen Sie von mir?«, krächzte sie.

Er stand reglos da. Obwohl sie die Augen verdrehte, konnte sie keinen Blick auf ihn erhaschen.

»Was geschieht mit mir?« Sie wiederholte die Frage auf Italienisch und Englisch.

Nach einer Weile strich ihr der Mann über die Wange, beugte sich zu ihr herunter und gab ihr einen Kuss auf die Stirn. Zu kurz, als dass sie einen Blick auf sein Gesicht hätte erhaschen können. Aber sie roch sein teures Aftershave. Dann verschwand er wieder, sperrte die Tür ab und legte den Riegel vor.

Teresa zerrte an den Fesseln.

»Warum tun Sie das?«, brüllte sie.

Die nächsten Stunden verstrichen zäh. Nichts passierte. Kein Geräusch war zu hören. Immer wieder brüllte sie die Frage ins Licht, was mit ihr geschehe, doch sie erhielt keine Antwort.

In Gedanken malte sie sich die schrecklichsten Dinge aus, die der Kerl mit der Aftershave-Wolke mit ihr anstellen würde. Als OP-Schwester hatte sie oft die Folgen von so manchen kranken Sachen gesehen. Die Metallpritsche, die Lederriemen, der fensterlose Kellerraum, der Werkzeugschrank, das Skalpell und die Glühbirne im rostigen Lampenschirm beflügelten ihre Fantasie.

Die Stunden vergingen, und von Minute zu Minute schnürte die Panik ihre Kehle enger zu.

»Was geschieht mit mir?«

Keine Antwort. Mittlerweile glaubte sie, dass der Mann, der ihr einen Kuss auf den Kopf gepresst hatte, nur Einbildung gewesen war, ebenso der Geruch nach Rasierwasser. Doch dann waren erneut Schritte auf der Treppe zu hören. Das Geräusch drang durch die Belüftungsschlitze in die Kammer. Diesmal zählte sie mit. Zweiunddreißig Stufen. Das bedeutete, sie befand sich etwa zwei Etagen tiefer als ihr Entführer.

Das Schloss klickte, die Bolzen fuhren aus der Wand, und der Riegel wurde zur Seite geschoben.

Die Tür quietschte.

Sie roch ihn wieder. Er kam näher. Diesmal berührte seine Wange ihr Ohr. Dann erklang eine kehlige Stimme mit einem derben nordostdeutschen Akzent.

»Das Gleiche wie mit deinen Brüdern.«

Bevor der Mann die Tür wieder verschloss, schaltete er das Licht aus.

II

Dienstag, 25. Mai

»Frauen darf man nur die Hälfte glauben,
aber welche Hälfte?«

JEAN GIRAUDOUX

10

Um sechs Uhr morgens glitzerte der Tau auf der Wiese des Spielplatzes. Peter Gerink parkte den Pajero vor der modernen Wohnhausanlage in Wien Floridsdorf. Die Sonne lugte als orangefarbener Ball über den Horizont und leuchtete zwischen den Pfosten einer Kletterburg hindurch. Soeben verließ ein Lieferwagen den Parkplatz eines Supermarktes. Gerink sah sich um. Keine Spur von Scatozza. Er würde ihm noch fünf Minuten geben und ihn dann auf dem Handy anrufen. Entweder lag der sizilianische Casanova noch wie üblich in einem fremden Bett, oder der Schönling stand bereits seit einer Stunde in seinem Badezimmer, um sich das Haar zu gelen.

Fünf Minuten!

Gerink machte das Radio an und hörte Nachrichten, Wetterprognose und Verkehrsfunk. Noch war kein Stau auf der Autobahn. Er schaltete das Navi ein und studierte die Route nach Italien. Auf der Südautobahn runter bis nach Villach, bei Arnoldstein über die Grenze, weiter nach Udine, Venedig und Bologna bis Florenz. Wenn sie richtig aufs Gas traten, würden sie in sieben Stunden dort sein. Mit der aktivierten Klimaanlage soff der Pajero acht Liter auf hundert Kilometer. Der Tank war voll und würde bis Florenz reichen. Gerink schaltete das Navi aus, das er erst wieder in Florenz brauchen würde.

Da klopfte es ans Seitenfenster. Scatozzas Visage glotzte ins Wageninnere. »Mach die Heckklappe auf!«

Der Sizilianer stand auf dem Bürgersteig mit einer Umhängetasche, einem Seesack und zwei hüfthohen Trolleys.

»Bist du verrückt?«, entfuhr es Gerink. »Wir fahren doch nicht für drei Wochen in den Urlaub!«

»Dachtest du, ich nehme nur eine Packung Tempo und ein Beautycase mit? Mach hinten auf!«

Scatozza verstaute seinen Kram im Heckraum und verteilte den Rest auf dem Rücksitz. »Das Zeug von der WEGA liegt immer noch hinten«, stellte er fest.

»Ist ja auch deine Aufgabe gewesen, es zurückzugeben.«

»Hatte keine Zeit.« Scatozza sprang mit einer Laptoptasche auf den Beifahrersitz. Er war noch nicht einmal angeschnallt, als Gerink bereits aus der Parklücke scherte und aufs Gas trat.

»Willst du mich umbringen?«, maulte Scatozza.

Kein schlechter Gedanke.

»Ich weiß, was du denkst!«, zischte Scatozza. »Es steht dir förmlich ins Gesicht geschrieben.«

»Du hast ja keine Ahnung …« Gerink warf ihm einen kurzen Blick zu.

»Vielleicht sollten wir die Sache mit Elena klären«, begann Scatozza. »Immerhin sind wir die nächsten drei …«

»Ich will nicht darüber reden.«

»Aber ich glaube, es wäre …«

»Du hast Eisert gehört!«, unterbrach Gerink ihn. »Machen wir unseren Job.«

»Du musst es wissen, *amico*«, seufzte Scatozza. »Aber wegen mir brauchst du nicht so zu rasen.«

»Ich habe nicht vor, während der größten Hitze noch auf der Autobahn herumzugondeln.«

»Soll mir recht sein.« Scatozza verstellte den Sitz und machte es sich bequem. Die Spiegelsonnenbrille steckte in seinen pechschwarzen Haaren, und die schmal rasierten Koteletten reichten bis zu seinem Kinnansatz. Sein natürlich dunkler Teint kam seinem Aussehen noch zugute. Ständig wirkte er wie aus dem

Ei gepellt. Gerink fragte sich, wie er das bei ihrem stressigen Job schaffte.

Scatozza trug ein weit aufgeknöpftes Hugo-Boss-Hemd, eine schwarze Hose, glänzende Lackschuhe und einen breiten Gürtel mit einer wuchtigen glänzenden Schnalle. Was für ein Snob! Im Gegensatz dazu hatte Gerink Sandalen, eine knielange Khakihose und ein kurzärmeliges Hemd an, das in seinem Wäschetrockner enger geworden war. Im Moment wirkte er darin noch muskulöser als sonst.

»Ist das aus den Achtzigern?«, fragte Scatozza mit einem schiefen Blick auf das Hemd.

»Nein, aus den Siebzigern.«

Scatozza grinste. Plötzlich wurde er ernst. »He, seit wann hast du ein Tattoo? Das ist ja das Harley-Davidson-Emblem.«

Gerink blickte auf die Straße. »Seit fünfzehn Jahren.«

Scatozza streckte die Hand aus.

»Finger weg!«

Unter dem Hemdsärmel war gerade noch der *Cycles*-Schriftzug zu erkennen. Die Tätowierung stammte aus jener Zeit, als er mit seinen Kumpels Ausflüge auf dem Motorrad unternommen und Elena noch nicht gekannt hatte.

»Sag bloß, du warst in einem Club?«

»Ist schon lange her.«

»Was man alles erfährt …« Scatozza durchwühlte das Handschuhfach, ließ es jedoch nach wenigen Sekunden wieder zuschnappen. »Hast du ein Lunchpaket für uns besorgt?«

»Natürlich. Coke und Sandwiches liegen hinten in der Kühltasche.«

Scatozza drehte sich tatsächlich um. Was für ein Idiot! Natürlich hatte Gerink keine Kühltasche mitgenommen.

Scatozza grunzte etwas Unverständliches. Die Muskeln seines Unterarms hüpften auf und ab, während er eine Münze, die er im Seitenfach gefunden hatte, durch die Finger gleiten ließ. »Sind das unsere Diäten?«

Gerink antwortete nicht. »Nach Villach wechseln wir«, sagte er nach einer Weile.

»Das wird nicht möglich sein.« Scatozza schnippte die Münze in seine Brusttasche und zippte die Laptoptasche auf.

»Wir wechseln uns ab!«, wiederholte Gerink.

»*No, amico!*« Scatozza warf ihm mit seinen schwarzen Augen diesen typisch durchdringenden Blick zu, der jedes weibliche Wesen zwischen dreizehn und neunzig Jahren dahinschmelzen ließ.

»Gib dir keine Mühe, bei mir zieht die Masche nicht.«

Scatozza wurde ernst. »Ich habe um elf Uhr eine eBay-Versteigerung, die ich nicht sausen lassen kann.«

eBay! Wieder einmal! Jetzt war Gerink alles klar. »Deshalb wolltest du heute freihaben! Damit du eine günstige Porno-DVD-Sammlung ersteigern kannst.«

»Ganz genau, Blödmann!«

»Und deswegen schleppst du extra deinen Laptop mit?«

»Korrekt.« Scatozza klappte den Bildschirm auf und startete das Gerät. »Ich muss die aktuellen Gebote checken ...«

»Das ist mir völlig egal. Ab Villach fährst du.« Gerink warf ihm einen ernsten Blick zu. Plötzlich hatte er ein merkwürdiges Gefühl. Er wusste, wie stur Scatozza sein konnte – und *Rücksicht* war ein Fremdwort für ihn. »Wie viele Versteigerungen sind es?«

Scatozza zog eine Liste mit Uhrzeiten aus der Brusttasche. »Insgesamt sieben in den nächsten drei Tagen.«

»Ach, du Scheiße!« Gerink lenkte den Wagen auf die Autobahn. Er fragte sich, wie sie jemals Teresa Del Vecchio finden sollten, wenn sein Partner ständig im Internet beschäftigt war.

11

Der Wecker läutete um sieben Uhr früh. Elena fuhr hoch und blinzelte ins grelle Sonnenlicht, das durchs Wohnzimmerfenster schien. Sie hatte wieder hundsmiserabel geschlafen, die Couch war einfach zu weich. Außerdem hatte sie vergessen, die Vorhänge zu schließen.

Aus dem Schlafzimmer war kein Ton zu hören. Die Tür war angelehnt. Sie schlüpfte in Rippshirt und Jogginghose und schlich auf Zehenspitzen ins Bad. Nach einer Katzenwäsche tapste sie in die Küche. Während sie Kaffee aufsetzte, schmiegte sich Sir Edmund Hillary an ihre Beine.

Elena ging in die Hocke und streichelte den betagten Herrn, der bereits siebzehn Jahre alt war und nur noch die oberen zwei Vorderzähne besaß. Niemand hätte gedacht, dass der rote Kater seinen Namensvetter, den Bergsteiger, überleben würde. Aber bekanntlich hatten Katzen sieben Leben.

»Gewöhn dich nicht daran, dass ich früher aufstehe als dein Frauchen.« Sie kraulte den Kater hinter dem Ohr, worauf er so laut schnurrte, dass er die gluckernde Kaffeemaschine übertönte.

»Ich weiß genau, was du von mir willst, du Gauner.«

Sie öffnete die Futterdose und leerte die Hälfte in eine Schüssel. Sogleich stürzte er sich darauf.

Während Elena schwarzen Kaffee trank, an einem Toastbrot kaute und Zeitung las, trottete Toni in die Küche. Eigentlich hieß sie Antonia, aber Elena nannte sie seit ihrer Schulzeit Toni. Ihr gehörte die Wohnung. Tonis Mutter arbeitete als Psychotherapeutin. Als Elena nach der Öffnung des Eisernen Vorhangs im Alter von neun Jahren mit ihren Eltern von Warschau nach Wien gezogen und auf die Volksschule gegangen war, hatten Toni und deren Mutter ihr Deutsch beigebracht. Die Freundschaft hatte bis heute gehalten.

Toni, die ein Diamantpiercing in der Nase hatte, war barfuß und trug nur einen Bademantel, der ihr bis zu den Oberschenkeln reichte. Wie immer standen ihr die karottenroten Haare zu Berge, und ihre Augen waren um diese Zeit noch so schmal wie die Münzschlitze von Zigarettenautomaten. Sie moderierte schon seit Jahren mit ihrer tiefen Stimme Radiosendungen und arbeitete als Film- und Buchkritikerin für Zeitschriften.

Toni setzte sich an den Tisch und schnupperte an der dampfenden schwarzen Brühe in der Tasse. »Oh, tut das gut, danke.« Sie blickte auf. »Wie machst du das bloß, dass du schon in der Früh so gut aussiehst?«

»Ach Quatsch, ich schlafe regelmäßiger als du.« Elena strich sich durch das strubbelige brünette Haar. »Ich muss dir danken.«

»Nicht schon wieder!«

»Ich meine es ernst«, sagte Elena. »Ich muss mir schleunigst ein Hotelzimmer nehmen.«

»Das haben wir doch schon hundertmal durchgekaut. Wozu unnötig Geld ausgeben?«

»Ich könnte für ein paar Wochen zu meiner Schwester ziehen.«

»Zu deiner Schwester?«, prustete Toni los. »Blödsinn! Die ist doch schon sauer, wenn du sie nur anrufst. Kannst du dir die Gesichter von ihr und ihrem Mann, Hofrat Eisert, vorstellen, wenn du plötzlich mit zehn Koffern vor der Haustür auftauchst?«

Für einen Moment musste Elena schmunzeln. Lisas Mann war ein Ekelpaket! Dieses Gesicht hätte sie gern gesehen.

»Du bleibst so lange hier, bis du eine Mietwohnung gefunden hast«, entschied Toni.

»Das kann Wochen dauern.« *Eher Monate,* fügte sie in Gedanken hinzu.

»Und wenn schon. Mich stört es nicht, und den Herrn im Haus noch weniger … Stimmt's, mein Alter?«

Wie auf Kommando sprang Sir Edmund Hillary auf Tonis Schoß und stupste mit dem Kopf gegen ihren Arm.

»Kannst du mir heute etwas Elegantes borgen?«, fragte Elena.

»Für ein Geschäftsessen oder eine Cocktailparty?«

»Eher geschäftlich … Aber nicht zu sexy«, fügte Elena hinzu, da sie Tonis extravaganten Geschmack kannte.

»Was hast du vor? Suchst du einen neuen Verehrer?«

Elena warf ihr einen vernichtenden Blick zu.

»Tut mir leid.«

»Schon gut«, sagte Elena. »Zuerst gehe ich zur Bank, danach ins Auktionshaus.«

»Oh, là là. Gib nicht zu viel Geld aus. Im Schrank hängt ein neuer Hosenanzug, ziemlich schick. Bedien dich.«

Zum Glück hatten sie dieselbe Größe.

»Danke, du bist ein Schatz.« Elena stand auf und gab Toni einen Kuss auf die Wange. »Ich muss los – volles Programm!«

Toni schmunzelte. »Wie immer … «

Die schneeweiße Bluse, die enge schwarze Hose und der dunkle Blazer sahen wirklich schick aus und passten zu Elenas eleganten Stöckelschuhen.

Während sie zwanzig Minuten später mit dem Fahrstuhl in die Tiefgarage fuhr, wählte sie mit dem Handy eine Nummer. Sie hatte hoch und heilig versprochen, diese Nummer, die sie aus Sicherheitsgründen unter dem Spitznamen »Grauer Wolf« abgespeichert hatte, nur im äußersten Notfall zu kontaktieren.

Heute war so ein Notfall. Diese Frau war ihr persönlicher Telefonjoker. Was immer Elena herausfinden musste, ihre Schwester wusste es.

Elena hatte an Tonis PC zwar einiges über das Auktionshaus erfahren, aber es war nur das übliche Gerede, das im Internet stand. Für weitere Recherchen blieb keine Zeit, da Toni den Computer selbst brauchte und Elena im Moment nicht an ihren PC herankam, der noch in ihrem und Peters Haus stand. Sie hatte sich für ihr Verhalten bei Scatozzas Geburtstagsfeier so geschämt, erst recht nach Peters Wutausbruch, dass sie ihren Schlüssel auf Peters Nachttisch zurückgelassen hatte – mit einem Zettel: *Es tut mir alles so leid!*

Während das Handy die Verbindung aufbaute, blickte Elena auf die Uhr. Viertel vor neun. Bestimmt saß Lisa schon seit einigen Stunden im Büro.

»Eisert!«, meldete sich ihre Schwester in genervtem Ton.

»Guten Morgen, hier spricht Günther Jauch«, nuschelte Elena mit quäkender Stimme. »Vor mir sitzt eine junge, attraktive Dame, die Sie etwas fragen möchte. Sie haben dreißig Sekunden Zeit.«

»Elli, bitte jetzt nicht! Ich muss in fünf Minuten zur Dienstbesprechung und ...«

»Du kennst doch das Auktionshaus Rinaldi's?«

»Natürlich, wer kennt das nicht?«, antwortete Lisa.

Ihre Schwester kannte einfach alles und jeden. Nicht umsonst hatte sie es mit ihren vierundvierzig Jahren zur Dezernatsleiterin beim Bundeskriminalamt gebracht, während Elena zwar Jura studiert hatte, aber nach ihrem Gerichtsjahr Privatdetektivin geworden war.

Mittlerweile hatte Elena ihren Wagen erreicht. »Was kannst du mir darüber erzählen?«

Lisa stöhnte auf, als wüsste sie genau, dass Elena nicht aufgeben würde, ehe sie eine Antwort erhalten hatte. »Soviel ich weiß, sitzt Rinaldi's in Mailand und verfügt mit seinen internationalen Repräsentanzen über einen weltweiten Kundenkreis. Die haben sich hauptsächlich auf Antiquitäten spezialisiert und bei den Gemälden auf Moderne Klassik und zeitgenössische Kunst.«

Dass bei Rinaldi's kein Allerweltskram versteigert wurde, hatte Elena auch schon herausgefunden. »Drehen die irgendwelche krummen Dinger?«

»Das Haus ist seriös und genießt einen guten Ruf. Willst du dir eine neue Wohnungseinrichtung ersteigern?«, fragte Lisa spitz.

Was für ein gekonnter Seitenhieb! »Ich lache mich zu Tode, Schwesterherz«, antwortete Elena ebenso kühl. »Hast du dir schon die Mappe angesehen, die ich gestern Abend beim Portier für dich hinterlassen habe?«

»Natürlich«, seufzte Lisa. »Bleibt mir etwas anderes übrig, Elli? *Bitte, bitte, bitte checken* …«, säuselte sie in einem gekünstelten Ton, als sie Elenas Nachricht auf dem Post-it wiedergab. »Wie es aussieht, hast du mal wieder zwei Fälle gleichzeitig an der Backe …«

Nie mehr als zwei Fälle zur selben Zeit, lautete eine von Elenas Devisen. Bisher hatte sie sich strikt daran gehalten.

Elena hörte, wie ihre Schwester in einem Papierstapel wühlte. »Ich habe die Unterlagen an den Erkennungsdienst weitergegeben. Unser Grafologe hat Brief und Ansichtskarten eingescannt und ein Programm drüberlaufen lassen.«

»Wow, so rasch?«

»Elli«, seufzte Lisa. »Er konnte zwar keines der italienischen Wörter übersetzen, aber die Schriften stimmen überein.«

»Danke, ich komme am Nachmittag vorbei und hol den Kram ab.« Elena biss sich auf die Unterlippe. Da war noch etwas. »Hast du einen Namen für mich?«

»So geht das nicht. Gerade du solltest das wissen. Du hast Jura studiert und …«

»Sei nicht so! Nur dieses eine Mal. Bitte, ich brauche den Namen«, unterbrach Elena sie.

»Wann hast du das Foto überhaupt gemacht, das du mir aufs Handy geschickt hast?«

»Gestern.«

»Die Qualität ist hundsmiserabel. Ein Kollege musste die Pixel mit einem Programm bearbeiten, damit man überhaupt ein Gesicht erkennen konnte.« Lisa machte eine Pause. »Das ist kein harmloser Knabe. Ist er in Österreich?«

»Ja, in Wien, aber er wird den Job nicht annehmen und wieder abhauen.«

»Elli, du hast mir versprochen, dass du dich auf keine gefährlichen Dinge einlässt. Denk an Mutter!«

»Eine echte Kaminska lässt sich nicht unterkriegen, oder?«, antwortete sie rasch. Lisa spielte immer wieder gern die Rolle der großen Schwester. »Wie heißt der Kerl?«

»Ratko Dindic, ein Serbe«, presste Lisa hervor.

Dindic. Sie speicherte den Namen in ihrem Gedächtnis ab. »Danke, Schwesterherz, ich liebe dich.«

Sie legte auf und startete den Wagen.

Als sie aus der Tiefgarage fuhr, bog sie rechts in Richtung Innenstadt ab. Die Hödel-Immobilien-Bank lag nur etwa fünfzehn Minuten entfernt.

Gerhard Hödel musterte Elena mit einem traurigen Lächeln. »Der Hosenanzug steht Ihnen gut.«

»Danke.« *Leider gehört er mir nicht. Die meisten meiner Kleider sind noch im Haus meines Mannes.*

Sie saßen in Hödels Büro im elften Stock eines Glaspalastes, in dem sich nur Banken, Versicherungen und Anwaltskanzleien befanden. Hinter der großen Glasfront waren Donaukanal, Stephansdom und die Urania-Sternwarte zu sehen.

»Ich nehme an, heute darf ich Sie nicht mehr duzen und Ihnen auf die Beine starren?«

Schmunzelnd sah sie durch die Glastür zu seiner Sekretärin. »Lieber nicht.« Mit seiner Bemerkung hatte er wohl das Eis zwischen ihnen brechen wollen.

»Haben Sie Ihrer Tochter von mir erzählt?«

Er schüttelte den Kopf. Dann fingerte er eine Camel-Packung aus der Schublade. »Stört es Sie?«

»Nein.«

Er zündete sich eine Zigarette an und blies den Rauch zur Decke. In seiner eigenen Bank durfte er das wohl. »Ich sagte Lydia, ich hätte die Streichholzschachtel mit dem Emblem des zwielichtigen Hotels Caruso bei unserem letzten gemeinsamen Mittagessen zufällig in ihrer Manteltasche gefunden – was ja der Wahrheit entsprach. Ich hätte sie am nächsten Tag beobachtet und sei ihr nachgegangen.«

»Das ist zwar nicht die beste Ausrede, aber mit etwas Glück wird Ihre Tochter Ihnen das abkaufen. Zumal sie andere Sorgen hatte, als Sie plötzlich im Zimmer standen. Vermutlich bekam sie Panik, dass die Sache mit dem Auftragsmord ans Licht kommen könnte. Wie hat sie sich rausgeredet?«

»Lydia sagte, sie habe sich mit ihrem Liebhaber getroffen, und ich musste ihr die Farce abnehmen«, erklärte Hödel. »Was blieb mir anderes übrig? Ich konnte wohl schlecht zugeben, dass wir das Zimmer abgehört haben.«

Elena atmete tief durch. »Der Mann ist übrigens Serbe. Er heißt Dindic. Das Bundeskriminalamt hat eine Akte über ihn.«

Hödel nickte langsam, als bräuchte er eine Weile, um die Nachricht zu verdauen. »Wie sind Sie so rasch an die Information gekommen?«

»Berufliche Kontakte.« *Eher familiäre Kontakte.* Doch sie beließ es bei der Antwort.

Hödel und seine Tochter hatten im Hotelzimmer ziemlich lange miteinander gesprochen, während die Aufzeichnung mitgelaufen war. Nachdem jedoch die Worte »Sucht« und »Therapie« gefallen waren, hatte Elena den Ton des Laptops ausgeschaltet, sich aufs Bett gesetzt und nur das Bild beobachtet. Hätte Dindic sich noch einmal blicken lassen, wäre sie mit der Waffe ins Nebenzimmer geplatzt, doch das war nicht passiert. Zudem war das Gespräch im Nebenraum überraschend ruhig verlaufen. Elena hatte auch ohne Ton erkennen können, wie viele Tränen geflossen waren. Es hatte sogar mit einer Umarmung geendet. Was immer dazwischen geschehen war, gehörte zur Privatsphäre ihres Klienten.

Sie griff in ihre Handtasche und holte eine schwarze Plastikhülle mit einer DVD hervor, die sie Hödel auf den Tisch legte. »Die Aufnahme dauert etwa siebzig Minuten. Das ist eine Kopie. Das Original ist auf meinem Notebook und eine weitere Kopie in meinem Schließfach.«

Er schob die Disc zurück. »Ich brauche den Film nicht.«

»Die Sache ist noch nicht ausgestanden«, warnte Elena ihn.

»Ich weiß, viel Arbeit liegt vor uns.«

Elena hatte es anders gemeint. »Sie können Ihre Tochter jederzeit anzeigen. Wir haben genug Beweise.«

»Ich hoffe, es wird nicht nötig sein.«

»Vertrauen Sie ihr?« Was für eine blöde Frage. Er hatte ihr nachspioniert. Allerdings hatte er vor vierundzwanzig Stunden nicht einmal im Traum daran gedacht, dass seine Tochter ihn umbringen lassen wollte.

»Sei deinem Feind näher als deinen Freunden, heißt es nicht so?«, entgegnete er und machte eine lange Pause. »Meine Tochter ist krank. Mehr kann ich Ihnen nicht sagen – jedenfalls darf ich sie nicht im Stich lassen. Sie ist das Einzige, was ich noch habe«, presste er schließlich hervor.

Elena wurde klar, dass es sich um keine Krankheit im üblichen Sinn handelte. Sie erinnerte sich an die Wörter »Sucht« und »Therapie«. Hödel würde gewiss keine weiteren Details preisgeben.

»Sie hat eine Chance verdient, meinen Sie nicht?«, fügte er hinzu.

Elena nickte. Der Mann liebte seine Tochter über alles. Wäre die Situation nicht so heikel, dann wäre dieser Vertrauensbeweis sicherlich eine rührende Sache gewesen. Doch die Grenze zwischen Naivität und Leichtsinn war schmal. Andererseits war Hödel erfahren genug, um zu wissen, worauf er sich einließ.

»Wollen Sie, dass ich weiterarbeite?«, fragte Elena. »Mir geht es dabei nicht um ein weiteres Honorar, sondern darum, dass Ihre Tochter es vielleicht noch einmal versuchen könnte.«

»Ich glaube Ihnen, dass Sie sich Sorgen um mich machen.« Er nickte. »Doch ab hier kann und will ich allein weitergehen.«

»Ich hoffe, Sie haben sich richtig entschieden. Falls nicht, bin ich für Sie da.«

»Danke.« Er griff in die Schublade und stellte ihr einen Scheck über das vereinbarte Honorar und einen zusätzlichen Bonus aus.

Als sie ihn einsteckte, hatte sie das beklemmende Gefühl im Magen, dass die Sache nicht vollends ausgestanden war. Möglicherweise konnte sie noch etwas für ihn tun. Doch dafür musste sie den richtigen Moment abwarten.

Sie blickte auf die Uhr. Zeit zu gehen. Die Versteigerung würde in einer halben Stunde beginnen.

12

Rinaldi's lag in der Fußgängerzone am Graben in der Wiener Innenstadt neben dem Stephansdom und dem berühmten Haas-Haus. Einen elitäreren Platz hätte das Auktionshaus für diese Niederlassung kaum wählen können. Elena war bestimmt schon Dutzende Male daran vorbeigelaufen, hatte aber nie ernsthaft damit gerechnet, das Gebäude jemals zu betreten.

Kurz vor elf Uhr war der Trubel in vollem Gang. Zudem spielte das großartige Wetter mit. Sonnenschirme und Bartische mit einem Buffet aus Antipasti standen in einem großen Halbkreis vor dem Eingangsbereich. Einige Pressefotografen schossen Bilder. Wo war Monica? Elena drängte sich zwischen den Leuten über die Treppe zum Eingang hinauf und nahm sich im Vorbeigehen ein Garnelenspießchen vom Tablett eines Kellners.

Von der Kuppel des barocken Gebäudes hing ein mächtiger Kronleuchter. Rechts führte eine breite Marmortreppe zum Auktionssaal. Davor erwartete sie ein klassischer Sektempfang. Über dem Gemurmel der zahlreichen Gäste schwebte der Klang dezenter Orchestermusik; eine Mischung aus Oboen, Waldhörnern und Posaunen. Haydns *Schöpfung*.

Elena fand Monica neben einer Säule. Die Italienerin blickte sich irritiert um.

»Geht es Ihnen nicht gut?«, fragte Elena.

Monicas Blick entspannte sich. »Gott sei Dank sind Sie da. Normalerweise findet ein solcher Tango nur bei einer Benefizveranstaltung oder einer Pressekonferenz *vor* einer Auktion statt, aber nicht am Tag der Versteigerung.«

Bestimmt hatte Monica recht, aber irgendein Sponsor würde schon dafür gesorgt haben, dass sein Name im Zusammenhang mit diesem Pomp genannt wurde. Bisher hatte Elena die Werbeflächen einiger Banken und Versicherungen entdeckt. Wenn sie die anderen Damen in ihren Cocktailkleidern betrachtete, fühlte sie sich keinesfalls overdressed. Zum Glück hatte sie sich Tonis Hosenanzug ausgeliehen. Monica hingegen stach deutlich aus der Masse hervor in ihren Sandalen, der knallengen Jeans und dem grauen Häkelpullover, dessen Ausschnitt ihre nackte Schulter preisgab. Noch dazu war sie mit dem dunklen Teint und den rabenschwarzen Haaren der Blickfang aller Männer.

»Ich fühle mich unwohl«, raunte Monica ihr zu.

»Kein Wunder bei diesen Snobs. Kommen Sie, wir stehen das jetzt gemeinsam durch.«

Sie kamen zur Auktionskasse, hinter der drei junge Frauen an Computermonitoren saßen.

»Möchten Sie an der Auktion teilnehmen?«, fragte eine der Damen, deren Schalter gerade frei wurde.

»Nein.«

»Ja«, korrigierte Elena. Sie ignorierte Monica, die mit kaltem Gesichtsausdruck neben ihr stand.

»Sind Sie Stammkäuferin, und haben Sie ein Konto bei uns?«

Elena verneinte, worauf die junge Frau ihr ein Formular über den Tisch schob.

»Wenn Sie mir bitte einen Ausweis zeigen und das hier ausfüllen, damit ich Sie registrieren kann.«

Elena reichte der Frau ihren Führerschein und trug ihre Daten in das Blatt ein: Name, Adresse, E-Mail, Kontonummer und Unterschrift.

»Einen Moment, wir müssen Ihre Daten prüfen.«

Elena beobachtete die Dame, die auf die Tastatur hämmerte und anschließend das Formular zu den anderen auf einen ansehnlichen Stapel legte. Demnach war die Auktion gut besucht und das Interesse, Geld loszuwerden, entsprechend groß. Gut für Monica! Elena fragte sich, wie sie am schnellsten an die Namen in diesem Stapel rankommen würde.

»Vielen Dank, hier ist Ihre Bieternummer.« Die Frau schob eine weiße Plastikkarte mit der Nummer 64 über den Tisch. »Und hier ist der Katalog. Wir haben dreißig Exponate zur Auswahl und anschließend einen Del Vecchio in einer Sonderauktion.«

Anschließend? Das bedeutete, sie musste sich dreißig langweilige Verkäufe ansehen, bevor es interessant wurde!

»Danke.« Elena nahm Katalog und Bieternummer, hakte sich bei Monica unter und ging mit ihr die Treppe hoch.

Der Auktionssaal bot Platz für etwa siebzig Personen. Der Raum füllte sich rasch. Trotzdem standen noch zahlreiche Interessenten neben den Sesselreihen an der Fensterfront, und einige warteten mit Sektgläsern vor dem Eingang.

Elena und Monica setzten sich an den Rand der vorletzten Reihe. Von hier würden sie einen guten Überblick über den Verlauf der Veranstaltung haben. Elena schlug die Beine übereinander und öffnete den Katalog. Laut Impressum war die Broschüre der heutigen Auktion vor drei Monaten gedruckt, aber vor zwei Wochen um ein Blatt ergänzt worden. Die ersten Exponate waren ihr völlig unbekannt, doch die letzten drei stammten von Künstlern, deren Namen sie zumindest schon einmal gehört hatte. Ein Pop-Art-Gemälde von Oldenburg und zwei ziemlich hässliche Skulpturen von Paolozzi. Die Besichtigungstermine der Ausstellungsstücke hatten in den vorangegangenen Wochen im ersten Stock des Gebäudes stattgefunden.

Die Frage, ob Monica aufgeregt war, erübrigte sich. Ihr Blick ging ständig hin und her, und zwischendurch kaute sie auf der Unterlippe.

Elena versuchte, sie abzulenken. »Sehen Sie doch.«

Auf der letzten Seite, die nachträglich in den Katalog geheftet worden war, wurde Salvatore Del Vecchios Gemälde angekündigt.

»Beeindruckend, nicht wahr?«, fragte Elena.

Die Abbildung war eine halbe Seite groß und zeigte das Porträt einer bildhübschen Frau mit langen Wimpern, perfekt geschwungenen Lippen und großen katzenförmigen Augen. Die Frau trug ein cremefarbenes schulterfreies Kleid, das perfekt zu ihrem Teint und den langen schwarzen Haaren passte, die ihr über die Schulter fielen. Das Gemälde trug den Titel *Isabellas Antlitz*, aber Elena hätte auch ohne Titel erraten, um wen es sich bei dieser Frau handelte. Monica war ihrer Mutter wie aus dem Gesicht geschnitten.

Aus dem Augenwinkel beobachtete sie, wie Monica das Bild lange Zeit wortlos betrachtete.

Unglaublich, dachte Elena. Monica hatte ihr erzählt, dass ihre Mutter in einem Waisenhaus in Siena aufgewachsen sei, in einer Setzerei geschuftet und Kälber zur Welt gebracht habe. »Ihre Mutter war eine wunderschöne Frau.« ·

»So sah sie am Tag vor dem Reitunfall aus. Vater hat ein ähnliches Foto von ihr auf dem Balkon gemacht.«

Am unteren Bildrand war gerade noch zu erkennen, dass Isabella einen eleganten Ring mit einem feuerroten Edelstein trug, der ziemlich wertvoll aussah. »Ein schönes Schmuckstück.«

»Ein Feueropal mit herrlichem Farbenspiel«, erklärte Monica. »Sie hat ihn nie abgenommen. Fünf Karat in Goldfassung.«

Während Monicas Blick noch immer auf dem Bild ruhte, betrachtete Elena den Fünfkaräter, dann überflog sie den Text darunter.

Salvatore Del Vecchio
I s a b e l l a s   A n t l i t z
Toskana
Katalognummer: 3647/IIB/0031
Öl auf Leinwand, 198 × 278 cm, signiert, gerahmt
Schätzwert: 700 000 bis 950 000 Euro
Rufpreis: 450 000 Euro
im Privatbesitz des Künstlers

Die Beträge waren mit einem schwarzen Stift in die leeren Stellen eingetragen worden. Darunter standen die Namen der drei Gutachter. Einer lebte in Mailand, die anderen kamen aus Wien. Außerdem war die Adresse des Münchner Körner-Instituts angeführt, von dem die Bewertung der Maltechnik und der verwendeten Materialien stammte. Offensichtlich hatte diese letzte Expertise den Preis nach oben getrieben. Oder war das geheimnisvolle Verschwinden des Künstlers der Grund für das plötzliche Interesse und die Wertsteigerung seiner Arbeit?

Elena blickte auf. Neben italienischem und deutschsprachigem Gemurmel glaubte sie auch tschechische und ungarische Wortfetzen im Saal zu hören. Sogar Polnisch war darunter, das sie zwar nicht mehr fließend sprach, aber immer noch gut verstand. Wie einfach doch alles war! Man musste nur sein letztes Werk theatralisch genug ankündigen und danach für ein Jährchen in der Versenkung verschwinden. Sie wusste nicht, ob sie Monica bedauern sollte oder nicht. Zu offensichtlich war hier etwas faul. Das begann schon mit der erweiterten Auktion und dem kurzfristig aktualisierten Katalog.

Elena klappte die Mappe zu und beugte sich zu Monica hinüber. »Sagen Sie mir Bescheid, falls Sie jemanden erkennen.«

Monica sah sich um. »Von der Luttenberg Kunstakademie ist niemand hier.«

»Ich dachte weniger an Ihre Studienkollegen, sondern an Bekannte oder Geschäftspartner Ihres Vaters.«

Die junge Frau ließ den Blick schweifen. »Unsere Familie steht in engem Kontakt zur Borromeo-Bank, aber ich fürchte, von denen kenne ich niemanden. Die letzten drei Jahre habe ich in Wien gelebt und nur einige Wochen nach Mutters Tod in der Toskana verbracht.«

»Ist Ihnen da etwas Merkwürdiges aufgefallen?«

»Na ja, ich …« Monica senkte die Stimme. »Während dieser Zeit begegnete ich eher zufällig einem Mann.«

»Wo?«

»Im Haus meiner Eltern in San Michele. Er kam abends zweimal zu Besuch. Ich habe einen Streit zwischen ihm und meinem Vater mitbekommen. Keine Ahnung, worum es ging. Aber die Auseinandersetzung war ziemlich heftig und artete beinahe in Handgreiflichkeiten aus. Als Vater den Mann aus dem Haus warf, erhaschte ich durch den Türspalt meines Zimmers einen Blick auf ihn.«

»Schauen Sie sich um. Ist er hier?«

Sie schüttelte den Kopf.

»Wie sah er aus?«

»Er war piekfein gekleidet, etwa fünfzig Jahre alt und attraktiv. Groß und breitschultrig. Sein Gesicht werde ich nie vergessen. Er hatte kantige Züge und eine Glatze. Mein Vater nannte ihn ›Viktor‹, als wären sie miteinander vertraut. Einmal hörte ich, wie er telefonierte. Da sprach er mit einem harten nordostdeutschen Akzent.«

»Das haben Sie erkannt?«

»Ich habe Studienkollegen aus Usedom.«

Ein glatzköpfiger Ostdeutscher namens Viktor, hallte es in Elenas Kopf nach. Zu wenig, um über ihre Schwester beim BKA etwas herauszufinden. Zu viel, um es zu ignorieren.

13

Die sonore Stimme einer Frau hallte über die Lautsprecher und eröffnete die Auktion.

»Ich begrüße Sie herzlich zur letzten Rinaldi's-Versteigerung in Wien vor der Sommerpause.«

Einige Besucher begannen zögerlich zu klatschen, worauf nach wenigen Sekunden ein richtiger Applaus einsetzte. Mittlerweile hatte sich der Saal zum Bersten gefüllt. Eine grauhaarige Dame mit Lesebrille saß hinter dem Pult und sprach in ein Mikrofon. Neben ihr erschienen zwei junge Kolleginnen, die sogleich hinter Computermonitoren verschwanden und offenbar für die finanzielle Abwicklung zuständig waren. Gegenüber der Fensterfront erstreckte sich ein Podium über die gesamte Länge des Saals mit einer Reihe von Tischen und Telefonapparaten, hinter denen insgesamt vierzehn Damen und Herren Platz nahmen.

»Wir beginnen mit dem Exponat Nummer 3647, römisch zwei B, 0001: Konrad Weningers *Nackte Frau in Marseille*, Öl auf Leinwand.«

Während die Auktionsleiterin ein paar biografische Daten über den Künstler abspulte, rollten zwei Helfer ein Gestell mit dem Gemälde in den Saal.

Irgendwie wirkte die gesamte Inszenierung auf Elena übertrieben. Eine gewöhnliche PowerPoint-Präsentation auf der Leinwand hinter dem Podest hätte vollkommen gereicht, doch offensichtlich wollte man den Interessenten eine bühnenreife Show bieten.

»… der Rufpreis liegt bei 12 000 Euro. Ihre Gebote.«

Elena hob ihre Karte.

Monica zuckte zusammen. »Sind Sie verrückt?«

»Die Dame in der letzten Reihe, Nummer vierundsechzig. 12 500 Euro.«

Unmittelbar darauf gingen einige weitere Arme in die Höhe. *Glück gehabt!* Elena sah sich um. »Das wäre ein Schnäppchen gewesen«, sagte sie ironisch und erhob sich. »Entschuldigen Sie mich, ich bin gleich zurück.«

Sie verließ den Raum und lief über die Treppe in die untere Etage zur Auktionskasse. Währenddessen zog sie ein Namensschild aus der Handtasche, das sie sich an das Revers des Blazers steckte und das sie als Journalistin der *Wiener Nachrichten* auswies, einer Wochenzeitung, die sie manchmal las.

Die junge Frau, die Elenas Daten registriert hatte, saß nicht mehr auf ihrem Platz. Die Formulare waren ebenfalls verschwunden und die Computermonitore dunkel. Der Portier neben dem Eingang musterte Elena skeptisch.

»Kann ich Ihnen helfen?«

Bestimmt, Freundchen! Wie kam das Del-Vecchio-Gemälde nach Wien?

»Wo sind die Toiletten?«, fragte sie.

Er musterte ihr Namensschild, dann deutete er in einen Seitentrakt des Gebäudes. Sie marschierte in den Gang, an den Toiletten vorbei und erreichte nach einer Biegung die Büros. Hinter einer Milchglasscheibe saß eine Frau mit aufgedonnerten knallroten Haaren, die soeben den Telefonhörer auflegte.

Elena betrat das Büro, doch die Unterhaltung mit der Rothaarigen war ernüchternd. Die Frau war nicht gerade gesprächig, und Elena erhielt bloß die offizielle Pressemappe, in der nicht mehr stand als im Katalog. Außerdem erfuhr sie nur, was sie ohnehin schon wusste: Alle Bieter waren registriert, sowohl die Telefonbieter als auch jene, die über einen im Haus angestellten Makler einen Auftrag mit Höchstgebot abgaben. Die Namen der Bieter unterlagen dem Datenschutz. Die Sackgasse für jeden Privatdetektiv! Ebenso wenig erfuhr sie, woher Salvatore Del Vecchios Gemälde plötzlich aufgetaucht war und welche Spedition es nach Wien transportiert hatte.

Das Gespräch verlief nicht gerade förderlich, um den Mythos des verschwundenen Malers in den Medien zu pflegen. Dabei hätte Elena die Hand dafür ins Feuer gelegt, dass Rinaldi's gerade auf diesen Marketinggag besonderen Wert legte. Langsam fragte sie sich, ob sie sich geirrt hatte und Del Vecchios Verschwinden vielleicht doch kein inszenierter Schwindel war.

Die Rothaarige kaute wenig damenhaft an einem Kugelschreiber. »Falls Ihnen überhaupt jemand diese Fragen beantworten kann, dann nur unsere Geschäftsführerin, was ich jedoch bezweifle.«

»Ich muss dringend mit ihr sprechen, bin aber nur noch eine Stunde hier.«

»Das lässt sich einrichten. Aber mehr wird sie Ihnen wohl auch nicht sagen können.«

»Trotzdem, falls Sie sie sehen … Es ist dringend. Ich bin im Auktionssaal.« Elena bedankte sich und verließ das Büro.

Auf dem Weg zurück begegnete sie drei weiteren Angestellten, denen sie ähnliche Fragen stellte. Erfolglos. Entweder wussten die Leute von Rinaldi's tatsächlich nichts, oder sie hüllten sich absichtlich in Schweigen. Doch warum?

Frustriert betrat sie den Saal. In der Zwischenzeit stand Oldenburgs Pop-Art-Gemälde auf dem fahrbaren Gestell. Die Gebote lagen bei vierhunderttausend Euro. Letztendlich ging das Gekleckse für 450 000 Euro an einen Telefonbieter, der durch eine Maklerin vertreten wurde.

Elena setzte sich auf ihren Platz.

»Wo waren Sie so lange?«, flüsterte Monica.

»Auf der Toilette.«

Monica sah sie skeptisch an. »Und was haben Sie herausgefunden?«

»Nicht viel.« Bisher war der Besuch der Auktion ein glatter Reinfall gewesen.

Als Nächstes kamen die beiden Skulpturen von Paolozzi dran. Der scheußliche Basilisk aus Bronze in Form eines Kommodenaufsatzes ging für 180 000 Euro an eine Dame in der dritten Reihe und das dreifarbige sphinxähnliche Gebilde für 550 000 Euro an einen anonymen Auftragsbieter. Die Käufer würden bestimmt ihre Freude an den hässlichen Exponaten finden.

Elena spürte, wie die Spannung im Saal von Exponat zu Exponat stieg. Darüber hinaus sorgte die Klimaanlage dafür, dass niemand im Saal einnickte. Plötzlich erhob die Auktionsleiterin die Stimme, und Elena merkte, wie Monica sich unwillkürlich versteifte.

»Kommen wir nun zum Höhepunkt des heutigen Tages. In einer Sonderauktion, die erst vor drei Wochen publik gemacht wurde, präsentieren wir Ihnen das Ausstellungsstück mit der Nummer 3647, römisch zwei B, 0031. Salvatore Del Vecchios Gemälde *Isabellas Antlitz*, Öl auf Leinwand.«

Augenblicklich wurde es still im Saal. Die beiden Helfer rollten ein Gestell in den Raum, auf dem ein knapp drei Meter hohes Gemälde stand, von dem man aber nur die Rückseite der Leinwand und den Keilrahmen sah. Als die Männer das Gestell umdrehten und die Rollen auf dem Boden fixierten, ging ein verhaltenes Raunen durch den Saal. Der Anblick von Monicas Mutter verschlug vielen den Atem. Selbst Elena ertappte sich dabei, wie sie für einen Moment schluckte. Die italienische Schönheit neigte den Kopf etwas nach unten, und es schien, als blicke sie direkt zum Publikum herunter.

Im nächsten Augenblick stieg der Lärmpegel an. Eigentlich hatte Elena damit gerechnet, dass ein Blitzlichtgewitter losgehen würde, doch nichts dergleichen passierte. Bei dieser Veranstaltung waren keine Pressefotografen zugelassen, um die Privatsphäre der Kunden zu sichern.

Nachdem sich das Gemurmel gelegt hatte, nahm die Auktionsleiterin einige Notizblätter zur Hand.

»Salvatore Del Vecchio wurde 1959 in Florenz geboren und lebte bis vor einem Jahr in San Michele in der Toskana. Der geniale und exzentrische, aber – nach eigenen Angaben – manisch-depressive Maler ist ein Mann voller Widersprüche: berühmt für seine brillanten Gemälde, aber ebenso bekannt für seine gefährlichen Wutausbrüche. Schon vor Jahren hat sich Salvatore Del Vecchio in der Kunstszene unter Kritikern und Kollegen den Ruf eines Dalí des 21. Jahrhunderts erworben. In seinem Stil verbindet er Elemente zeitgenössischer Kunst sowohl mit jenen der Modernen Klassik als auch mit der Präzision Alter Meister. Sein Werk umfasst bis heute 78 Ölgemälde, 61 Radierungen und etwa 140 Skizzen. *Isabellas Antlitz* ist sein bislang neunundsiebzigstes Gemälde, das letztes Jahr im selbst gewählten Exil entstand.«

Die Dame sah von ihrem Zettel auf und sprach nun frei zum Publikum. »Die Wiener Niederlassung von Rinaldi's arbeitet seit fünf Jahren erfolgreich mit der Del-Vecchio-Galerie in Florenz zusammen. Mittlerweile ist es Tradition, dass Del Vecchios Werke nicht in Mailand, sondern hier versteigert werden. Zum Teil auch deshalb, weil Direktor Citti regelmäßig Vernissagen mit Leihgaben von Del-Vecchio-Sammlern in Wien organisiert, einer Stadt, die der Künstler während seiner zahlreichen Reisen schätzen gelernt hat. Das Exponat wurde uns freundlicherweise von der Del-Vecchio-Galerie zur Verfügung gestellt und wird auf Wunsch des Malers dieser langen Tradition folgend hier versteigert.«

Die Auktionsleiterin räusperte sich und las erneut vom Zettel ab. »*Isabellas Antlitz* vereint einmal mehr Del Vecchios einzigartige, unverkennbare Technik mit der Verwendung seiner ungewöhnlichen Materialien. Von Experten bestätigt sind seine Farben diesmal anders als sonst: voller, kräftiger und lebendiger. ›Del Vecchio hat seinen Stil vollendet‹, wie Guggenroth in seiner Expertise schreibt.«

Die Dame legte die Papiere zur Seite und sprach weiter, den Blick ins Publikum gerichtet. »Drei unabhängigen Gutachten und einem Zertifikat des Körner-Instituts zufolge liegt der Schätzwert, den das Gemälde zurzeit auf dem internationalen Markt bringen könnte, zwischen 700 000 und 950 000 Euro. Der Rufpreis wurde auf 450 000 Euro festgelegt. Wir haben vierzehn telefonische Mitbieter, und uns liegen sieben schriftliche Kaufaufträge vor.«

Wie auf Kommando griffen die Makler zu den Headsets. Elena spürte, wie sich Monicas Haltung noch mehr versteifte. Da bemerkte sie aus dem Augenwinkel, wie die aufgedonnerte Rothaarige aus dem Büro den Saal betrat. Eine elegante Blondine mit sportlicher Figur folgte ihr. Die Bürokraft sah sich im Raum um, als suche sie nach jemandem. Schließlich trafen sich ihre und Elenas Blicke.

»Durch mehrere Aufträge ist der Preis auf 875 000 Euro angestiegen worden«, sagte die Auktionsleiterin. »890 000 Euro, der Herr in der ersten Reihe …«

Die Rothaarige deutete unauffällig auf Elena, und die Blondine sah herüber. Als Elena die Frau erkannte, blieb ihr Herz stehen. Die Gebote begannen, doch sie hörte nicht hin. Die Stimme war wie ausgeblendet. Sie fixierte die Frau.

Es war Lydia Hödel, die Tochter des Vorstandsvorsitzenden der Hödel-Immobilien-Bank, die sie gestern im Hotel Caruso beschattet und abgehört hatte.

14

Peter Gerink und Dino Scatozza kamen um kurz nach halb zwei Uhr in Florenz an. Scatozza war zwei Stunden lang gefahren, den Rest der Strecke hatte Gerink wieder hinter dem Lenkrad verbracht, während Scatozza seine eBay-Versteigerung erfolgreich abgewickelt und anschließend die Bezahlung getätigt hatte. Die Freude, ein »Schnäppchen« für neunzig Euro an Land gezogen zu haben, stand ihm ins Gesicht geschrieben.

»Was hast du eigentlich ersteigert?«, fragte Gerink beiläufig.

»Geht dich nichts an«, lautete Scatozzas Antwort. Dabei hielt er den Bildschirm so, dass Gerink keinen Blick darauf werfen konnte. Anscheinend war ihm die Sache peinlich, und mittlerweile kam Gerink die Idee mit der günstigen Pornosammlung nicht mehr so abwegig vor.

Gerink parkte in einer engen Seitengasse in der Nähe der Piazza Signoria.

»Hier willst du stehen bleiben?«, fragte Scatozza.

»Sicher, wir bleiben ja nicht lange.« Gerink nahm das Schild des Wiener BKA aus dem Handschuhfach und legte es auf das Armaturenbrett. Falls ihm ein Carabiniere tatsächlich einen Strafzettel verpasste, würden sich die italienischen Kripokollegen darum kümmern. Er stieg aus, streckte das Kreuz durch, bis die Wirbel knackten, und schüttelte die Beine aus.

»Hör auf, das ist peinlich!«, zischte Scatozza.

»Leck mich!«

Die Sonne stand im Zenit, und es gab kaum ein Plätzchen

im Schatten. Gerink war noch nie in Florenz gewesen. Irgendwie hatte er sich die Stadt größer vorgestellt, und was er bisher hatte zu sehen bekommen, wirkte alt und schäbig. Sämtliche Häuserdächer, Kirchenkuppeln und spitzen Türmchen trugen rote Schindeln, die Gassen bestanden aus holprigem Kopfsteinpflaster, und zwischen den engen Häuserschluchten hingen Wäscheleinen. Es sah genauso aus wie auf einer klischeehaften Ansichtskarte.

Gerink überquerte einige Straßen und blieb auf der Piazza Signoria stehen. Es hatte mindestens dreißig Grad, und er fühlte sich so durstig wie ein Nilpferd in der Wüste. Hinter einigen Statuen und einem kaum zwei Fingerbreit mit Wasser gefüllten Brunnen, durch den einige Tauben staksten, befand sich der wuchtige Bau der Uffizien. Auf den Treppen saßen einige Touristen im Schatten. So viel wusste er gerade noch, dass darin einige wertvolle Renaissancegemälde hingen. Falls er den Stadtplan richtig in Erinnerung hatte, lagen dahinter der Arno und der berühmte Ponte Vecchio.

Dino hatte nicht übertrieben. Das Arnotal glich einem schwülen Kessel. Besonders an einem heißen Frühlingstag wie diesem zog die übel riechende Suppe aus Autoabgasen, Brackwasser und Kanalisationsgestank alle Register. Hätte er die Stadt nicht beruflich besuchen müssen, wäre er nie auf die Idee gekommen hierherzufahren. Der Platz wirkte nicht gerade gepflegt – ebenso wenig wie der Rest der Stadt.

»Beeindruckt?«, fragte Scatozza.

»Unglaublich«, murrte Gerink. »Wo ist das Revier der Kripo?«

»Wollen wir nicht vorher einen Happen essen gehen? Mir knurrt der Magen.«

»Ist nicht zu überhören, aber ich brenne darauf, deine Landsleute kennenzulernen. Nachher kannst du dir einen Teller Spaghetti reinziehen. Also, wo ist es?«

Widerwillig zog Scatozza eine vergilbte Visitenkarte aus der Hosentasche und warf einen Blick darauf. »In der Via dei Gondi.« Er setzte sich in Bewegung.

Gerink folgte ihm. Scatozza stolzierte durch die Gassen, als kannte er Florenz wie seine Westentasche und hätte Zeit seines Lebens keinen Schritt aus diesem Brackwasserkessel gemacht.

Allerdings wusste Gerink, dass sein Partner auf Sizilien aufgewachsen war – in einem Fischerdorf bei Syrakus. Italienische Mutter und österreichischer Vater, der in Palermo Korrespondent einer Zeitung gewesen war. Warum auch immer, Dino hatte damals den Nachnamen seiner Mutter bekommen. Als er zehn Jahre alt war, erkrankte sein Vater an Krebs, und die Familie zog nach Österreich. Kurz darauf starb der Vater, aber Mama Scatozza blieb mit Dino in Wien, wo er mit seinen schwarzen Kulleraugen der Schwarm aller Lehrerinnen wurde. Vor sieben Jahren hatten Scatozza und er sich bei einer Einsatzleiterbesprechung des Bundeskriminalamts kennengelernt und waren kurz darauf Partner geworden.

»Hier ist es.«

Die Via dei Gondi war eine verdammt enge Gasse. Sie wirkte wie ein Gehweg, allerdings mit so hohen Altbauten, dass man einen klaustrophobischen Anfall bekommen konnte, wenn man sie betrat.

Scatozza blieb vor einem Gebäude mit schwarzen Mauersteinen, abgebröckelter Stuckatur und hohen vergitterten Fenstern stehen. Links und rechts davon befanden sich ein Trödelladen und ein abgehalftertes Café, dessen Markise traurig über dem Bürgersteig hing. Es roch nach Katzenpisse. »Du irrst dich«, stellte Gerink fest.

»Ich irre mich nie.« Scatozza steckte die Karte ein. »Das ist die Adresse, bei der wir uns melden sollen.«

Gerink blickte sich um. »Hier ist doch niemals das Kriminal-kommissariat der Staatspolizei.«

Scatozza fand ein rostbraunes Schild neben dem Hausein-gang. »Sieht eher wie eine Wachstube der Carabinieri aus.«

»Scheiße!«, fluchte Gerink. »Was sollen wir da? Hier geht es doch nicht um Verkehrsunfälle, Handtaschenklau oder gestoh-lene Fahrräder.«

»Scheint so, als wären die Dorfgendarmen für Teresas Ver-schwinden zuständig.«

Kein Wunder, dass der Auslandsschriftverkehr mit den itali-enischen Behörden bisher ein Reinfall gewesen war. Bestimmt sprach in dieser Stube kein Mensch Deutsch.

Die dicken Mauern hielten das Innere des Gebäudes angenehm kühl. Das war auch schon der einzige Vorteil. Die Räume wa-ren etwa drei Meter hoch, es roch nach Kalk und Holz, und der Parkettboden knarrte wie in einer alten Hofratskanzlei. Be-stimmt hatten in diesem feudalen Bau einst die Medici residiert und ihre Dukaten durch die Finger klimpern lassen. Seither war nichts erneuert worden.

Während Scatozza zur Toilette abbog, ging Gerink zu einer Dame, die hinter einer Glaswand saß, um ihr durch den Sprech-schlitz zu erklären, dass sie aus Wien kämen und mit den Be-amten auf diesem Revier einen Termin hätten.

Die Frau sah ihn mit großen Augen an, worauf er es auf Eng-lisch versuchte. Nach fünf Minuten hatte er ihr endlich mit Dienstausweis und Gebärdensprache verständlich machen kön-nen, dass er kein Tourist war, den man auf der Piazza Signo-ria ausgeraubt hatte, sondern ein Kollege aus Österreich. Von Scatozza, der eigentlich übersetzen sollte, fehlte jede Spur. Ge-rink tastete seine Hose ab. Der Autoschlüssel des Pajero steckte in seiner Tasche, sonst hätte er glatt vermutet, dass Scatozza im

Wagen einen weiteren eBay-Artikel ersteigerte. Stattdessen verbrachte er die Zeit auf der Toilette vermutlich damit, um sich zu stylen. Und das konnte Stunden dauern!

Gerink wartete fünf Minuten, bis endlich ein Carabiniere in dunkelblauer Uniform mit Kragenspiegeln und rot-blauen Rangabzeichen antrabte. Als er Gerink erblickte, setzte er sich die Kappe mit einer stilisierten Granate als Emblem auf, wodurch er nun fast so groß wie Gerink war.

Der drahtige Mann verschränkte die Arme hinter dem Rücken und streckte die Brust heraus. »Sie komme aus Vienna?«, fragte er in gebrochenem Deutsch.

»Ja.«

»Sprechen Sie Deutsch?«, fragte der Mann.

»Was? Natürlich!«

Der Carabiniere musterte Gerink von den Sandalen bis zur Kurzhaarfrisur. »Werden Sie in die hübsche Firenze übernachten?«

War das zu fassen? Die italienischen Kollegen hatten die Anweisung, sich um eine dreitägige Unterkunft für Scatozza und ihn zu kümmern. Gerink atmete tief durch. Dann nahm er das Rechtshilfeersuchen der Staatsanwältin aus seiner Mappe und reichte es dem Mann. Dieser warf nur einen knappen Blick darauf. Die Wangenmuskeln seines schmalen Gesichts arbeiteten. Er kniff die Augenbrauen zusammen.

»Diese Beschluss ist auf Deutsch«, stellte er fest.

»Natürlich ist er auf Deutsch. Mein Name ist Peter Gerink. Ich komme vom Bundeskriminalamt in Wien und bin Ihnen die nächsten drei Tage unterstellt. Ich bin mit dem Fall Teresa Del Vecchio vertraut und würde erst einmal vorschlagen, dass Sie meinem Kollegen und mir Akteneinsicht in den Fall gewähren.«

Der Mann blickte Gerink an, als hätte er nichts verstanden.

Dann betrachtete er Gerinks Tattoo. »Wo ist die Schreiben auf Italienisch?«

»Wo ist …? Die italienische Übersetzung haben Sie gestern per Fax erhalten!«, antwortete Gerink. »Sie haben alles, was Sie brauchen. Und ich möchte mit den Beamten sprechen, die für den Fall zuständig sind.«

»Wer?«

Gerink spürte, wie seine Halsschlagadern anschwollen. Wollte ihn der Kerl verarschen? Der Bescheid musste dem Italiener längst zugegangen sein. Gerink kramte das Foto aus der Mappe, das er von Monica erhalten hatte und das sie mit ihrer Tante vor dem blauen Ford Cabrio zeigte. Er hielt dem Beamten das Bild vor die Nase und wies auf Teresa. »Teresa Del Vecchio«, wiederholte er.

»Del Vecchio? Ist das Ihre Name, Signore?«

Ihre Blicke trafen sich für einen Moment. »Kann ich Ihren Vorgesetzten sprechen?«, fragte Gerink.

»Wozu?« Der Mann lächelte. »Sprechen Sie Italienisch?«

Gerink sah sich um. Von Scatozza fehlte immer noch jede Spur. »Nein«, knurrte er.

»*Va bene!*« Der aufgeblasene Kerl faltete das Schreiben zusammen und ließ es in der Brusttasche verschwinden. »Ich werde diese Dokument prüfen lassen. Das kann etwas dauern. In die Warteraum sitzen noch fünf … äh … *turista*. Wir müssen uns um viele andere wichtige Dinge kümmern. Wir sind eine … äh … Fremdenverkehrsstadt, Sie verstehen? Nehmen Sie in die Zwischenzeit Platz.« Er nickte zu einer unbequemen Holzbank, die mitten im Flur stand. Danach verschwand er mit dem einzigen Original der österreichischen Staatsanwaltschaft.

Fünf Touristen! Gerink kochte. Eine Österreicherin wurde seit einem Monat vermisst, und der Beamte verplemperte seine Zeit

111

mit Touristen, denen womöglich nur eine Filmkamera geklaut worden war! Für Gerink bestand kein Zweifel, der Kerl wollte ihn provozieren. Er setzte sich auf die Bank und ballte und löste die Fäuste im Sekundentakt. Angeblich half das, Anspannung und Aggressionen abzubauen. Zumindest behauptete das die Kriminalpsychologin ihres Reviers.

Da kam Scatozza geschmeidig um die Ecke. Er hatte sich das nasse Haar zurückgekämmt und sah aus wie ein Gigolo auf der Jagd nach einer reichen Witwe. »Du schaust drein, als wolltest du jeden Moment jemanden umbringen.«

»Diese Scheißitaker!«, zischte Gerink.

Scatozza verzog das Gesicht. »Ich nehme an, du hast bereits Bekanntschaft mit dem Maresciallo gemacht?«

»Mit wem?«

»Dem Polizeihauptmeister.«

»Möglich, so ein Kerl in blauer Uniform mit Mütze … Da drüben steht er.«

Scatozza sah sich um. Am Ende des Korridors standen drei Beamte, die das Rechtshilfeersuchen der Staatsanwältin betrachteten und miteinander diskutierten.

»Was gibt es da zu besprechen?«, murrte Scatozza. »Die haben das Fax doch längst erhalten.«

»Haben sie verschlampt.«

»Ich gehe hin und nehme die Sache in die Hand«, schlug Scatozza vor.

»Moment …« Gerink erhob sich und packte seinen Partner am Arm. »Worüber sprechen die?«

Scatozza lauschte eine Weile. »Sie reden über ein Fußballmatch, über das Wetter und den Fraß in der Kantine.«

»Diese Mistkerle wollen uns verarschen«, stellte Gerink fest.

»Okay, ich mach der Sache ein Ende!«

»Nein, bleib hier …« Gerink dachte nach. »Solange die nicht

wissen, dass du sie verstehst, ist es mir lieber, du hörst zu und sagst mir, worüber sie reden.«

»Wozu?«

»Ich will es eben wissen!«

»*Mamma mia,* Gerinks berühmte Intuition.« Scatozza schüttelte den Kopf. »Das klappt nie im Leben!«

»Auch wenn es dir schwerfällt – versuche, dich wie ein Nichtitaliener zu benehmen.«

15

Was zum Teufel machte Lydia Hödel hier? Elena erhob sich und drängte sich zwischen den Mitbietern zum Hinterausgang, wo Hödels Tochter neben der rothaarigen Sekretärin auf sie wartete.

Gerhard Hödel musste ihr von dem Überwachungsauftrag und der DVD erzählt haben. Aber wie hatte Lydia sie hier finden können? Während Elena auf sie zuging, ließ sie sich bereits ein paar gute Argumente für die bevorstehende Diskussion einfallen.

Lydia trug ein elegantes cremefarbenes Kostüm und eine matt schimmernde Perlenkette in ihrem freizügigen Dekolleté. Ein Schönheitspunkt über den vollen Lippen zierte das Gesicht. Elena hatte sie aus der Nähe bisher nur auf dem Videoband gesehen, sonst lediglich von Weitem mit Sonnenbrille, Hut oder Kopftuch. Genauer betrachtet sah sie eiskalt und berechnend aus, aber trotzdem attraktiv genug, um jedem Mann in diesem Saal den Kopf zu verdrehen.

Als Elena ihr gegenüberstand, verschwand die Sekretärin nach draußen. Elenas Blick fiel auf das Namensschild an Lydias Bluse. Im gleichen Moment verschlug es ihr die Sprache.

Mag. Lydia Hödel
Direktorin Rinaldi's Wien

Lydia Hödel musterte sie erwartungsvoll. »Sie sind von der Presse?«, flüsterte sie. »Normalerweise laufe ich niemandem während einer Auktion hinterher, aber ich war neugierig, weshalb Sie mich so dringend sprechen wollten.«

»Ich …« Elenas Gedanken überschlugen sich. Hödel hatte keine Ahnung, wer Elena tatsächlich war. Was für ein Zufall, dass sie ausgerechnet diese Frau hier traf! Da kamen ihr Gerhard Hödels Worte in den Sinn. *Meine Tochter ist Geschäftsführerin und handelt mit Gemälden und Antiquitäten.* Natürlich! Elena hatte sie eine Woche lang nur zu Hause und auf ihren Wegen zum Büro einer Galerie in der Innenstadt beschattet – aber nie zu Rinaldi's.

»Meine Zeit ist knapp!«, drängte Hödel.

»Entschuldigen Sie bitte.« Wie zur Erklärung schnippte Elena auf ihren Presseausweis am Blazer. »Ich bin an den Hintergründen zu Del Vecchios Gemälde interessiert … Wie es hierherkam. Und an einer Liste der registrierten Bieter.«

Hödel hob eine Augenbraue. »Was Sie nicht sagen. Und wozu?«

»Ich schreibe an einer dreiteiligen Reportage über Salvatore Del Vecchio.« Etwas Besseres fiel ihr im Moment nicht ein.

Hödel lächelte. »Wären Sie schon etwas länger bei der Presse, wüssten Sie, dass diese Informationen dem Datenschutz unterliegen. Ich kann Ihnen dazu leider nichts sagen. Wenden Sie sich an den Direktor der Del-Vecchio-Galerie in Florenz. Guten Tag.« Sie nickte Elena kurz zu und wollte bereits wieder gehen.

Da flüsterte Elena: »Unterliegt das Gespräch, das Sie gestern im Hotel Caruso geführt haben, ebenfalls dem Datenschutz?« Im selben Moment hasste sie sich dafür, dass sie zu solchen Mitteln greifen musste.

Hödels Blick wurde kalt. »Was wissen Sie darüber?«

»Das kann ich Ihnen leider nicht sagen. Wenden Sie sich an den Hoteldirektor.« Dafür hasste sie sich noch mehr, aber die Botschaft war angekommen.

Hödel verzog den Mund zu einem dünnen Strich und nickte. »Ich glaube, wir haben etwas Wichtiges zu besprechen. Folgen Sie mir.«

Lydia Hödels Büro lag im selben Stockwerk, allerdings in einem abgelegenen Trakt auf der anderen Seite des Gebäudes. Auf dem Schreibtisch surrte ein Laptop, daneben lagen Dutzende Papiere, die wie mit der Hand korrigierte Vertragsentwürfe aussahen. Darunter bemerkte Elena Visitenkarten und Einladungen eines Pokerklubs. Als Direktorin der Wiener Niederlassung von Rinaldi's hatte die junge Frau eine steile Karriere gemacht. Kein Wunder, dachte Elena, wenn sie bei allen Angelegenheiten so skrupellos vorging wie bei der geplanten Ermordung ihres Vaters.

Die beiden Frauen nahmen neben einem Philodendron in einer Sitzecke Platz, die vermutlich für Verhandlungen diente. Hödel schob die Unterlagen auf dem Tisch zu einem Stapel zusammen, sodass nur noch ein Aschenbecher zwischen ihnen stand.

Oben auf dem Stapel lag die Broschüre einer Pferderennbahn südlich von Wien, in deren Räumen man zusätzlich an Hunderten Spielautomaten zocken konnte. Unwillkürlich dachte Elena an Gerhard Hödels Worte: Sucht und Therapie. Er hatte behauptet, seine Tochter sei krank. Litt sie unter Spielsucht? Womöglich hatte sie horrende Schulden und sah im Erbe ihres Vaters die einzige Lösung für ihr Problem.

Hödel zündete sich eine Zigarette an. Ihre Hand zitterte. »Trinken Sie Kaffee?«

Elena wehrte ab. »Danke, ich möchte den Ausgang der Versteigerung nicht verpassen.«

»Keine Sorge.« Hödel blies eine Rauchwolke zur Decke. »Die Auktion dauert noch länger. Unsere Makler sind entsprechend instruiert.«

»Aber der Marktwert des Gemäldes ist bald erreicht«, widersprach Elena.

Hödel lächelte milde. »Sie haben ja keine Ahnung, wie das hier läuft. Wir geben den Käufern entsprechend Zeit. Glauben Sie, wir reißen uns hier den Hintern auf, um dann nicht das Maximum aus der Versteigerung herauszuholen? In den letzten drei Wochen haben wir auf Hochtouren gearbeitet, um den letzten Auktionstermin vor der Sommerpause halten zu können. Nachdem die Experten mit ihren Schätzungen, Gutachten und Zertifikaten fertig waren, starteten die Besichtigungstermine.«

»Ziemlich knapp.«

»Knapp?«, echote Hödel. »Wir haben Blut geschwitzt! Kaum lagen die ersten Gutachten vor, machten wir die Versteigerung des Del Vecchios mit Pressemitteilungen in den üblichen Kunstkreisen publik. Einige Zeitungen brachten Künstlerporträts von Del Vecchio.«

»Wer war für den Zeitdruck verantwortlich?«

Hödel lächelte. »Die Del-Vecchio-Galerie. Das Gemälde sollte noch vor der Sommerpause versteigert werden, und das Angebot war nur einen Tag gültig. Tradition hin oder her, hätten wir nicht zugeschlagen, wäre der Auftrag an Christie's oder Sotheby's gegangen.«

»Aber Sie haben es geschafft«, sagte Elena. *Was du für Geld nicht alles in Bewegung setzt!* Hödel war in ihrem Job genauso skrupellos wie im Privatleben.

»In diesem Fall reichten zehn Tage für die Schaustellung gerade mal aus. Zum Glück standen die interessierten Sammler seit einem Jahr auf der Warteliste und haben diesem Termin regelrecht entgegengefiebert.«

Seit einem Jahr! Elena dachte an Del Vecchios Abschiedsbrief, den seinerzeit jemand vorsorglich den Medien zugespielt haben musste. »Wird mehr als eine Million Euro erwartet?«

»Meine Liebe.« Hödel lächelte. »Dieser letzte aktuelle Del Vecchio stellt einen besonderen Höhepunkt in diesem Jahr dar. Es wird ein Weltrekordpreis von bis zu fünf oder sechs Millionen Euro erwartet, der in die Nähe eines Picassos, van Goghs, Warhols oder Cézannes kommt.«

Elena hasste es, »meine Liebe« genannt zu werden und ganz besonders von dieser jungen hinterhältigen Cruella De Vil. »Was verdient das Auktionshaus daran?«

»In dieser Größenordnung verrechnen wir fünfzehn Prozent Vermittlungsgebühr.«

Das waren immerhin 900 000 Euro! Da machte sich die Werbekampagne um einen angeblich vermissten Künstler bereits bezahlt.

»Die Gebühr zahlt der Käufer?«

Hödel nickte. »Sowie die gesetzliche Mehrwertsteuer. Somit kommt eine hübsche Summe zusammen.« Schlagartig wurde sie ernst. »Ich glaube, ich habe Ihnen genug erzählt. Was wissen Sie über das Hotel Caruso?«

Der Small Talk war beendet – doch nicht für Elena. »Wie kam das Gemälde ins Auktionshaus?«

Hödel musterte sie mit zusammengekniffenen Augen. »Wer sind Sie wirklich? Von Pressearbeit und Auktionen haben Sie jedenfalls so viel Ahnung wie ich vom Motorsport.«

Elena legte ihre echte Visitenkarte auf den Tisch.

Hödel nahm sie nicht einmal zur Hand, sondern warf nur einen geringschätzigen Blick darauf. »Eine Privatdetektivin?« Sie verdrehte die Augen. »Mein Gott, da hat jemand eine Schnüfflerin engagiert.«

»Wie kam das Gemälde ins Auktionshaus?«

»Sie haben mich im Vorfeld ausspioniert, um an Informationen über die Versteigerung ranzukommen?«, stellte Hödel ungläubig fest. »Scheren Sie sich zum Teufel!«

Für Lydia Hödel musste es tatsächlich so aussehen. Deshalb stellte sie auch keinen Zusammenhang zu ihrem Vater her. In Wahrheit war es bloß Zufall, dass sich Elenas Fälle überkreuzten, aber sie würde sich hüten, das Missverständnis aufzuklären.

»Wie kam das Gemälde ins Auktionshaus?«

»Ich sagte, scheren Sie sich zum Teufel. Sie wissen gar nichts.« Hödels Finger zitterten. »Womit wollen Sie mir drohen? Ich habe mich im Hotel lediglich mit meinem Vater getroffen, um einen Kaffee zu trinken.«

»Ihr Vater heißt Dindic und wird vom Bundeskriminalamt gesucht?« Elena tat erstaunt.

Hödel drückte die Zigarette im Aschenbecher aus. »Scheiße!« Dann lehnte sie sich zurück – und nach einer kurzen Denkpause wurde sie gesprächig.

»Soviel ich weiß, wurde das verpackte Gemälde vor drei Wochen gegen fünf Uhr früh unter dem Vordach des Lieferanteneingangs an der Rückseite der Del-Vecchio-Galerie in der Nähe von Florenz abgestellt. Einfach so. Im Volksmund wird das Gebäude Del-Vecchio-Museum genannt. Es liegt ziemlich abgelegen auf einem Hügel mitten in der Toskana. Niemand konnte die Personen beschreiben, die es hingebracht hatten. Jedenfalls hatten sie verdammtes Glück, dass es an dem Tag windstill war und nicht regnete. Franco Citti, der Direktor, fand das Paket kurz darauf mit einem Begleitschreiben Salvatore Del Vecchios.«

Hödel holte tief Luft. »Nachdem das erste Gutachten vorlag und das Gemälde versichert worden war, brachte die Spedition Gismondi, die auf den Transport von Kunstgegenständen spezialisiert ist, das Exponat nach Wien, wo es in unseren Schauraum gelangte. Laut einer Verfügung des Künstlers sollte sein Werk wie üblich versteigert werden, weshalb wir uns um die Abwicklung kümmerten.«

Etwas an Hödels Erzählung war nicht rund, doch Elena kam

im Moment nicht dahinter, welches Detail sie störte. »Wer erhält den Erlös der Versteigerung?«, fragte sie.

»Wir haben den Übernahmeschein Franco Citti ausgehändigt. Das Museum in Florenz verwaltet den Erlös. Ich nehme an, das Geld bekommt die Familie.«

»Was geschieht nach der Versteigerung mit dem Gemälde?«

Hödel wurde unruhig. Sie begann mit den Fingern auf den Tisch zu trommeln. »Nach der Bezahlung wird das Exponat fachgerecht verpackt und dem Bieter geliefert, der den Zuschlag erhalten hat. Dafür stehen uns spezielle Speditionen, Post- oder Kurierdienste zur Verfügung.«

Elena nickte. In Gedanken hatte sie alles notiert. Nun fehlte ihr nur noch eine einzige Information. »Ich benötige eine Liste aller Bieter.«

Sie sah Hödel förmlich an, wie sich deren Magen zusammenkrampfte.

»Die kann ich Ihnen unmöglich geben. Ich würde mich strafbar machen und meinen Job verlieren!«

»Durch Ihren Mordauftrag an Dindic haben Sie sich bereits strafbar gemacht«, gab Elena zu bedenken. Ihr Blick war hart. In dieser Situation hatte sie nicht einmal ein schlechtes Gewissen, eine rücksichtslose Schlange wie Lydia Hödel zu erpressen. Immerhin hatte diese Frau versucht, ihren Vater ermorden zu lassen.

»Weshalb der Auftrag für Dindic?«, hakte sie nach. Sie dachte an Hödels mögliche Spielsucht und daran, dass die junge Frau wahrscheinlich gewaltige Schulden am Hals hatte. »Ging es um Geld?«

Hödel sah nicht auf. »Dreht sich nicht das gesamte Leben darum?«

»Sie haben einseitige Vorstellungen vom Leben … Die Liste, bitte.«

»Nein«, lautete Hödels entschiedene Antwort.

Elena blickte auf die Wanduhr. Die Sekunden verstrichen, ohne dass sie einen wesentlichen Schritt weiterkam – und sie würde das Ende der Versteigerung verpassen. Sie atmete tief durch. Nun musste sie ganz tief in die Schublade greifen. Sie zog die schwarze Plastikhülle mit der DVD, die sie immer noch bei sich trug, aus der Handtasche.

»Darauf finden Sie einen Film, der etwa siebzig Minuten dauert. *Quid pro quo* ... Sie geben mir die Liste, ich gebe Ihnen den Film.«

Hödel warf ihr einen skeptischen Blick zu. Sie nahm die Disc und ging damit zu ihrem Laptop. Kurz nachdem das Laufwerk die DVD geschluckt hatte, hörte Elena die metallisch klingende, knisternde Stimme von Hödel und Dindic.

»Reichen diese Unterlagen?«

»Denke schon.«

»Hier ist noch ein Foto von ihm.«

»Falls sich eine Änderung in seinem Terminkalender oder bei seinen Dienstreisen ergibt, rufen Sie diese Nummer von einer Telefonzelle aus an.«

Hödel stoppte das Video. Offensichtlich hatte sie genug gesehen.

»Wer hat diesen Film gemacht? Wie sind Sie an die Aufnahme gekommen? Für wen arbeiten Sie?«

Elena beugte sich vor. »Manchmal arbeite ich mit der Dezernatsleitung des Bundeskriminalamts zusammen«, log sie. »Das BKA ist hinter Dindic her. Es geht um die Aufklärung eines mutmaßlichen Verbrechens innerhalb der Kunstbranche. An Ihrem Fall ist das BKA also nicht interessiert. Ihr privates Treffen mit Dindic und das spätere Auftauchen Ihres Vaters im Hotel haben nur zufällig die Ermittlungen gekreuzt.«

Hödel sagte lange kein Wort.

»Die Liste, bitte«, verlangte Elena.

»Ich könnte Sie wegen Erpressung anzeigen!«

»Wenn Sie mit den Beamten reden, nehmen Sie am besten gleich diesen Film mit«, schlug Elena vor.

»Miststück«, fluchte Hödel. Schließlich klickte sie mit der Maus ein paarmal herum und druckte drei Seiten aus, auf denen eine lange Reihe von Namen stand. Sie reichte Elena die Blätter. »Und jetzt verschwinden Sie aus diesem Haus!«

»Danke. Niemand wird je erfahren, dass ich im Besitz dieser Liste bin«, versicherte Elena ihr.

»Und der Film?«

Elena erhob sich. »Den können Sie behalten, als Erinnerung.« Sie ging zur Tür, drehte sich aber noch einmal um. »Ich möchte Ihnen einen privaten Rat geben – sozusagen von Frau zu Frau. Und glauben Sie mir, ich weiß, wovon ich spreche.«

Hödel musterte sie wütend.

»Ich garantiere Ihnen, Ihr Vater vergöttert Sie. Er würde Ihnen alles verzeihen. Falls Sie je daran zweifeln sollten, schauen Sie sich diesen Film an und beobachten Sie, mit welchem Blick er Sie ansieht.«

»Wo bleibt Ihr Rat?« Ihre Stimme klang eisig.

»Reden Sie mit Ihrem Vater über Ihre Probleme. Er wird Ihnen helfen – falls Sie ihm eine Chance geben.«

Elena verließ Hödels Büro und lief durch den langen Korridor zur Auktionshalle. Von Weitem sah sie, dass die Tür geschlossen und die Versteigerung vermutlich noch im Gange war. Mit etwas Glück würde sie das Ende miterleben. Immerhin waren die Makler instruiert worden, künstlich für Spannung zu sorgen.

Sie hastete weiter, stoppte jedoch, als sie Schritte im Treppenhaus hörte. Ein glatzköpfiger Mann im weißen Hemd und dunklem maßgeschneidertem Anzug kam soeben vom oberen Stockwerk herunter. Er war etwa fünfzig, sah nicht schlecht aus, trug Manschettenknöpfe, polierte Schuhe und hielt ein Handy ans Ohr. Er nahm keine Notiz von Elena und lief leichtfüßig die Marmortreppe nach unten.

Sie hatte sich schon wieder abgewandt, als sie wie vom Blitz getroffen stehen blieb. Hatte er nicht gerade etwas mit einem harten nordostdeutschen Akzent gemurmelt? Sie drehte sich um und lauschte.

Bloß ein Zufall?

Sie lief zum Treppenhaus zurück und beugte sich übers Geländer. Der Hüne lief ins Erdgeschoss. Instinktiv folgte sie ihm. Er war bereits unten angelangt und steuerte zielstrebig auf den Lieferanteneingang zu.

Hastig zog sie ihr Funktelefon aus der Handtasche und aktivierte die eingebaute Kamera. Falls das der Mann war, den Monica beschrieben hatte, durfte er ihr nicht entwischen. Seine Hand lag bereits auf der Klinke der Tür, die nach draußen in den Hinterhof führte.

»Viktor?«, sagte Elena gerade laut genug, dass er es hören musste.

Sie hatte richtig geraten. Der Glatzkopf blieb stehen, drehte sich langsam um und starrte zu ihr herauf.

16

Nachdem sie eine Viertelstunde im Korridor gewartet hatten, kam der uniformierte Maresciallo lächelnd auf sie zu.

»Es tut mir leid, meine Herren, aber die zuständige Beamte ist heute nicht in die Revier.«

Aus dem Augenwinkel sah Gerink, wie Scatozzas Adamsapfel zu hüpfen begann. Kein gutes Zeichen.

Der Maresciallo hob bedauernd die Schultern. »Ich schlage vor, Sie kommen morgen wieder.«

Scatozza warf Gerink einen kurzen Blick zu, doch der schüttelte nur knapp den Kopf, worauf Scatozza weiterhin schwieg.

»Sie wissen, wir sind nur drei Tage hier.« Gerink versuchte, ruhig zu bleiben. »Ich möchte mit einem« – er dachte einen Augenblick nach – »*Commissario* der *Polizia di Stato* sprechen. Können Sie uns zum Kommissariat bringen?«

Der Beamte setzte eine bedauernde Miene auf. »Natürlich, aber die Polizia Criminale der Staatspolizei ist für diese Fall nicht zuständig, sondern die Carabinieri.«

Gerink fluchte innerlich. Von früheren Einsätzen in Italien wusste er, dass die Polizia di Stato dem italienischen Innenministerium in Rom und die Wache der Carabinieri dem Verteidigungsministerium unterstellt waren. Er wusste nicht, was schlimmer war. Das komplizierte System der italienischen Polizei, die auf zwei Ministerien aufgeteilt war, die nichts miteinander zu tun hatten, trieb ihn jedes Mal zur Verzweiflung, sobald er mit Italien zu tun hatte.

Gerink warf seinem Partner einen Blick zu. »Das heißt, wir sind diesen Witzfiguren ausgeliefert.«

Scatozza verzog das Gesicht. »Sieht ganz so aus.«

Der Maresciallo spitzte die Ohren, doch Gerink glaubte nicht, dass er ihren Wiener Dialekt verstanden hatte.

»Okay.« Gerink wandte sich wieder an den Beamten. Diesmal setzte *er* sein falsches Lächeln auf, das er ebenso gut beherrschte wie der Maresciallo. »Wenn die Carabinieri dafür zuständig sind, werden die Carabinieri doch wohl die Akte zum Fall Del Vecchio finden, um uns Einsicht zu gewähren?«

Der Beamte seufzte. »Ich werde nach die Akte suchen lassen müssen.«

»Wir warten solange.«

Der Maresciallo nickte. »Sprechen Sie italienisch?«, fragte er zum zweiten Mal.

»Immer noch nicht«, beeilte sich Gerink zu sagen, bevor Scatozza ihm ins Wort fallen konnte.

Der Mann lächelte. »Dann werden Sie mit die Akte nicht viel anfangen.«

»Wir werden sie übersetzen lassen.«

»Das kann dauern«, gab der Florentiner zu bedenken.

»Dann bleiben wir etwas länger hier«, antwortete Gerink.

Der Maresciallo führte sie in einen Raum, in dem fünf Carabinieri gelangweilt an ihren Schreibtischen saßen. Zwei davon schlürften Spaghetti von einem Teller, ein dritter ließ eine Rotweinflasche langsam unter dem Schreibtisch verschwinden. Herrgott, wo waren sie da nur hineingeraten? Gerink fühlte sich in die Achtzigerjahre zurückversetzt. Statt Computermonitore standen schwarze Telefone mit Wählscheiben auf den Tischen. Ein Deckenventilator drehte müde seine Kreise und brachte nicht einmal die Post-its an der Wand zum Flattern. Über dem Türstock hingen immer noch zwei signierte Porträts von Silvio

Berlusconi und einem uniformierten Mann mit finsterer Miene, der vermutlich der Polizeichef von Florenz war. Es roch nach Kaffee und kaltem Tabakrauch. Weit und breit keine Spur von den fünf Touristen, die angeblich im Warteraum saßen. Die Beamten unterhielten sich leise, doch Gerink bemerkte, dass sie ab und an zu ihnen herüberschielten. Er stand kurz vor einem Wutausbruch. Würden die Carabinieri weniger Spaghetti fressen, ginge hier deutlich mehr voran …

»Sag mir nachher, worüber die reden«, flüsterte Gerink seinem Partner zu.

»Die reden über uns«, murmelte Scatozza. »Du willst lieber nicht wissen, was sie über uns Ausländer und dein Outfit sagen.«

Natürlich war nichts anderes zu erwarten gewesen. In der brütenden Hitze der Altstadt waren die beiden »Gäste« aus Österreich – der eine in Khakihose und Sandalen, der andere im Hugo-Boss-Hemd – eine willkommene Abwechslung.

Obwohl ihnen niemand einen Platz anbot, setzten sie sich an einen Schreibtisch und warteten, bis ihnen die Akte gebracht wurde.

»Wir sind seit mehr als sieben Stunden unterwegs, und die bieten uns nicht mal einen Kaffee oder ein Glas Wasser an«, knurrte Gerink.

»Hast du einen Begrüßungscocktail erwartet?«

»Sobald wir die Akte haben, verschwinden wir von hier. Mittlerweile knurrt mir auch schon der Magen, und ich bekomme Kopfschmerzen von diesen Typen.«

Scatozza warf einen Blick auf die Armbanduhr. »Trifft sich gut. In einer Stunde endet die nächste Versteigerung.«

Endlich kam ein pickelgesichtiger Beamter, der vermutlich seinen Wehrdienst auf dem Revier absolvierte, mit einem dicken Aktenstapel unter dem Arm durch die Tür. Die Menge des

Materials sah vielversprechend aus. Gerink erhob sich, um die Dokumente an sich zu nehmen, doch der Maresciallo winkte ab.

»Sie können hier eine Blick in die Akte werfen.«

»Hier?« Gerink spürte, wie seine Halsschlagadern wieder anschwollen. »Sie verstehen das falsch. Ich nehme die Akte mit und …«

»*No, no, no.*« Der Maresciallo lächelte. »Ich kann die Akte nicht aus die Hand geben. Wir benötigen die Daten hier.«

»Ich dachte, der zuständige Beamte sei heute ohnehin nicht hier?«

Der Maresciallo setzte erneut sein falsches Lächeln auf. »Staatsanwalt Fochetti könnte jede Augenblick kommen, um Einsicht in die Akte zu nehmen.«

»Alberto Fochetti?«, fragte Gerink.

»Francesco Fo…« Der Beamte verstummte.

Gerink grinste innerlich. »Staatsanwalt Francesco Fochetti hat doch sicherlich nichts dagegen, wenn Sie eine Kopie für uns anfertigen?«

Der Maresciallo dachte eine Weile nach. »*Va bene!*« Plötzlich lächelte er wieder. »Ich lasse die wichtige Daten und Fakten für Sie zusammenstellen, damit Sie mit die unwichtige Details nicht belästigt werden.«

Natürlich, dachte Gerink. *Das würdest du ganz bestimmt für uns tun.*

Der Maresciallo wandte sich um und schnippte mit den Fingern. »Vito Tassini!«

Ein schmächtiger Carabiniere um die dreißig sprang auf. Der Maresciallo erteilte ihm einige knappe Befehle auf Italienisch, worauf er eifrig begann, die Unterlagen zu sortieren.

Gerink spürte, wie Scatozza an seiner Seite unruhig wurde. Irgendetwas lief hier im Moment nicht rund.

Gerink setzte sich wieder auf den Stuhl neben Scatozza. »Was ist?«, flüsterte er.

Scatozza neigte den Kopf und senkte die Stimme. »Der Schmalbrüstige soll die Zeugeneinvernahmen und die Protokolle der Spurensicherung aussortieren und verschwinden lassen.«

»Perfekte internationale Zusammenarbeit«, knurrte Gerink. »Entweder sind sie zu faul oder zu bequem, um uns zu helfen. Oder die interessieren sich nicht die Bohne für Teresas Verschwinden und wollen nun vertuschen, dass sie nichts erreicht haben.«

»Oder die Polizei steckt in der Sache mit drin«, ergänzte Scatozza.

Gerink beobachtete den Beamten. »Interessanter Gedanke.«

Schließlich reichte der Maresciallo Gerink eine dünne Mappe. »Hier finden Sie alle relevante Fakten.«

Bestimmt, du Hundesohn! Die wesentlich dickere Mappe mit den Zeugenprotokollen und Berichten der Spurensicherung lag auf einem Tisch am Ende des Raums.

»In die Nebenbüro steht eine Faxgerät, dort können Sie gern eine Kopie machen.«

Ein Faxgerät? »Vielen Dank.« Gerink reichte Scatozza die Mappe. »Mein Kollege übernimmt das.«

Scatozza erhob sich kommentarlos. Während Gerink ebenfalls aufstand, um sich die Beine zu vertreten, ließ er den Blick wie zufällig auf das signierte Bild über der Eingangstür fallen.

»Ah, Silvio Berlusconi!«, rief er und breitete erfreut die Arme aus. »Das ist ein Staatsmann, nicht wahr?«

Plötzlich verstummten die Gespräche auf dem Revier. Alle Augen waren auf ihn gerichtet.

»*Ah, sì … Berlusconi!*«, murmelten einige der Männer.

Zu viel Testosteron hatte auch seine guten Seiten!

»Ich wünschte, wir Österreicher hätten einen so fähigen

Staatsmann«, sagte Gerink. Dabei dachte er an die unfähigen Regierungsmitglieder zu Hause, die an Wirtschaft und fairer Politik ebenso wenig Interesse hatten wie Berlusconi.

Der Maresciallo lächelte, diesmal auch mit den Augen, und zum ersten Mal hatte Gerink das Gefühl, dass die Emotion von Herzen kam. Der Mann übersetzte Gerinks Kommentar auf Italienisch, und plötzlich pflichteten die Männer ihm bei.

Was für Speichellecker, dachte Gerink. Aus dem Augenwinkel sah er, wie Scatozza die Aktenstapel austauschte, bevor er den Raum verließ. Niemand hatte etwas bemerkt.

Gerink stieß die angehaltene Luft aus. Er konnte mit der Show aufhören. Doch seine Aussage entwickelte eine merkwürdige Eigendynamik, denn plötzlich wurde ihm eine Tasse Kaffee angeboten.

Während er hörte, wie Scatozza im Nebenraum das Faxgerät bediente, setzte er sich zum Maresciallo an den Schreibtisch.

»Kennen Sie eine Unterkunft für uns?«

»*Ah, sì,* eine perfekte Hotel. Die *Casa delle Rose* in der Via Farfalle. Die Gegend ist ein wenig schäbig, aber die Hotel hat drei Sterne. Nicht weit von hier.«

Drei Sterne! Was für ein Glück! Mit mehr wäre ohnehin nicht zu rechnen gewesen. Das mit der schäbigen Gegend glaubte Gerink sofort. Er stellte sich bereits die Kakerlaken vor, die unter das Bett flüchteten, sobald er das Zimmer betrat.

»Prima.« Im Prinzip war es ja egal, wo er schlief. Nach drei Tagen hatte er diesen Zirkus überstanden – und in der Zeit würde er ohnehin nicht viel zum Schlafen kommen, wollte er Teresa Del Vecchio finden. Mit oder ohne Hilfe des Maresciallo.

»Ihre Kollege müsste eigentlich fertig sein«, meinte der Maresciallo nach einer Weile.

»Ach, der ist langsam … Wir haben keine Eile«, versuchte Gerink den Beamten zu beruhigen.

Doch der Maresciallo drehte sich zu Vito Tassini um und bellte einige Befehle, worauf sich der Mann erhob und in den Nebenraum ging, um nachzusehen.

Falls Scatozza schnell war, hatte er in dieser Zeit gerade mal
zwei Drittel der Akte geschafft.

Im nächsten Augenblick erschienen Scatozza und der Beamte im Büro. Gerinks Partner legte den Stoß neben den anderen
auf den Tisch und eilte zum Ausgang.

»Gehen wir«, raunte er ihm zu.

Gerink erhob sich kommentarlos.

»Trinken Sie ebenfalls eine Kaffee?«, fragte der Maresciallo.

Scatozza steuerte auf die Tür zu. »Nein danke.«

Gerink folgte ihm. Wenn er nicht wüsste, dass Scatozza seiner nächsten eBay-Versteigerung entgegenfieberte, hätte er glatt
vermutet, dass der Sizilianer irgendetwas ausgefressen hatte.

»Renn nicht so!«, rief Gerink, als sie durch die Via dei Gondi
zu ihrem Auto hetzten. »Ich laufe mir doch nicht die Hacken
ab, nur damit du rechtzeitig zu deiner Versteigerung kommst.«

»Die ist erst in vierzig Minuten zu Ende.«

»Warum laufen wir dann so?«, zischte Gerink.

Scatozza reichte Gerink die Mappe mit den Kopien. »Das Faxgerät arbeitet so schnell wie eine lahme Ente. Ich hatte keine
Zeit, den gesamten Stapel zu kopieren.« Er schob sein Hemd
hoch und kramte einen Packen Papiere aus dem Hosenbund
hervor. »Die restlichen Originale habe ich mitgehen lassen.«

17

Für einen Sekundenbruchteil trafen sich Elenas Blick und der des glatzköpfigen Deutschen im Treppenhaus. Er war athletisch gebaut, hatte einen Stiernacken, markante Gesichtszüge und sah für sein Alter recht passabel aus. Doch der Blick seiner durchdringenden stahlblauen Augen verriet, dass er nicht mit Elena flirten wollte.

Sie hob entschuldigend die Schultern. »Verzeihung, eine Verwechslung.«

Immer noch das Mobiltelefon am Ohr wollte er sich bereits umdrehen und durch den Lieferantenausgang in den Hinterhof verschwinden, als Elena ihr Handy unauffällig neigte und den Auslöser betätigte. Mit Hilfe des Fotos hoffte sie, bald mehr über jenen Mann zu erfahren, der auf den Namen Viktor hörte.

Plötzlich nahm der Ostdeutsche das Mobiltelefon herunter, kam wieder ins Gebäude und ging lächelnd auf Elena zu. Hatte er das Klicken gehört? Deutlich waren nun sein Bizeps und der enorme Brustkorb unter dem maßgeschneiderten Anzug zu sehen. »Mein Name ist nicht Viktor.«

»Schon möglich.« Elena steckte ihr Handy in die Handtasche und beobachtete, wie sein Blick für einen Moment auf ihre Tasche fiel. Es war ihm also nicht entgangen.

»Sie müssen mich mit jemandem verwechseln.« Sein preußischer Akzent klang hart. Vermutlich stammte er aus der Gegend von Rostock oder Wismar.

»Sagte ich bereits.«

»Oder etwa nicht?«, hakte er nach.

»Bestimmt, ein Irrtum. Tut mir leid.« Im selben Moment hätte Elena sich vor Wut auf die Zunge beißen können, da sie immer noch mit dem Mann redete. *Hau lieber ab von hier!*

Sein Lächeln war wie gemeißelt. »Sie sind attraktiv. Wie ist Ihr Name?«

»Tatjana Romanova«, antwortete sie prompt.

»Ein hübscher Name, Tatjana. Er passt zu Ihnen. Aus der Ukraine? Allerdings höre ich einen leichten polnischen Akzent in Ihrer Stimme.« Während er sprach, kam er näher.

Instinktiv machte Elena einen Schritt zurück. Im gleichen Augenblick stürzte er zur Treppe. Sie machte kehrt und lief nach oben, aber mit den verdammten Stöckelschuhen, dem Blazer und der engen Hose konnte sie nicht so schnell laufen. Da packte er sie auch schon am Bein, und sie fiel der Länge nach hin.

Im Reflex schrie sie »Feuer!«, wie sie es die Kinder in ihren Selbstverteidigungskursen lehrte. Aber Viktor war sogleich über ihr, presste ihr eine Hand auf den Mund und fasste mit der anderen in ihre Ledertasche.

Elena versuchte, sich mit einem Hebel aus seinem Griff zu befreien, aber er war auf den Druckpunkten unempfindlich. Er durfte auf keinen Fall an ihr Handy gelangen … Sie öffnete den Mund, spürte seinen Finger und biss rücksichtslos zu. Obwohl sie sein Blut schmeckte, gab der Mistkerl auch jetzt keinen Ton von sich. Immerhin ließ er los. Aber bevor sie ein weiteres Mal »Feuer!« rufen konnte, schlug er mit der Faust nach ihrer Schläfe. Sie konnte den Kopf rechtzeitig zur Seite drehen, und der Hieb traf sie nur unter dem Auge. Sterne blitzten auf, aber ihr blieb keine Zeit zum Überlegen. Mit aller Kraft krallte sie ihre Fingernägel in sein Gesicht und trat ihm gleichzeitig mit dem Knie in den Unterleib, worauf er kurz zusammenzuckte.

In ihrer Panik hatte sie vergessen, dass er ihr nicht mehr den Mund zuhielt. Sie schrie so laut, dass sich das Echo im Gebäude fortpflanzte. Erneut wollte er ihr ins Gesicht schlagen, doch diesmal tauchte sie unter dem Hieb weg. Seine Faust krachte gegen die Mauer. Bei dem Aufprall wurde Elena bewusst, dass ihr der Kerl mit seiner Pranke die Schläfe hätte zertrümmern können.

Bevor er noch einmal ausholen konnte, sah sie, wie eine fremde Hand nach ihm griff. Ein Lagerarbeiter im blauen Overall stand über ihr. Während sie eine Stufe nach oben robbte, um sich in Sicherheit zu bringen, rangelte der Arbeiter mit dem Deutschen. Ihr Helfer kassierte einen Schlag an die Schläfe und taumelte gegen das Treppengeländer.

Elena nutzte die Gelegenheit, um dem Deutschen ein weiteres Mal in den Unterleib zu treten. Diesmal kräftiger.

Mehrere Stimmen waren im Treppenhaus zu hören.

»So helfen Sie der Frau doch!«, kreischte eine ältere Dame.

In diesem Moment machte der Ostdeutsche kehrt, lief nach unten und schlüpfte durch den Lieferantenausgang nach draußen.

Dem Arbeiter stand der Schweiß auf der Stirn. »Wer zum Teufel war das? Der unglaubliche Hulk?«

Elena griff nach ihrer Handtasche, auf deren einer Seite der Lederriemen gerissen war. »Keine Ahnung.« Sie zog sich am Geländer hoch. Ihre Knie zitterten. »Danke«, keuchte sie.

Hastig durchwühlte sie die Tasche. Kugelschreiber, Kleenex und Pfefferspray purzelten heraus. Wenn sie die Glock nicht mitnahm, hatte sie zumindest immer das Spray dabei. Aber in einer Situation wie dieser war nicht daran zu denken gewesen, danach zu greifen. Nicht einmal ihre Jiu-Jitsu-Techniken hatten bei dem Kerl Wirkung gezeigt. Sie atmete erleichtert auf, als sie neben dem Timer das Handy sah.

Der Arbeiter bot Elena an, sie zur nächsten Polizeiinspektion zu begleiten, wo sie Anzeige erstatten konnte, doch sie wehrte ab. »Danke, dass Sie mir geholfen haben. Es geht mir gut.«

Sie stopfte sich die Bluse in die Hose, richtete den Kragen und stieg die Treppe zur Auktionshalle hoch. Einige Leute standen im Gang und gafften sie an. Tonis Blazer sah aus, als könnte ihn nur eine Schneiderin retten. Zwei Knöpfe hingen bloß noch an einem dünnen Faden, und das Presseschild hatte einen Riss am Revers hinterlassen. Als der Arbeiter für einen Moment nicht hersah, schob sie ihren Unterkiefer von einer Seite zur anderen. Er schmerzte höllisch, aber der grobschlächtige Ossi hatte ihr zumindest keinen Zahn ausgeschlagen.

Im ersten Stock angelangt versuchte der Arbeiter, sie noch einmal zu überreden, wegen des vermeintlichen Handtaschen-diebs zur Polizei zu gehen, doch Elena überzeugte ihn davon, dass alles in Ordnung sei. Natürlich war es das nicht. Der Mist-kerl hatte ihr eine ordentliche Schramme an der Wange ver-passt. Aber sie hatte, was sie brauchte: ein Foto von *Viktor-wie-immer-du-noch-heißt-Arschloch,* und sie würde die Sache auf ihre Weise regeln.

Der Arbeiter begleitete Elena bis zum Versteigerungssaal. Sie legte die Hand auf die Klinke und hörte durch den Türspalt, dass es im Saal mucksmäuschenstill war.

»Möchten Sie einen Kaffee oder eine Cola?«

»Vielen Dank«, flüsterte sie, »aber es ist wirklich alles in Ord-nung.«

»Okay, ich wünsche Ihnen alles Gute«, wisperte er, wandte sich ab und ging.

Sie betrat den Raum. Die verbrauchte Luft von knapp neunzig Menschen schlug ihr entgegen. Durch das Gemurmel der Zu-schauer drang die Stimme der Auktionsleiterin.

»… zum ersten, zum zweiten und zum dritten – an die Dame mit der Nummer fünf in der dritten Reihe.«

Die Auktionsleiterin schlug auf eine Klingel. »Ich gratuliere. Die Versteigerung ist hiermit beendet.«

Schlagartig setzte der Applaus ein, und die Leute begannen, wild durcheinander zu reden. Einige sprangen auf und griffen zum Handy. Elena stellte sich auf die Zehenspitzen. Es war unmöglich, einen Blick auf die Bieterin mit der Nummer fünf zu erhaschen.

Im nächsten Moment strömten die Menschenmassen zur Tür. Elena drängte sich gegen den Strom zwischen den Leuten zu ihrem Sitzplatz durch. Monica saß immer noch auf ihrem Stuhl.

Die Italienerin bemerkte sie und starrte sie mit großen Augen an. »Um Himmels willen, was ist passiert?«

»Alles okay«, beruhigte Elena sie.

»Ihr Blazer ist zerrissen«, stellte Monica fest. »Oh Gott, Sie haben eine ziemlich schlimme Schwellung!«

»Sie werden es nicht für möglich halten, aber auf der Damentoilette ist die Hölle los.« Elena zog das Handy aus der Handtasche und lud das Foto des Ostdeutschen aufs Display. »Kennen Sie diesen Mann?«

Monica betrachtete das Bild, worauf ihre Gesichtszüge einfroren. »Das ist dieser Viktor, mit dem mein Vater die Auseinandersetzung in seiner Villa hatte. Woher haben Sie das Foto?«

»Er war hier.«

Im Reflex sah Monica sich um.

»Er ist getürmt«, erklärte Elena.

»Hat er Sie so zugerichtet?«

»Entschuldigen Sie bitte?«, murmelte ein Herr, der an Monica und Elena vorbeiwollte.

»Selbstverständlich.« Elena rutschte zur Seite, um die Leute aus der Sitzreihe zu lassen.

»Für wie viel wurde das Gemälde versteigert?«

»Sie haben etwas Unglaubliches verpasst«, entgegnete Monica. Für einen Moment rang sie mit den Worten, und zum ersten Mal hatte Elena den Eindruck, dass ein Riss in ihrer Fassade entstand und sie ehrliche Gefühle zeigte. »Die Höchstbieterin erhielt den Zuschlag für siebzehn Millionen Euro.«

18

Unter dem Scheibenwischer steckte tatsächlich ein Strafzettel. Gerink knüllte ihn zusammen und warf ihn am Straßenrand in den Mülleimer. Die Italiener konnten ihn mal!

Danach fuhren sie zu ihrem Hotel. Der Name *Casa delle Rose* klang vielversprechend – aber diese Rose war schon vor Jahrzehnten verblüht. Die Unterkunft, die sie von der italienischen Behörde hatten zugewiesen bekommen, lag tatsächlich in einer schäbigen Gegend, und sie passte genau dorthin.

Der Maresciallo hatte nicht übertrieben. In der Via Farfalle roch es einmal mehr nach Katzenpisse und vergammeltem Obst. Der nächste zu bezahlende Parkplatz lag etwa siebenhundert Meter entfernt, und Scatozza fluchte wie ein Matrose, während er seine Umhängetasche, den Seesack und die beiden Trolleys durch die Gassen schleppte. Obwohl Gerink ihm das aus ganzem Herzen gönnte, steckte ein derartiger Hass auf die Florentiner Carabinieri in ihm, dass er Scatozza sogar half und den Laptop trug.

Möglicherweise deutete Dino diese Geste falsch, denn er begann schon wieder von Elena zu reden. »Ich wollte dir nur sagen, dass die Sache mit deiner Frau ein Ausru...«

»Lass es!«, unterbrach Gerink ihn. Er wusste genau, was Dino wollte. Sie hatten so viele gute Zeiten als Kollegen erlebt, aber er *konnte* nicht darüber sprechen. Noch nicht. Er wollte mit Elena darüber reden, aber mit niemand anders, schon gar nicht mit Dino. Obwohl dessen Geburtstagsfeier über eine Woche zurücklag, war Gerinks Erinnerung noch so frisch, als hätte er es erst vor wenigen Stunden erfahren. Er hatte die Sache noch nicht mal richtig realisiert, geschweige denn verarbeitet.

»Du wirst es verstehen, wenn wir erst einmal darüber reden«, sagte Scatozza.

»Ich will es aber nicht verstehen.«

Sie schwiegen den Rest des Weges. Als sie das Hotel betraten, wusste Gerink, dass der Maresciallo gelogen hatte. Bei der Unterkunft handelte es sich nicht um ein Dreisternehotel, sondern um ein als Frühstückspension getarntes Stundenhotel, das nicht mal einen halben Stern verdient hätte.

Ein unrasierter Fettklops in einem schmierigen Unterhemd, der sich beim Anblick von Scatozzas Kleidung mit einem breiten Grinsen als Giorgio Armani vorstellte, reichte ihnen den Schlüssel für ein Doppelzimmer. Daraufhin war Scatozza nicht mehr zu halten. Was immer in ihm brodelte, entlud sich. Er begann den Mann auf Italienisch zu beschimpfen, und sein Gebrüll war im ganzen Haus zu hören. Der Gastwirt sprang vom Stuhl hoch, und die beiden lieferten sich ein von wilden Gesten begleitetes Wortgefecht, sodass sogar Gerink begriff, worum es ging, obwohl er kein Wort verstand.

Als die ersten Gäste die Türen aufrissen und ins Treppenhaus riefen, beruhigten sich die Gemüter wieder.

»Was hat das jetzt gebracht?«, fragte Gerink.

Scatozzas Blick sprach Bände. »Es sind Pfingstferien. Außerdem ist nächste Woche der 2. Juni, der Tag der Republik, ein Feiertag. Alle Hotelzimmer sind belegt.«

»Abmarsch, dann suchen wir uns eben eine andere Unterkunft.«

»Die Hotels sind *alle* ausgebucht«, sagte Scatozza. Er steckte den Schlüssel in die Hosentasche, griff nach den beiden Trolleys und wuchtete sie über die Treppe in den ersten Stock.

Ein Fahrstuhl existierte natürlich nicht. Vermutlich gab es nicht einmal Strom in dem Gebäude.

Eine Minute später standen sie vor einer Tür, die so verzogen im Rahmen hing, dass man durch den Spalt ins Zimmer blicken konnte. Scatozza öffnete sie. Sie standen nebeneinander im Korridor und glotzten in einen etwa zehn Quadratmeter großen Raum. Das Waschbecken war so klein, dass man nicht einmal die Hände unter den Wasserhahn quetschen konnte. Das Zimmer hatte zwar einen Balkon, der war aber nur etwa fünfzehn Zentimeter breit und ging auf den grauen Innenhof des Gebäudes. Außerdem stanken die Vorhänge nach Zigarettenrauch. Aber es hing noch ein anderer widerlicher Mief in dem Zimmer, als hätte ein Murmeltier in eine Ecke gekackt.

»Ich bringe den Maresciallo um«, flüsterte Scatozza.

Gerink sah sich im Zimmer um. Einige Kabel hingen lose aus dem Fernsehgerät und der Klimaanlage, die wie eine Kunststoffattrappe aus der Wand ragte. Wie er vermutet hatte – kein Strom. Das Bett war etwa eineinhalb Meter breit, und darauf lag bloß eine Decke. Er suchte nach einem zweiten Bett, fand aber keines. »Sollen wir etwa da schlafen?«

Scatozza gab keine Antwort.

Gerink hielt für einen Moment den Atem an. »Wenn wir wieder zurück sind, erinnere mich daran, dass ich Lisa Eisert eigenhändig erwürge.«

Scatozzas Miene verfinsterte sich. »Falls ich sie nicht schon vorher umbringe.«

Gerink riss als Erstes das Fenster auf. Dann öffnete er den Schrank, um den Inhalt seines Koffers darin zu verstauen. Doch als er die staubigen Holzbretter sah, drückte er die Tür wieder zu. Er beschloss, die nächsten drei Tage aus dem Koffer zu leben. Schließlich griff er nach der Akte der Carabinieri und setzte sich auf die linke Betthälfte. Seit Jahren war er es so gewohnt. Jedes Mal, wenn er mit Elena in den Urlaub fuhr und sie im Hotel übernachteten, legte er sich automatisch auf die linke und sie auf die rechte Seite.

»Verzieh dich«, murrte Scatozza. »Ich schlafe auf dieser Seite!«

Gerink funkelte ihn an. »Ich liege immer links. Suchst du Streit?«

Scatozza musste den Blick in seinen Augen richtig gedeutet haben, denn er brummte irgendetwas und griff zum Handy.

Was für ein Irrsinn, dachte Gerink. Wenn die Emotionen mit ihm durchgingen, konnte es sein, dass er Scatozza im Schlaf erwürgte. Er sollte sich lieber auf den Fall konzentrieren und alles andere ausblenden, zumindest die nächsten drei Tage, sonst würde er neben Dino verrückt werden. Angespannt durchblätterte er die Akte.

Währenddessen führte Scatozza einige Telefonate auf Italienisch. Er sagte immer wieder den gleichen Spruch auf, und von Mal zu Mal klang er frustrierter. Die Suche nach einem freien Hotelzimmer in Florenz schien aussichtslos. Mittlerweile hätten sie sogar in einem Hühnerstall mit zwei Matratzen übernachtet. Schließlich warf Scatozza das Handy zornig aufs Bett, griff in den Trolley und holte sein Schulterholster aus dem Seitenfach.

Gerink wurde skeptisch. »Wozu hast du das Holster mitgenommen?«

»Was glaubst du? Um Sandwiches reinzupacken?«

Im nächsten Moment beschleunigte sich Gerinks Herzschlag, als er sah, dass Scatozza eine Pistole aus dem Trolley zog. »Bist du völlig übergeschnappt? Du hast eine *Waffe* mitgenommen?«

»Ist ja nicht meine *Dienstwaffe*.«

»Das sehe ich, Idiot! Wenn sie dich mit deiner Privatkanone erwischen, bist du genauso dran.«

»Wer sollte mich erwischen?«

Gerinks Herz raste. »In welche Scheiße reitest du uns da rein?«

Nun wurde auch Scatozza wütend. »Denkst du allen Ernstes, ich spaziere ohne Waffe drei Nächte lang durch Florenz auf der Suche nach einer vermissten Person?«

»Ja!«, brüllte Gerink.

»Träum weiter! Wer weiß, wohin die Ermittlungen uns führen?« Er ging mit der Knarre zur Tür.

»Was hast du vor? Willst du den Fettklops an der Rezeption umlegen?«

»Hängt von ihm ab.«

Scatozza verschwand im Flur, und Gerink saß allein im Zimmer. Er hörte, wie sein Partner die Treppe nach unten polterte. Kurz darauf quiekte der Rezeptionist wie ein in Panik geratenes Schwein, bevor es abgestochen wurde.

Gerink trat in den Gang und lauschte. Von Scatozza war kein Wort zu hören, doch der Fette sprudelte drauflos, als ginge es um sein Leben. Seine schrille Stimme war im ganzen Treppenhaus zu hören. Gerink verstand kein Wort, doch es klang nach einem Schwall von Rechtfertigungen und Entschuldigungen. Sollte er hinuntergehen, um nach dem Rechten zu sehen? Keine Chance! Scatozza war so in Rage, dass er nicht mit sich würde reden lassen. In solchen Momenten ließ man ihn besser in Ruhe, damit er seinen Frust entladen konnte. Außerdem hatte Gerink genug damit zu tun, seine eigenen Aggressionen unter Kontrolle zu bekommen.

Schließlich verstummte das Gequieke. Gerink hörte das Klimpern eines Schlüsselbundes, und kurz darauf kam Scatozza die Treppe hoch. Kommentarlos ging er an ihrem Zimmer vorbei zum Ende des Flurs.

Gerink starrte ihm nach. »Was ist passiert?«

»Wir haben ein anderes Zimmer.«

»Ich dachte, die wären belegt.«

»Dieses hier nicht.«

Gerink folgte ihm. Sie standen am Ende des Gangs vor der letzten Tür, die nicht so windschief im Rahmen hing wie die meisten anderen. Allerdings besaß das Zimmer keine Nummer. Stattdessen klebte eine Tafel mit geschwungener Schrift in Augenhöhe an der Tür: *Honeymoon-Suite*. Der Fußabtreter hatte die Form zweier großer roter Herzen.

Gerink warf Scatozza einen Blick zu. »Ist nicht dein Ernst, oder?«

Scatozza schloss auf. »Abwarten.«

Das Zimmer war dreimal so groß wie ihres. Die zugezogenen roten Vorhänge tauchten den Raum in ein schummeriges Licht. Über dem Kingsize-Bett lag eine gewaltige rubinrote Tagesdecke, darauf jede Menge verstreute Rosenblätter aus Plastik.

Beide starrten auf das große rosafarbene Plüschherz, das zwischen den Kopfkissen lag. Auf jedem Polster wartete ein Mon Chéri darauf, ausgepackt zu werden.

»Ich hoffe, du hast jetzt genug Platz auf deiner linken Seite«, knurrte Scatozza.

Gerink warf ihm einen ausdruckslosen Blick zu.

Plötzlich grinste Scatozza. »Alter, jetzt solltest du mal dein Gesicht sehen.«

Kurz darauf zogen sie mit ihrem Gepäck in die Honeymoon-Suite. Eigentlich hätte einer von ihnen in dem anderen Zimmer bleiben können, doch niemand wollte in dem stinkenden Loch übernachten.

Gerink zog die Vorhänge auf und lüftete. Diesmal hatten sie sogar einen Balkon mit zwei Stühlen und einem schmiedeeisernen Tisch. Zwar lag er auf der Straßenseite, doch in dieser schmalen Gasse war fast kein Verkehr.

Gerink ließ den Koffer ungeöffnet und setzte sich mit Teresa Del Vecchios Akte auf den Balkon.

»In diesem Zimmer haben wir sogar Strom«, rief Scatozza, schaltete den Laptop ein und begann, seine Trolleys auszupacken.

Hin und wieder blickte Gerink ins Zimmer und sah, wie Scatozza Hemden und Hosen im Schrank und in den Kommodenfächern verstaute und seine Kosmetikartikel großzügig im Bad verteilte. Zwischendurch warf der Sizilianer immer wieder einen Blick auf den Monitor.

»Scheiße, die Preise gehen hoch«, murmelte er einmal zu sich selbst, als überlegte er, ob er überhaupt noch mitbieten sollte.

»Wie viel gibst du durchschnittlich aus?«, fragte Gerink, während er durch die Unterlagen der Carabinieri blätterte.

»Zwischen achtzig und hundertzwanzig Euro.«

»Ist dir eigentlich klar, dass die Online-Gebühren in Italien nicht gerade billig sind?«

»Nicht wenn du über eine italienische Telefonwertkarte surfst.«

»Was heißt eigentlich *testimonianza*?«

»Zeugenaussage.«

»Aha … davon haben wir neunzehn Stück.« Gerink zog den Leuchtkugelschreiber mit der eingebauten Lampe aus der Tasche, den ihm Elenas Freundin Toni geschenkt hatte. Er zeichnete einen Stammbaum der Del-Vecchio-Familie, der mit Zenobia und Angelo begann. »Was heißt *sorella*?«

»Schwester.«

»Und *cognata*?«

»Schwägerin.«

»Was ersteigerst du gerade?«

»Geht dich nichts an.« Scatozza kam aus dem Bad. »Hast du einen Waffenschein für diesen Kuli?«

»Hat mir eine Filmkritikerin geschenkt. Ist nützlich, hat eine Lampe. Schau mal!« Er leuchtete Scatozza in die Augen.

»Idiot! Scheinst dich ja rasch zu trösten«, sagte Scatozza und brachte Haarshampoo, Dusch- und Rasiergel ins Badezimmer.

Gerink gab keine Antwort darauf. »Ist überhaupt noch Platz im Bad?« Er beugte sich vor, doch sein Partner hatte den Laptop wieder einmal so auf dem Tisch platziert, dass er nicht auf den Monitor sehen konnte.

Als Scatozza aus dem Bad kam, wurde er sichtlich nervös. Fast sekündlich aktualisierte er die Bildschirmanzeige.

Währenddessen vollendete Gerink den Stammbaum.

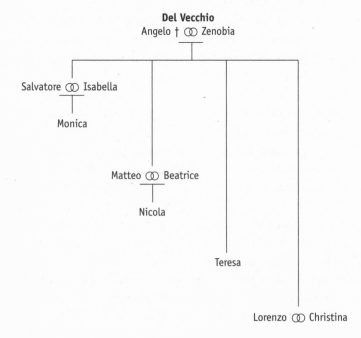

Als er in den Originalunterlagen weiterblätterte, stieß er auf ein Farbfoto aus der Pathologie. Der Tote war etwa vierzig Jahre alt, groß, breitschultrig und hatte langes Haar. Was hatte diese Leiche mit Teresas Verschwinden zu tun? »Was heißt *forbicine*?«, fragte er.

»Nagelschere«, übersetzte Scatozza. »Scheiße … innerhalb von zwei Minuten auf hundertdreißig Euro!« Er knirschte mit den Zähnen, überlegte kurz, hämmerte schließlich wie besessen auf die Tastatur und verharrte dann emotionslos vor dem Monitor. Kurz darauf klappte er den Laptop erleichtert zu.

»Wie viel hast du ausgegeben?«, fragte Gerink.

»Hundertvierundfünfzig.«

»Gratuliere.«

Mit aufgerollten Hemdsärmeln und den Händen in den Hosentaschen trat Scatozza auf den Balkon. »So eine Schweinehitze!«, maulte er. »Was machen wir als Nächstes? Ich habe Hunger.«

»Sieht so aus, als wäre am Tag von Teresas Verschwinden ein Mord auf dem Grundstück passiert.«

»Wie?«

»Nagelschere im Genick.«

»*Uuuh!*« Scatozza kniff die Augen zusammen. »Glaubst du, Teresa hat etwas damit zu tun?«

»Kann ich mir nicht vorstellen. Schau dir das Bild von dem Kerl an.« Gerink reichte ihm das Foto. Der behaarte Oberkörper des Mannes war so breit wie ein Scheunentor. »Ihr Cousin Roberto.«

Scatozza warf einen Blick auf den italienischen Text. »Ein *weit entfernter* Cousin«, korrigierte er.

»Wir sollten uns das Grundstück der Del Vecchios in San Michele ansehen, die Leute befragen und mit Hilfe der Protokolle und Berichte der Spurensicherung rekonstruieren, wie Teresa von dort verschwunden ist.«

»Vielleicht finden wir auf dem Weg dorthin eine Trattoria.«
Scatozza gab ihm das Foto zurück. »Gut, dass wir eine Knarre
haben. Immerhin haben wir es schon mit Mord zu tun.«

Plötzlich klopfte es an der Tür.

Sie sahen sich einen Moment lang wortlos an.

»Ja?«, rief Scatozza ins Zimmer.

»*Polizia!*«, dröhnte es vom Gang.

19

Auf der Damentoilette von Rinaldi's restaurierte Elena notdürftig Tonis ramponierten Blazer und überschminkte das Veilchen, das Viktor ihr verpasst hatte. Anschließend schickte sie das Foto des Ostdeutschen per Handy an ihre Schwester ins Bundeskriminalamt.

Am späten Nachmittag saßen Elena und Monica in der klimatisierten Gästelounge von Rinaldi's, aßen Käsecracker und tranken Kir Royal. Von dem Fensterplatz im ersten Stock aus sahen sie auf den Stephansdom und die Fußgängerzone. Touristen, Musiker und Pantomimen bevölkerten die Straßen.

Elena wartete auf den Rückruf ihrer Schwester. Entweder würde Lisa ihr verraten, wer der Kerl war, oder das Foto löschen und ihr zornig an den Kopf werfen, dass das BKA nicht ihre private Ermittlungstruppe sei.

Mittlerweile hatten sie alle Cracker gegessen. Gedankenverloren drehte Elena die leere Schüssel im Kreis. »Ich werde das Gefühl nicht los, dass dieser Viktor etwas mit dem Verschwinden Ihres Vaters zu tun hat.«

Anscheinend wusste Monica nicht, was sie darauf sagen sollte. Elena wurde deutlicher. »Möglicherweise ist Ihr Vater nicht freiwillig von der Bildfläche verschwunden.«

»Sie meinen, sein Brief ist eine Fälschung?«

»Nein, es ist die Handschrift Ihres Vaters. Andernfalls hätten wir auf offiziellem Weg etwas unternehmen können. Was ich meine ...« Elena rückte näher. »Vielleicht hat er sich nicht zurückgezogen, um zu trauern und den Tod seiner

Frau zu verarbeiten, wie er behauptet hat, sondern ...« Sie überlegte.

»Ja?«

»Es gibt zwei Möglichkeiten: Entweder wurde er von Viktor bedroht beziehungsweise erpresst, woraufhin er an einen Ort flüchtete, den er aus Sicherheitsgründen nicht einmal Ihnen mitteilte.«

»Oder?«, hakte Monica nach.

»Er wurde entführt.«

»Und jemand hat ihn gezwungen, diesen Brief zu schreiben?«

»Richtig«, antwortete Elena. Genau genommen gab es noch eine dritte Möglichkeit, dachte sie: Sein Verschwinden war ein siebzehn Millionen Euro schwerer Marketingschwindel.

»Auf der anderen Seite«, ergänzte sie, »belegen die Gutachten und Zertifikate, dass *Isabellas Antlitz* tatsächlich von Ihrem Vater stammt. Also war er im letzten Jahr nicht untätig, sondern hat sich darum gekümmert, dass Sie finanziell versorgt sind.«

»Geld ist mir nicht wichtig«, meinte Monica. »Ich habe immer noch nicht realisiert, wie viel das Gemälde eingebracht hat. Viel wichtiger ist mir, dass ich endlich meinen Vater finde.«

Jetzt kam gleich wieder die Geschichte von Salvatore Del Vecchios Sternschnuppe, die ihr Elena nicht ganz abnahm ...

»Aus welchem Grund suchen Sie Ihren Vater eigentlich?« Elena ließ die Frage beiläufig klingen.

»Sagte ich doch bereits – ich mache mir Sorgen um ihn.« Monicas Antwort klang etwas schnippisch.

»Und was versprechen Sie sich davon, wenn wir ihn finden?«

Sie zuckte mit den Achseln. »Er ist mein Vater; dann weiß ich wenigstens, dass es ihm gut geht.«

So kam Elena nicht weiter. Sie wechselte das Thema. »Sie sagten, Ihr Vater habe immer auf einem eigens für ihn gezimmerten Keilrahmen mit speziellen Pinseln und besonderen Farben gearbeitet.«

»Die er von einem Hersteller aus den Cinque Terre bezog.«

»An der Rivieraküste?«

Monica nickte.

»Wir sollten einen genaueren Blick auf das Gemälde werfen.« Elena zog die Bieterliste aus der Tasche. Unter den vierundsiebzig Namen lautete keiner auf Viktor. Das wäre auch zu einfach gewesen. Die meisten registrierten Bieter waren Galeristen aus Österreich, Italien, Ungarn oder Tschechien. Ein polnischer wohnte sogar in ihrer Geburtsstadt Warschau. Drei kamen aus Hamburg, zwei aus München, doch keiner stammte aus der ehemaligen DDR. Hinter der Nummer fünf, die den Zuschlag für Del Vecchios Gemälde erhalten hatte, verbarg sich die Galerie Sandra Grimbaldi in Wien.

Monica lugte neugierig über den Tisch. »Woher haben Sie diese Liste?«

»Fragen Sie lieber nicht.« Elena wurde nicht schlau aus den Daten. »Ich dachte, an dieser Versteigerung seien hauptsächlich Millionäre oder private Kunstsammler interessiert. Woher haben die Galeristen bloß so viel Geld?«

Monica schmunzelte. »Es *sind* fast nur Privatpersonen an derartigen Auktionen beteiligt. Doch wäre es unprofessionell, selbst in Erscheinung zu treten, daher beauftragen die meisten Käufer eine Galerie, die das Exponat für sie ersteigert.«

»Diese Grimbaldi handelte im Auftrag von jemandem?«

Monica nickte. »Bestimmt.«

»Warum befindet sich kein einziger Antiquitätenhändler auf der Liste?«

»Zum Glück«, seufzte Monica. »Das würde nämlich bedeuten, dass mein Vater bereits im fünfzehnten Jahrhundert verstorben wäre.«

»Oh, entschuldigen Sie bitte.« Elena merkte gerade, dass sie von Kunst noch zu wenig Ahnung hatte. Aber das würde sich rasch ändern, wenn sie sich erst einmal in die Recherchen vertieft und wie ein Terrier in den Fall verbissen hatte. Nachdem der Fall Hödel auf Wunsch ihres Klienten vorzeitig abgeschlossen worden war, konnte sie sich voll und ganz der Suche nach Salvatore Del Vecchio widmen.

»Somit bleiben mir zwei Hinweise, denen ich nachgehen kann«, resümierte Elena. »Erstens, die Spur des Gemäldes zurückverfolgen. Dazu müsste ich es genauer inspizieren, mit dem Höchstbieter reden oder einen Blick in die Gutachten werfen. Zweitens, ich hefte mich an die Fersen von diesem Viktor. Sind Sie damit einverstanden?«

Monica nickte. »Natürlich.«

Elena warf einen Blick auf ihr Handy, das vor ihr auf dem Tisch lag. Kein Anruf. »Ich gebe aber eine Sache zu bedenken: Falls ich Ihren Vater finde, und er ist am Leben, könnte das den Mythos um seine Person zerstören und den Wert seiner Gemälde schmälern. Haben Sie daran gedacht?«

Monica funkelte sie an. »Sie glauben doch nicht wirklich, dass mich der Wert seiner Gemälde interessiert?« Ihre Lippen bebten.

Elena beobachtete sie genau und überlegte, ob die übertriebene Reaktion echt war. »Sondern?«

»Ich möchte wissen, wo der Mistkerl sich das letzte Jahr herumgetrieben hat, warum er abgehauen ist und mich im Stich gelassen hat!«

»Leiser!«, zischte Elena. »Okay, ich habe es verstanden. Beruhigen Sie sich wieder.«

Der »Mistkerl«. Nun kam ein neuer Aspekt ins Spiel. Wie Elena richtig vermutet hatte, hasste Monica ihren Vater, weil er sie nicht in seine Pläne eingeweiht hatte. Das zeigte allerdings, dass sie ihn auch liebte – schließlich konnte man jemanden nur hassen, wenn man an ihm hing.

Elena wartete, bis Monica sich wieder entspannt hatte. »Das Standardmodell für die Suche nach einer vermissten Person beinhaltet eine Pauschale von vierhundertfünfzig Euro pro Tag zuzüglich Tagesdiäten und Wochenendzuschlag«, erklärte sie. »Die Kosten für Leihwagen und Unterkünfte im Ausland übernimmt der Auftraggeber. Selbstverständlich erhalten Sie Belege über alle Ausgaben. Normalerweise wird eine Akontozahlung über zweitausend Euro in bar vereinbart, auf die ich aber vorläufig gern verzichten kann.«

Monica überlegte nicht lange. »Einverstanden. Sie sagten, wir hätten zwei Spuren. Mit welcher beginnen wir?«

Wir? In diesem Moment begann Elenas Handy zu vibrieren. Auf dem Display erschien der Name des Teilnehmers. *Grauer Wolf.*

»Wenn wir Glück haben, mit der von Viktor.« Elena atmete tief durch und nahm das Gespräch entgegen.

»Hallo, Elli.« Lisa klang gehetzt. »Ich bin kein Auskunftsbüro!«

»Es ist wichtig.«

»Wann ist es das nicht?«, seufzte sie. »Den Kerl gibt es nicht.«

Was für eine plumpe Ausrede. »Du verarscht mich, oder?«

»Elli.« Lisas Stimme wurde todernst. »Du weißt, ich habe keine Zeit für solche Späße.«

Lisa erzählte, dass ihre Mitarbeiter das Foto des Ostdeutschen durch alle Datenbanken gejagt hätten. Ohne Erfolg. Es gebe weder einen Viktor noch einen Ostdeutschen anderen Namens, auf den das Bild passe.

»Hast du keinen anderen Hinweis?«

Elena betrachtete ihre Hand. »Sein Blut war unter meinen Fingernägeln.«

Lisa schnalzte mit der Zunge. »Die DNS-Analyse im Labor in Innsbruck können wir vergessen. Ist zu teuer und wird nur bei schweren Delikten durchgeführt. Tut mir leid, Elli.«

»Ich weiß, danke.«

Sie schwiegen eine Weile, schließlich seufzte Lisa. »Geht es dir gut?«

Elena glaubte, sich verhört zu haben. Mit einem Mal klang Lisa tatsächlich besorgt. Auch wenn sie zeitweise so ruppig auftrat – sie konnte eben doch nicht aus ihrer Haut heraus. Als Elena ein Kind gewesen war, hatte ihre zwölf Jahre ältere Schwester die Beschützerrolle übernommen. Gleichgültig, ob es ihren randalierenden Vater, die Grundschullehrer oder raubeinigen Jungs im Baumhaus des benachbarten Bauernhofs betroffen hatte, wo Elena während der Sommerferien gewesen war. Mit so einer Schwester stand man immer auf der Siegerseite. »Ja, alles okay«, antwortete sie.

»Ich mache das nur ungern, weil mich der Beziehungskram meiner Mitarbeiter nichts angeht, aber ich soll dir etwas von Peter ausrichten …«

»Ich weiß. Er will sein Kameraset zurückhaben.« Wieder versetzte ihr der Gedanke an ihren Mann einen Stich ins Herz.

»Genau. Elli, es tut mir leid, was zwischen euch vorgefallen ist. Aber ich sage dir eines: Er leidet wie ein Hund. Sprich mit ihm.«

»Ich bin noch nicht so weit«, erwiderte sie … *dass ich ihm in die Augen sehen kann*, fügte sie in Gedanken hinzu. Sie spürte, wie sich ihre Brust zusammenzog. Kürzlich hatte sie Lydia Hödel einen guten Ratschlag unter die Nase gerieben – dabei hatte gerade sie es nötig, anderen Tipps zu geben. »Hast du Mutter davon erzählt?«

Lisas Antwort kam prompt. »Bist du verrückt? Du weißt doch, wie sehr sie in Peter vernarrt ist und sich ein Enkelkind wünscht.«

Enkelkind! Der Gedanke an ein Kind versetzte ihr erneut einen Stich. Den Grund dafür kannten nur Peter und sie.

»Wenn Mutter von eurer Trennung erfährt, bekommt sie einen weiteren Herzinfarkt«, sagte Lisa.

Vermutlich hätte es witzig klingen sollen, doch das tat es nicht. Elena war eine Nachzüglerin und das Nesthäkchen gewesen. Ihre Mutter, die bei ihrer Geburt immerhin schon siebenunddreißig gewesen war, stand knapp vor ihrem siebzigsten Geburtstag und hatte bereits zwei schwere Infarkte überlebt. Sie wünschte sich nichts sehnlicher als ein Enkelkind. Elena verstand das nur zu gut. Da Lisa keine Kinder bekommen konnte – und sich vermutlich deshalb wie eine hungrige Wölfin in ihren Job verbiss –, blieb das Familienglück an Elena hängen. Was für ein Trauerspiel! Sie hatte ihrer Mutter und ihrer Schwester nie erzählt, dass sie vor fünf Monaten ein Baby in der elften Schwangerschaftswoche verloren hatte. Mutter hätte den Grund dafür in Elenas stressigem Job vermutet – und auf diese Vorwürfe konnte sie gern verzichten. Gerade in einer Zeit, als der Seitensprung mit Dino wie eine Erdbebenwelle durch ihr Leben gerast war und alles zerstörte, was sie sich aufgebaut hatte.

»Wie hält Peter sich?«, fragte sie.

»Ich habe ihn für drei Tage ins Ausland geschickt«, antwortete Lisa.

»Doch nicht wieder mit Scatozza?«

Lisa schwieg.

Oh Gott, auch das noch, dachte Elena. Nun war ihr klar, weshalb er wie ein Hund litt. »Du bist eine Sadistin!«, murmelte sie.

»Ich? Ich kann nicht mein Team umstellen, nur weil du mit jedem in die Kiste steigst.«

»He!«, rief Elena. »Ich …«

»Entschuldige bitte, es ging nicht anders. Dein Mann ist der

Einzige, der den Fall lösen kann, aber in Italien ist er ohne Scatozza so aufgeschmissen wie ein Fisch in der Wüste.«

»Italien?«, unterbrach Elena sie. Irgendjemand hatte ihr bisher nur die halbe Wahrheit erzählt. Unwillkürlich sah sie zu Monica hinüber. Was lief hier? Immerhin hatte Peter sie der Italienerin empfohlen. »An welchem Fall ist er dran?«

»Sorry, Elli. Eine laufende Ermittlung. Ich kann dir nichts darüber erzählen.«

»Okay, danke.« Sie legte auf und schwieg eine Weile.

»Was haben Sie erfahren?«, fragte Monica.

»Dieser Viktor ist eine Sackgasse. Bleibt nur noch das Gemälde.« Elena machte eine Pause. Nun wurde es Zeit, einige Sachen klarzustellen. »Ich dachte, Sie wären wegen Ihres Vaters bei der Kripo gewesen, und Peter Gerink hätte Ihnen meine Adresse gegeben.«

»Das habe ich nie behauptet!«

Aber auch nicht das Gegenteil, dachte Elena. »Haben Sie mit meinem Mann *nur* über Ihren Vater gesprochen?«

Monica wiegte den Kopf. »Eigentlich ist er zu mir gekommen. Er gab mir den Tipp, mich wegen meines Vaters an Sie zu wenden … Ursprünglich kam er zu mir, weil er nach meiner vermissten Tante sucht.«

Vermissten Tante?

»Und das erwähnen Sie erst jetzt?« Elena massierte sich die Schläfen. »In Ihrer Familie scheint es Gewohnheit zu sein, dass Angehörige verschwinden.«

»Die Kripo ermittelt in dieser Sache ohnehin, und da ich nicht wusste, wie rasch Sie bei der Suche nach meinem Vater vorankommen, wollte ich Teresas Verschwinden vorerst nicht erwähnen.«

Wie reizend! Nun erfuhr Elena, dass Salvatore Del Vecchios Schwester Teresa vor einem Monat bei einem Besuch in der

Toskana spurlos verschwunden war und Peter Gerink den Fall übernommen hatte. »Sah mein Mann zwischen dem Verschwinden Ihrer Tante und dem Ihres Vaters einen Zusammenhang?«

Monica schüttelte den Kopf.

Elena konnte das nicht glauben. Bestimmt hatte Peter eine Verbindung bemerkt. Er wäre ein schlechter Ermittler, wenn er nicht daran gedacht hätte – und das war er nicht. »Von nun an möchte ich, dass Sie mir kein einziges Detail mehr verheimlichen. Ist das klar?«

Monica kniff die Augen zusammen, als fühlte sie sich in ihrer Ehre gekränkt. »Entschuldigen Sie bitte«, presste sie hervor, und Elena merkte, dass es sie einige Überwindung kostete.

»Schon gut. Machen Sie sich keine Sorgen. Peter Gerink ist der beste Entführungsspezialist, den das BKA hat. Er wird Ihre Tante finden und zurückbringen.«

Falls sie noch lebt.

»Etwas Ähnliches hat er auch über Sie gesagt … dass Sie meinen Vater finden würden.«

Falls er *noch lebt.* Elena hatte einen dicken Kloß im Hals. Sie legte zwanzig Euro auf den Tisch. »Wir sollten gehen.« Als sie sich erheben wollte, versperrte ihr eine Frau den Weg.

Lydia Hödel betrachtete die beiden. »Wen haben wir denn da?«

»Wir wollten gerade gehen.« Elena warf Monica einen auffordernden Blick zu.

Hödel ignorierte sie und blickte zu Monica. »Sie sind nicht etwa Salvatore Del Vecchios Tochter?«

»Nein, ist sie nicht«, log Elena.

»Sie kannten meinen Vater?«, sprudelte es aus Monica hervor.

Du lieber Himmel!

»Wie interessant. Darf ich mich zu Ihnen setzen?« Im nächsten Moment saß Lydia Hödel bereits an ihrem Tisch. »Wir hatten Sie zu dieser Versteigerung eingeladen, aber nachdem wir keine Antwort erhielten, habe ich nicht damit gerechnet, dass Sie kommen würden.«

»Ich habe mich kurzfristig entschieden«, sagte Monica. »Mein Vater hätte sich bestimmt gefreut.«

»Gewiss. Ich bin ihm vor fünf Jahren bei einer Vernissage in Wien begegnet. Damals war ich noch Vizedirektorin dieses Auktionshauses. Sie sind Ihrer Mutter wie aus dem Gesicht geschnitten.« Hödel schenkte Monica ein warmes Lächeln. »Ich habe von ihrem Tod gehört – es tut mir aufrichtig leid. Andererseits beglückwünsche ich Sie zum Erfolg der heutigen Versteigerung.«

Elena ahnte, dass bei diesem Gespräch nichts Gutes herauskommen würde. »Wir müssen los«, forderte sie Monica auf.

Erst jetzt wandte sich Hödel an Elena. Skeptisch betrachtete sie das überschminkte Veilchen. Dann wanderte ihr Blick zu Elenas dunklem Blazer, der über der Stuhllehne hing. Offenbar bemerkte sie die abgerissenen Knöpfe und die Kalkspuren von der Wand, denn unvermittelt veränderte sich ihr Gesichtsausdruck, als dämmerte es ihr. »Frau Gerink, Sie sind die Dame, die im Treppenhaus überfallen wurde! Ich habe es eben von einem Lagerarbeiter erfahren. Wie entsetzlich!« Hödels Bestürzung klang alles andere als echt. »Sie sollten Anzeige erstatten, meine Liebe. Mein Mitarbeiter wird selbstverständlich als Zeuge für Sie aussagen.«

»Danke, aber das ist nicht notwendig«, wehrte Elena ab. »Außerdem würde die Anzeige möglicherweise dem Ruf Ihres Hauses schaden.« Sie lächelte milde.

Monicas Blick wanderte zwischen Hödel und Elena hin und her. »Sie beide kennen sich?«

»Natürlich.« Hödels Gesichtsausdruck erhellte sich, und plötzlich lächelte sie. »Frau Gerink ist Privatdetektivin, nicht wahr? Ich nehme an, Sie haben sie engagiert, um Ihren Vater zu finden?«

»Nein.«

»Ja«, schoss es aus Monica heraus.

Was für ein Reinfall, dachte Elena. Am liebsten wäre sie im Erdboden versunken.

Hödel nickte nachdenklich. »Falls ich Ihnen bei der Suche behilflich sein kann, lassen Sie es mich wissen.« Dann wandte sie sich an Elena und streckte die Hand aus. »Darf ich Sie um die Liste bitten?«

Die Lüge über die Zusammenarbeit mit der Dezernatsleitung des Bundeskriminalamts, um ein Verbrechen in der Kunstbranche aufzudecken, war soeben wie eine Seifenblase zerplatzt. Aber Elena würde nicht so leicht aufgeben. Sie griff nach der Liste auf dem Tisch. »Unter einer Voraussetzung … *quid pro quo*.«

Hödel seufzte. »Was ist es diesmal?«

»Wir würden gern einen Blick auf das Gemälde werfen.«

»Zu spät.« Hödel lächelte. Das falsche Bedauern stand ihr ins Gesicht geschrieben. »Es wurde bereits aus der Auktionshalle gebracht, von unseren Spezialisten fachgerecht verpackt und befindet sich soeben mit einem Sondertransport unserer Spedition auf dem Weg zum Höchstbieter.«

»Sie verlieren wohl nie eine Sekunde.«

Hödel zuckte mit den Achseln. »So läuft das Geschäft nun mal, sofern der Höchstbieter eine entsprechende Bankgarantie hinterlegt – was er getan hat.«

Elena senkte die Stimme. »Von wem wurde die Galerie Grimbaldi beauftragt? Und kommen Sie mir nicht wieder mit dieser Datenschutzscheiße!«

Hödel zuckte zusammen. »Woher soll ich das wissen?« Die Empörung klang echt.

»Liefern Sie an die Galerie oder direkt an den Käufer?«, fragte Elena. Sie beobachtete, wie Lydia Hödels Lächeln gefror. Ihr Kiefer mahlte, als überlege sie.

»Wie lautet die Lieferadresse?«, bohrte Elena weiter.

»Eine Villa in Brunn am Gebirge«, presste Hödel hervor und blickte auf die Liste.

»Ich nehme an, dort wohnt jemand, der bereits öfter die Galeristin Sandra Grimbaldi beauftragt hat«, vermutete Elena. »Der Name!«

Hödel kniff für einen Moment die Augen zusammen. »Ich würde gegen meine Verschwiegenheitspflicht verstoßen, wenn ich Ihnen sagte, dass Thomas Dunek ein interessierter Del-Vecchio-Sammler ist.«

»Danke. Vielleicht brauche ich Ihre Hilfe später noch einmal.«

»Von mir aus, dann rufen Sie mich an, und jetzt die Liste – *bitte*!«

Elena reichte die Papiere Hödel, die sie sogleich zerriss und die Schnipsel in der Tasche verschwinden ließ. Danach erhob sie sich und gab Monica zum Abschied die Hand. Elena ignorierte sie geflissentlich.

Als Hödel außer Hörweite war, beugte sich Elena zu ihrer Klientin hinüber. »So läuft das nicht! Das nächste Mal überlassen Sie das Reden mir.«

»Entschuldigung … Du meine Güte!«, flüsterte Monica und verdrehte die Augen. »Worum ging es da überhaupt zwischen Ihnen?«

»Belanglos.« Elena atmete tief durch. »Wichtig ist bloß, dass ich als Nächstes diesem Thomas Dunek einen Besuch abstatte.«

20

Die Fünfhundert-Seelen-Gemeinde San Michele südlich von Florenz lag gut versteckt zwischen den Hügeln inmitten von Olivenhainen. Gerink und Scatozza folgten in ihrem Pajero einem klapprigen grünen Fiat über die kurvenreiche Landstraße.

Der Maresciallo hatte den schmächtigen Vito Tassini, der in der Carabinieri-Wachstube die Akten für sie sortiert hatte, als »Aufpasser« zu ihrer Unterkunft geschickt. Der Polizist sprach nur ein paar Brocken Deutsch und sollte sich um sie kümmern. Vito geleitete sie nun mit einem zivilen Fahrzeug zu den Del Vecchios. Deren Grundstück lag nicht weit von San Michele entfernt und präsentierte sich wie ein Gemälde – im Schatten eines felsigen Nordhangs, umgeben von Weinbergen, Raps- und Mohnfeldern.

Von der Landstraße aus war ein Bach zu sehen, der durch das Grundstück plätscherte und ein Natursteinbecken speiste, ehe er ins Tal floss. Dadurch wirkte das Gut der Del Vecchios wie eine kühlende Oase mitten in der brütenden Toskanahitze.

Gerink parkte den Wagen im Schatten einiger Zypressen. Jedes Mal, wenn er aus dem klimatisierten Auto in die Gluthitze stieg, glaubte er, eine Ohrfeige zu erhalten. Er klemmte sich die Mappe mit den Kopien aus dem Revier unter den Arm, lehnte sich einen Augenblick an den Kotflügel und wartete, bis das Flimmern vor seinen Augen verschwand. Dann sah er über die Hügel ins Tal hinunter. Würde nicht diese Hitze auf den Landstrich drücken, hätte er die fantastische Aussicht genießen können. Rote, grüne und gelbe Felder wechselten einander ab. Hinter den Zypressen ragten immer wieder alte Kirchtürme empor, und von weit her hörte Gerink sogar den blechernen Schlag einer Glocke. In dieser Gegend wurde wohl ständig geheiratet oder zur Messe geläutet.

Scatozza stieg ebenfalls aus dem Wagen. Trotz der Hitze trug der Sizilianer ein Sakko. Darunter verbarg sich seine Waffe, eine Walther PPK, Kaliber 7,65 Millimeter, mit sechs Schuss. Als die österreichische Kripo vor Jahren auf die Glock 17 umgestiegen war, hatte jeder Beamte seine ehemalige Dienstwaffe privat kaufen können. Viele Kollegen hatten diese Möglichkeit genutzt. Gerink nicht, Scatozza schon. Gegen die Glock wirkte das alte Modell zwar wie eine Steinschleuder, trotzdem war es leichtsinnig gewesen, die Pistole nach Italien einzuführen. Falls Scatozza damit erwischt wurde, drohte ihm mindestens ein Disziplinarverfahren, wenn nicht sogar die sofortige Suspendierung. Das Gleiche konnte auch passieren, sobald die Italiener merkten, dass sie sich Originalunterlagen aus einer laufenden Ermittlung »ausgeborgt« hatten.

»*Andiamo!*«

Scatozza und er folgten dem jungen Carabiniere zur Grundstücksgrenze. Vito Tassini schien trotz Uniform nicht zu schwitzen. Über einen Weg aus Steinplatten, zwischen denen Disteln wucherten, gelangten sie zum schmiedeeisernen Eingangstor. Dort wurden sie von einer schlanken Dame erwartet. Die Italienerinnen, die Gerink bisher gesehen hatte, waren entweder alt, hässlich und trugen Kopftücher oder sahen umwerfend aus. Was für ein Klischee, aber dazwischen schien es keine Abstufungen zu geben. Diese Frau hatte hochhackige Schuhe an, ein knappes sandfarbenes Top mit Spaghettiträgern und einen engen Wickelrock, der im Schlitz ein langes gebräuntes Bein bis zum Oberschenkel preisgab.

Der Carabiniere unterhielt sich auf Italienisch mit der etwa dreißigjährigen Frau. Gerink verstand nur die Wörter *Polizia, Vienna* und *Honeymoon-Suite*. Tassini grinste breit. Beim nächsten Satz, den der Carabiniere spöttisch von sich gab, spürte Gerink, wie Scatozza sich einen Augenblick lang versteifte.

»Was hat der Witzbold gesagt?«, raunte Gerink.

»Offensichtlich heißt sie Cristina und ist Teresas Schwägerin. Sie soll die beiden Homos aus Wien ein wenig auf dem Grundstück herumführen und anschließend wieder hinauswerfen.«

»Homos?«, wiederholte Gerink.

Scatozza ließ sich nichts anmerken, sondern warf der Frau seinen charmantesten Flirtblick zu. Sie waren etwa gleich groß. Cristina hatte einen breiten, schön geschwungenen Mund und dunkle Augen, die auffällig weit auseinanderstanden, was ihr ein schlangenähnliches Aussehen verlieh. Die langen weizenblonden Haare fielen ihr tief ins Gesicht. Lasziv, aber ziemlich attraktiv, dachte Gerink, wären da nicht die beginnenden Augenringe und der verlebte Ausdruck gewesen.

»*Ciao, Cristina.*« Der Carabiniere tippte sich zum Abschied an die Stirn, zwinkerte Gerink und Scatozza zu und ging pfeifend zu seinem Fiat.

Schweigend standen sie der Frau gegenüber.

»Sag ihr, wir haben einen guten Draht zu Staatsanwalt Francesco Fochetti, und die gute Cristina soll uns Teresas Zimmer zeigen.«

Scatozza nickte nur. Er wartete, bis der Carabiniere die Tür zugeschlagen hatte, dann sprach er Cristina auf Italienisch an – in einem Ton, der sämtliche Missverständnisse aus dem Weg räumte.

Cristina zog einen Schmollmund. Schließlich warf sie das

Haar zurück und lächelte. Im Moment blieb ihr keine andere Wahl, als die beiden »Homos aus Wien« auf dem Grundstück herumzuführen und ihre Fragen zu beantworten.

Und je mehr Gerink verarscht wurde, umso mehr Fragen hatte er.

Das Grundstück war riesig. Abwechselnd umgeben von Natursteinmauern, einem schmiedeeisernen Zaun oder einer teilweise blickdichten Wand aus Zypressen gehörte es zu den schönsten Landsitzen, die Gerink je zu Gesicht bekommen hatte. Die Sonne war inzwischen hinter den Bergen verschwunden, und einige Springbrunnen mit römischen Motiven spendeten angenehme Kühle.

Neben einem länglichen, aus Natursteinen errichteten Schwimmbecken mit Quellwasser standen Sonnenschirme, Liegestühle und Tische aus Teakholz. Ein Gärtner stutzte die Hecken, und zwei Arbeiter fischten mit Netzen die abgebrochenen Zweige aus dem Wasser. Alle schielten argwöhnisch zu ihnen herüber.

Sie gingen an einer Scheune und einem Orchideenglashaus vorbei auf eine einstöckige Villa zu. In einem Halbkreis errichtet umrahmte das Gebäude einen ovalen Vorplatz aus Terrakottasteinen. Neben dem breiten Treppenaufgang lag eine großzügige Terrasse. Das Haus war mit mehreren Balkonen in hellem etruskischem Stil erbaut, der Gerink an seinen letzten Urlaub auf Korsika erinnerte. In diesem September vergangenen Jahres war alles noch in Ordnung gewesen. Doch kurz vor Weihnachten hatte Elena das Baby verloren. Sie schlitterte in eine tiefe Krise, und je mehr er versuchte, mit ihr ein normales Leben zu führen, desto schlimmer wurden ihre Depressionen, weil sie nicht akzeptieren wollte, dass das Leben genauso weiterging wie vorher. Irgendwann war auch sie über die Fehlgeburt hinwegge-

kommen, und kaum hatten sie ihre Beziehung wieder im Griff –
zumindest hatte Gerink das gedacht –, war auf Dinos Party der
Seitensprung passiert.

Scatozzas Pfiff riss ihn aus den Gedanken.

»Nicht übel.«

Cristina, die mit wiegenden Hüften vor ihnen ging, wandte sich kurz um, doch der Pfiff hatte nicht ihr gegolten – vor
dem Torbogen des Eingangs parkten ein Maserati und ein Lamborghini. In einem der Sportwagen steckte der Schlüssel. Die
Blumentöpfe und meterhohen Weinreben verstärkten den Eindruck, man befände sich in einem Paradies. Doch Gerink ahnte, dass der Schein wie so oft trog.

Cristina führte sie ins obere Stockwerk zu Teresa Del Vecchios
Zimmer. Nach den Zeugenaussagen von Zenobia und zahlreichen anderen Gästen, die Scatozza während der Autofahrt übersetzt hatte, war sie höchstwahrscheinlich aus diesem Zimmer
entführt worden. Ihr Cousin Roberto hatte vor der Tür gestanden. Dem Obduktionsbericht zufolge war er zunächst bewusstlos geschlagen und kurz darauf ermordet worden.

*Der Hieb gegen die Schläfe wurde mit einem stumpfen Ge-
genstand ausgeführt oder von einem Faustknöchel mit der
Härte eines Schlagrings. Durch den Aufprall wurde das Gehirn so schwer erschüttert, dass es zu Verletzungen der Blut-
gefäße kam, was zur sofortigen Bewusstlosigkeit führte. Die
Computertomografie zeigt keine Knochenbrüche oder Verletzungen der Schädeldecke. Wäre es nur bei diesem Schlag geblieben, ohne tödlichen Stich mit der Nagelschere, wären als
Spätfolgen der Prellung vermutlich eine Gehirnblutung, ein
postkontusionelles Syndrom oder ein bleibender Ausfall der
Gehirnnerven eingetreten.*

Gerink fragte sich, wie dieser robuste und breit gebaute Mann so einfach hatte überwältigt werden können. Weder auf dem Teppich noch auf dem Steinboden waren Schleif- oder Blutspuren gefunden worden. Teresas Entführer musste den Koloss also an der Eingangstür bewusstlos geschlagen, von dort quer durchs Zimmer bis zum Bett geschleppt, auf die Matratze gehievt und dort ermordet haben.

Die Fotos von Robertos Kopfwunde zeigten, dass der Schlag nicht wahllos, sondern gezielt gegen das sensitive Nervenzentrum ausgeführt worden war. Ebenso der kraftvolle Stich mit der Nagelschere in den Nacken.

Die Scherenblätter drangen exakt zwischen dem Okzipital-knochen und dem ersten Halswirbel in den Körper ein. Dort wurde die Medulla oblongata verletzt, das verlängerte Mark, jener Teil des zentralen Nervensystems, wo die lebenswichtigen Zentren für Atmung und Kontrolle des Blutkreislaufs liegen. Um dort hinzukommen, musste der Kopf nach vorn gebeugt werden. Der Spalt ist eng, und es musste enorm viel Kraft aufgewendet werden, um dort einzudringen.

Die Schere hatte also das Rückenmark durchtrennt und damit denselben Effekt erzielt, als hätte man Roberto in den Mund geschossen. Allerdings war diese Methode eleganter gewesen, und Gerink sah das Bild eines Matadors vor sich, der dem Stier mit seiner Klinge den letzten tödlichen Stich in den Nacken versetzte.

Als das Dienstmädchen Robertos Leiche gefunden hatte, wurde Teresa bereits vermisst – und das während einer Trauerfeier, die am selben Tag mit etwa hundert Gästen in der Kapelle auf dem Grundstück stattgefunden hatte. In den Protokollen wurde der Name des Verstorbenen mit keinem Wort erwähnt, aber auch den würde Gerink noch erfahren. Allerdings fand er in den Aussagen einiger Bediensteter den Hinweis auf einen glatzköpfigen Mann mit breiten Schultern, der anscheinend kein Mitglied der Gesellschaft gewesen war. Das Personal hatte den Mann im Treppenhaus aber nur kurz von hinten gesehen, weshalb kein Phantombild angefertigt werden konnte. Sie suchten also nach einem kräftigen Glatzkopf, der genau wusste, wie man jemanden effizient außer Gefecht setzte.

Je länger Scatozza und Cristina sich unterhielten, umso weicher wurde Scatozzas Stimme. Manchmal lachte er sogar etwas schäbig, und bei diesem Lachen kam Gerink die Galle hoch. *Dino, mach deinen Job und lass deinen Schwanz in der Hose.*

Er sah sich im Zimmer um. Die Balkontür war gekippt, die Vorhänge wehten im Wind. Der Geruch von Putzmitteln und Mottenkugeln lag in der Luft. An der Decke drehten sich Traumfänger und Holzmobiles im Luftzug. Die Tür zum begehbaren Schrank stand offen. Das blaue Himmelbett schien unbenutzt, ebenso der Kommodentisch mit der Spiegelablage. Neben einem Schminkset lag eine Packung Kleenex. Laut Protokoll der Telefonzentrale hatte Teresa noch Zeit gehabt, über ihr Handy die internationale Notrufnummer 112 zu wählen.

Samstag, 24. April, 16.11 Uhr:
»Hier spricht Teresa Del Vecchio … Ich bin in San Michele und …«
Pause.
»Pronto?«

Danach folgte ein Schrei, und kurz darauf wurde die Verbindung unterbrochen. Die Beamten fanden das Handy unter dem Bett. Laut Telefonliste waren damit bis auf den Notruf nur Gespräche mit Teresas Nichte Monica in Wien geführt worden.

Die Spurensicherung hatte sowohl auf Bett und Teppichboden als auch im großen Kleiderschrank Rückstände von Chloroform entdeckt. Aber keine fremden Fingerabdrücke.

Handelsübliches Trichlormethan, 0,7% Ethanolanteil, 119,35 g/mol, 1,47 g/cm3

Möglicherweise hatte sich der Entführer im Schrank versteckt. Weshalb aber hatte er sich mit der Entführung so lange Zeit gelassen, dass Teresa noch die Gelegenheit blieb, ein Telefonat zu führen? Vielleicht war er ein Spanner und hatte sie durch die Lamellen des Schranks beobachtet. Demnach müsste sich Teresa im Badezimmer befunden haben.

Gerink warf einen Blick ins Bad. Weiße Fließen, Wanne und Handwaschbecken mit vergoldeten Armaturen. Ein Frotteebademantel hing neben der Duschkabine. Durch ein kleines quadratisches Fenster in Augenhöhe waren Zypressenhaine zu sehen.

Teresas persönliche Sachen waren von der italienischen Kripo nie nach Wien überstellt worden. Ihr Koffer müsste eigentlich noch hier sein. Gerink zog den Seidenvorhang unter dem Waschbecken auf, doch der Stauraum war leer.

Schließlich ging er ins Zimmer und warf einen Blick unter das Bett. Dort lag ein blauer Samsonite-Koffer. Er zog ihn hervor und warf ihn aufs Bett. Als er den Verschluss aufschnappen ließ, blickte Cristina kurz herüber, sagte aber nichts.

Gerink packte die Sachen aus dem Koffer. Währenddessen schielte Cristina ständig zu ihm hin. Zwischen den Wäschestücken befanden sich Teresas Reisepass, ihr Führerschein, dreihundert Euro Bargeld und der Zulassungsschein für ein Ford Cabrio mit Wiener Kennzeichen. Gerink wäre jede Wette eingegangen, dass der Wagen noch irgendwo auf dem Grundstück stand – womöglich in einer Scheune unter einer Stoffplane. Im

Seitenfach des Koffers steckten ein Feuerzeug, eine Packung Zigaretten und einige CDs von Andreas Gabalier. Was für ein Schrott! Aber es gab auch ein Album von den Cranberries in einer zerbrochenen Plastikhülle. Gerink kannte sogar einen Song von der CD, den er gar nicht so übel fand.

What's in your heeeaaaeeed,
in your heeeaaaeeed,
zombie, zombie, zombie …ie …ie?

Er entdeckte ein gerahmtes Foto von Monica, allerdings mit einem Sprung im Glas. Jemand musste es unachtsam zu den anderen Sachen im Koffer gestopft haben. Die Aufnahme zeigte Monica neben dem Holzklöppelspiel vor dem kleinen Seerosenteich ihres Wiener Reihenhauses, wo er sie gestern besucht hatte. Wozu hatte Teresa dieses Foto mitgenommen? Bedeutete es für sie ein Stück Heimat? Wollte sie sich in Erinnerung rufen, dass sie gemeinsam mit ihrer Nichte in Wien lebte? Anscheinend verband die beiden abtrünnigen Frauen doch mehr, als er im ersten Moment vermutet hatte.

Er durchsuchte Teresas Habseligkeiten, fand aber kein Maniküre-Etui. Womöglich stammte die Nagelschere aus einem Set, und die Spurensicherung hatte es einkassiert und erfolglos auf Fingerabdrücke untersucht. Was hatte Teresa kurz vor ihrer Entführung empfunden? Gerink blendete Scatozzas einschmeichelnde Stimme und Cristinas künstliches Lachen aus und schloss die Augen. Vermutlich waren Teresas letzte Eindrücke, als sie aus dem Badezimmer kam, dass sie Robertos Leiche auf dem Bett sah. Sofort rief sie die Polizei an. Doch etwas erschreckte sie während des Gesprächs. Bestimmt stand sie während des Telefonats vor dem Bett und sah aus dem Augenwinkel im Spiegel …

… wie ein großer glatzköpfiger Mann aus dem begehbaren Schrank stieg. Sein messerscharfer Blick fixierte sie. Teresa entfuhr ein Schrei, als ihr klar wurde, dass er sie genauso töten würde wie Roberto. Im Reflex ließ sie das Handy fallen und stürzte zum Balkon.

»Hilfe!«

Der Mann kam rasch heran, packte sie am Handgelenk und zerrte sie zurück ins Zimmer. Sie schlug wild um sich. Dabei stieß sie ihm etwas aus der Hand, das auf den Fußboden fiel. Die Flasche kullerte unters Bett. Sie erkannte den süßlichen Geruch.

Chloroform!

Da presste ihr der Mann von hinten ein Tuch auf Mund und Nase.

Ihr blieben vielleicht noch fünf Sekunden. Falls sie die Dämpfe nicht einatmete, etwas länger.

Panisch fuhr sie mit den Händen nach hinten, erwischte das Gesicht des Mannes und kratzte ihn tief in die Wangen. Sie spürte sein Blut, doch er schrie nicht auf. Aber er verstärkte den Druck auf ihre Nase.

Der Geruch war ätzend. Sie würgte. Nicht einatmen, schärfte sie sich ein.

Nicht einatmen, verdammt!

Sie trat um sich. Traf sein Schienbein. Versuchte, ihn wieder im Gesicht zu kratzen. Diesmal tiefer. Fester! Sie musste seine Augen erwischen! Doch dann verdunkelte sich der Raum. Der Vorhang wehte merkwürdig langsam ins Zimmer und schien mitten in der Bewegung stehen zu bleiben.

Ihre Lunge brannte. Sie musste einatmen. Nur ein bisschen.

Ihre Beine wurden schwer. Sie merkte, wie sich der Druck auf ihr Gesicht lockerte.

Dann fiel sie in ein tiefes schwarzes Loch …

»Peter?«

Gerink öffnete die Augen. Die Sonne blendete ihn.

»Cristina will wissen, wie lange du noch brauchst«, sagte Scatozza.

»Bis ich fertig bin.« Gerink packte alles in den Koffer zurück und ließ ihn zuschnappen. Anschließend öffnete er die Tür und trat auf den steinernen Balkon. Der Duft von Mohn, Zypressen, Weingärten und verblühtem Raps schlug ihm entgegen. Mücken schwirrten an der Hausmauer entlang. Zwei Hunde kläfften, und irgendwo zirpte ein Rasensprenger.

»Was weißt du über Cristina?«, fragte Gerink.

»Sie ist die Frau von Lorenzo, dem jüngsten von Teresas Brüdern. Sie ist neunundzwanzig, stammt aus einem Vorort von Florenz, hat keine Geschwister, keine Kinder und führt eine kleine Boutique in Florenz.«

»Trinkt sie?«

»Ziemlich. Hast du ihre Fahne bemerkt? Ich tippe auf Grappa.«

»Was war Teresa ihrer Meinung nach für ein Mensch?«, fragte Gerink und ertappte sich dabei, dass er von Teresa in der Vergangenheitsform sprach. Doch sein Gefühl sagte ihm, dass sie noch am Leben war. Irgendwo.

Scatozza übersetzte Cristinas Antwort. »Ihre Schwägerin ist eine starke und starrköpfige Person. Sie rauchte als einzige Frau bei den traditionellen Familienfesten, trank Alkohol und tanzte wie eine wild gewordene Florentinerin. Viele Männer im Ort waren deshalb hinter ihr her, doch Teresa hat sie allesamt an der Nase herumgeführt«, drang Scatozzas Stimme aus dem Zimmer.

Gerink rief sich Teresas Anblick in Erinnerung. *Ich weiß, dass du noch lebst.* »Weiter.«

»Sie war verheiratet, aber die Ehe wurde nach wenigen Jahren geschieden. Teresa liebte die Freiheit zu sehr, wie ein Wildpferd, das sich niemals bändigen lässt.« Scatozza verstummte. »Wenn du mich fragst, klingt es, als sei sie neidisch auf Teresa.«

Kein Wunder, dachte Gerink. Wie einige andere war vermutlich auch Cristina im Lauf der Jahre Teil der Familie geworden – geduldet, aber nicht respektiert. Vielleicht hatte man ihr die Boutique gegeben, um sie zu beschäftigen, aber letztendlich musste sie sich dem Diktat der Del Vecchios beugen und sah keinen Weg auszubrechen – außer mit Alkohol. In ihren Augen hatte Teresa womöglich das einzig Richtige getan: ihr eigenes Leben gelebt. *Wie ein Wildpferd!* Aber warum wurde ausgerechnet *sie* entführt?, dachte Gerink. Warum nicht eine der zahlreichen anderen Frauen auf der Trauerfeier? Ein Akt der Rache, weil sie der *famiglia* den Rücken gekehrt hatte? Wusste sie etwas Belastendes?

»Für wen war die Trauerfeier?«

Cristinas Antwort klang patzig.

»Das ist eine Privatangelegenheit der Familie«, übersetzte Scatozza.

Aufschlussreich! Gerink interessierte sich prinzipiell für alles, was jemand verheimlichen wollte. Er würde den Grund aus anderer Quelle erfahren. Vorsichtig lehnte er sich über die Marmorbrüstung und sah zur Familienkapelle hinüber, die hinter den Weinreben lag. Laut Aussagen der Gäste jenes Tages war die Feier bei der Kapelle längst im Gang gewesen, als der Einbrecher Teresa überwältigt hatte. Für Gerink stellte sich nur eine Frage: Wie hatte der Entführer sie unbemerkt von dem Grundstück fortschaffen können? Wäre er mit der durch Chloroform betäubten Teresa auf der Schulter die breite Treppe hinuntermarschiert, über den Vorplatz, am Marmorbecken vorbei zum Vorderausgang, hätten ihn wohl Dutzende Gäste gesehen.

Er wandte sich an Scatozza. »Frag sie, ob es einen Hinterausgang gibt.«

»*Sì*«, antwortete Cristina.

»Haben die Carabinieri den Ausgang und die Rückseite des Hauses nach Spuren untersucht?«

Cristina schüttelte den Kopf, murmelte etwas, und Scatozza übersetzte. »Sie meint, die Polizei habe in den Fällen nur sehr nachlässig und halbherzig ermittelt.«

Gerink wurde hellhörig. »Den Fällen?«

21

Thomas Duneks Villa lag in Brunn am Gebirge, einer Nobelgegend südlich von Wien. Gegen sechs Uhr abends kam Elena mit dem Auto dort an. Der Millionär erwartete sie bereits.

Eine Stunde zuvor hatte alles fast reibungslos geklappt. Elena hatte bloß eine Minute am Telefon gewartet und war dann zweimal verbunden worden, bis sie den Mann schließlich an den Apparat bekam. Duneks Stimme klang angenehm sympathisch und überraschend jung. Als sie jedoch um einen Besichtigungstermin für *Isabellas Antlitz* bat, änderte sich sein Tonfall, und er fragte, woher sie wisse, dass er das Gemälde besitze.

Er wollte bereits auflegen, da ging sie zu Plan B über. *Involviere niemals eine Klientin in deine Ermittlungen!* Aber in diesem Augenblick war es nicht anders möglich, wollte sie das Beste aus der Lage machen. Ihre Chamäleonstrategie lautete, alles auszunutzen, was die Situation hergab. Also erzählte sie Dunek, dass ihre Freundin Monica gern noch einmal einen Blick auf das Gemälde mit dem Motiv ihrer Mutter werfen wolle.

»Monica Del Vecchio?«, wiederholte Dunek.

Er biss an und sprach die Einladung noch für denselben Abend aus – für sie beide.

Elena parkte vor einem zwei Meter hohen Gartentor aus polierten Metallstreben. Kameras an jeder Ecke. Die beiden Frauen stiegen aus. Es roch nach Harz von den angrenzenden Nadelbäumen und den etwa drei Meter hohen Smaragdthujen, die Duneks Grundstück umgaben. Alle Gewächse hatten exakt die gleiche Form, als hätte der Gärtner sie mit der Nagelschere fassoniert.

Elena legte Tonis ramponierten Blazer auf die Rückbank und schlüpfte in die Reservejacke, die immer in ihrem Auto hing, aber bei Weitem nicht so elegant war. Vom Gartentor aus konnten sie keinen Blick auf die Villa erhaschen. Sie läutete, und mit einem Summton der Gegensprechanlage schnappte das Tor auf.

Elena fielen beinahe die Augen aus dem Kopf. Das einstöckige Gebäude mit Satellitenschüssel und zahlreichen Antennen auf dem Pultdach bestand zum großen Teil aus Glasfronten und hellgrauen Metallschienen. Erst auf den zweiten Blick erkannte sie, dass es sich dabei um die Lamellen einer Außenjalousie handelte. Nüchterne und schnörkellose Formen reinster Funktionalität im kühlen Industriedesign. Auf eine gewisse Weise Art déco. Der geschwungene trapezförmige Pool mit Aluwanne und rauchblauer Unterwasserbeleuchtung wirkte wie ein vor der Villa gestrandeter Rochen. Daneben funkelte ein metallicschwarzer Mercedes Geländewagen mit Wiener Kennzeichen in der Abendsonne. Der Offroader sah fast so robust und wuchtig aus wie ein amerikanischer Hummer.

»Hier landen also die Gemälde Ihres Vaters. Seien Sie nett zu dem Mann«, mahnte Elena. »Er wird Ihnen zu siebzehn Millionen Euro verhelfen.« Sie hatte während ihrer Arbeit als Detektivin schon einige Prunkvillen gesehen, aber die hier übertraf alles. Falls Dunek sein Vermögen nicht geerbt hatte, war er ein brillanter Geschäftsmann. Sie tippte auf Öl, Börsengeschäfte oder die Immobilienbranche.

Die beiden Frauen gingen über die Auffahrt zum Haus.

»Hierher, meine Damen!«

Elena sah hoch. Die Sonne tauchte die Terrasse in einen leuchtenden Orangeton. An der Stahlbrüstung lehnte ein etwa vierzigjähriger schlanker Mann mit blondem Seitenscheitel. Er trug eine weiße Leinenhose, ein weißes Hemd und einen dunkelblauen Pullover mit V-Ausschnitt. Eine Hand steckte in der Hosentasche, in der anderen hielt er lässig ein Whiskyglas. Was für ein Auftritt.

»Wow«, entfuhr es Monica.

Sie gingen auf spiegelglatt polierten Marmorplatten, die symmetrisch im Rasen platziert waren, zur Terrasse. Hier schien nichts zufällig zu sein. Etwas jedoch lockerte die sterile Atmosphäre auf. Es roch nach Pferdemist! Der Geruch erinnerte Elena an ihre Kindheit. Meist hatten ihre Schwester und sie die Sommerferien bei ihrer Tante auf einem Bauernhof mit Reitstall in der Nähe von Lodz bei Warschau verbracht. Elena hatte ihre Tante auch nach der Öffnung des Eisernen Vorhangs immer wieder auf dem Hof besucht, aber Lisa war dafür beruflich zu beschäftigt gewesen.

Sie reckte den Hals und entdeckte weiter hinten auf dem Grundstück tatsächlich eine moderne Pferdekoppel. Sie hörte sogar die Tiere wiehern.

»Erwähnen Sie mit keinem Wort, dass ich Privatdetektivin bin«, flüsterte sie ihrer Begleiterin zu, während sie sich der Terrasse näherten.

»Und was sind Sie?«

»Deine Freundin.«

Monica lächelte. »Oh, gut.«

Doch ihr Lächeln gefror, als sie plötzlich vor zwei Dobermännern standen. Abrupt hielten sie an. Die muskulösen Tiere trugen schwere silberne Halsbänder, und ihre Ohren ragten wie Pfeilspitzen in die Höhe. Ein Exemplar hatte längere Ohren, sonst glichen sie sich bis aufs Haar. Zum Glück blieben ihre Lefzen geschlossen. Beide Hunde hatten eine kupierte Rute, obwohl das Amputieren der Schwanzwirbel in Österreich schon seit vielen Jahren verboten war. Elena schielte zu Dunek hinüber. Hatte Herrchen seine beiden süßen Killer unter Kontrolle?

Er lächelte amüsiert. »Edgar und Wallace tun Ihnen nichts. Sie können getrost an ihnen vorbeigehen«, sagte er mit sonorer Stimme.

Edgar und Wallace? Der Mann besaß einen seltsamen Humor. Unwillkürlich musste Elena an Tonis siebzehn Jahre alten Kater denken. Die beiden Hunde hätten Sir Edmund Hillary bestimmt mit einem einzigen Schnapp verspeist.

»Kommen Sie?«, flüsterte Monica.

Elena folgte ihr. »Ja, aber ich bin deine Freundin!«, raunte sie Monica zu. »Wir sind per Du.«

Sie gingen an den Dobermännern vorbei und über die Treppe auf die Terrasse.

Elena war von Duneks Auftritt beeindruckt. Seine kurzen blonden Haare und das kantige Gesicht passten exakt zum typischen Aussehen der Marke erfolgreicher Manager. Der durchdringende Blick seiner graublauen Augen sprach Bände. Zudem hatte er den Charme und die Eleganz eines Cary Grant. Allerdings gab sie ihm bei näherer Betrachtung wegen der Fältchen unter den Augen eher fünfundvierzig Jahre. Der einzige Makel in seinem Aussehen waren die Pockennarben in seinem Gesicht.

Während Dunek mit Monica plauderte, nutzte Elena die Gelegenheit, ihn näher zu betrachten. Er trug keinen Ehering. Nicht einmal der Abdruck eines Rings war zu sehen oder ein weißer Streifen auf seiner gebräunten Haut. Warum hatte sich noch niemand diesen Mann geangelt? Vielleicht hatte er so viel um die Ohren, seine Millionen ins Trockene zu bringen, dass ihm keine Zeit für private Angelegenheiten blieb. Andererseits nahm er sich die Zeit, sie zu empfangen. Jedenfalls hatte die Frau, die diesen Mann eines Tages an Land ziehen würde, den Jackpot geknackt. Dann würde das Haus allerdings eine kräftige Umgestaltung von Frauenhand benötigen. Doch trotz Reichtums, Gastfreundschaft und perfekten Aussehens war Dunek Elena nicht sympathisch, zumindest wenn sie daran dachte, was er den Hunden angetan hatte.

»Sind Edgar und Wallace Ausstellungshunde?«, wollte sie wissen.

Dunek neigte fragend den Kopf.

»Schwanz und Ohren sind kupiert«, stellte sie fest.

»Ach, deshalb.« Er lächelte. »Das Grundstück ist groß, und es ist ihre Aufgabe, das Anwesen zu bewachen. Durch das Kupieren haben sie keine Körpersprache mehr und können weder die Ohren anlegen noch den Schwanz einziehen.«

Und sollen dadurch wohl gefährlicher aussehen, vollendete Elena den Satz in Gedanken. »Verstehe«, sagte sie nur, doch innerlich brodelte es in ihr, was daran lag, dass sie auf dem Bauernhof ihrer Tante mit vielen Tieren aufgewachsen war, von denen keines je verstümmelt worden war.

Nach einer kurzen Small-Talk-Runde auf der Terrasse führte Dunek sie durch einen Wintergarten ins Haus, wo ein tatteriger Hausangestellter Karton- und Styroporstreifen in Müllsäcke stopfte.

»Josef, dafür ist später noch Zeit.«

»Sehr wohl.« Der grauhaarige Mann im grauen gestreiften Anzug mit Fliege und weißen Handschuhen nickte und stellte den Sack in den Gang.

»Ist Ewa in der Eingangshalle schon fertig?«, fragte Dunek.

»Ich hoffe.«

»Sehen Sie nach!« Dunek schickte den Diener mit einer Handbewegung fort und bot den Damen Cocktails an. Er mixte die Getränke selbst. Einen Caipirinha für Monica und einen Daiquiri für Elena. Er selbst goss sich Whisky nach. An seinem Handgelenk bemerkte Elena eine Breitling-Uhr mit schwarzem Zifferblatt, die sie auf mindestens sechstausend Euro schätzte.

»Ein schicke Hose. Wo ist der dazu passende Blazer?«, fragte er, während sein Blick eine Spur zu lange an Elenas Dekolleté hängen blieb.

»Sie haben uns doch nicht etwa mit den Kameras beobachtet?«, stellte sie fest. Zum Glück hatte sie zuvor das Veilchen mit Make-up überschminkt, sonst hätte sie mit ihrem Aussehen noch mehr unangenehme Fragen provoziert. »Ich musste mich nach der Versteigerung umziehen.«

»Ach ja, die Auktion«, erinnerte Dunek sich. Er blickte zu Monica. »Sie wollten das Gemälde Ihres Vaters sehen, richtig? Leider habe ich nur fünfzehn Minuten Zeit, danach wird mein Pieper läuten, und ich muss an einer wichtigen Telefonkonferenz teilnehmen.«

Lächelnd reichte er Elena das Getränk. »Daiquiri stammt aus dem Kubanischen, müssen Sie wissen.« Wie zufällig berührte er dabei ihre Hand. »Es ist der Name einer Siedlung in der Nähe von Santiago de Cuba. Außerdem war es der Lieblingscocktail von Ernest Hemingway, mit doppelt Rum und Maraschino.«

Elena setzte eine erstaunte Miene auf. »Hemingway hat getrunken?«

»Ja, natürlich, wussten Sie das nicht? Er …«

»War ein Scherz«, unterbrach sie ihn.

»Oh.« Er lächelte.

Elena sah sich um. »Sie haben ein interessantes Haus.«

»Die Form muss stets der Funktion folgen«, antwortete er.

Genauso schätzte sie ihn ein. *Wie bei den Hunden.* Sie sah demonstrativ zu der riesigen Wanduhr in Stahldekor hinüber, die sie an die Uhr einer Bahnhofshalle erinnerte.

Er folgte ihrem Blick. »Ach ja, das Gemälde. Kommen Sie mit.«

Sie marschierten durch einen langen Korridor zur Vorderseite des Hauses. Das Klappern von Elenas Stöckelschuhen hallte durch die ganze Villa. Sie war sprachlos, als sie die riesige Eingangshalle erreichten. Durch ein großzügiges getöntes Dachflächenfenster schien die Abendsonne in den Raum. In jeder Ecke ragte eine mannshohe Palme aus einem wuchtigen Topf. Eine an Stahlseilen hängende chromfarbene Treppe führte in das obere Stockwerk. Darunter standen Rattanstühle um einen Korbtisch, auf dem Elena eine Mappe mit dem blauen Rinaldi's-Logo entdeckte. Möglicherweise handelte es sich um die Gutachten und die Expertise des Körner-Instituts. Rasch wandte sie den Blick ab.

In einer Ecke lagen Dutzende Kartons, Styroporteile und schwarze Plastikbänder auf den Fliesen. Eine ältere Frau mit blauer Schürze kehrte soeben den Abfall in einen Müllsack.

Dunek warf der Bediensteten einen scharfen Blick zu. »Ewa, ich dachte, Sie seien längst fertig!«

Sie zuckte zusammen. »Entschuldigung«, murmelte sie mit einem starken Akzent, der Elena geläufig war.

Er machte eine knappe Kopfbewegung. »Raus hier.«

Kommentarlos ließ die Frau Schaufel und Besen liegen und verschwand.

»Nehmen Sie den Besen mit!«, rief Dunek ihr nach.

Was für ein Arsch, dachte Elena. Aber diese Meinung hätte sie auch gehabt, wenn die Putzfrau nicht aus Polen gekommen wäre. »Sie haben das Gemälde bereits ausgepackt?«, fragte sie schließlich mit freundlicher Stimme.

»Für diesen Kaufpreis kann man doch einen entsprechenden Service verlangen, oder?«, sagte Dunek. »Drehen Sie sich um«, forderte er sie auf. »Die Fachleute der Spedition haben es bereits aufgehängt.«

Elena wandte sich um und schaute nach oben. Neben dem

Treppenaufgang befand sich eine große fliederfarbene Wand. In etwa drei Meter Höhe hing *Isabellas Antlitz.*

»Ist das nicht ein herrlicher Platz?« Dunek deutete zur Decke. »Wenn das Licht durch das Dachflächenfenster fällt, kommt das Gemälde richtig zur Geltung. Es handelt sich um ein Spezial-glas; die Sonne kann den Farben nichts anhaben.«

Auch wenn Elena das selbstgefällige Geschwafel des Millio-närs mittlerweile satthatte – er sagte die Wahrheit. Im Vergleich zur Auktionshalle wurde dieser Ort dem Gemälde mehr als ge-recht. Es hätte in keinem Museum der Welt hängen dürfen.

Die Wand des oberen Stockwerks bot reichlich Platz für den knapp zwei mal drei Meter großen Keilrahmen. Sobald man die Villa nicht wie Elena über die Terrasse, sondern durch den Haupteingang betrat, sah jeder Besucher als Erstes unweigerlich dieses Bild. Isabellas geneigter Kopf und ihr leicht nach unten gerichteter Blick wirkten hier noch intensiver als im Auktions-saal. Sie wurde das Gefühl nicht los, dass die Frau auf dem Ge-mälde lebte und ihr direkt in die Augen sah.

»Es ist wie geschaffen für diesen Ort«, flüsterte sie zu sich selbst.

»Nicht wahr?«

Sie fuhr zusammen. Dunek stand dicht neben ihr. »Deshalb musste ich es haben.«

»Darf ich fragen, wie Sie das Geld für den Kauf aufgebracht haben?« Die Frage war unverschämt indiskret, doch dem selbst-gefälligen Gockel würde sie bestimmt gelegen kommen.

»Ich spekuliere an der Börse. Das ist nicht jedermanns Sa-che, doch bisher hatte ich Glück. Man muss kaufen, wenn alle in Panik geraten, und verkaufen, wenn sich der Markt erholt. Das ist das ganze Geheimnis.« Während er sprach, ging Monica fasziniert die Treppe nach oben, um das Gemälde näher zu be-trachten. Sie beugte sich über den Handlauf und hätte mit den

Fingern beinahe die dick aufgetragene Farbschicht berühren können.

»Ich verrate Ihnen ein Geheimnis. Wissen Sie, wie man ein kleines Vermögen an der Börse erzielt?«, fragte Dunek.

Elena schüttelte den Kopf.

»Indem man ein großes investiert.« Er lächelte über seinen eigenen Scherz. »Aber im Ernst, ich spekuliere mit Grundstücken und halte Firmenanteile an osteuropäischen Flughäfen. Der Markt boomt seit etwa acht Jahren – trotz Finanzkrise –, und ein Ende ist nicht abzusehen. Ich bin sozusagen zum besten Zeitpunkt auf den richtigen Zug aufgesprungen.«

Was für ein Glückspilz!

Mit einer knappen Geste deutete er durchs Haus. »Das ist bei Weitem nicht der einzige Del Vecchio, den ich besitze. In dieser Villa befinden sich sechs weitere Gemälde von ihm und in meinen Büros in Prag, Budapest und Zagreb jeweils eines.«

Zehn Bilder!

Monica sah erstaunt nach unten. Bestimmt hatte sie nicht geahnt, dass Dunek so viele Werke ihres Vaters besaß.

»Warum diese Faszination?«, fragte Elena.

»Betrachten Sie das Gemälde«, forderte er sie auf. »Sehen Sie sich die Augen an. Studieren Sie die einzelnen Pinselstriche. Die Linienführung. Es ist Salvatore Del Vecchios außergewöhnlicher Stil, der seine Werke so einzigartig macht.« Sein Blick schweifte kurz zu Monica empor. »Ich hatte das Vergnügen, Ihren Vater vor fünf Jahren bei einer Vernissage in Wien persönlich kennenzulernen. Ihn und seine Frau. Umso größer ist mein Vergnügen, dass ich dieses Gemälde heute ersteigern konnte und darüber hinaus auch noch die Bekanntschaft seiner bezaubernden Tochter mache.«

Monica sah zu ihnen herunter. Ihr Blick sprach Bände. *Hör auf, mich anzumachen!*

Doch Elena kam das Gerede ganz recht. Am besten wäre es, Dunek würde sich zu Monica auf die Treppe begeben. Hinter seinem Rücken warf sie Monica einen auffordernden Blick zu. Die junge Frau verstand sofort.

»Erzählen Sie mir mehr über die Begegnung mit meiner Mutter«, forderte sie ihn auf.

»So perfekt das Kunstwerk Ihres Vaters auch ist, kann es niemals an die Schönheit Ihrer Mutter heranreichen. In Wahrheit war sie eine viel elegantere und souveränere Frau, als je ein Maler mit Pinsel und Leinwand einzufangen in der Lage gewesen wäre. Wenn ich mir die Aussage erlauben darf – Sie sehen ihr zum Verwechseln ähnlich.«

Monica sah verunsichert zur Seite. »Danke.«

»Aber nicht doch.« Dunek stieg die Treppe hinauf. Seine genagelten Absätze klapperten auf den Metallstufen.

Endlich! Länger hätte Elena das Süßholzgeraspel nicht ertragen. Nun wurde ihr auch klar, warum es offensichtlich keine Frau an Thomas Duneks Seite gab. Höchstens eine unterbelichtete Tussi hätte es länger als eine Woche neben diesem von sich selbst überzeugten Kerl und seinem künstlichen Gehabe ausgehalten. Dafür waren Grundstück, Reitstall, sterile Villa und trapezförmiger Pool nur ein schwacher Trost.

Während Dunek sich für einen Moment wie zufällig von hinten an Monica schmiegte und sie aufforderte, die Ölfarben mit der Fingerspitze zu berühren, wanderte Elenas Blick zu der Rinaldi's-Mappe auf dem Korbtisch. Langsam ging sie darauf zu und streckte die Finger danach aus.

Doch sie erstarrte in der Bewegung, als sich aus dem Schatten der Nische die Schnauze eines Dobermanns hervorschob.

22

Gerink liebte es, wenn sich Leute in Sicherheit wiegten und plötzlich über Dinge redeten, die sie eigentlich nicht preisgeben wollten.

Natürlich wollte er wissen, worum es sich bei den »Fällen« handelte. Scatozza bearbeitete Cristina auf seine Art und Weise – indem er mit ihr flirtete –, während Gerink noch einmal Staatsanwalt Francesco Fochetti erwähnte. Lorenzos Frau fühlte sich sichtlich unwohl in ihrer Haut. Sie strich sich mehrmals die blonden Strähnen aus den Augen und schielte zu Gerink hinüber. Schließlich erzählte sie widerwillig, dass die Familie der Del Vecchios seit Monaten vom Pech verfolgt sei.

Zenobia Del Vecchio war die Grande Dame der Familie und seit dem Tod ihres Mannes vor fünfzehn Jahren die Herrin auf diesem Landsitz. Der Maler Salvatore war ihr ältester Sohn, danach hatte sie Matteo und Lorenzo zur Welt gebracht. Teresa war ihre einzige Tochter.

Gerink erinnerte sich, in den Kopien der Mappe auf keine Zeugenaussage von Matteo oder Lorenzo gestoßen zu sein. Womöglich war einer der beiden der Grund für die Trauerfeier gewesen. Er behielt recht. Allerdings betraf es *beide* Brüder Teresas. Sie waren vor einigen Monaten bei schrecklichen Unfällen ums Leben gekommen, wie Cristina nun mit gefasster Miene erzählte. Sie war seit kurzem Witwe, vergoss aber keine Träne, als sie über ihren verstorbenen Mann redete.

Natürlich hatte ihnen der Maresciallo das auf dem Revier in Florenz unterschlagen, ebenso die Tatsache, dass die Begräbnisse der beiden Del-Vecchio-Brüder einen Monat beziehungsweise zwei Monate zuvor stattgefunden und die Trauerfeier Matteo, Lorenzo und dem vor einem Jahr verschwundenen Salvatore gegolten hatte. Zenobia hatte auf diese Weise den Rest der Familie zusammenführen wollen.

»Wie sind die Männer gestorben?«, fragte Gerink.

Scatozza ignorierte die Frage und flirtete erneut eine Weile mit Cristina.

»Matteo stürzte mit seinem Sportwagen in einer Kurve auf der Bergstraße nach Siena über die Felsen und konnte nur noch tot aus dem Wrack geborgen werden«, sagte er schließlich, »und Lorenzo verbrannte in seinem Motorboot auf dem Arno, als er eine undichte Dieselleitung reparieren wollte.«

Zumindest hatte Dinos Anmache in diesem Fall etwas Gutes – Cristina wurde gesprächig. »Unternahm Ihr Mann öfter solche Fahrten?«, fragte Gerink.

»Er besaß drei Boote«, übersetzte Scatozza.

Cristinas Erzählung wurde von einem Dienstmädchen unterbrochen, das mit Gläsern und einem Wasserkrug auf einem Tablett das Zimmer betrat. Gerink roch den Duft von Limetten.

»Eine kleine Aufmerksamkeit von Zenobia Del Vecchio, damit Sie bei der Heimfahrt nicht so durstig sind«, erklärte das Mädchen auf Italienisch und vollführte einen Knicks. Es war eine Art höflicher Rauswurf. Nachdem sie den Saft getrunken hatten, verließen sie das Zimmer.

»Ich möchte mir noch den Hintereingang ansehen«, sagte Gerink, als sie im Treppenhaus nach unten gingen.

Cristina führte sie an der Küche vorbei zum ehemaligen Lieferanteneingang. Kein Töpfeklappern. Zudem roch es steril, als hätte schon lange keiner mehr in diesem Haus gekocht.

Sie traten an der Rückseite der Villa ins Freie. In dieser abgeschiedenen Ecke des Grundstücks lag nur eine Pferdekoppel, auf der einige Stuten grasten. Die Wiese ging in weite Mohnfelder über. Ein schmaler Forstweg führte über den Hügel und verschwand nach etwa fünfhundert Metern zwischen den Pinien. Cristina erklärte, dass der Forstweg nach etwa einem Kilometer auf eine Bergstraße treffe, die nach Florenz führe.

Sofern man einen Schlüssel für das hüfthohe Eisengatter am Waldrand besaß, konnte man mit einem Geländewagen sogar bis zur Rückseite der Villa fahren.

Während Cristina am Lieferanteneingang wartete, gingen Gerink und Scatozza über den Pfad zum Gatter am Waldrand. Für jemanden, der sich auskannte, wäre das Schloss leicht zu knacken gewesen. Ein gebogener Draht genügte. Aus Erfahrung wusste Gerink, dass am Tatort einer Entführung die ersten achtundvierzig Stunden entscheidend waren. Danach begannen die Zeugen schon, Daten und Uhrzeiten durcheinanderzubringen. Verdächtige hatten sich bereits wasserdichte Alibis besorgt, Spuren waren vernichtet und widersprüchliche Aussagen aufeinander abgestimmt worden. Außerdem war es einen Monat nach Teresas Verschwinden zwecklos, hier nach Fingerabdrücken, Autospuren oder Zigarettenkippen mit DNS-Spuren zu suchen.

Zweifelsohne musste der Glatzkopf diesen Weg genommen haben, durch den Wald auf die Bergstraße nach Florenz. Das verriet Gerink, dass die Entführung geplant worden war. Entweder kannte der Mann das Grundstück der Del Vecchios, oder er hatte es vorher ausspioniert. Er musste von der Trauerfeier gewusst haben, auch dass Teresa an diesem Tag anreisen und ihr übliches Zimmer beziehen würde. Gerink glaubte nicht an Zufälle. Und dann war da noch diese andere Sache mit Teresas Brüdern: Salvatores Verschwinden und Matteos und Lorenzos tödliche Unfälle.

Sie gingen zurück zur Villa. Die Pferde kamen zum Holzzaun,

als erhofften sie sich ein Stück Zucker, und irgendwo kläfften wieder diese beiden nervigen Köter.

»Zenobia Del Vecchio hatte vier Kinder«, fasste Gerink zusammen.

Scatozza blickte auf die Armbanduhr. »Ich muss in zwanzig Minuten zu meinem Laptop.«

Gerink ignorierte den Kommentar. »Vor einem Jahr verschwindet ihr ältester Sohn Salvatore und hinterlässt nur einen Abschiedsbrief. Danach stürzt ihr zweiter Sohn Matteo mit seinem Wagen über die Klippen, Lorenzo fackelt in seinem Boot ab, und letzten Monat wird ihre Tochter Teresa auf dem Grundstück entführt. Das ist mehr als bloß Pech.« Er warf Scatozza einen Blick zu. »Zenobia muss irgendjemandem zu nahe getreten sein, der sich nun an ihr rächt oder sie einschüchtern möchte.«

»Möglich.«

»Dann wären aber nicht nur ihre Kinder in Gefahr, sondern auch ihre Schwiegertochter Cristina oder ihre Enkelkinder, wie beispielsweise Monica.«

»Was soll der in Wien schon passieren?«, brummte Scatozza. »Gib mir den Autoschlüssel. In zwanzig Minuten bin ich bei unserem Wagen.«

»Geh mir nicht auf die Nerven!«, warnte Gerink ihn. Er erinnerte sich an das Gespräch, das er mit Monica im Haus ihrer Tante geführt hatte. Gestern hatte er noch keinen Zusammenhang zwischen dem Untertauchen ihres Vaters und der Entführung ihrer Tante gesehen. Mittlerweile war er vom Gegenteil überzeugt. Wenn ihn sein Job eines gelehrt hatte, dann, dass es in einem Kriminalfall nur selten voneinander isolierte Ereignisse gab. Alles stand mit allem in Verbindung. Er würde seine Dienstmarke abgeben, wenn es hier anders wäre.

»Sieht so aus, als wollte jemand die Familie ausrotten«, murmelte er. »Und Salvatore war clever genug, als Erster zu verschwinden.«

»Oder er steckt selbst hinter den Anschlägen«, sinnierte Scatozza. »Den Autoschlüssel, bitte.«

»Wir haben noch Zeit!«

Sie kamen zur Hinterseite der Villa, und Cristina führte sie durchs Haus zum Haupteingang.

Gerink blieb auf der breiten Treppe stehen und überblickte den Vorplatz. »Ich möchte mir noch die Kapelle ansehen, wo die Trauerfeier stattgefunden hat.«

Für den Vorschlag fing er sich einen zornigen Blick von Scatozza ein, der demonstrativ auf die Armbanduhr sah, sich jedoch Cristina zuwandte und mit einem charmanten Lächeln übersetzte. Dabei klang seine Stimme so liebenswürdig, dass Gerink übel wurde. Der Kerl baggerte sogar eine Frau an, die kürzlich Witwe geworden war.

Cristina geleitete sie unter einem von Weinreben überwucherten Torbogen zu einer Allee aus Zypressen, die direkt zur Kapelle führte. Eine Arbeiterin mit Sonnenhut, die einen schweren Wasserschlauch hinter sich herzog, querte ihren Weg. Sie hievte den Schlauch in einen Schubkarren, der prompt umfiel. Cristina zeigte keine Anstalten, der Frau zu helfen.

Daraufhin wandte sich Scatozza an Cristina und sprach einige Sätze mit ihr. Sie lächelte, warf das Haar in den Nacken, sagte aber nichts.

Scatozza grinste breit. »Ich habe ihr erzählt, dass mich vor dem Präsidium mal eine junge Mutter mit einem schreienden Baby gebeten hat, den Kinderwagen in den Bus zu heben.« Er zuckte mit den Schultern. »Ich habe geantwortet: ›Beim Machen des Kindes hast du mich auch nicht gebraucht.‹«

Was war Scatozza doch für ein Arschloch! Früher waren sie ein gutes Team gewesen, und Gerink hätte angesichts dieser

Anekdote zwar den Kopf geschüttelt, aber vielleicht sogar geschmunzelt. Doch seit Elenas Seitensprung wollte er Scatozza am liebsten täglich mit dem Auto überfahren.

Das Gebell der Hunde wurde lauter.

»Soll ich die Tölen für dich abknallen?«, fragte Scatozza.

Diesmal musste Gerink wirklich grinsen. Obwohl er es sich nicht anmerken lassen wollte, hatte der eitle Sizilianer es bemerkt.

Als hätte Scatozza auf diesen Augenblick gewartet, veränderte sich seine Stimme, und er sagte ernst: »Darf ich dich etwas fragen?«

»Nein!«, antwortete Gerink.

»Warum hast du Elena aus dem Haus geworfen?«

Abrupt blieb Gerink stehen. War das zu fassen? »Ich habe sie nicht *rausgeworfen*!« Sein Puls schnellte nach oben. Dieser Mistkerl!

»Und warum wohnt sie dann bei einer Freundin?«, fragte Scatozza.

Cristina stand peinlich berührt neben ihnen, doch das ging Gerink in diesem Moment völlig am Arsch vorbei. Er tippte Scatozza mit dem Zeigefinger auf die Brust. »Ich wollte nicht, dass sie geht. Ich hätte ihr die Nummer in der Gartenlaube sogar verziehen, und das weiß sie verdammt genau! Glaubst du, ich denke auch nur eine Minute lang *nicht* an sie, während du Cristina wie ein läufiger Hund anspringst? Für dich ist alles so einfach – für mich nicht. Ich will Elena zurückhaben! Ich will, dass es wieder so wird wie früher. Dass ich neben ihr aufwache, sie in die Arme nehme, ihre Haut rieche und sie einfach nur neben mir spüre. Aber es wird nie wieder so wie früher.«

»Aber warum hast du sie dann …?«

»Sie ist freiwillig gegangen!«, fauchte Gerink. »Und weißt du, warum? Weil sie mir nicht mehr in die Augen schauen konnte.«

»*Mamma mia*«, murmelte Scatozza und warf Cristina einen entschuldigenden Blick zu.

Mamma mia? Gerink merkte, wie seine Hände bebten, dann brach es wie ein Geschwür aus ihm hervor. »Du hast bei deiner eigenen Geburtstagsfeier nichts Besseres zu tun, als mit meiner Frau zu vögeln, du italienisches Arschloch! Vier Monate zuvor hat sie *unser* Kind verloren … und das auch noch kurz vor Weihnachten.« Fäuste ballen und locker lassen … tief durchatmen, es geht gleich vorbei.

»Sie ist schwanger gewesen?« Scatozza sah mindestens genauso überrascht drein wie Cristina, die kein Wort verstanden hatte. »Deshalb hat sie sich in jener Nacht betrunken und geweint. Das wusste ich nicht.«

Gerink ging weiter. »Hätte es für dich was geändert?«

23

»Braves Hündchen«, flüsterte Elena und ging langsam auf den Dobermann zu.

Der Name »Wallace« glänzte in einem geschwungenen Schriftzug auf dem silbernen Halsband des Köters. Es war jenes Exemplar mit den längeren Ohren.

»Braver Wallace.« Sie streckte die Hand nach dem Korbtisch aus.

Der Hund beäugte sie neugierig. Seine Lefzen zuckten, aber noch regte sich kein Knurren in seiner Kehle.

»Braver Wallace.« *Nicht hinsehen! Starr dem Vieh nicht in die Augen. Einfach ignorieren.*

Sie hob den Deckel der Rinaldi's-Mappe und spähte auf das erste Blatt. Wie vermutet war es ein Gutachten über die verwendeten Materialien in dem Gemälde.

Elena stand unter der Stahltreppe, außerhalb von Duneks Blickfeld, und sah kurz nach oben. Er erzählte Monica gerade von der einzigartigen Maltechnik ihres Vaters – als ob sie das nicht selbst wüsste. Studierte sie doch immerhin Kunst und Malerei.

»Dieses Gemälde weist allerdings eine Besonderheit auf«, hallte seine Stimme durch den Vorraum. »Es wurde nicht mit den typischen Farben der anderen Werke gemalt. Ihr Vater hat neue Materialien verwendet, um einen einzigartigen Effekt zu erzielen. Sehen Sie, wie die Farben das Licht reflektieren?«

Da setzte sich Wallace in Bewegung, und Elena hörte nicht länger auf Duneks Gerede. Wallace stand nun unmittelbar neben ihr, schob die Schnauze vor und schnüffelte an ihrer Hose.

Sie wagte nicht, sich zu bewegen. »Braver Wallace.« Hoffentlich sabberte ihr der Köter nicht auf die Hose. Als Katzenfreundin würde Toni kein Verständnis dafür haben. Da dämmerte es Elena. Bestimmt witterte Wallace den Geruch von Sir Edmund Hillary. Der Dobermann schnupperte nun zwischen ihren Beinen und stupste mit seiner nassen Schnauze gegen ihren Bauch. *Einfach ignorieren. Konzentriere dich auf den Text!*

Ihr Blick wanderte über das Gutachten. Die verwendeten Materialien der Leinwand und des Keilrahmens waren angeführt, ebenso die Zusammensetzung der Farben und dass Del Vecchio die üblichen Pirolipinsel verwendet hatte. Verflucht! Nirgendwo wurden Name und Adresse der Hersteller genannt.

»Dieses Gemälde ist, wie alles von Del Vecchio, eine Kombination aus Form und Farbe. Charakteristisch für ihn sind der kräftige Ölauftrag und die Dehnung, Umkehrung und Wiederholung der Motive«, drang Duneks sonore Stimme von oben herunter. »Die Signatur Ihres Vaters ist nicht offensichtlich zu erkennen. Wie üblich hat er sie in das Motiv des Bildes eingearbeitet. Sehen Sie hier, wie sein Schriftzug in die Fassung des Rings Ihrer Mutter übergeht und sich im Leuchten des Feueropals verliert …«

Der Millionär war in seinem Element. Offensichtlich stellte die Beschäftigung mit Kunst den Ausgleich zu seinen Börsen- und Flughafengeschäften dar. Doch Wallace war ebenso in seinem Element. Er rieb seine Ohren an Elenas Oberschenkel. Zaghaft strich sie ihm mit der Hand über den Kopf. Im selben Moment drückte er seine Schnauze an sie.

»Schon gut, schon gut …«, flüsterte Elena. »Ich hab dich ja auch lieb.«

Während sie Wallace streichelte, überflog sie die anderen Expertisen. Aber auch hier fand sie keine Hinweise, die in irgendeiner Art für die Suche nach Salvatore hilfreich gewesen wären. Plötzlich stieß sie auf merkwürdige Fotografien. Es waren Negative des Gemäldes. Dahinter fand sie Aufnahmen in Rot-, Blau- und Grüntönen, die das Bild in seinen einzelnen Schichten zeigten. Zuletzt beinhaltete die Mappe eine Spektralanalyse und einen Bericht über die Reflektionseigenschaften von Licht auf der Gemäldeoberfläche. Was für verrückte Sachen es doch gab!

»… wodurch der Stil an eine Reminiszenz an die älteren Werke Van Dycks erinnert«, sagte Dunek.

»Haben Sie eine Ahnung, wohin mein Vater sich zurückgezogen haben könnte?«, fragte Monica. Deutlich war die Anspannung in ihrer Stimme zu erkennen.

Elena spitzte die Ohren.

»Das fragen Sie ausgerechnet mich? Tut mir leid, wenn ich es wüsste, würde ich Ihrem Vater zu diesem außergewöhnlichen Gemälde gratulieren. Sehen Sie hier, diese feinen Farbnuancen …«

Was für ein Arsch! Da bemerkte Elena aus dem Augenwinkel, dass am Ende des Korridors eine Gestalt in den Flur trat.

Josef!

Reglos verharrte der alte Mann und starrte sie an. Es wurde Zeit, den Hund loszuwerden und Monica aus Duneks Klauen zu befreien.

»Monica, bist du fertig?«, rief sie nach oben. »Du weißt doch, ich muss mit meiner Mutter heute noch zum Arzt fahren.«

Im selben Moment drängte Wallace sie vom Tisch weg, und sie wich zurück an die Wand. Auffordernd stupste er sie mit der Schnauze an. Offensichtlich wollte er weitergestreichelt werden. Sein Stummelschwanz wippte aufgeregt. Beinahe wäre die Mappe vom Tisch gerutscht. Elena bekam sie im letzten Moment zu fassen und klappte sie zu.

»Ich komme gleich«, tönte es von oben herunter. Dann etwas leiser. »Vielen Dank, dass Sie sich die Zeit genommen haben, damit ich einen letzten Blick auf … meine Mutter werfen konnte.«

»Gern geschehen. Jederzeit wieder.« Dunek begleitete Monica die Treppe hinunter. »Und seien Sie versichert, dass die Gemälde Ihres Vaters bei mir gut aufgehoben sind.«

Bestimmt sogar, dachte Elena. Vor allem wenn die Hunde jeden Einbrecher so vereinnahmten und liebkosten wie sie. Sie sah in den Korridor. Josef war verschwunden.

Währenddessen hatte Dunek das Erdgeschoss erreicht und nippte an seinem Whisky. Elena schielte zu ihm hinüber. Als er sah, wie der Dobermann sie bedrängte und kaum zu Atem kommen ließ, erstarrte er in der Bewegung.

Elena lächelte. »Ein süßes Hundchen.«

Duneks Augen wurden kalt. »Wallace! Auf deinen Platz!«

Schlagartig wich der Hund zurück und versuchte, die Ohren anzulegen. Winselnd sah er zu Boden. Von wegen, der Hund habe keine Körpersprache!

Elena ließ die Schultern sinken und stieß die Luft aus der Lunge.

»Es tut mir leid«, entschuldigte Dunek sich. Im selben Moment schrillte der Pieper in seiner Hosentasche. Er sah nur kurz auf das Display. »Ich würde Ihnen gern noch die anderen Gemälde zeigen, aber in wenigen Augenblicken beginnt die Telefonkonferenz.«

»Darf ich Sie noch etwas fragen, bevor wir gehen«, beeilte sich Elena zu sagen.

»Bitte.«

Sie zog ihr Handy aus der Handtasche und lud das Foto des Ostdeutschen aufs Display. »Als Experte der Kunstszene kennen Sie vielleicht diesen Mann.« Sie zeigte Dunek das Foto.

Er warf nur einen knappen Blick darauf. »Haben Sie Probleme mit ihm?«

»Ich habe ihn bei der Auktion getroffen. Er heißt Viktor.«

»Tatsächlich?« Dunek runzelte die Stirn. »Interessant, ich wusste gar nicht, dass er mitsteigert.«

»Sie kennen ihn?«

»Natürlich. Zum Glück nicht persönlich, aber ich weiß über ihn Bescheid. Sein Name ist Viktor König. Er stammt aus einem alten preußischen Adels- und Militärgeschlecht und war Stasi-Offizier in Ost-Berlin.«

Elena musste erst einmal schlucken. Beinahe wäre ihr herausgerutscht, dass nicht einmal die Beamten des Wiener BKA den Mann kannten.

Zum Glück stand Monica in diesem Moment hinter Dunek – ihr Mund klappte wie ein Scheunentor auf. Was hatte Salvatore Del Vecchio mit der Stasi zu schaffen?

»Haben Sie Probleme mit ihm?«, wiederholte Dunek.

Elena verneinte.

»Das ist auch besser so, glauben Sie mir. Ich gebe Ihnen einen Rat: Lassen Sie die Finger von diesem Kerl. König ist gefährlich. Er ist wie ein Phantom, das unbemerkt auftaucht und ebenso schnell wieder von der Bildfläche verschwindet.«

»Ist er Kunstsammler?«, fragte Elena.

»König ist alles, wofür Sie ihn bezahlen«, antwortete Dunek. »Er spricht mehrere Sprachen fließend und ist Strohmann und Handlanger für osteuropäische Investoren, mit denen nicht zu spaßen ist. Gott sei Dank hatte ich bisher nie näher mit ihm zu tun.« Dunek leerte sein Glas.

Vielleicht würde sich das bald ändern.

Elenas Herz schlug bis zum Hals. Obwohl Dunek nicht auf ihrer Wellenlänge lag, musste sie ihn warnen. »Möglicherweise wollte König das Gemälde ersteigern.«

Dunek lächelte. »Wohl kaum. Das ist nicht gerade sein Metier.«

»Menschen und Metiers ändern sich im Lauf der Zeit«, gab sie zu bedenken. »Ich glaube, er wollte das Gemälde und hat telefonisch mitgesteigert.«

»Und weshalb hat er mich nicht überboten?«, fragte Dunek.

Das war der springende Punkt, über den Elena sich bereits den ganzen Nachmittag den Kopf zerbrochen hatte. »Möglicherweise habe ich ihn während der Versteigerung im Auktionshaus gestört, weshalb *Sie* den Zuschlag erhielten.«

Dunek musterte sie skeptisch. »Er war im Auktionshaus und hat *telefonisch* mitgesteigert?« Für einen Moment wanderte sein Blick zu Wallace, der wie eine Statue neben der Palme saß. »Wollen Sie für Ihr Einschreiten etwa Geld von mir? Sind Sie deshalb gekommen?«

»Drei Millionen Euro fände ich angemessen …«

Er kniff die Augenbrauen zusammen.

»Nein, natürlich nicht. Das war ein Scherz!« Was dachte der Mann von ihr? »Ich möchte Sie bloß warnen. Vielleicht ist König immer noch hinter dem Gemälde her.«

Dunek schüttelte den Kopf. »Auf dem Grundstück befinden sich fünfzehn Kameras mit Bewegungsmeldern. Die Villa ist gesichert und direkt mit der nächstgelegenen Polizeiinspektion verbunden. Zusätzlich sind alle Gemälde alarmgesichert. Außerdem habe ich eine Luger im Haus.«

»Eine Luger? Werden die überhaupt noch hergestellt?«

»Für Sportschützen schon.« Er nickte. »Vielen Dank für die Warnung, aber seien Sie unbesorgt. Das Gemälde ist bei mir so sicher wie in Abrahams Schoß.«

Vielleicht war sich Dunek *zu* sicher. Er begleitete sie auf die Terrasse, wo sie sich verabschiedeten. Wallace lief hinter ihnen her und gesellte sich zu Edgar, seinem Ebenbild. Wie zwei Statuen aus schwarzem Turmalin saßen die Hunde erwartungsvoll am unteren Treppenabsatz.

Während Monica sich noch einmal bei dem Millionär bedankte, ging Elena an den beiden Dobermännern vorbei. Edgar und Wallace beobachteten sie stumm und mit spitzen Ohren. In Wallace' Blick glaubte sie sogar, etwas Wehmut zu erkennen. »Wir sehen uns bestimmt wieder«, versprach sie ihm und zwinkerte.

Als sie sich umwandte, sah sie gerade noch, wie Dunek Monica etwas ins Ohr flüsterte, während seine Hand sanft zu ihrer Hüfte wanderte und für einen Augenblick dort liegen blieb. Der baggerte wohl alles an, was in seine Nähe kam.

Schließlich löste sich Monica aus Duneks Umklammerung und lief über die Treppe an den Hunden vorbei. Dunek stand im Zwielicht der Abendsonne und sah ihr nach. Für einen Moment meinte Elena, eine berechnende Kälte in seiner Miene zu erkennen, die sie nur schwer deuten konnte.

»Oh Gott, ist das ein merkwürdiger Kerl«, flüsterte Monica ihr zu. »Fast schon unangenehm aufdringlich.«

Gemeinsam gingen sie über die Marmorsteine zum Eingangstor, hinter dem Elenas Wagen stand.

»Aber er sieht ganz gut aus und hat jede Menge Zaster.«

»Als ob das reicht«, erwiderte Monica. »Haben Sie das gesehen? Ich dachte jeden Moment, er fasst mir gleich ans Höschen!«

Elena schmunzelte. »Was wollte er von Ihnen?«

Monica verdrehte die Augen. »Er hat nach meiner Handynummer gefragt.«

Etwas an dem Kerl irritierte Elena. War Dunek wirklich nur auf einen harmlosen Flirt mit Monica aus, oder ging es ihm um etwas völlig anderes?

24

Gerink und Scatozza kamen zur Kapelle der Del Vecchios. Ein kleines schmuckes Gebäude mit Kuppel, das Platz für etwa zwanzig Personen bot. Ein Marienbild und mehrere Statuen zierten den Altar. Kein Kreuz. Auf dem Boden standen frische Schnittblumen in bauchigen Vasen.

Hinter der Kapelle ragte in einiger Entfernung der Eingang eines Mausoleums aus grauen Backsteinen in den Hügel. Das Familienwappen – eine Brücke über einem Fluss – prangte über dem Eingang. Durch das offene Eisentor konnte Gerink gemauerte Stufen erkennen, die steil in den Abgrund führten. Offensichtlich besaßen die Del Vecchios eine eigene Familiengruft.

Mittlerweile kläfften die verdammten Köter in unmittelbarer Nähe. Gerink blickte sich um. Er sah zwei Pitbull Terrier, die jeweils an einer etwa zehn Meter langen Kette zerrten. Sie waren vor einem Nebengebäude angepflockt, das sich entlang des Schwimmbeckens erstreckte. Mit den Torbogen, der Loggia und der Marmorbalustrade sah der Trakt wie ein jüngerer Zubau aus. Auf der gegenüberliegenden Seite des Pools lagen die Scheune und das Orchideenhaus. Somit hatten sie eine komplette Runde auf dem Grundstück gedreht.

Gerink blickte zu dem Seitengebäude. Vor dem Eingang posierte ein Mann im schwarzen Anzug mit vor der Brust verschränkten Armen, dem lässig die Sonnenbrille im Haar steckte. Er wirkte wie von einem Wachdienst. Möglicherweise waren es seine Hunde. Unter dem Seitenschlitz des Sakkos bemerkte

Gerink einen matt glänzenden Gegenstand, der im Gürtel des Mannes steckte.

»Was befindet sich in dem Haus?«, fragte Gerink.

»Der Wohntrakt für die Angestellten«, übersetzte Scatozza.

»Nobel! Ich würde gern einen Blick reinwerfen.«

Cristina zog die Schultern hoch und machte eine wegwerfende Handbewegung. »In den Wohntrakt der Angestellten?«, wiederholte sie auf Italienisch – und diesmal brauchte Scatozza nicht zu übersetzen.

In diesem Moment kam eine ältere Dame in Begleitung eines hübschen Mädchens aus dem Hauptgebäude. Die beiden schritten gemächlich auf sie zu.

Schlagartig verspannte sich Cristina beim Anblick der Frau. Instinktiv machte sie sich kleiner. Bestimmt handelte es sich um die Hausherrin, ihre Schwiegermutter. Gerink schätzte die Dame auf etwa siebzig Jahre. Ihm kam das Wort *anmutig* in den Sinn. Besser ließ sich die Frau nicht beschreiben. Ihr graues Haar war zu einem Knoten hochgesteckt. Sie war schlank, trug einen eleganten Hosenanzug, eine braune Stola und Riemenstöckelschuhe, die sie um eine Handbreit größer machten. Das Mädchen an ihrer Seite mit den langen schwarzen Haaren und den Kulleraugen war etwa fünfzehn Jahre alt.

»Zenobia Del Vecchio … *Polizia di Vienna*«, stellte Cristina sie vor und machte einen Schritt zurück.

Sie reichten sich die Hände. Zenobias knöcherner Handrücken war von Altersflecken überzogen. Armreifen klimperten an ihrem Gelenk. Der harte Druck überraschte Gerink etwas. Dabei lächelte die Hausherrin graziös. Früher musste sie eine Schönheit gewesen sein mit den schmalen Lippen, hohen Wangenknochen und erhabenen Gesichtszügen.

»Ich heiße Sie auf meinem Land herzlich willkommen«, sagte sie in fehlerfreiem Deutsch. Ihre Stimme klang tief und bestimmt. Dabei strich sie dem Mädchen an ihrer Seite übers Haar. »Nicola, meine Enkeltochter.«

Das Mädchen machte einen Knicks. Von dem Stammbaum, den Gerink gezeichnet hatte, wusste er, dass Nicola Matteos Tochter war.

Scatozza sah auf die Uhr. »Darf ich Ihre Toilette benutzen, bevor wir gehen?«, fragte er.

Bevor wir gehen? Gerink konnte es nicht fassen. Er war hier noch lange nicht fertig.

Zenobia hob die Augenbrauen. Ihre kalten rauchgrauen Pupillen fixierten Scatozza. Schließlich nickte sie knapp. »Nicola zeigt Ihnen den Weg.«

Gerink sah ihnen nach. »Ein nettes Mädchen«, kommentierte er.

»Die Tochter meines Sohnes Matteo. Sie spielt Klavier wie eine Elfe, Geige wie ein Engel und ist die Beste im Ballettunterricht.«

Armes Mädchen, dachte Gerink. »Mein aufrichtiges Beileid zum Verlust Ihrer Söhne …«, sagte er schließlich und verstummte mitten im Satz.

Zenobia warf Cristina einen vernichtenden Blick zu. Im nächsten Moment hob sie würdevoll den Kopf, als wäre sie Gerink haushoch überlegen. »Ich hoffe, Sie haben alles gesehen, und wir konnten Ihre Neugierde befriedigen.«

Von wegen, dachte Gerink. »Was befindet sich im Angestelltengebäude?«

»Angestellte.« Zenobia lächelte knapp. »Wie Sie sehen, werden die Hunde nervös. Sie sind fremde Besucher nicht gewohnt.«

Aber Dutzende Besucher bei der Trauerfeier schienen kein Problem darzustellen. »Darf ich einen Blick hineinwerfen?«

»Ich danke Ihnen für Ihren Besuch«, antwortete Zenobia.

Gerink war bisher nur selten so geflissentlich ignoriert worden. Er blickte zu dem Mann im dunklen Anzug, dann fixierte er Zenobia. »Wovor fürchten Sie sich?«

»Sie müssen sich um uns keine Sorgen machen«, sagte Zenobia rasch, bevor er noch mehr Fragen stellen konnte. »Sobald Ihr Kollege zurück ist, wird Cristina Sie nach draußen begleiten. Fahren Sie vorsichtig. In den Bergen wird es rasch dunkel.« Sie reichte Gerink die Hand. »Danke für Ihren Besuch und … leben Sie wohl.«

Das war der charmanteste Rauswurf, den er bisher erlebt hatte.

Sie wandte sich um und ging ins Haus zurück. Hinter ihr wehte die Stola wie ein Cape in der leichten Abendbrise.

Als Gerink und Scatozza den Pajero erreichten, zeigte sich ein letzter orangefarbener Streifen am Horizont. Es begann tatsächlich rasch zu dunkeln.

Kaum saß Scatozza im Wagen, ließ er auch schon den Laptop piepend hochfahren. Er blickte zur Uhr am Armaturenbrett. »Scheiße, nur noch eine halbe Minute.«

Gerink startete den Wagen und lenkte ihn auf der Bergstraße zurück nach Florenz.

»Komm schon, komm schon …«, drängte Scatozza.

Gerink sagte nichts. Er schaltete die Scheinwerfer ein und konzentrierte sich auf die Straße. Neben ihm surrte der Computer. Schließlich erklang der Windows-Sound.

»Die verheimlichen doch was …«, sinnierte Gerink.

»Nicht jetzt!«

»Ich frage mich, warum sowohl die Carabinieri als auch die Familienmitglieder keinen Wert auf unsere Hilfe legen.«

»Auf unsere Hilfe würde ich auch keinen Wert legen. Boah, das war knapp …« Scatozza schnippte mit den Fingern. »Was für ein Schnäppchen!«

»Freut mich, dass du wenigstens hier ein Erfolgserlebnis hattest, nachdem deine Anmache bei Cristina nicht geklappt hat.«

»Anmache?«, wiederholte Scatozza. »Glaubst du, ich stehe auf eine Trinkerin?«

»Was sollte das dann?«

»Wären wir sonst an Informationen über ihren Mann und dessen Bruder rangekommen?«

»Sag bloß, du hast dich für den Job aufgeopfert?«

Scatozza schwieg. Er knallte den Laptop zu, öffnete das Seitenfenster und legte den Ellenbogen auf den Rahmen. Kühle Luft strömte in den Wagen.

»Natürlich verheimlichen die uns was«, knurrte Scatozza nach einer Weile. »Vor dem Haus stehen zwei Sportwagen. Ein Maserati … und im Lamborghini steckt sogar der Schlüssel, jeder könnte mit der Karre abhauen.« Er fuhr sich mit der Hand durchs Haar. »Vor dem Nebengebäude, in dem angeblich nur die Angestellten wohnen, hält ein geschniegelter Kerl mit zwei Pitbull Terriern Wache, der eine Knarre unter dem Sakko trägt.«

Gerink runzelte die Stirn. »Dir ist die Waffe also auch aufgefallen?«

»Natürlich. Eine SIG Sauer«, knurrte Scatozza. »Ich bin ja nicht blind.«

25

Während Elena und Monica von der Villengegend in Brunn am Gebirge wieder zurück nach Wien fuhren, blickte die Italienerin gedankenverloren aus dem Fenster. »Ich nehme an, Sie müssen mit Ihrer Mutter nicht wirklich zum Arzt?«

»Natürlich nicht.« Elena klemmte ihr Handy in die Halterung am Armaturenbrett. »Mutter ist knapp siebzig und wohnt in einem Seniorenheim. Dort hat sie rund um die Uhr die beste ärztliche Versorgung.«

Monica sah erstaunt herüber, als vermutete sie einen Scherz. Doch es war keiner.

»Ich war eine Nachzüglerin. Meine Mutter hat meine Schwester mit fünfundzwanzig und mich mit siebenunddreißig bekommen«, erklärte Elena. »Sie hat eine Herzschwäche, darf sich nicht aufregen und wohnt auf eigenen Wunsch im Heim. Von ihrem Zimmer sieht sie den Kahlenberg, und die Betreuung dort ist wunderbar. Ich besuche sie zweimal pro Woche.«

»Und Ihre Schwester?«

»Die hat viel um die Ohren«, sagte Elena. Gegenüber ihrer Mutter musste sie sich ständig neue Ausreden einfallen lassen, weshalb Lisa nie mitkam. Ihre große Schwester hatte im Job einfach zu viel zu tun, und ihr Mann, Hofrat Eisert vom Bundeskanzleramt, war ein richtiges Ekelpaket. Er und Elena hatten sich noch nie leiden können. Nach Vaters Tod war ihre Mutter ins Seniorenheim gezogen, und seitdem verstanden sie sich wieder besser.

Als die Familie in Warschau gelebt hatte und Lisa elf Jahre alt gewesen war, hatte sich Elenas Vater noch ein Kind gewünscht. Einen Jungen. Nach Elenas Geburt war seine Enttäuschung nicht zu übersehen gewesen. Dutzende Fotos belegten, dass er keinen Hehl aus seinem Ärger machte. Sie hatte immer die Distanz zwischen ihrem Vater und ihr gespürt. Am meisten aber deprimierte sie, dass er sie als Mädchen und später als Frau nie anerkannt und geschätzt hatte. Manchmal gestand sie sich insgeheim ein, dass sie deshalb Detektivin geworden sei, weil sie ihrem Vater etwas beweisen wollte. Dass sie sich in einer von Männern dominierten Berufswelt durchsetzen konnte, obwohl dieser Beweggrund natürlich lächerlich war. Hinzu kam, dass ihre Mutter ihren Vater ein Leben lang verteidigt hatte. Trotzdem besuchte sie ihre Mutter mindestens zweimal wöchentlich im Heim. Aber Mutter sprach ständig nur von Lisa, als sei die der einzige Stolz der Familie.

Elena aktivierte die Freisprecheinrichtung und wählte Lisas Nummer beim BKA. Nach dem zweiten Klingelton hob sie ab.

»Elli, wir hatten doch ausgemacht, dass ich dir keine weiteren Informationen mehr gebe«, meldete sie sich, bevor Elena zu Wort kam.

Puuuh! Heute mal wieder schlecht gelaunt. »Der Ostdeutsche, dessen Foto ich dir geschickt hatte, heißt Viktor König und war Offizier beim Ministerium für Staatssicherheit in der ehemaligen DDR«, sagte sie. »Kannst du mehr über ihn herausfinden?«

»Elli«, ächzte Lisa. Dann knackte es in der Leitung. Bestimmt hatte sie das Gespräch auf einen anderen Apparat umgeleitet. »Ein Ostdeutscher? Ex-Stasi? Womöglich sogar ein Offizier im besonderen Einsatz? Das kann ich nicht machen«, flüsterte sie. Plötzlich änderte sich der Ton ihrer Stimme. »Bin ich etwa auf Lautsprecher? Hört jemand zu?«

»Nein«, log Elena. »Ich *brauche* die Information.«

»Frag Peter, wenn er zurück ist – aber ich weiß von nichts. Verstanden?«

»So lange kann ich nicht warten.«

»Ich müsste über das BKA in Wiesbaden eine offizielle Anfrage machen, die ich irgendwie begründen muss. Das kann Wochen dauern.«

Scheiße! Elena kaute an der Lippe. »Gibt es keinen schnelleren Weg?«

»Nicht wenn der Kerl deutscher Staatsbürger ist und eine politische Vergangenheit hat. Wie denkst du dir das?« Lisa machte eine Pause. »Wozu brauchst du das schon wieder?«

Es hatte keinen Sinn, ihr länger etwas zu verheimlichen. Es war sowieso nur eine Frage der Zeit, bis Lisa dahinterkam, was hier lief. Erstens war sie nicht blöd, sondern die fähigste Dezernatsleiterin beim Wiener BKA, wo sie ihre männlichen Kollegen allesamt in den Schatten stellte. Und zweitens war sie Peters Vorgesetzte – und der hatte Elena schließlich diesen Detektivauftrag zugespielt.

»Mittlerweile weiß ich, dass du Peter in die Toskana geschickt hast, damit er nach Teresa Del Vecchio sucht«, sagte Elena. »Ihre Nichte Monica wohnt ebenfalls in Wien. Sie hat mich beauftragt, ihren Vater zu finden, der vor einem Jahr spurlos verschwunden ist.«

»Aha …« Es klang, als wären Lisa die Zusammenhänge inzwischen ohnehin völlig klar geworden. »Und wie kommst du darauf, dass dieser König etwas mit dem Verschwinden des Malers zu tun hat?«

Des Malers? Sie hatte das mit keinem Wort erwähnt. Ihre Schwester war also im Bilde. »Ich gehe bloß einer Spur nach.«

»Tja, da muss ich dich enttäuschen. Ich habe mit Peter darüber gesprochen. Seiner Meinung nach – und du weißt, dein

Mann irrt sich nie – ist Salvatore Del Vecchio nicht *spurlos ver-schwunden,* sondern untergetaucht.«

»Hast du schon mal darüber nachgedacht, ob er entführt wur-de?«, widersprach Elena.

»Er hat einen Abschiedsbrief hinterlassen, den übrigens *du* mir für ein grafologisches Gutachten gegeben hast. Außer-dem gab es weder eine Leiche noch eine Lösegeldforderung.« Lisa machte eine Pause. »Elli, Kleines. Selbst wenn wir wollten, könnten wir in dieser Sache nichts unternehmen. Dafür ist die italienische Kripo zuständig.«

Elena sah, wie Monica auf dem Beifahrersitz abfällig die Au-gen verdrehte.

»Danke, ich bleibe an der Sache dran.« Elena legte auf.

Sie sprachen eine Weile nicht, während Elena über die Süd-ost-Tangente durch Wien fuhr. Die Straßenbeleuchtung ging an, und Elena schaltete die Scheinwerfer ein.

»Wer war das?«, fragte Monica schließlich.

»Lisa Eisert ist Dezernatsleiterin beim Wiener Bundeskrimi-nalamt.«

»Und von ihr lassen Sie sich *Elli-Kleines* nennen?«

Elena blickte geradeaus auf die Straße. »Sie ist meine Schwes-ter.«

»Aha …« Monica schwieg eine Weile. »Und Ihre Schwester ist die Vorgesetzte Ihres Mannes?«

»Eine großartige Konstellation, nicht wahr?«, antwortete Ele-na ironisch. Mehr sagte sie nicht, denn im Moment hatte sie kei-ne Lust, über ihre persönlichen Probleme zu reden.

Sie hätte nie geglaubt, dass der dumme Seitensprung mit Dino und die Trennung von Peter sich mit einem ihrer Fäl-le überschneiden könnten. Nun war genau das passiert. Wenn sie professionell an dem Auftrag arbeiten wollte – und etwas anderes kam für sie nicht in Frage –, musste sie ihren persönlichen Konflikt aus der Welt schaffen. Ihr verkorkstes Privatleben durfte dem Job nicht im Weg stehen. Umgekehrt galt natürlich das Gleiche. Jedenfalls musste sie so schnell wie möglich mit Peter über den Fall reden – falls er noch mit ihr sprechen wollte.

Offensichtlich bemerkte Monica Elenas merkwürdige Stimmung. Zum Glück fragte sie nicht nach.

»Was machen wir als Nächstes?«, erkundigte Monica sich schließlich.

Wir?

»Meiner Meinung nach irren sich sowohl meine Schwester als auch mein Mann und Thomas Dunek.«

»Inwiefern?«

»Das Verschwinden Ihres Vaters und Ihrer Tante hängen zusammen. Außerdem werde ich das Gefühl nicht los, dass dieser Stasi-Glatzkopf hinter dem letzten Gemälde Ihres Vaters her ist. Falls er wirklich so gefährlich ist, wie Dunek behauptet, glaube ich nicht, dass er sich von zwei kupierten Dobermännern, ein paar Kameras, einem alten Butler und einem Millionär mit einer antiquierten Luger abschrecken lässt. Ihr Vater ist sicher nicht deshalb abgehauen, um den Tod Ihrer Mutter zu verarbeiten. Dahinter steckt mehr.«

Monica rutschte auf dem Sitz herum. »Was glauben Sie?«

»Ich hoffe, Sie verzeihen mir meine Ehrlichkeit.« Elena kaute wieder an der Unterlippe. »Aber falls Ihr Vater noch lebt – und nicht einmal das ist sicher –, sollten wir ihn schleunigst finden, bevor Viktor König ihn findet. Vielleicht ist er nur deshalb hinter dem Porträt Ihrer Mutter her, weil es, genauso wie für uns, die einzige Spur zu Ihrem Vater ist. Womöglich ist König ihm bereits dichter auf den Fersen als wir.«

»Sie wollen die Spur des Gemäldes zurückverfolgen?«

»Es klingt verrückt, aber ich sollte in die Toskana fahren, um mit den Personen zu sprechen, die für Ihren Vater die Leinwand, den Keilrahmen und die Farben hergestellt haben.«

»Scheint so, als wäre das der einzige Weg. Aber die sprechen nur Italienisch«, gab Monica zu bedenken. »Warum reisen wir nicht gemeinsam? Wir fliegen, mieten uns in Florenz einen Wagen, und ich könnte übersetzen.«

Wir? Schon wieder!

Involviere nie eine Klientin in die Ermittlungen! Andererseits lautete ihre Chamäleonstrategie, sich jeder Lage anzupassen und alles zu nutzen, was die Situation hergab.

»Wollen Sie den Flug bezahlen?«, fragte Elena.

Monica zuckte mit den Achseln. »Durch den Kauf des Gemäldes würde Thomas Dunek unsere Reise nach Italien und die Suche nach meinem Vater indirekt finanzieren.«

Siebzehn Millionen!

Da war etwas dran, dachte Elena. Und vielleicht würde Dunek dem Maler damit sogar das Leben retten.

Einen Monat vorher

Teresa starrte zur Decke. Sie lag noch immer in absoluter Dunkelheit auf der Metallpritsche. Ihr Zeitgefühl war völlig verloren gegangen. Wie spät war es? Welcher Tag? Seit der Entführung hatte sie keinen Tropfen Wasser erhalten. Ihre Lippen waren aufgesprungen, und ihre Zunge fühlte sich an, als wäre sie zur doppelten Größe angeschwollen.

Die Kopfschmerzen wurden immer schlimmer. Wasser- und Sauerstoffmangel! Hinzu kam, dass die Lederfesseln die Blutzirkulation in den Hand- und Fußgelenken verhinderten. Ihre Beine spürte sie kaum. Sie konnte sich nicht bewegen. Diese vollkommene Hilflosigkeit machte sie rasend. Panik kroch in ihr hoch. Teresa, beruhige dich! Das hilft dir nichts. *Noch dazu war in den letzten Stunden die Erinnerung vollends zurückgekehrt. Der glatzköpfige Mann aus dem begehbaren Schrank hatte ihr ein mit Chloroform getränktes Tuch auf Mund und Nase gedrückt. Sie wusste, die Wirkung von Chloroform hielt nicht lange an. Weit konnte sie der Mann also nicht getragen haben. Es sei denn, er hatte die Betäubung ständig wiederholt. Wie lange war das schon her?*

Sie musste sich aufsetzen, den Rücken endlich einmal durchstrecken und die Schulterblätter kreisen lassen. Sie wollte sich zur Seite rollen. Sich bewegen, wenigstens die geschwollenen Beine anwinkeln. Aber sie war wie ein Paket verschnürt.

Mittlerweile taten Rücken und Schultern so weh, dass sie die Schmerzen wie elektrische Peitschenhiebe von den Haarwurzeln bis zu den Zehenspitzen spürte. Sie hätte schreien können, doch dazu fehlte ihr die Kraft.

Bestimmt lag sie schon seit zwei oder drei Tagen hier. Der Gestank von ihrem Schweiß und ihrem eigenen eingetrockneten Urin trieb sie in den Wahnsinn.

In diesem Drecksloch war es heiß, die Luft staubtrocken. Sie wusste, dass ihr Stoffwechsel nach höchstens einem weiteren Tag zusammenbrechen würde. Sie würde Krämpfe und eine Nierenkolik bekommen und das Bewusstsein verlieren. Hatte der glatzköpfige Bastard sie entführt, um sie in diesem dunklen Kellerloch elend verrecken zu lassen? War das ihren Brüdern passiert? Aber das konnte nicht sein. Matteo war in seinem Auto verbrannt und Lorenzo bei einem Bootsunfall gestorben und ebenso verbrannt. Im Jahr davor war Salvatore untergetaucht, und niemand wusste, wo er sich befand.

What's in your heeeaaaeeed,
in your heeeaaaeeed,
zombie, zombie, zombie …ie …ie?

Sie musste immer wieder an diesen Song denken. Das letzte Lied, das sie gehört hatte – möglicherweise für immer.

Ihr drehte sich alles, gleichgültig, ob sie die Augen öffnete oder schloss. Minuten später sank sie in eine gnädige Ohnmacht.

Als sie wieder erwachte, hörte sie Schritte. Meilenweit entfernt. Es waren nicht zweiunddreißig, wie sie zuvor gezählt hatte, sondern Hunderte … Tausende, die in ihrem Kopf nachhallten.

Tage später, wie ihr schien, wurde das Sicherheitsschloss geöffnet. Die Bolzen schoben sich aus der Mauer. Der Riegel wurde zur Seite gedrückt. Die Tür öffnete sich mit einem Quietschen. Ein Lichtstrahl fiel in den Raum. Sie blinzelte. An der Mauer sah sie den Schatten eines großen breitschultrigen Mannes.

Es war der Glatzkopf. Daneben erkannte sie einen zweiten

Schatten, den eines viel kleineren gebückten Mannes. Sie unterhielten sich. Der Kleine hatte eine nuschelnde, griesgrämige Stimme.

Du darfst nicht wieder bewusstlos werden, *schärfte sie sich ein. Nicht jetzt! Vielleicht hing ihr Leben davon ab. Doch sie spürte, wie sie langsam wegdriftete. Du darfst nicht bewusstlos werden! Sie biss sich auf die Zunge und schmeckte ihr Blut. Der Schmerz holte sie zurück.*

Bleib wach! Es ist lebenswichtig. Hör auf jedes Detail.

Die Männer unterhielten sich, doch Teresa begriff nichts davon.

Ihre Augen fielen zu, doch bevor ihr Geist wieder wegsackte und sie in ein tiefes Loch riss, biss sie sich erneut auf die Zunge.

Bitter schmeckendes Blut lief ihre Kehle hinunter.

Der Kleine beugte sich über sie und musterte ihr Gesicht. Sie roch seinen schlechten Atem und sah die Lichtreflektion in seiner Aschenbecher-Brille.

Worüber redeten die beiden?

Sie hörte nur Wortfetzen.

Aber sie erkannte die Sprache. Deutsch!

Das war es. Sie unterhielten sich mit einem harten nordostdeutschen Akzent. Sie kannte die Betonung von Arbeitskollegen im Krankenhaus, die aus Mecklenburg stammten. Es war der gleiche Akzent, mit dem ihr der Glatzkopf vor Tagen gesagt hatte, was mit ihr geschehen würde.

Und dann fiel mitten im Gespräch ein Name, den Teresa sich einprägte.

Nun hatte sie einen Vornamen zu dem glatzköpfigen Bastard.

In diesem Moment wusste sie, dass ihr die Flucht aus diesem Kellerloch gelingen musste.

Irgendwie.

Irgendwann.

Und dann würde sie Viktor, diesen Schweinehund, dafür bluten lassen.

III

Mittwoch, 26. Mai

»Oft wird zum Dorn im Auge,
was einst ein Röslein war.«

Klaus Klages

26

Als Elena kurz vor sechs Uhr morgens die Abflughalle des Flughafens Wien-Schwechat erreichte, tippte sie eine längere SMS an Toni, die sie heute Morgen nicht mehr gesehen hatte. Sie teilte ihr mit, dass das Revers des Blazers eingerissen sei und sie die Kosten für die Schneiderin übernehmen werde. Vorsorglich hatte sie hundert Euro auf dem Küchentisch hinterlassen.

Danach kaufte sie in einer Buchhandlung einen Reiseführer der Toskana mit Adressen von Unterkünften und die Morgenausgaben der Zeitungen. Normalerweise las sie diese Blätter nicht, da sie nur Wochen- und Monatsmagazine abonniert hatte. Allerdings besaßen die Tageszeitungen einen Vorteil: In der sogenannten Saure-Gurken-Zeit suchten sie verbissen nach reißerischen Schlagzeilen – wie auch an diesem Morgen.

Rekordwert bei Versteigerung erzielt! 17 Millionen Euro für den neuen Del Vecchio.

Elena steckte die Lektüre ins Handgepäck. Bevor sie das Handy abschaltete, wollte sie Peter noch eine kurze Nachricht auf der Mobilbox hinterlassen, dass sie beruflich nach Italien fliege. Sie wählte seine Nummer, doch überraschenderweise nahm er das Gespräch entgegen.

»Hallo, Elena«, knarrte seine Stimme. Wie immer klang sie am frühen Morgen rau und belegt.

»Du bist schon auf?«

»Ich hatte eine beschissene Nacht.«

Ziemlich mies gelaunt. »Dir geht's also nicht gut.« Sie schwieg eine Weile. »Das tut mir leid.«

»Ich arbeite mit deinem neuen Liebhaber an einem Fall. Wie soll es mir da schon gehen?«, antwortete er trocken.

Deinem neuen Liebhaber! Puh, das hatte gesessen.

»Gibst du mir jetzt auch noch die Schuld daran, dass eure Ermittlungen schlecht laufen?«, antwortete sie eine Spur zu bissig, obwohl sie das gar nicht wollte.

»Na ja, Frau Gerink, ein förderliches Gefühl ist es nicht gerade.«

Frau Gerink! Sie hasste es, wenn er in diesem Ton mit ihr sprach. »Eigentlich habe ich nicht angerufen, um mir einen Vortrag über meine Fehler anzuhören oder mir eine Portion Schuldgefühle zu holen. Ich mache mir ohnehin dauernd Vorwürfe.«

»Du Arme«, antwortete er ironisch. »Sag bloß, *du* leidest? Mir hingegen geht es glänzend, besonders mit Dino an der Arschbacke. Ich muss ja nur einen klaren Kopf bei meinem Job bewahren und vergessen, dass ich ihm am liebsten eine reinhauen würde.«

Was war das jetzt? »Hör mal, auch ich arbeite hart und habe so meine Probleme mit meinen Fällen! Außerdem ist jetzt weder der Ort noch die Zeit …«

»Was willst du eigentlich?«, fiel er ihr ins Wort.

Sie atmete tief durch. »Ich wollte dir nur sagen, dass ich die nächsten Tage im Ausland bin.«

»Fein, dann wünsche ich dir einen schönen Urlaub.«

Na klar! »Ich bin nicht im Urlaub.«

»Dann eben eine schöne Zeit, wo immer du bist.«

»Ebenfalls.«

Sie legte auf. *Mann! Leck mich doch!* Was hatte sie sich nur dabei gedacht, ihn anzurufen? Offensichtlich waren sie beide noch nicht so weit, vernünftig miteinander zu reden.

Sie schaltete das Handy aus und wollte Monica zu sich winken, die an einigen Buchständern vorbeiging und Souvenirs in den Regalen betrachtete. Doch Elena senkte den Arm und beobachtete die Italienerin stattdessen. Monica warf ständig Blicke nach links und rechts und stellte sich so hinter die Drehständer, dass die Verkäuferin sie nicht im Deckenspiegel sehen konnte. Was hatte sie vor?

»Gehen wir!«, rief Elena.

»Ja, gleich.« Monica stellte eine Schneekugel zurück ins Regal.

Gemeinsam checkten sie ein und gingen zum Gate. Das Flugzeug von Austrian Airlines verließ Wien pünktlich um 7.10 Uhr nach Florenz. Sie saßen in der Economyclass, und während Elena ein Glas Orangensaft trank, spielte Monica mit einer Schneekugel, in der sich eine Miniaturabbildung des Wiener Stephansdoms befand.

Elena musste schmunzeln. »*Das* haben Sie in dem Laden gekauft?«

Monica antwortete nicht. Die Kirche stand auf dem Kopf, und die Schneeflocken rieselten in die Kuppel.

In Elenas Magen breitete sich ein flaues Gefühl aus. »Wie viel haben Sie dafür bezahlt?«

»Gar nichts.«

Oh Mann! Sie hatte es in dem Moment geahnt, als Monica sich im Souvenirladen so merkwürdig verhalten hatte.

»Ist was?«, fragte Monica. »Das Zeug ist doch ohnehin überteuert. Wer kauft das schon?«

Elena beugte sich zu ihr. »Sie verfügen in Kürze über siebzehn Millionen Euro.«

»Darum geht es nicht.«

»Worum dann? Um den Nervenkitzel, erwischt zu werden?«

Monica zog die Augenbrauen zusammen. »Sind Sie mein Vater?«

»Nein, *meine Sternschnuppe,* das bin ich nicht!«

Monica funkelte sie an. »Ich dachte, gerade Sie als Privatdetektivin seien cooler.«

Cooler! Welcher Vater wäre schon cool, wenn seine Tochter etwas klaute? Sie dachte an Hödel und dessen Problem mit seiner Tochter. Elena wusste, es hatte keinen Sinn, mit Monica darüber zu diskutieren. Schließlich lehnte sich Monica ans Fenster, schloss die Augen und vergrub ihr Gesicht in dem einzigen Kissen, das es in diesem Flieger gab. Während die junge Italienerin schlief – oder zumindest so tat, las Elena ihren Stapel Zeitungen.

In puncto Versteigerung wussten die Journalisten allerdings weniger als sie. Ein unbekannter Sammler habe den Del Vecchio erworben, das bis dato letzte Werk des Florentiner Künstlers. In jedem Artikel wurde das mysteriöse Verschwinden des Malers aufgewärmt – einzig ein Reporter der *Kronen-Zeitung* spekulierte, dass er womöglich nicht mehr am Leben sei und das Gemälde aus seinem Nachlass stamme. Plötzlich kam Elena eine Idee. Vielleicht hatte man Salvatore entführt, um ihn zu *zwingen,* dieses Gemälde zu schaffen, das dann zu einem Rekordpreis versteigert werden sollte. Schwebte Monica als künftige Millionärin in Gefahr?

Elena rüttelte die junge Frau sanft an der Schulter. »Ist Ihre Familie verschuldet?«

»Hm?«, brummelte Monica. »Keine Ahnung. Soweit ich von Tante Teresa weiß, sind meine beiden Onkel, Matteo und Lorenzo, in dubiose Geschäfte verwickelt.«

»Wissen Sie Details?«

Die Italienerin schüttelte den Kopf und vergrub ihr Gesicht tiefer in das Kissen.

Elena ließ den Artikel vorsichtshalber in der Zeitungsablage verschwinden, damit Monica ihn nicht entdeckte. Nach einem Sandwich, einer Coke und einer Tasse Nespresso ging der Flieger auch schon in den Sinkflug über.

Sie landeten am Flughafen Amerigo Vespucci, der für Wiener Verhältnisse niedlich wirkte. Trotzdem gab es in der Ankunftshalle fünf Autovermietungen. Elena musste noch ihre Glock aus dem Büro der Zollbehörde holen. Sie meldete sie bei Auslandsreisen immer an, damit sie gesichert transportiert werden konnte. Anschließend wanderte sie mit ihrem Trolley zu den *car rentals*. Sixt, Hertz, Budget, Avis und Italy by car. Entsprechend den Tafeln in den Auslagen öffneten die Schalter um 8.30 Uhr. Es war kurz nach neun. Bei allen waren die Glaswände noch zugeschoben und die Jalousien heruntergelassen.

Elena setzte sich auf die Bank vor den Schaltern und wartete. Eine halbe Stunde später quetschte sich eine mollige Dame mit Sonnenbrille und brünettem Pagenkopf in das Italy-by-car-Häuschen und stöhnte dabei so laut, dass man meinen könnte, sie hätte soeben Frühstück für ihre neun Kinder gemacht und anschließend alle zur Schule gefahren.

Elena eilte sofort zu dem Schalter. Eine Viertelstunde später waren alle Formulare ausgefüllt, und Monica und sie hatten den Schlüssel zu einem Alfa Romeo, der im Parkhaus stand.

In der Zwischenzeit hatte keiner der anderen Schalter geöffnet. Die waren bestimmt nur ein Fake. Genauso wie die Aussage der molligen Brünetten, dass »die Auto *perfetto* sei«, denn der Alfa Romeo, der als einziger Wagen zur Verfügung stand, hatte weder ein Navi noch eine Klimaanlage. Und das im Frühjahr in der Toskana, wo es schon jetzt Temperaturen hatte wie im Juli!

»Wir werden die Scheiben runterkurbeln, und auf das Navi können wir gern verzichten«, erklärte Elena, als sie Monicas enttäuschtes Gesicht sah. Sie schnippte mit dem Finger gegen die Benzinuhr. Der Tank war zu einem Drittel voll. »Wenigstens nicht ganz leer.«

»Ich gehe zurück, um der Fetten die Meinung zu geigen.«

Bei dem Temperament der Italienerin musste Elena schmunzeln. »Sehen Sie sich um.« Sie deutete auf die anderen Wagen, die auf den reservierten Plätzen des Parkhauses standen. »Lauter Schrottmühlen. Glauben Sie mir – mit dieser Kiste haben wir den Jackpot gewonnen.«

Monica nahm auf dem Beifahrersitz Platz. »Wissen Sie, wo es langgeht?«

»Ich habe mir die Route zum Del-Vecchio-Museum aufs Handy geladen, als Straßenkarte, die ich auch ohne Internetverbindung verwenden kann. Das müsste reichen. Sicherheitshalber habe ich mir vor unserem Abflug einen Reiseführer von der Toskana besorgt.«

»Gekauft?«

»Was sonst?«, sagte sie beiläufig.

»Na klar«, grummelte Monica und blickte aus dem Fenster.

Elena klemmte ihr Handy in die Halterung und schaltete es ein. Sogleich erschien das Foto von Sir Edmund Hillary auf dem Display. Sie hatte das Porträt von Peter gegen einen Schnappschuss des Katers ausgetauscht, wie er auf ihrem Schoß saß und sie mit erwartungsvollem Blick anhimmelte, um nicht dauernd an Peter erinnert zu werden. Sie schämte sich so, weil sie mit Dino in der Gartenlaube eine Nummer geschoben hatte. Dazu kam, dass sie betrunken gewesen war und es ausgerechnet während seiner Geburtstagsfeier passiert war. Am liebsten wollte sie irgendwohin abhauen, wo niemand sie kannte.

Bei jedem anderen Ehemann hätte sie sich nicht so schäbig gefühlt, doch Peter hatte ihretwegen mit seiner Familie gebrochen. Sein Vater war Postbote, seine Mutter Fußpflegerin in einem Laden, der nicht besonders gut lief. Beider geistiger Horizont reichte gerade mal bis vor die eigene Haustür. In ihren Augen war sie nur eine Emigrantin aus Polen. *Ein Flittchen aus dem Osten, das nur nach Österreich gekommen war, um sich ei-*

nen passablen Mann zu angeln. Na klar, und das mit neun Jahren!

Elena hatte sich noch nie etwas gefallen lassen, und so war es bereits beim zweiten Familientreffen zum Eklat zwischen seinen Eltern und ihr gekommen. Peter hatte keine Sekunde gezögert und an der Seite seiner Freundin kommentarlos das Elternhaus verlassen. *Unser Erbe bekommt diese Brut nicht. Wir haben ein Leben lang hart dafür geschuftet und ohne Kredit ein Haus gebaut. Das soll uns die einmal vormachen. Glaubst du, dass die uns mal hilft, wenn wir verrecken? Die dreht dir höchstens ein paar Kinder an, für die du ein Leben lang zahlen kannst. Aber bitte, wenn dir diese Frau wichtiger ist als deine eigenen Eltern, dann sieh zu, dass du mit ihr glücklich wirst.* Das waren noch die harmlosesten Bemerkungen gewesen, die ihm an diesem Abend an den Kopf geworfen worden waren. Was er für die Beziehung mit ihr alles in Kauf genommen hatte! Und nun hatte sie Jahre später das Vorurteil seines Vaters, ein dreckiges Flittchen zu sein, bestätigt. Ihr Selbstwertgefühl war am Boden, und am liebsten hätte sie sich in ihr Schneckenhaus verkrochen.

»Alles in Ordnung?«, fragte Monica.

Elena kniff die Augen zusammen. »Ja klar.«

Da piepte ihr Handy. Eine SMS! Hoffentlich gute Nachrichten. Die Mitteilung stammte von Peter. *Ich muss mit dir reden. Es tut mir leid.*

Oh Gott. Rasch klickte sie die Nachricht weg, bevor ihr Tränen in die Augen traten. *Verdammt, mir tut es auch leid. Und wie!* Sie wollte doch nur eine gute Ehefrau sein, mehr nicht, stark und selbstbewusst. Aber sie fühlte sich wie das genaue Gegenteil.

»Verachten Sie mich?«, fragte Monica.

»Was? Warum denn?« Elena wollte wegen der gestohlenen

Schneekugel nicht mit Monica streiten. Stattdessen versuchte sie zu lächeln, drückte Monica den Reiseführer in die Hand und startete den Wagen.

Die beiden Frauen sahen einander entsetzt an. Der asthmatisch röchelnde Motor klang, als würde er jeden Moment auf den Asphalt knallen.

27

Die Voraussetzungen für einen guten Schlaf waren eine harte Matratze, kühle Luft und niemand, der neben einem schnarchte. Nichts von alldem hatte für Gerink in dieser Nacht zugetroffen.

Als er um sechs Uhr früh erwachte, hielt er das rote Plüschherz eng umschlungen. Scatozza bekam nichts davon mit. Rasch stieß er es von sich und quälte sich mit dröhnendem Schädel aus dem Kingsize-Bett. Als Draufgabe klingelte auch noch sein Handy. Vermutlich wollte Elena ein versöhnliches Gespräch mit ihm führen, das allerdings in einem Desaster endete, weil er Idiot es verbockt hatte. Er hätte bloß die Sache mit ihrem *neuen Liebhaber* nicht erwähnen müssen, dann wäre alles anders gelaufen. Aber es war nun mal passiert.

Um einen klaren Kopf zu bekommen, joggte er am Ufer des Arno entlang durch die Florentiner Altstadt. Um kurz vor acht Uhr betrat er die Honeymoon-Suite. Scatozza stand in Boxershorts im Badezimmer und gurgelte mit Mundwasser.

»Ausgeschlafen?«, rief Gerink.

Scatozza spuckte ins Handwaschbecken. »Das Bett ist so hart, ich fühle mich, als hätte ich auf der Autobahn übernachtet.«

Typisch verweichlichter Italiener! »Du schnarchst wie ein Walross«, beklagte sich Gerink.

»Nur dicke Menschen schnarchen.«

Gerink ging zum Fenster, zog den Vorhang auf und dehnte Beine und Rückenmuskulatur. »Demnach müsstest du ziemlich fett sein.«

»Falls du dich duschen möchtest, musst du dich beeilen.«

Scatozza gurgelte wieder und spuckte aus. »Aus dem Wasserhahn tröpfelt es wie aus dem Pimmel eines Prostatakranken.«

Gerink verzog das Gesicht. »Danke für den bildhaften Vergleich.« Er streckte den Rücken durch. Die nächste Nacht würde er auf dem Balkon verbringen. Er spähte über die Hausdächer. Der klare blaue Himmel versprach einen heißen Tag.

Mittlerweile waren seine Kopfschmerzen verschwunden. Er schluckte eine Tablette gegen seine Magenbeschwerden und spülte sie mit dem lauen Rest aus der Mineralwasserflasche hinunter.

Scatozza schielte zu ihm herüber. »Du solltest endlich mit Elena …«

»Danke!« Ausgerechnet der Sizilianer gab ihm kluge Ratschläge. Gerink hatte sich vorgenommen, Elena nicht zu drängen und ihr den Freiraum zu lassen, um in Ruhe zu entscheiden, was sie wirklich wollte. Doch er konnte nicht länger warten. Erst recht nicht nach diesem Telefonat. Er musste vernünftig mit ihr reden.

Er schlüpfte in seine khakifarbene Hose mit den Zipptaschen und verließ das Zimmer barfuß mit nacktem Oberkörper und dem Handy. Im Korridor wählte er Elenas Handynummer. Während das Telefon die Verbindung aufbaute, ging er im Gang auf und ab. Die schäbige Tapete löste sich an mehreren Stellen von der Wand. Würde Elena das Gespräch überhaupt entgegennehmen, wenn sie seine Nummer sah? Die Frage erübrigte sich. *Keine Verbindung!* Frustriert schickte er ihr eine knappe SMS und betrat anschließend das Zimmer.

»Gehen wir einen Happen essen. Ich habe Appetit auf Cappuccino und Croissants«, rief Scatozza aus dem Bad.

»Keinen Hunger«, antwortete Gerink.

»Ich zahle.« Scatozza kam aus dem Bad, klatschte sich mit beiden Händen Aftershave ins Gesicht und verschwand kurz darauf in einer Parfümwolke. Danach schlüpfte er in ein Hugo-Boss-Hemd, stellte den Kragen auf, betrachtete sich im Spiegel und zwinkerte sich zu. »*Eh, va bene!*«

Gerink riss das Fenster auf. Wenn er nicht bald aus diesem Loch kam, würde er sich übergeben müssen.

Nachdem Gerink geduscht hatte, gingen sie zur Rezeption.

»Diesmal nicht in Shorts und Sandalen?« Scatozza musterte abfällig Gerinks Zipphose, die Turnschuhe und das Hemd, das ihm über dem Hosenbund hing. »Wenn du dich etwas anders kleiden würdest, hätten die Carabinieri vielleicht mehr Respekt vor dir.«

Bestimmt! Gerink betrachtete seinen Partner, der mit blank polierten Lackschuhen, schwarzer Hose und rotem Hemd neben ihm die Treppe hinunterschlenderte. Lässig hielt er den Laptop im Arm.

Gerink warf einen Blick auf Scatozzas Sakko. »Hast du schon wieder die Walther dabei?«

»Na klar, glaubst du, ich lass die Kanone im Zimmer liegen, damit die Putzfrau sie klaut?«

»Putzfrau?« Gerink lachte laut auf. »Das glaubst du doch selbst nicht.«

Ein paar Seitengassen von der Via Farfalle entfernt kamen sie auf einen Platz mit einigen Bars und Cafés. Eine Handvoll Kellner mit Haarreifen lümmelte gelangweilt an den Tischen. Scatozza sprach mit ihnen, danach setzten er und Gerink sich unter einen Baldachin auf schmiedeeiserne Stühle. Die Sonne war noch nicht ganz über die Häuserdächer geklettert, doch in der Innenstadt hatte es bereits fünfundzwanzig Grad.

Nachdem Gerink Kaffee und Scatozza Frühstück bestellt hatte, drückte Gerink auf die Wiederwahltaste. Erneut kam keine Verbindung zustande. Warum war Elenas Handy abgeschaltet?

Ihm fiel ein, dass sie gesagt hatte, sie sei die nächsten Tage im Ausland. Missmutig steckte er das Telefon ein.

»Wir haben noch zwei Tage Zeit. Wo würdest du beginnen?«, fragte Scatozza.

Gerink hatte fast die ganze Nacht wach gelegen und genug Zeit gehabt, sich über diese Frage den Kopf zu zerbrechen. »Wir sollten Salvatore Del Vecchios Verschwinden und die Unfälle von Matteo und Lorenzo unter die Lupe nehmen. Mit dieser Familie stimmt etwas nicht. Entweder stecken alle unter einer Decke, oder die haben miteinander ein gewaltiges Problem, von dem wir nicht die geringste Ahnung haben.«

»Wie passt das zu dem Mord an Roberto?«

Gerink hob die Schultern. »Gar nicht. Ich glaube, Roberto stand dem Glatzkopf nur im Weg, als er Teresa entführte.«

»Dafür hätte er ihm nicht gleich die Nagelschere in die Wirbelsäule treiben müssen. Der Schlag an die Schläfe hätte genügt.«

»Vielleicht hätte Roberto ihn identifizieren können.«

»Möglich.« Scatozza wiegte den Kopf. »Sobald wir mehr wissen, rufe ich Eisert an. Die fragt sich bestimmt schon, was sie der Staatsanwältin für eine Geschichte auftischen soll.«

»Nicht so hastig. Zuerst möchte ich noch etwas über eine andere Sache erfahren.«

Scatozza hob eine Augenbraue. »Ich weiß, an wen du denkst. Francesco Fochetti, der Florentiner Staatsanwalt. Hab ich recht, oder hab ich recht?« Er boxte ihn in die Seite.

Gerink hätte es wissen müssen. Wenn man so lange als Partner zusammenarbeitete, konnte man sich nichts mehr vormachen. Sie waren wie ein altes Ehepaar. Noch dazu übernachteten sie in der Honeymoon-Suite. Er schüttelte den schrecklichen Gedanken ab. »Die Sache stinkt mächtig zum Himmel, und ich wette, der Staatsanwalt und die Carabinieri stecken bis zum Hals mit drin. Entweder haben sie Robertos Mörder längst gefasst, oder sie kehren den Mord unter den Teppich und schützen den Täter.«

»Das ist wie in einer Kloake«, gab Scatozza zu bedenken. »Falls du recht hast, wühlen wir ziemlich tief in der Scheiße.«

»Wäre ja nicht das erste Mal«, antwortete Gerink. »Und ich wette, der Maresciallo versucht, uns daran zu hindern.«

Der Kellner servierte ein Kännchen Kaffee, eine Tasse Cappuccino sowie einen Teller Croissants und brachte ihnen eine Zeitung.

Scatozza tauchte ein Croissant in sein Getränk, stopfte es sich in den Mund und schlug den Lokalteil der Zeitung auf. Das Blatt hieß *La Nazione.* Gerink verstand kein einziges Wort von der Schlagzeile.

»Heute bekommen wir bis zu fünfunddreißig Grad – Rekordtemperaturen für Ende Mai«, las Scatozza vor. »Und sie warnen vor kilometerlangen Staus vor den Fähren nach Elba, Sardinien und Sizilien. Aber in ein paar Tagen lässt die Hitzewelle nach, und der Wetterumschwung bringt schlimme Gewitter.«

»Wie interessant.« Gerink rührte in seiner Tasse. Der Kaffee war der einzige Lichtblick ihres Italienaufenthalts. Er schmeckte um Welten besser als das Gebräu aus den Automaten des Bundeskriminalamts.

Scatozza blickte über den Rand der Zeitung. »Schnarche ich wirklich?«

»Wie ein Seebär.«

»Angeblich muss man *tzz, tzz, tzz* zischen, dann hört das Schnarchen auf«, schlug Scatozza vor.

»Das habe ich versucht. Bei dir wirkt es genau fünf Sekunden.«

»*Mamma mia!*« Scatozza faltete die Zeitung zusammen und legte sie weg.

Gerink nickte in Richtung des Laptops auf dem Tisch. »Wann ist deine nächste dämliche Versteigerung?«

»Gegen zehn.« Scatozza griff in die Sakkotasche. Plötzlich hob er die Augenbrauen. Statt der Liste mit seinen Terminen zog er eine cremefarbene Serviette hervor. Er betrachtete das dünne Papier, dann reichte er es Gerink.

Es standen nur wenige italienische Wörter mit Kugelschreiber in einer hastigen Handschrift auf der Serviette.

»Was bedeutet das?«

»Antworten finden Sie in der Familiengruft«, übersetzte Scatozza.

28

Der Weg zum Del-Vecchio-Museum am westlichen Stadtrand von Florenz führte über eine einsame Landstraße durchs Hügelland. Die Luft flimmerte über den terrassenförmigen Ebenen und ockerfarbenen Feldern.

»Waren Sie schon mal in dieser Galerie?«, fragte Elena.

Monica wiegte den Kopf. »Bloß einmal. Vater wollte mir den Leiter Franco Citti vorstellen, angeblich ein merkwürdiger Kauz. Doch es hat nicht geklappt, und ich bin ihm nie begegnet.«

»Kannte Ihre Mutter den Direktor?«

»Ich glaube nicht. Sie hatte zwar selbst gemalt, aber nicht sehr erfolgreich, und Citti war an ihren Werken nicht sonderlich interessiert gewesen.«

»Obwohl sie an der Luttenberg Akademie in Wien Kunst studiert hat?«, fragte Elena.

»Sie behauptete, ihre Werke würden stets im Schatten von Salvatores Kunst stehen. Er sei so dominant und ersticke ihre Kreativität. Stattdessen hätte er ihr Mut machen müssen.«

»Und wie verhielt er sich Ihnen gegenüber, als Sie nach Wien gingen, um wie Ihre Mutter an der Kunstakademie zu studieren?«

»Natürlich ähnlich.«

»Hat Ihre Mutter Sie oft besucht?«

»Nur ein paarmal. Aber sie hat mich geliebt, weil ich das zustande bringen wollte, wozu sie sich nie hatte durchringen können. Sich von Salvatore abzunabeln und eigene Wege zu gehen.«

Sie schwiegen eine Weile. Elena ging die Geschichte nicht

aus dem Kopf, die ihr Monica in den letzten beiden Tagen erzählt hatte. Laut ihrer Aussage sei sie Salvatore Del Vecchios »Sternschnuppe«. Ihr Vater sei stolz auf sie gewesen, da sie ihren eigenen Zugang zur Kunst finden und seine Werke eines Tages verstehen werde. Aber irgendetwas passte an der Erzählung nicht!

Elena kaute an der Unterlippe. Warum war Monica nur einmal in der Galerie ihres Vaters gewesen? Offenbar war die Sternschnuppe doch nicht so sehr an der Kunst ihres Vaters interessiert, wie sie vorgab. Die Geschichte klang mittlerweile so falsch wie eine verstimmte Kirchenorgel. Unwillkürlich kam Elena eine frühere Bemerkung Monicas in den Sinn.

Scheinheilige, notgeile alte Böcke und Olivenklauber!

»Solange wir in der Toskana sind«, sagte Elena, »sollten Sie Ihren Verwandten in San Michele sicherheitshalber nichts von unserer Reise erzählen.«

Monica legte die Stirn in Falten, als hätte sie sich verhört. »Das wäre mir sowieso nie in den Sinn gekommen. Erstens habe ich seit Mutters Tod keinen Kontakt mehr zu ihnen, und zweitens bin ich froh, wenn ich die verlogene Sippschaft nicht sehe. Bei dem Gedanken kommt mir höchstens das Frühstück hoch.«

Schon vor zwei Tagen im Kaffeehaus in der Wiener Fußgängerzone war Monica kein biederes italienisches Fräulein gewesen. Wenn man als Kellnerin arbeitete, um das Studium zu finanzieren, kam einem manch derber Spruch unter. Und was sie sich nicht leisten konnte, klaute sie eben.

Während Monica den Reiseführer studierte, warf Elena einen Blick auf ihr Handydisplay, um zu sehen, ob sie sich noch auf dem richtigen Weg befanden.

»Warum wollen Sie mit der Verwandtschaft Ihres Vaters nichts mehr zu tun haben?«, fragte sie.

Lange Zeit kam keine Antwort. Elena fürchtete schon, dass sie niemals hinter das Geheimnis der jungen Frau kommen würde, als Monica schließlich doch den Mund aufmachte.

»Ich erinnere mich noch gut an meine Kindheit. Tante Teresa hielt es in San Michele nicht mehr aus. Irgendetwas war zwischen ihr und meinem Großvater vorgefallen.« Monica sah aus dem Fenster und ließ die Hügellandschaft an sich vorüberziehen. »Sie ist vor fünfzehn Jahren abgehauen, unmittelbar nach dem Tod ihres Vaters. Ich sehe Großvater Angelo nur noch dunkel vor mir. In meiner Erinnerung war er eine düstere Figur. Teresa wusste schon damals, dass mit der Familie etwas nicht stimmte.«

»Und was?«, hakte Elena nach.

Monicas Blick wanderte wieder zum Fenster. »Ich brauchte lange Zeit, bis ich dahinterkam. Sehen Sie, die Del Vecchios pflegen Kontakte zur Florentiner Polizei.«

»Ist doch gut«, meinte Elena, obwohl sie an Monicas Ton hörte, dass es *nicht* gut war.

»Die Carabinieri, mit denen die Del Vecchios zu tun haben, sind allesamt korrupt. Da geht es um viel Geld.«

»Sprechen Sie etwa von Waffen, Drogen, Glücksspiel oder Prostitution?«

»Ich bitte Sie!« Monica lachte auf. »Die sind doch kein Mafia-Clan. Die Familie ist an der Borromeo-Bank beteiligt, und bei irgendwelchen Geschäften ging es um Zinsabsprachen und Veruntreuung. Trotzdem sind sie fast immer pleite.«

»Obwohl sie eine Bank besitzen?«

»Tja.« Monica lächelte geduldig. »Reich wird man nicht durch das, was man verdient, sondern durch das, was man nicht ausgibt. Das gesamte Leben der Del Vecchios ist reine Verschwendung. Sie sponsern Golfturniere, Modeschauen und haben mit ihrem Lebensstil, den permanenten Schmiergeldern, den teuren

Autos und Galadiners auf Jachten unglaubliche Ausgaben. Und dann ist da noch Onkel Lorenzos *Vorliebe.*«

»Wovon sprechen Sie?«

»Was immer er anstellt, Zenobia biegt es mit ihren Verbindungen gerade. Ich rede von sehr jungen Mädchen. In dieser Hinsicht gleicht er meinem Großvater.«

Elena schluckte. »Haben sich Onkel Matteo oder Ihr Vater jemals daran beteiligt?« Unwillkürlich dachte sie an die Fotos von Salvatore. Der Mann mit den buschigen Augenbrauen, den ergrauten, nach hinten gekämmten Haaren, dem Schnauz- und Kinnbart, der Reiterhose und dem offenen Hemd. Der Egozentriker der Familie!

»Vater war anders«, antwortete Monica.

Wenn du dich da mal nicht täuschst! Elena sprach es nicht aus. »Haben Sie Angst um ihn?«

Monica blickte kurz herüber. »Ich fürchte, er könnte sich etwas antun.«

Die Antwort klang emotionslos. Aber im Prinzip konnten Elena die wahren Beweggründe ihrer Klientin egal sein.

»Ich glaube, alles wird gut …« Elena verstummte. »Oh, wir sind schon da.«

GALLERIA SALVATORE DEL VECCHIO stand auf einem Schild am Wegrand. Elena lenkte den Wagen von der Straße auf den Feldweg. Er führte durch einen Olivenhain an einem Bauernhaus vorbei und danach in schmalen Serpentinen einen Hügel hinauf. Der blaue Himmel mit einzelnen weißen Wolkenfetzen über der grünen Anhöhe wirkte wie gemalt. In einer Straßenkehre drängte sich eine Schafherde. Der Hirte lag mit dem Gesicht unter einem Strohhut auf der Wiese und kaute gelassen an einem Grashalm. Was für ein Leben! Elena hätte gern mit ihm getauscht, um zumindest für ein paar Tage von allem wegzukommen.

Auf der Kuppe stand ein graues zweistöckiges Backsteinhaus mit Balkon und Glockenturm. Es sah verlassen aus. Kein Wagen parkte vor dem Eingang. Die Fenster mit den mittelalterlichen Rundbogen waren allesamt vergittert, sogar die schmalen Luken im obersten Stock. Auf dem roten Schindeldach wucherte bereits so viel Moos wie auf dem Gehweg, der ums Haus führte. Ein Gärtner hätte hier alle Hände voll zu tun gehabt, die Hecken und Efeuranken zu stutzen. Daneben stand ein schiefer Telefonmast, von dem sich eine Überlandleitung zum nächsten Hügel spannte. Nun wurde Elena klar, warum die Einheimischen das Gebäude »Museum« nannten.

Bevor sie aus dem Wagen stieg, griff sie zum Handy und tippte eine SMS an Peter. *Unser Gespräch von vorhin tut mir auch leid. Ich ruf dich in einer freien Minute an.* Sie musste so vieles mit ihm besprechen. Vor allem dass ihr alles so leidtat. Außerdem wollte sie wissen, was er bisher in Italien erfahren hatte und was er von Monica hielt. Doch dafür musste sie eine ruhige Minute finden, in der Monica nicht zuhörte.

Elena klemmte das Handy in die Halterung und merkte, wie Monicas Finger angespannt den Griff der Autotür umklammerten. Die Italienerin starrte auf die schwere Eingangstür des Gebäudes. Geteerte Holzbalken mit einem Eisenring als Türklopfer. Offensichtlich wurde Monica soeben von beklemmenden Erinnerungen überwältigt.

»Woran denken Sie?«, fragte Elena.

»Ach, es ist nichts.«

»Wollen Sie lieber im Wagen warten?«

Monica schüttelte den Kopf. »Ich werde mir in der Zwischenzeit die Beine vertreten.«

In der Zwischenzeit?

Elena war es nur recht. Wenn sie dem Museum allein einen Besuch abstattete, konnte sie wenigstens ungestört arbeiten.

Sie stieg aus dem Wagen. Der milde, warme Wind trug den Geruch von Minze und Lavendel über die Hügel. Sie schloss für einen Moment die Augen und lauschte dem Surren der Insekten. Hier konnte man herrlich Urlaub machen, abseits der Touristenpfade und des Trubels der Zivilisation. Neben dem Gebäude lag ein verwilderter Obstgarten. Zitronenbäume standen in Terrakottatöpfen Spalier und säumten einen Kiesweg.

Sie trat in den Schatten des Glockenturms. Tauben gurrten in einem Verschlag. Die massive Eingangstür war verschlossen. Elena pochte mit dem Klopfer, doch sie ahnte bereits, dass ihr niemand öffnen würde. Sie erinnerte sich an Lydia Hödels Worte. Gegen fünf Uhr früh hatten Unbekannte das Gemälde unter dem Vordach des Lieferanteneingangs an der Rückseite der Galerie abgestellt. Direktor Franco Citti hatte das Paket kurz darauf mit einem Begleitschreiben Salvatore Del Vecchios gefunden. So viel hatte ihr die Leiterin der Wiener Niederlassung von Rinaldi's erzählt – und etwas daran hatte nicht sehr glaubwürdig geklungen.

Als sie zur Rückseite des Museums ging, sah sie, wie abgeschieden das Gebäude lag. Ein etwa fünfzig Zentimeter breiter Spalt zwischen dem Museum und dem Glockenturm, über den das Vordach des Gebäudes ragte, musste wohl jener Ort gewesen sein, an dem das Gemälde abgestellt worden war. Plötzlich wehte ein entsetzlicher Geruch herüber. Nur wenige Meter entfernt befand sich ein Wasserloch zwischen den Büschen. Halb im Wasser lag ein bestimmt seit mehreren Wochen toter Esel. Sein graues Fell war verfilzt, der Körper eingefallen und bildete bereits Nistplätze Hunderter Insekten. Die Wasserbrühe stank widerlich. Elena wandte sich rasch ab. Mit einem Mal wusste sie, was sie an Hödels Erzählung gestört hatte.

Was hatte Citti ausgerechnet zum Hintereingang geführt? Bestimmt nicht der tote Esel. Und woher wollte er wissen, dass die Unbekannten das Bild *kurz vor* seiner Ankunft hergebracht hatten? Warum nicht zwei oder drei Stunden vorher? Demnach musste er zumindest den Lieferwagen gesehen haben. Womöglich war ihm das Auto auf dem schmalen Hügelweg entgegengekommen. Oder er hatte einen Hinweis bekommen. Aber von wem? Sie musste unbedingt mit Citti sprechen.

Elena rüttelte an der Holztür, die ebenfalls abgesperrt war. Warum nur mit einem einfach Schloss? Sogar mit der Haarnadel ihrer Großmutter hätte sie es knacken können. Elena zog ihr Pick-Set aus der Gesäßtasche und schob den schlanken Dietrich an der Schablone für den Schlüsselbart vorbei. Zum Glück war der Mechanismus genauso vorsintflutlich wie das Gebäude selbst. Der Dietrich verschob den Riegel, und die Hintertür sprang auf.

Mit einer raschen Bewegung schlüpfte Elena ins Museum.

29

Unmittelbar nach dem Ende der nächsten eBay-Versteigerung klappte Scatozza den Laptop zornig zu. Sie verließen das Kaffeehaus und kehrten in ihre Luxussuite in der *Casa delle Rose* zurück.

Gerink stand auf dem Balkon und starrte auf das Handy. Keine Antwort von Elena.

Indessen verteilte Scatozza die Protokolle der Zeugeneinvernahmen auf dem Bett. »Wer immer mir diese Serviette zukommen ließ, hat sich vielleicht nachts in unser Zimmer geschlichen.«

Gerink schüttelte den Kopf. »Niemand war in unserem Zimmer«, stellte er fest. »Ich war die ganze Zeit wach – außerdem hätte sich bei deinem Schnarchen sowieso keiner näher als zehn Meter an uns herangewagt.«

»Dann hat mir jemand die Nachricht entweder auf der Wachstube der Carabinieri oder auf dem Grundstück der Del Vecchios zugesteckt.«

Gerink tippte auf einen Carabiniere. Falls die Florentiner Polizei tatsächlich etwas zu verbergen hatte, gab es möglicherweise eine undichte Stelle – jemanden, der einen korrupten Kollegen ans Messer liefern wollte. Ab und zu kam es auch in Italien vor, dass der Schulterschluss nicht funktionierte und jemand seine Kameraden nicht länger decken wollte. Mit etwas Glück hatte so jemand Kontakt zu ihnen aufgenommen. Aber wer? Vito Tassini? Der bestimmt nicht.

Scatozza verglich die Handschrift auf der Serviette mit den

Unterschriften der Zeugenprotokolle und warf eine Akte nach der anderen auf den Stapel.

Da läutete Gerinks Handy. Elena hatte geantwortet. Er rief die SMS ab. *Unser Gespräch von vorhin tut mir auch leid. Ich ruf dich in einer freien Minute an.* Bis auf das missglückte Telefonat an diesem Morgen war es das erste Mal seit Tagen, dass sie auf einen seiner Kontaktversuche antwortete. Er tippte eine Antwort. *Okay, ich erwarte deinen Anruf. Du fehlst mir.* Nein, er durfte sie jetzt nicht mit seinen Gefühlen überfahren. Er löschte den letzten Satz und schickte die Nachricht ab. Anschließend spähte er zu seinem Partner. »Hast du schon was gefunden?«

»Du könntest mir helfen!«

»Ich glaube nicht, dass wir deinen heimlichen Verehrer unter den Familienmitgliedern der Del Vecchios finden.«

»Irrtum, Freundchen!« Scatozza schwenkte ein Protokoll in der Luft. »Es ist eine *Verehrerin*!«

Gerink steckte das Handy weg und kam zum Bett. Er verglich die Handschrift auf der Serviette mit der Unterschrift auf der Zeugenaussage. Um die Ähnlichkeit der Schlingen zu erkennen, war kein grafologisches Gutachten nötig.

»Nicola Del Vecchio«, murmelte Gerink. »Die Enkeltochter dieser alten Schreckschraube, die uns gestern Abend so charmant vor die Tür gesetzt hat.«

»*Dich* vor die Tür gesetzt hat!«, korrigierte Scatozza ihn. »Die Kleine muss mir den Zettel zugesteckt haben, als sie mir den Weg zur Toilette zeigte.«

Normalerweise konnte man Scatozza nicht einmal ein Haar von der Schulter pusten, ohne dass er es bemerkte. Entweder hatte er ständig auf Nicolas Po geglotzt oder war in Gedanken bei seinen dämlichen eBay-Geschäften gewesen. Egal. Gerinks Hoffnung auf eine Quelle innerhalb der Carabinieri hatte sich in Luft aufgelöst.

»Was könnte sie mit ›Familiengruft‹ meinen?«, fragte Sca-tozza.

Gerink zuckte die Achseln. »Das Mädchen weiß bestimmt, dass wir wegen seiner Tante Teresa hier sind. Aber ich glaube nicht, dass die Del Vecchios ein Familienmitglied in den eige-nen Katakomben verschwinden lassen.«

»Oder Teresas Entführung hat etwas mit dem Tod der Del-Vecchio-Brüder zu tun«, schlug Scatozza vor. »Angeblich stürzte Nicolas Vater, dieser Matteo, mit dem Wagen auf der Bergstra-ße nach Siena über die Felsen – und *zack!*« Er klatschte in die Hände. »Platt wie eine Scholle.«

»Sehr anschaulich.« Gerink nahm das Protokoll von Nico-las Zeugenaussage und überflog es, während er durchs Zim-mer ging.

»Verstehst du überhaupt, was da steht?«, fragte Scatozza.

»Nein, aber ich kann rechnen. Hier steht Nicolas Geburts-datum. Sie ist kürzlich fünfzehn geworden. Und hier ist ihre Handynummer.« Er reichte Scatozza das Original, das dieser gestern in der Wachstube unter seinem Hemd hatte mitgehen lassen. »Ich schlage vor, du rufst sie an, und wir unterhalten uns mit ihr.«

Scatozza hatte es mehrmals hintereinander versucht und schließlich eine Nachricht auf Nicolas Mobilbox hinterlassen.

»Wir sollten uns die Gruft ansehen«, schlug er vor.

»Vom italienischen Gericht bekommen wir keinen Durchsu-chungsbeschluss.«

Scatozza schnalzte mit der Zunge. »Wer redet von einem Durchsuchungsbeschluss?«

Gerinks Magen zog sich zusammen. Da war wieder ihr al-tes Problem, weswegen keiner der Kollegen mit dem Sizilia-ner zusammenarbeiten wollte. Scatozza hatte keine Geduld für

Amtswege, vor allem wenn sie im Ausland tätig waren. Er interpretierte die Regeln auf seine Art und Weise. Wenn man den gelackten, geschniegelten und hochgewachsenen Kerl, Marke *Traum aller Schwiegermütter,* so sah, traute man ihm das gar nicht zu. Tatsächlich war Scatozza jedoch fast jedes Mittel recht, um einen Fall zu lösen. Allerdings wusste Gerink, dass es seinem Partner nicht um ein gesteigertes Selbstwertgefühl oder eine egoistische Erfolgsbilanz ging, sondern schlicht darum, einen weiteren Verbrecher zur Strecke gebracht zu haben. Es gab nur noch wenige Idealisten in diesem Job! Scatozza war aus jenem Holz geschnitzt. Allerdings hatte sein Drang, Mörder zu fassen, fast schon etwas von einer beängstigenden Zwangsneurose.

»Du willst dich nachts aufs Grundstück schleichen?«, fragte Gerink, nur um sicherzugehen, dass er nichts missverstanden hatte.

Scatozza nickte. »Wann sonst?«

»Der Kerl im Anzug mit den Hunden und der SIG Sauer steht da nicht zum Spaß herum.«

»Eben. Ich überlege mir etwas.«

»Und wenn wir in eine Falle tappen?«, fragte Gerink.

Wir? Er hatte unbewusst in der Mehrzahl gesprochen. Für einen Moment war es wie in alten Zeiten, und wie er an Dinos Grinsen feststellte, war dem sizilianischen Schweinehund sein Versprecher nicht entgangen.

»Und wenn es *keine* Falle ist, Kumpel?«, entgegnete Scatozza.

Natürlich hatte er recht. Sie mussten jeder Spur nachgehen.

Unternehmungslust flackerte in Scatozzas Augen. »Seit ich die Wachstube der Carabinieri betreten habe, weiß ich, dass dieser Fall stinkt wie ein Plumpsklo in Palermo. Ich habe keine Ahnung, wie du das siehst, aber ich möchte die Wahrheit erfahren und die Hundesöhne zu fassen kriegen, die Teresa verschwinden ließen. Wir haben nicht gerade Heimvorteil in diesem Land, und die Typen verarschen uns nach Strich und Faden. Aber das könnte unsere erste konkrete Spur sein.« Er atmete tief durch. »Bist du dabei oder nicht?«

Was für eine Frage? Gerink hatte die Nase von den laschen Ermittlungen der Italiener ebenso voll wie sein Partner. »Du hast übrigens den Kofferraum des Pajeros noch nicht ausgeräumt«, erinnerte er seinen Partner.

Scatozza grinste. Im Heck lagen noch die Nachtsichtgeräte und die Tube mit der schwarzen Tarnfarbe vom letzten Einsatz mit der Spezialeinheit WEGA.

30

In dem Museum war es deutlich kühler als draußen. Allerdings war hier schon lange kein Fenster mehr geöffnet worden. Es stank wie in einer alten Bibliothek. Der Parkettboden knarrte, als Elena durch den Vorraum an einer Nische mit Glasschiebetür vorbeiging, an der wohl die Eintrittskarten verkauft wurden. Ein vergilbter Pappkarton stand hinter dem Glas. Zehn Euro hatte ein Ticket für einen Erwachsenen gekostet, doch der Betrag war durchgestrichen und darüber mit Filzstift 8,50 Euro geschrieben worden. Warum war die Galerie des berühmten Malers bloß so heruntergekommen? Und warum war der Hintereingang des Gebäudes nicht besser gesichert?

In einem Drehständer fand Elena italienisch- und englischsprachige Broschüren. Ein kurzer Lebenslauf von Salvatore Del Vecchio, der vor vier Jahren endete, sowie Abbildungen einiger seiner Gemälde. Auf dem Foto wirkte Salvatore, obwohl noch deutlich jünger, einmal mehr wie ein Patriarch, der keinen Widerspruch duldete. Allein der Anblick seiner Augen ließ Elena frösteln. *Ein sturer Hund*, hätte ihre Mutter gemeint. Es war bestimmt nicht leicht gewesen, mit ihm auszukommen. Elena musste an den Reitunfall seiner Frau Isabella denken und dass seine Tochter vor drei Jahren der Familie den Rücken gekehrt hatte, um in Wien zu studieren.

Auf dieser Etage befand sich ein Ausstellungsraum, in dem nur zwei Ölgemälde hingen, daneben lag eine Art Cafeteria. Elena fuhr mit dem Finger über die Staubschicht auf den Tischen und Stühlen. Die Glasvitrinen waren leer, und die Kaffeemaschine sah nicht so aus, als wäre sie in diesem Jahrtausend schon einmal in Betrieb genommen worden. Irgendetwas stimmte hier nicht, wenn man überlegte, dass Del Vecchios letztes Gemälde für siebzehn Millionen Euro versteigert worden war, und sich dann diese heruntergekommene Galerie vor Augen führte. Natürlich – ein ehrlicher Maler, der sich selbst treu blieb, war eher daran interessiert, etwas zu schaffen, als zu verkaufen. Aber das Verschwinden des Künstlers vor einem Jahr schien nicht gerade einen Del-Vecchio-Boom in der Toskana ausgelöst zu haben. Keine Touristen kamen hierher. Im Gegenteil – das Museum lockte höchstens Diebe an. Eigentlich könnte Elena mit einem der Gemälde unter dem Arm aus dem Museum spazieren und es auf dem Schwarzmarkt verkaufen. Wer würde es bemerken?

In einer Nische neben der Cafeteria befand sich eine schwere schwarze Metalltür mit zwei Flügeln, die wohl in den Keller führte. Durch die Griffe war eine Kette mit einem schweren Sicherheitsschloss gezogen. Vielleicht lagen die wertvollen Gemälde hinter dieser Tür. Elena würde sie nur mit einer Schusswaffe öffnen können.

Auf der anderen Seite der Cafeteria lag ein Raum mit einer abgesperrten Milchglastür, die nur ein gewöhnliches Zylinderschloss hatte. *Ufficio informazioni* stand auf der Scheibe, darunter *segretariato*. Elena öffnete die Tür mit dem Dietrich und trat ein.

Junge, in dem Büro miefte es nach kaltem Tabakrauch ... Wie im Rest des Gebäudes, war auch hier schon lange niemand mehr gewesen. Elena fragte sich, woher die Lieferanten des Gemäldes gewusst hatten, dass Citti ausgerechnet an diesem Tag, an dem sie das Bild geliefert hatten, zum Museum fahren würde? Die Sache stank gewaltig zum Himmel. Elena öffnete alle Schubladen und Aktenschränke. Die meisten Papiere sahen nach Abrechnungen und Buchhaltungskram aus. Auf dem Schreibtisch fand sie schließlich eine alte, fleckige Visitenkarte von *Direttore Franco Citti*. Keine Adresse, nur eine Telefonnummer. Ihr Handy klemmte im Leihwagen auf der Halterung des Armaturenbretts. Sie würde ihn später anrufen.

In weiter Ferne kläffte ein Hund. Durch die verschmierte Scheibe sah Elena, wie Monica sich in der Nähe des Alfa Romeos auf einer Bank sonnte. Plötzlich lachte die Italienerin. Erst jetzt bemerkte Elena, dass Monica mit dem Handy telefonierte. Sie wurde nicht schlau aus ihrem Verhalten. Ihr Vater wurde seit einem Jahr vermisst, und sie wollte nicht einmal einen Blick in seine Galerie werfen.

Elena sperrte das Büro wieder zu und ging über die schmale gewundene Steintreppe in den ersten Stock. Oben war es düster. Die Fenster waren mit Kartons verbarrikadiert. In den abgedunkelten Schauräumen befanden sich Skizzen und Radierungen mit merkwürdigen Motiven. Auf einem Holztisch lagen ein Skizzenblock, harte Pinsel und eingetrocknete Farbpaletten. Offenbar handelte es sich dabei auch um Ausstellungsstücke.

Im zweiten Stock war es ebenso schummerig, aber deutlich wärmer als unten. Die Hitze staute sich unter dem Dach. Neben ein paar Ölkreidebildern, Tuschezeichnungen und Bleistiftskizzen, die allesamt aus den Achtzigerjahren stammten, hing ein etwa eineinhalb mal zwei Meter großes, imposantes Ölgemälde in einem eigenen Raum.

Es zeigte das Motiv einer zwischen Olivenhainen eingebetteten Kirche, die – Elena wusste nicht, wie sie es anders hätte beschreiben sollen – in der brütenden Mittagssonne ihr Innerstes nach außen schwitzte. Durch den surrealen Touch und die überzogenen Farben wirkte das Bild wie eines von Dalí. Am unteren Rand entdeckte sie die schwungvolle Signatur von Salvatore Del Vecchio, die farblich geschickt in eine Szene des Gemäldes eingearbeitet war, ähnlich wie sie es bei *Isabellas Antlitz* gesehen hatte.

Sie ertappte sich dabei, dass sie das Motiv minutenlang fixierte. Es erinnerte sie an ihren letzten gemeinsamen Urlaub mit Peter auf Korsika. Der Wind, das Meer, die Fahrt auf dem Motorrad und ein ganzer langer Tag im Bett einer Herberge. Damals hatten sie das Baby gezeugt. Als sie einen Monat später davon erfuhr, war sie überglücklich. Doch in der elften Schwangerschaftswoche kamen die ersten Blutungen. Wieder dachte sie an Peter und notgedrungen auch an Dinos Feier. Die beiden trieben sich ebenfalls in der Toskana herum, vermutlich sogar irgendwo in der Nähe. Plötzlich wollte sie Peter sehen, umarmen und ihn um Verzeihung bitten. Er fehlte ihr so. Sie erinnerte sich an seine SMS. *Ich muss mit dir reden. Es tut mir leid.* Jetzt wäre eine gute Gelegenheit gewesen, ungestört mit ihm zu telefonieren, doch das Handy klemmte im Wagen.

Der Klang ferner Kirchturmglocken riss sie aus den Gedanken. *Konzentriere dich auf den Fall,* ermahnte sie sich. Was war so besonders an diesen Gemälden? Thomas Dunek hatte die einzigartige Maltechnik Del Vecchios erwähnt. Sie strich mit dem Finger über die dick aufgetragene Ölschicht und das Holz des Keilrahmens. Hatte Monica nicht erwähnt, dass die Rahmen eigens von einem Hersteller aus den Cinque Terre stammten? Der Küstenstreifen an der Riviera lag etwa 150 Kilometer nördlich von hier. Elena stemmte das Gemälde vom Haken und ließ es behutsam zu Boden gleiten. Es wog bestimmt an die fünfzehn Kilo. Sie kippte es auf eine Kante, drehte es im Halbkreis auf die Rückseite und lehnte es an die Wand. Der Keilrahmen war mit mehreren Verstrebungen verstärkt. Auf der Leinwand befand sich nur eine handschriftliche Notiz. *Del Vecchio, 148 x 199.* Anscheinend war es eine Sonderanfertigung gemäß Salvatores Angaben. An der Innenseite einer Holzleiste fand Elena einen verblassten blauen Stempel. *Giuseppe V...* Der Rest wurde von einer anderen Holzleiste verdeckt.

Elena ging zu der schmalen Balkontür, die sich an der Vorderfront des Museums befand, zog den eingekeilten Pappkarton aus dem Rahmen und öffnete sie. Sogleich schlug ihr brütende Hitze entgegen. Sie trat ins Freie. Monica saß immer noch auf der Bank. Sie hatte das Geräusch gehört und blickte nach oben. Elena lehnte sich auf die schmiedeeiserne Balustrade.

»Sie sagten, die Keilrahmen Ihres Vaters werden in den Cinque Terre hergestellt?«, rief sie nach unten.

Monica schirmte das Sonnenlicht mit der Hand ab. »Ja. Brauchen Sie noch lange?«

»Können Sie sich an den Namen des Tischlers erinnern?«

Monica dachte nach. »Vadini oder so ähnlich.«

»Giuseppe Vadini?«

»Ja, ich glaube, so hieß er. Warum?«

»Kannte er Ihren Vater persönlich?«

»Ich denke, schon.«

»In welchem Ort der Cinque Terre wohnt oder arbeitet er?«

»Ich glaube …« Monica hielt inne. »Die Rahmen kamen aus Monterosso al Mare. Warum?«

»Das ist die einzige Spur, die wir im Moment haben. Wir statten dem Mann einen Besuch ab.«

31

Der Tag verging viel zu schnell. Bis zum Nachmittag hatten sich Scatozza und Gerink durch sämtliche Artikel über die Del Vecchios gelesen, die im Online-Archiv von *La Nazione* erhältlich waren. Laut Impressum war das Blatt die auflagenstärkste Tageszeitung in Florenz und wurde nicht nur in der Toskana, sondern auch in Umbrien und bis in die Cinque Terre hinauf verkauft. Obwohl Scatozza das Blatt eher als konservativ bezeichnete, gab es in den Internetausgaben jede Menge freizügiger Fotos von jungen Italienerinnen.

Die Zeitung bot für jede Provinz einen Lokalteil, so auch für jenes Gebiet, in dem San Michele lag. Schließlich klappte Scatozza den Laptop zu. Er hatte den Hauptakku vollständig und den Reserveakku zur Hälfte aufgebraucht. Die Stimme des Sizilianers klang vom ständigen Übersetzen bereits rau, dabei war er es gewohnt, ununterbrochen zu reden.

Sie saßen in einem Café am Ufer des Arno, schräg gegenüber dem mächtigen alten Ponte Vecchio. Auf ihrem Tisch standen mehrere leere Gläser, die der Kellner großzügig ignorierte. Gerink hatte die interessantesten Details aus den Artikeln mitgeschrieben, die Scatozza übersetzt hatte. Wie sich nun herausstellte, waren die Del Vecchios eine der wichtigsten und einflussreichsten Familien in Florenz. Bei Gerinks Besuch in Teresas Haus in Wien hatte Monica etwas Ähnliches angedeutet – »der Clan der Del Vecchios sieht es nicht gern, wenn jemand der Familie den Rücken kehrt«. Allerdings hatte sie verschwiegen, *wie* mächtig die Familie war.

Matteo Del Vecchio, der 44 Jahre alt geworden war, hatte in Rom Wirtschaft studiert und war bis kurz vor seinem Tod Finanzdirektor der Borromeo-Bank gewesen, eines monströsen Bankkonzerns, der Niederlassungen im gesamten ehemaligen Ostblock hatte. Nebenbei saß er im Aufsichtsrat eines Immobiliengiganten und spekulierte privat an der Börse. Wie die Zeitung schrieb, liefen seine Geschäfte gut. Egal, was er angriff, er lag nie falsch. Einige Journalisten warfen ihm vor, Schmiergelder zu zahlen, um Insidertipps zu erhalten, doch die Korruptionsausschüsse hatten ihm in keinem Verfahren etwas nachweisen können. Ebenso wenig bei angeblichen geheimen Zinsabsprachen und einer Veruntreuung, die in die Millionenhöhe ging.

Gerink hatte Nicola, die keinerlei Starallüren an den Tag legte, nicht angemerkt, die Tochter eines derart erfolgreichen Finanzhais zu sein. Ihre Mutter stammte aus Siena, hatte ebenfalls studiert, allerdings Sprachwissenschaften, und lebte als Witwe in ihrer Villa in Florenz. Die Wochenenden verbrachte sie gelegentlich auf dem Familiensitz der Del Vecchios in San Michele.

Dank seiner wirtschaftlichen Position gab es einige Interviews von Matteo im Internet zu lesen. Obwohl er aus einer traditionsreichen und berühmten Familie stammte, hielt er sich zu familiären Fragen stets bedeckt. Seine zahlreichen Geschäftsreisen führten ihn oft nach Osteuropa. Da er Flugzeuge hasste, fuhr er die meisten Strecken mit seinem Wagen, einem Ferrari mit 570 PS. Aufgrund seiner Radarstrafen hatte er gewiss einige Teilstrecken der Autobahn zwischen Florenz und Siena, wo eine Tochtergesellschaft der Bank saß, allein finanziert. Vor einem Monat war er während einer dieser Fahrten bei einem mysteriösen Unfall ums Leben gekommen und *zack, war platt wie eine Scholle!* – wie Scatozza es formuliert hatte.

Das waren die Fakten.

Gerink verschränkte die Arme hinter dem Kopf und blickte zum Arno, der gemächlich an ihnen vorbeizog. »Meinst du, Teresa wusste etwas über die Geldtransfers der Borromeo-Bank?«

»Habe auch schon daran gedacht«, knurrte Scatozza. »Aber ihr Lebensmittelpunkt in Wien ist zu weit entfernt von diesem italienischen Sumpf, in dem ihre Brüder gesteckt hatten.«

»Trotzdem – drei Punkte machen mich stutzig«, sagte Gerink. »Erstens: Warum nahm Matteo nicht wie üblich die Autobahn nach Siena, sondern fuhr über die Bergstraße? Zweitens: Warum ausgerechnet an einem Samstagabend, wenn das letzte Meeting vermutlich am Freitag stattfand? Drittens: Sein Körper war bis zur Unkenntlichkeit verbrannt, obwohl Autos heutzutage bei Unfällen kaum noch explodieren.«

»Nicht schlecht, Watson«, murmelte Scatozza. »Und viertens: Wo war er die drei Wochen zuvor?«

Gerink sah ihn fragend an, doch der Sizilianer grinste nur.

Obwohl sie in dem Café ohnehin niemand verstehen konnte, senkte Scatozza die Stimme. »Die Borromeo-Bank hat Jahresabschluss, und der Pressesprecher der Holding gibt Ende Februar bekannt, dass sich sämtliche Pressetermine verschieben. Matteo Del Vecchio ist für die Medien nicht erreichbar. Entweder ist er krank, und Firma oder Familie schotten ihn vor der Öffentlichkeit ab, oder er hat sich kurzfristig Urlaub genommen.«

»Ein Mann wie Matteo geht in dieser Zeit nicht auf Urlaub«, warf Gerink ein.

»Genau. Und knapp drei Wochen später, am 17. März, verbrennt er in seinem Wagen. Eine Woche später findet sein Begräbnis statt. Am 17. April wird die Leiche seines jüngeren Bruders Lorenzo gefunden. Auch er wird bestattet, kurz darauf findet die Trauerfeier für die Brüder statt – zwei tot, einer verschwunden. Teresa De Vecchio reist von Wien an und wird entführt.«

Gerink starrte zum Fluss, auf dem soeben ein Touristenboot

an ihnen vorbeituckerte. Vor der steinernen Brücke mit den mächtigen Rundbogen machte es kehrt und fuhr den Fluss wieder hinauf. Ein Geruch nach Kloake wehte herüber.

Wenn man die Zeitungsartikel zu Lorenzos Tod miteinander verglich, ergaben sich ähnliche Ungereimtheiten wie bei Matteo. Lorenzo war mit 37 Jahren der jüngste der Del-Vecchio-Brüder und Produktionsleiter eines Hightechunternehmens, das in einem Werk in Livorno Rennmotoren für Speedboote herstellte. Den Zeitungsartikeln zufolge war Lorenzo im Gegensatz zu Matteo ein Playboy, der keine Party, keinen Jachtausflug und kein Charity-Golfturnier in der Toskana ausließ. Da seine Cousins aus dem Del-Vecchio-Clan im Stadtrat und Tourismusverband saßen und bei Zeitungen und einem Fernsehsender arbeiteten, nutzte Lorenzo seine familiären Kontakte, um bei den Veranstaltungen des Jetsets ständig präsent zu sein. Das Wort »Mediengeilheit« traf Lorenzos Charakter wohl am besten. Von dem gelackten Kerl gab es auch die meisten Fotos in der Presse – schon allein deshalb, weil einige Vorfälle mit jungen Mädchen vertuscht worden waren. Schmales Gesicht, lange Haare, ein selbstgefälliges Grinsen, blitzende Zähne, aufgestellter Kragen und eine sportliche Figur. Kein Wunder, dass seine Frau Cristina zu trinken begonnen hatte.

Schließlich kam er am 17. April bei einem Bootsunfall zu Tode – exakt einen Monat nachdem sein Bruder bei einem Autounfall gestorben war.

»Dieser Lorenzo ist Produktionsleiter einer Hightechfirma, die Motoren für Speedboote herstellt«, sinnierte Gerink. »Er liegt mit seinem Schnellboot unter einer Brücke auf dem Arno und will einen Motorschaden beheben. Ein Funke schlägt aus dem Getriebe, eine undichte Benzinleitung fängt Feuer, und unser schicker Lorenzo verbrennt.« Er machte eine Pause. »Was hättest du an seiner Stelle getan?«

Scatozza dachte nicht lange nach. »Ich wäre ins Wasser gesprungen.«

»Eben, aber Lorenzo verbrennt lieber – und schließlich explodiert der ganze Kahn. Schade um den Proprider. Was meinst du, wie schnell so eine Kiste geht?«

»Zweihundert km/h«, vermutete Scatozza.

»Und das auf diesem Fluss.« Gerink nickte zum Arno.

»Der Ponte alle Grazie ist nicht mal weit von hier entfernt – und zwar die nächste Brücke flussaufwärts.«

Gerink blickte hinauf und danach auf den Ponte Vecchio, der mit seinen Verkaufsläden, Balkonen, Schindeldächern und erkerförmigen Aufbauten weniger wie eine Brücke, sondern wie eine breite Häuserzeile wirkte. Hunderte Touristen drängten sich darauf. Ihn wunderte, dass die Marmorfassade nicht abbröckelte und ins Wasser stürzte. »Meinst du, die Del Vecchios haben etwas mit dieser Brücke zu tun?«

»Soviel ich weiß, ließen die Medici die Brücke erbauen, um einen direkten Zugang zum Palazzo Vecchio zu haben.«

»Schon wieder dieser Name. Geht mir langsam auf den Sack«, knurrte Gerink.

»*Vecchio* heißt im Prinzip nur ›alt‹«, sagte Scatozza. »Scheint so, als wären die Del Vecchios ein altehrwürdiges Florentiner Familiengeschlecht.«

»Und jetzt sterben sie wie die Fliegen. Trotz ihrer Kontakte.«

»Oder gerade *wegen* ihrer Kontakte«, ergänzte Scatozza. »Falls jemand dahintersteckt, lässt er die Leichen jedenfalls bis zur Unkenntlichkeit verbrennen. Die Frage ist bloß, warum Teresas verkohlte Leiche bisher nirgendwo aufgetaucht ist.«

»Kommt vielleicht noch«, überlegte Gerink laut.

Scatozza nickte. Er versuchte erneut, Nicola am Handy zu erreichen, doch niemand hob ab. »Lorenzos Witwe Cristina, die Boutique-Lady, haben wir auf dem Familiensitz ja bereits kennengelernt. Matteos Witwe wohnt in Florenz. Wir sollten mit ihr reden.«

»Sollten wir.« Gerink nickte. »Ist dir eigentlich aufgefallen, dass uns jemand beobachtet?«

»Du meinst Vito Tassini, den schmalbrüstigen Kerl mit Sonnenbrille, der sich hinter einer Zeitung versteckt?«, antwortete Scatozza, ohne sich umzublicken.

»Seit wir heute Morgen unser Hotel verlassen haben, ist er uns auf den Fersen.«

Scatozza erhob sich. »Finden wir heraus, ob er uns zu Matteos Witwe folgt.«

Als sie zum Pajero gingen, faltete der schmächtige Mann auf der Sitzbank die Zeitung zusammen und erhob sich.

32

Nachdem Elena alle Türen des Museums mit ihrem Dietrich abgesperrt hatte, ging sie zu Monica, die neben dem Wagen auf sie wartete und lustlos auf einem Kaugummi kaute.

»Etwas Wichtiges erfahren?«

Elena schüttelte den Kopf. Sie nahm ihr Handy vom Armaturenbrett des Wagens und sah die eingegangene SMS von Peter. *Okay, ich erwarte deinen Anruf.* Mehr nicht. Aber immerhin! Ja, sie würde ihn anrufen, sobald sie allein war. Rasch wählte sie Franco Cittis Nummer von der fleckigen Visitenkarte. Wenigstens gab es den Anschluss noch. Aber nach dem dritten Läuten hörte sie eine automatische Stimme vom Band, danach ein Piepen. Da Citti regelmäßig Vernissagen mit Leihgaben von Del-Vecchio-Sammlern in Wien organisierte, müsste er eigentlich Deutsch sprechen. Sie hinterließ ihren Namen und ihre Nummer und bat um einen Rückruf. Das Gleiche wiederholte sie auf Englisch, dann legte sie auf.

Sie fuhren mit dem Wagen in die Cinque Terre. Es schien, als bestünden die nördlichen Ausläufer der Toskana lediglich aus Hügeln, auf denen jeweils nur eine winzige Ortschaft lag, die nacheinander an ihnen vorüberzogen.

Während der Fahrt drehte sich Monica im Sitz herum. »Warum sind Sie eigentlich Privatdetektivin geworden?«

Elena schmunzelte. Sie musste an Lisa denken, den Grauen Wolf.

»Warum lachen Sie?«

»Als sich meine Schwester damals entschied, nach der Polizeischule und einigen Jahren Dienst auf dem Revier zur Kripo zu wechseln, war ich sechzehn Jahre alt.« Elena zuckte mit den Achseln. »Ich wollte so sein wie sie, spannende Kriminalfälle lösen, aber der ganze Behördenkram war nichts für mich. Mittlerweile ist Lisa Dezernatsleiterin und hat nur noch äußerst selten mit den Fällen direkt zu tun. Ich habe zwar Jura studiert, wollte aber nicht in einem Büro versauern.«

»Was ist an Jura schlecht?«

»Nichts … Aber ich wollte nicht den ganzen Tag hinter dem Schreibtisch hocken und mich mit Richtern, Politikern, Staatsanwälten und den Beamten der Dienstaufsichtsbehörde oder der Internen Revision herumschlagen.«

»Also sind Sie Detektivin geworden?«

Elena lächelte. So einfach war es natürlich nicht gewesen. »Andere in meinem Alter wollten Tierarzt, Astronaut oder Filmkritiker werden, doch fast alle schlug es in eine andere Richtung. Ich wollte schon als junges Mädchen eine eigene Detektei führen.«

In Wahrheit wollte sie ihrem Vater nur etwas beweisen. Sie erzählte Monica, dass sie nach dem Studium und ihrem Gerichtsjahr in einem Versicherungsbüro gearbeitet hatte, danach in einer Wirtschaftsprüfungskanzlei und schließlich mit siebenundzwanzig als Juniorpartnerin in der Privatdetektei Koslovsky begonnen hatte. Bis dahin hatte sie schon auf so ziemlich jedem Gebiet Erfahrungen gesammelt, die man als Detektivin benötigte. Allerdings war Koslovsky damals schon ein über sechzigjähriger Kauz gewesen, der keinerlei Risiken einging und nur simple Beschattungsaufträge für betrogene Eheleute übernahm. Elena hatte sich die Arbeit einer Detektivin anders vorgestellt, und so hatte sie vor drei Jahren ihre eigene Kanzlei gegründet, um an die wirklich interessanten Fälle zu kommen. Immerhin hatte sie dank Lisa einen guten Draht zur Kripo, was ihrer

Schwester das Leben nicht immer erleichterte. Elena war Mitglied im Österreichischen Detektiv-Verband, absolvierte sämtliche Sachkundeprüfungen, die notwendig waren, um dort zu ermitteln, wo es wirklich interessant wurde, hatte einen Waffenschein, besaß eine Glock und besuchte regelmäßig einen privaten Schießstand südlich von Wien.

»Das volle Programm eben«, sagte sie. »Joggen und Pilates, um mich ein wenig fit zu halten, und regelmäßig Jiu-Jitsu … Im Auktionshaus hat mir das leider nicht viel genutzt.« Zornig dachte sie an Viktor König, der ihr ein Veilchen verpasst hatte.

»Aber wenn Sie joggen, können Sie wenigstens davonlaufen.«

»Stimmt.« Bisher war sie vor ihrer Ehe davongelaufen, aber an diesem Morgen hatte sie beschlossen, alles wieder geradezubiegen. Ausgerechnet jetzt, wo sie im Ausland war! Einen dümmeren Zeitpunkt gab es wohl kaum – aber lieber jetzt als später, bevor sie Peter ganz verlor.

Sie erreichten Ligurien, und es dauerte nicht mehr lange, bis die ersten Ortschaften der Cinque Terre an der Küste auftauchten.

»Haben Sie Ihren Mann während eines Falls kennengelernt?«

Im Moment war Monicas Neugierde nicht zu bremsen. Andererseits hatten sie noch eine halbe Stunde Fahrt vor sich, und schön langsam gingen Elena die Songs der italienischen Sender auf die Nerven.

Sie schaltete das Radio aus. »Im Januar, vor vier Jahren auf dem Polizeiball. Ich begleitete meine Schwester dorthin. Wir saßen mit dem Polizeipräsidenten und seinem Stellvertreter an einem Tisch – es war ziemlich öd, einer langweiliger als der andere. Später stellte mir Lisa die Kollegen ihrer Abteilung vor. Peter hatte einen trockenen Humor, und wir machten uns über die anderen Anwesenden lustig. So brachte er mich an diesem Abend oft zum Lachen. Verstehen Sie mich nicht falsch – er ist ein zäher Ermittler, der schon mal gefährlich ausrasten kann, aber in Bezug auf Frauen ist er einfach nur süß.«

Monica grinste. Offensichtlich hörte sie gern romantische Geschichten.

»Wie ging es weiter?«

»Kurz darauf arbeiteten wir tatsächlich inoffiziell gemeinsam an einem Fall. Eigentlich dürfen Privatdetektive keine laufende Ermittlung *behindern*. Dafür können sie bis zu einem Jahr in den Knast wandern. Aber ich arbeitete damals noch für Koslovsky und brauchte dringend Informationen über einen schmierigen Kerl, der ein Vertriebsnetz für falsche Medikamente aufgebaut hatte. Ich lud Peter zum Abendessen ein und wickelte ihn um den Finger – später hat es dann gefunkt.«

»Wie romantisch. Und wie endete der Fall?«

»Ich wurde angeschossen.«

»Oh.«

Elena lachte. »Nicht lebensgefährlich. Ein Schuss in den Oberschenkel. Aber Peter hat den Kerl erwischt, und … zwar verhaftet, aber dabei fast umgebracht.«

Monica sah sie entsetzt an.

Elena wurde ernst. »Der Typ konnte nicht mehr gehen. Peter hat ihn am Kragen gepackt und ins Revier geschleppt. Eigentlich ist Peter ein sanfter Kerl, aber wenn mir jemand etwas antun will, wird er zum Löwen. Die Schussverletzung war es jedenfalls wert. Er hat mich jeden Tag im Krankenhaus besucht.«

»Wie ging es weiter?«

»Als ich wieder auf den Beinen war, verbrachten wir unseren ersten gemeinsamen Urlaub in Irland. Mit Rucksack, Zelt und Motorrad. Das war unsere schönste Zeit. Er hat mich auf die Idee gebracht, eine eigene Detektei zu gründen.«

Monica lächelte. »Romantisch, aber irgendwie traurig.«

Und wie, dachte Elena. Sie hatte ihr Baby verloren und damit die Meinung ihres Vaters bestätigt, dass sie als Frau nichts tauge. Schließlich kam der Moment, in dem sie selbst an sich zu zweifeln begann. Statt Peters Hilfe anzunehmen, betrank sie sich auf Scatozzas Geburtstagsfeier, verließ um Mitternacht das Lokal mit einer Flasche Bacardi und setzte sich in die Gartenlaube. Sie wusste nur noch, dass sie sich die Augen aus dem Kopf heulte und Scatozza plötzlich vor ihr stand und sie fragte, welchen Frust sie sich von der Seele saufen wolle. Sie krochen unter eine Decke, redeten eine Weile, und er tröstete sie. Sie war sicher, dass Scatozza das weder gewollt noch geplant hatte, aber es war eine laue Nacht Anfang Mai, und sie holte sich die Bestätigung, eine Frau zu sein, bei einem schnellen Fick in der Laube. Nachher ging es ihr noch beschissener als vorher. Dummerweise hatten einige von Peters Kollegen sie dabei gesehen, und ein paar Tage später erfuhr er es über die Gerüchteküche, die im BKA wunderbar funktionierte.

Anfangs hatte sie den gefährlichen Trieb, der in Peter steckte, faszinierend gefunden, doch als er die Flasche Jack Daniel's in die Wohnzimmervitrine geworfen hatte, war zum ersten Mal Angst in ihr hochgekrochen.

»Werden Sie immer Detektivin bleiben?«, bohrte Monica weiter, nachdem Elena eine Zeit lang nichts gesagt hatte. »Ich meine, der Beruf ist doch gefährlich, und vielleicht wollen Sie eines Tages Kinder haben?«

Kinder! Sie liebte Kinder über alles.

»Ja, vermutlich werde ich immer Detektivin bleiben.« Elena blickte hinaus aufs Meer. »Seit einigen Jahren gebe ich auch Abendkurse für Detektive, für Recherchen und juristische Fragen. Nebenbei unterrichte ich an einer Schule Selbstverteidigung für Kinder. Einerseits Jiu-Jitsu-Lehrgänge, andererseits auf einer psychologischen Ebene, dass man eben ›Feuer‹ ruft und nicht ›Hilfe‹, weil sonst niemand kommt … solche Sachen. Auch wenn ich selbst keine Kinder habe, der Umgang mit ihnen bereitet mir Freude.«

»Das passt gar nicht zu Ihnen.«

»Ich weiß«, seufzte Elena. »Stellen Sie sich eine Pädagogin mit einer Glock 17 vor. Aber ich möchte nebenbei etwas Wichtiges und Hilfreiches machen, nicht bloß eine Detektei führen.«

»Eine Detektei ist doch nicht bedeutungslos«, widersprach Monica.

»Ja, vielleicht«, sagte Elena. »Aber dem Berufsstand haftet etwas Schmuddeliges an, und das wird sich wohl nie ändern.«

»Sie stammen ursprünglich nicht aus Österreich, oder?«

Elena nickte. Ein weiterer Grund, weshalb sie es in diesem Job schwer hatte. »Meine Eltern kommen aus Polen. Mein Mädchenname ist Kaminska.«

Monica hob die Augenbrauen. »Ehrlich? Klingt ja krass.«

Ja, das klingt krass! Elena lächelte höflich. Deswegen hatte Peters Vater, ein verbitterter, zynischer alter Herr, sie vom ersten Augenblick an abgelehnt. Elena spürte, dass Monica weitere Fragen auf der Zunge lagen, doch offenbar bemerkte die junge Frau ihre Stimmung und schwieg.

In den Cinque Terre kamen sie zu einer Tankstelle. Während Monica sich auf der Toilette des Shops frisch machte, tankte Elena die Schrottmühle voll. Sie nutzte die kurze Zeit, in der sie allein war, und wählte Peters Nummer. Er hob nicht ab. Sie sprach auf seine Mobilbox. »Ich muss dich dringend sprechen, bin aber nicht allein. Melde mich in etwa zwei Stunden wieder … Du fehlst mir«, fügte sie rasch hinzu.

Da kam auch schon Monica aus dem Laden und schüttelte die nassen Hände. Elena zahlte an der Zapfsäule, dann fuhren sie weiter.

Kurz darauf erreichten sie das Meer. Der Anblick war überwältigend – zumindest für Elena. Der Landstrich mit der steil abfallenden, zerklüfteten Küste, an deren Felsvorsprüngen die Ortschaften Manarola, Corniglia und Vernazza direkt am Meer lagen, wirkte wie im Bilderbuch. Das Wasser schimmerte türkis- grün. Die Häuser hatten gelbe, olivgrüne und weinrote Fassa- den, ebenso bunte Fensterläden und wirkten so dicht gedrängt wie in einem Mosaik.

Da vibrierte das Handy in der Armaturenhalterung. Peters Nummer! Sie drückte das Gespräch weg. Was musste er sich denken, da sie nicht abhob?

»Gehen Sie nicht ran?«

»Nicht so wichtig«, log Elena. Sie wollte mit Peter sprechen, ohne dass Monica die Ohren wie ein Luchs spitzte und jedes Wort mithörte.

Im nächsten Moment piepte eine SMS. Elena hielt das Handy so, dass Monica nicht aufs Display sehen konnte, sie aber trotz- dem die Straße im Auge hatte.

Warum gehst du nicht ran?

Kann jetzt nihct … eine Kleintin ist bei mir – schrieb sie rasch mit einigen Tippfehlern und steckte das Telefon wieder in die Halterung. Sie öffnete das Seitenfenster. Sogleich roch sie das Salzwasser. Erinnerungen an ihre Urlaube wurden wach.

Als sie Monterosso al Mare erreichten, sah Elena auf der Kar- te, die sie aufs Handy geladen hatte, dass keine Autostraße von der Anhöhe hinunter zu dem Ort ans Meer führte. Die Zufahrt mit privaten Pkws war verboten, aber es gab eine Buslinie, wel- che die an den Klippen liegenden Ortsteile verband. Sie parkten oberhalb des Dorfes, in dem Vadini wohnte, und entschieden sich für den Fußweg.

»Ziehen Sie sich feste Schuhe an«, sagte Monica, die am Fels- vorsprung des Parkplatzes stand und die enge, gewundene Stra- ße zum Meer hinuntersah.

Elena öffnete ihre Reisetasche auf der Rückbank des Wagens,

schlüpfte in bequeme Turnschuhe und setzte sich eine Schirm-kappe auf. Dann kramte sie ihre Sonnenbrille aus der Hand-tasche. »Bereit?«

»Sì.«

Das Sonnenlicht spiegelte sich in Monicas Haaren. Ihre Augen glänzten. Elena bemerkte das Strahlen in ihrem Gesicht. Zum ersten Mal seit ihrer Reise hatte sie das Gefühl, dass Monica eine gewisse melancholische Sehnsucht plagte, die sie sich bisher nicht hatte eingestehen wollen. Auf diesem idyllischen Fleckchen das Salz auf den Lippen zu spüren, das Rauschen der Brandung zu hören und morgens die heimkehrenden Fischer zu sehen war gewiss von anderer Qualität, als im lauten grauen Wien zu leben.

Sie wanderten auf dem schmalen Pfad durch Wein- und Olivenhänge und erreichten schließlich Monterosso al Mare. Zahlreiche Boote schaukelten an der betonierten Mole. Motoren tuckerten, es roch nach Maschinenöl und Lebertran. Fischernetze hingen an Leinen und verströmten einen eigenwilligen Geruch.

Falls Giuseppe Vadini tatsächlich noch hier lebte, konnte er ihnen mit etwas Glück sagen, wohin er Del Vecchios letzten Keilrahmen gebracht hatte. Während sich Monica in der erstbesten Taverne nach dem Tischler erkundigte, beobachtete Elena die Kinder beim Ballspiel in den Gassen. Die Kleinen trugen lediglich kurze Hosen, waren braun gebrannt, hatten dunkle Knopfaugen und schwarze Locken. Ein Lederball, in dem fast keine Luft mehr war, eierte auf sie zu. Sie warf ihn zurück.

»*Grazie, Signorina.*«

Signorina! Was für Schmeichler.

»*Prego.*«

Die Jungs kicherten.

Kurz darauf kam Monica aus dem Lokal. Sie wirkte ein wenig verstört.

»Was ist passiert?«

»Ach.« Sie zuckte mit den Achseln. »Es ist bloß ein merkwürdiges Gefühl, nach so vielen Jahren wieder Italienisch zu reden – auch wenn es nur mit einem einsamen alten Mann ist, der mit einer Flasche Grappa an der Bar sitzt.« Sie schüttelte ungläubig den Kopf. »Der alte Sack hat mich doch glatt angebaggert. Egal …« Sie blickte zur höchsten Erhebung des Ortes, einem Felsplateau, das über die Klippen und das Meer ragte. »Vadini restauriert die Holztreppe im alten Leuchtturm.«

Der Leuchtturm stand auf einem wuchtigen Steinsockel, zu dem eine Treppe mit Eisengeländer führte. Der Turm bestand nicht wie andere, die Elena kannte, aus roten und weißen Ringen, sondern aus grauen Backsteinen, von denen die Fassade bereits abbröckelte. Wahrscheinlich war er schon seit Jahren nicht mehr in Betrieb.

Mittlerweile brannte die Nachmittagssonne gnadenlos auf die Pflastersteine. Elena erreichte die Tür und wischte sich den Schweiß von der Stirn. Hier spendeten nur zwei Palmen und der Turm Schatten.

Die Tür war angelehnt. Elena schob sie auf. Im Inneren des Gebäudes war es kühl. Sie stopfte die Schirmkappe in ihre Gesäßtasche und sah sich um.

»Signore Vadini?«, rief sie. Ihre Worte hallten von den Wänden wider.

Keine Antwort.

Auf dem Steinboden lag ein Roman von Paolo Coelho in italienischer Übersetzung. Das Buch war an der Ecke eingedrückt, als wäre es von hoch oben heruntergefallen. Elena blickte hinauf. Die Wendeltreppe aus Holz wand sich bis nach oben. An deren Ende überkreuzten sich zwei Balken. Dahinter lag die mit Gitter überzogene Glaskuppel des Turms.

»Scheiße!«

»Was ist?« Monica blickte ebenfalls nach oben.

Elena schirmte die Augen mit der Handfläche ab. Das Sonnenlicht, das durch die Kuppel fiel, blendete sie. Von hier unten sah sie bloß die Schuhe und die grüne Arbeitshose eines Mannes, der an einem straff gespannten Strick vom Balken baumelte.

33

Elena hatte Gerink auf die Mobilbox gesprochen, doch als er sie anrief, hatte sie das Gespräch weggedrückt. Es war zum Verrücktwerden!

Als er zum Pajero ging, tippte er eine SMS. Prompt kam die Antwort. *Kann jetzt nihct … eine Kleintin ist bei mir.*

»Alles in Ordnung?«, fragte Scatozza.

»Elena hat versucht, mich zu erreichen.«

Scatozza schwieg. Offensichtlich begriff er, dass es besser war, nichts zu sagen. Am Pajero angelangt sperrte Gerink die Türen auf.

»Das darf doch nicht wahr sein, verdammt!«, fluchte er, als er schon wieder einen Strafzettel an der Windschutzscheibe sah. »Wozu lege ich das BKA-Schild in den Wagen? Können die nicht lesen?« Er knüllte das Papier zusammen, sprang auf den Fahrersitz und startete den Wagen.

»Nicht so hastig«, raunte Scatozza ihm zu. »Lass Vito etwas Zeit, sein Auto zu erreichen, damit er uns folgen kann.«

»Ich bin doch nicht sein Babysitter!«

Kaum hatte Scatozza die Tür geschlossen, scherte Gerink aus der Parklücke aus. Während er durch die engen Gassen kurvte, gab er die Adresse von Matteos Witwe in das Navi ein. Beatrice Del Vecchio wohnte im Norden der Stadt. Die Fahrt würde vierzig Minuten dauern.

Scatozza blickte regelmäßig in den Seitenspiegel.

»Ist unser Freund schon da?«, fragte Gerink.

»Nein!«, fauchte der Sizilianer. »Hättest du dir etwas mehr

Zeit gelassen, wüssten wir jetzt mehr über ihn. Aber nein, John McClane hat es ja eilig.«

»Hör auf zu maulen. Schalt lieber den Laptop ein und versuch, etwas über Staatsanwalt Fochetti herauszufinden.«

»Jetzt nicht!« Scatozza blickte auf die Uhr und startete das Notebook. »Muss rasch ein Geschäft abwickeln.«

»Du musst doch schon Hunderte Porno-DVDs besitzen«, ätzte Gerink. »Ist da nicht eine wie die andere?«

»Du hast ja keine Ahnung.«

Scatozza hielt den Laptop wieder so, dass Gerink nichts erkennen konnte. Während er hastig mit dem Zeigefinger auf dem Touchpad herumfuhr, lauschte Gerink der kühlen weiblichen Stimme des Navi.

»Nach fünfzig Metern links einbiegen.«

Großartig! Links befand sich das Fahrverbotsschild einer Einbahnstraße.

Gerink bog rechts ab.

»Bitte wenden!«

Scatozza blickte kurz auf, sagte aber nichts.

Irgendwann befand sich Gerink wieder auf dem richtigen Weg. Als er in den Rückspiegel blickte, sah er einen grünen Fiat, der ihm bekannt vorkam.

»Falls es dich interessiert, unser Freund ist wieder da.«

Scatozza sah in den Seitenspiegel. »Wie einfallslos«, murmelte er. »Dasselbe klapprige Auto, mit dem er uns gestern zum Familiensitz der Del Vecchios geleitet hat. Und er ist allein.«

»Meinst du, die Carabinieri haben bloß *ein* ziviles Dienstfahrzeug?«

»Sieht so aus.« Scatozza sah kurz vom Laptop auf. »Aber vielleicht arbeitet Vito nebenbei auch für die Familie oder die Mafia.«

Gerink trommelte mit den Fingern auf das Lenkrad. »Ich

glaube nicht, dass die Del Vecchios etwas mit der Mafia zu tun haben. Die sind eher mit der Polizei, der Justiz oder dem Innenministerium verstrickt.«

Scatozza nickte. »Dafür, dass die Carabinieri so lustlos nach Teresa suchen, investieren sie erstaunlich viel Zeit, um uns auf Schritt und Tritt zu überwachen.«

Kurz bevor sie das Haus von Matteo Del Vecchios Witwe erreichten und Scatozza endlich seine Versteigerung beendete, steckten sie plötzlich im Stau.

Gerink öffnete das Fenster und ließ den Arm heraushängen. Kurz vor 16.00 Uhr. Die Nachmittagssonne stand über den Dachgiebeln und brannte in die enge Gasse. Die Wagen vor ihnen standen dicht gedrängt, und die Autofahrer hupten. Ein dicker Brummer der Müllabfuhr blockierte die Straße.

»Erfolgreich?«, fragte Gerink.

»Na ja, ich hab sie gekauft, aber ein Schnäppchen war es nicht gerade.«

Sie? Eine aufblasbare Puppe vielleicht? Gerink fragte nicht weiter nach. Aus dem Sizilianer war sowieso nichts herauszubekommen.

»Versuch mal, was über Fochetti zu erfahren.«

»Ich muss Akku sparen«, entgegnete Scatozza.

»Hast du kein Ladegerät mitgenommen?«

»Liegt im Zimmer.«

»Komm schon! Francesco Fochetti, Florenz, Staatsanwalt.«

Missmutig googelte Scatozza eine Weile. Als sie endlich weiterfahren konnten, hatte er einige Details über den Knaben herausgefunden. Fochetti war siebenundsechzig Jahre alt und verheiratet, ein sogenanntes Urgestein der italienischen Justiz, das sich nicht pensionieren lassen wollte. Als Jugendrichter hatte er Erfahrung im Umgang mit Jugendbanden gesammelt, später übernahm er als Staatsanwalt hauptsächlich Mordfälle, die im Zusammenhang mit Drogen- und Menschenhandel standen und meist mit der Ostmafia zu tun hatten. Seit drei Jahren arbeitete er in der Dienstaufsicht der Staatsanwaltschaft. Möglicherweise war er ein Saubermann, vielleicht stand er aber auf der Gehaltsliste der bösen Jungs.

Gerink stellte sich die Frage, weshalb eine Koryphäe wie Fochetti den Fall einer in San Michele vermissten Wienerin auf den Tisch bekam. Die Art und Weise, wie in Teresas Fall ermittelt wurde, passte von vorn bis hinten nicht zusammen.

Plötzlich begann Scatozza lauthals zu lachen. »Ich sage es ja immer: der Fluch der modernen Technik!«

»Ausgerechnet du!«

»Stell dir vor, ich habe Fochettis Enkeltochter auf Facebook entdeckt. Unglaublich! Sie führt einen Blog und schreibt ziemlich fleißig. Hin und wieder auch über ihren *nonno,* ihren Großvater.«

»Und? Kennt sie die Hintergründe zu Teresas Verschwinden?«

»Blödmann!«, brummte Scatozza. »Ihr Opa sammelt Oldtimer, nimmt sie manchmal auf Spritztouren mit, steckt ihr ab und zu ein paar Euro zu, falls er im Kasino gewinnt, und hier … Einer ihrer Schulkollegen soll ihn mit einer anderen Frau gesehen haben. Nun weiß sie nicht, ob sie mit ihrer Oma darüber reden soll oder nicht.«

»Woher wissen wir, dass dieser Großvater tatsächlich Fochetti ist?«

Scatozza grinste. »Sie nennt ihn *fochi-nonno.* Ihr anderer Opa ist schon lange tot. Hier ist das Foto, das der Schulfreund mit dem Handy aufgenommen hat.« Er drehte den Laptop.

Fochetti hatte den Arm um die Hüfte einer Frau gelegt. »Okay, der Alte hat möglicherweise ein Verhältnis«, murmelte Gerink.

»Aber wie bringt uns das weiter? Außerdem ist die Frau nur von hinten zu sehen. Das könnte alles Mögliche bedeuten.«

Der Müllwagen war verschwunden. Endlich ging es weiter. Gerink versicherte sich mit einem Blick in den Spiegel, dass Vito ihnen noch folgte.

»Steht Fochetti in irgendeinem Zusammenhang mit der Schmiergeldaffäre der Borromeo-Bank, den Immobilienfirmen, dem Speedboot-Hersteller in Livorno, den toskanischen Zeitungen oder …?«

»Ja, ja, ich weiß, worauf du hinauswillst«, unterbrach Scatozza ihn. »Nein, keine Verbindung zu den Del Vecchios.«

»Bordellbesuche oder Partys mit Minderjährigen?«

Scatozza schüttelte den Kopf.

Scheiße!

»Okay, wir sind da.« Gerink hielt vor einer zweistöckigen Villa mit großzügigem Vorgarten. Um in so einem Haus zu leben, musste die Borromeo-Bank, dessen Direktor Matteo gewesen war, viel Geld einnehmen.

Der dumpfe, blecherne Klang der Türglocke erinnerte Gerink an die Kirchenglocken, die er auf dem Balkon von Teresas Zimmer in San Michele gehört hatte.

Nach einer Weile öffnete ihnen ein Dienstmädchen im klassischen schwarzen Kostüm mit weißen Rüschen die Tür.

»Wir sind vom Bundeskriminalamt und würden gern mit Signora Del Vecchio sprechen«, sagte Scatozza auf Italienisch.

Die junge Frau verschwand wieder, ließ die Tür aber eine Handbreit offen. Durch den Spalt sah Gerink in einen konservativ eingerichteten Raum mit schweren Teppichen, wuchtigen Kommoden, Kerzenständern, einem Spiegel im vergoldeten Rahmen und einem Kronleuchter, der aus Hunderten funkelnder Glastropfen bestand. Oder waren es Diamanten? Das schwerfällige Haus erdrückte jede Lebensfreude. Ihn wunderte nicht, dass Nicola die Sommermonate bei ihrer Großmutter in San Michele verbrachte und nicht in diesem Gefängnis.

Fünf Minuten später, in denen sich Scatozza und Gerink mehrere stumme Blicke zugeworfen hatten, öffnete sich die Tür schließlich wieder. Eine etwa vierzigjährige Frau stand ihnen gegenüber, der Nicola wie aus dem Gesicht geschnitten war. Dunkle Augenringe und ein glasiger Blick trübten den Eindruck, den die attraktive Frau normalerweise auf Gerink gemacht hätte.

Sie trug ein teures Cocktailkleid, eine vermutlich echte Perlenkette und sah so aus, als hätte sie sich soeben die Haare gerichtet und hastig Make-up aufgetragen. Noch dazu fiel ihr Parfüm mehr als heftig aus. Gerink glaubte, den Grund dafür zu kennen. Es sollte den Alkoholgeruch überdecken, eine Mischung aus Cognac und Gin. Offensichtlich tranken alle Frauen, die mit einem Del Vecchio verheiratet waren. Möglicherweise war deren großkotziger Lebensstil nicht anders zu ertragen.

Scatozza stellte sich und Gerink auf Italienisch vor und zeigte ihr seinen Dienstausweis.

»Oh, Sie kommen aus Deutschland?«, fragte Beatrice Del Vecchio mit einem aufgesetzten traurigen Lächeln.

»Aus Österreich«, stellte Gerink richtig.

»Aus *Vienna*?«

Gerink nickte.

»Meine Schwägerin und meine Nichte … ah, wohnen in *Vienna.*«

»Nicht mehr«, korrigierte Gerink erneut. »Teresa Del Vecchio verschwand vor einem Monat während der Trauerfeier für Ihren verstorbenen Mann auf dem Familiensitz der Del Vecchios.«

»Eine üble Sache.«

»Woher sprechen Sie so gut Deutsch?«, fragte Scatozza.

Sie lächelte müde. »Ich habe Sprachwissenschaften studiert – Deutsch und Englisch. Hören Sie …« Sie blickte demonstrativ auf ihre zierliche goldene Armbanduhr, die bestimmt ebenso echt war wie die Ringe und Perlenketten. »Ich kann Ihnen nichts über Teresa sagen. Ich habe sie zuletzt vor fünfzehn Jahren gesehen.«

»Wir möchten nicht über Teresa reden, sondern würden uns gern über Ihren Mann unterhalten«, sagte Gerink. »Seien Sie versichert, Sie haben unser tiefstes Mitgefühl.«

Sie stockte einen Moment, dann schüttelte sie den Kopf. »Da gibt es nichts zu reden.«

Gerink dachte an Nicolas Notiz. *Antworten finden Sie in der Familiengruft.* Beatrice' Tochter sah das höchstwahrscheinlich anders.

»Es tut mir leid, guten Abend.« Sie wollte bereits die Tür schließen, als Scatozza mit der Hand dazwischen fuhr.

»Was wollte Ihr Mann an jenem Samstagabend in Siena?«

Sie starrte ihn mit großen Augen an. »Ich weiß es nicht.«

»Wo war er die letzten drei Wochen vor seinem Unfall?«

»Ich *weiß* es nicht!« Die Frau wollte die Tür zuschieben, doch Scatozza hielt dagegen.

Gerink sah sich auf der Straße um. Keine Passanten. Im Prinzip war es Hausfriedensbruch. Ein Anruf von Beatrice beim Maresciallo würde genügen, und sie konnten unverrichteter Dinge zurück nach Österreich fahren. Aber wenn sie jetzt nicht dranblieben, würden sie nie wieder etwas aus Beatrice herausbringen.

»Wir möchten Ihnen helfen, Signora Del Vecchio«, sagte er. »Möglicherweise stehen der Tod Ihres Mannes und das Verschwinden Ihrer Schwägerin in einem Zusammenhang.«

Beatrice ließ die Tür los und starrte Gerink mit eiskaltem Blick an. »Sie haben keine Ahnung. Gehen Sie bitte!«

Anfänglich hatte diese Frau einen gefestigten Eindruck auf ihn gemacht, der jedoch zusehends verblasste. Gerink versuchte, sich in ihre Lage zu versetzen. Ihr Mann war bei einem Auto-unfall ums Leben gekommen, und die Tochter lebte bei ihrer Schwiegermutter. Vermutlich diente ihr Auftritt mit dem teuren Kleid, dem Schmuck und dem perfekten Make-up nur dazu, ihr trauriges Innenleben zu kaschieren.

»Arbeiten Sie mit uns zusammen, Signora«, bat Gerink. »Las-sen …« Sein Handy läutete. Er griff in die Tasche und wies den Anruf ab. »Lassen Sie uns über Ihren Mann reden, vielleicht …«

»*No* …« Sie wechselte ins Italienische und spie Scatozza etwas ins Gesicht, worauf dieser die Hand vom Holzrahmen nahm und zuließ, dass sie die Tür zuknallte.

»Verflucht!«, entfuhr es Gerink. »Was hat sie gesagt?«

»Ihr Mann hat bekommen, was er verdient hat. Nun ist er tot. Wir sollen ihn ruhen lassen.«

Gerink dachte an Nicolas Nachricht.

Antworten finden Sie in der Familiengruft.

Offensichtlich waren sich Mutter und Tochter nicht ganz ei-nig. Er zog das Handy aus der Tasche und blickte aufs Display. Elena hatte angerufen.

34

Der Anblick des etwa sechzigjährigen Mannes mit der grauen Stoppelfrisur war erschreckend – die aufgerissenen Augen und die angeschwollene Zunge, die schwarzblau gefärbt aus dem Mund hing. Er roch nach Knoblauch, Magensäure und Fäkalien. Darm und Blase des Mannes hatten sich entleert.

Zudem zierte eine kleine Schwellung seine Schläfe, als hätte er erst kürzlich einen Faustschlag erhalten. Diese Stelle war bestimmt nicht zufällig gewählt worden, denn hier lag das sensitive Nervenzentrum, und der Schädelknochen war besonders dünn. Elena hatte eine Verletzung dieses Nervenpunkts schon einmal gesehen. Sie musste an den Stasi-Arsch denken, der ihr im Treppenhaus des Versteigerungshauses ebenfalls einen Schlag gegen die Schläfe hatte versetzen wollen.

Denk nicht an den Mistkerl! Konzentrier dich auf den Erhängten!

Sie schüttelte den Gedanken ab. Die Hornhaut des Mannes war schon getrübt, Kot und Urin waren bereits eingetrocknet. Er war seit mindestens fünfundvierzig Minuten tot. Sie nahm ihre Sonnenbrille ab und schob mit dem Kunststoffbügel den Hemdsärmel des Toten nach oben. An den Handgelenken hingen helle Seilfasern. Die Haut war gerötet und abgeschürft. Keine typische Verletzung eines Tischlers. Der Tod war langsam eingetreten – nicht durch Genickbruch, sondern durch die Blutleere im Gehirn. Der Strick hatte ihm Venen und Arterien am Hals abgeklemmt. Vadini hatte noch lange gezappelt und im Todeskampf mit den gefesselten Händen gegen das gusseiserne

Treppengeländer geschlagen, bis sein Gehirn schließlich keinen Sauerstoff mehr bekam und kollabierte.

»Soll ich die Polizei verständigen?«, rief Monica von unten herauf.

»Noch nicht.« Elena betastete mit dem Brillenbügel die Gesäßtaschen des Toten und die Brusttaschen seines Hemdes. Leer. Danach kletterte sie über die Treppe in die Turmkuppel. Wie vermutet fehlten Lampe, Spiegel und Drehvorrichtung. Der Leuchtturm besaß nur noch historischen Wert. Trotzdem hatte Vadini die Treppe mit der Holzbalustrade renovieren sollen. Zahlreiche Holzbohlen lehnten an der Glaskuppel. Ein Werkzeugkoffer mit Sägeblättern und Schleifpapier stand auf dem Boden.

Vorsichtig, um keine Spuren zu verwischen, sah Elena sich um. Neben einer Thermoskanne, die auf dem mit Sägespänen bedeckten Boden stand, und einem zur Hälfte gegessenen Schinkenbrot in einer Papierserviette lagen eine Brieftasche und ein Schlüsselbund. Sie schob den Brillenbügel in das Lederetui und klappte es auf. In den Fächern steckten eine Telefonwertkarte, der Mitgliedsausweis einer *Biblioteca* und einige Fotos von Jungs und Mädchen … Sie hoffte, dass die von seinen Enkelkindern waren.

»Was machen Sie so lange dort oben?«

»Ich komme gleich runter!« Die Plastikkarten lauteten auf einen gewissen *G. Vadini*. Doch das genügte Elena nicht. Sie suchte nach etwas Bestimmtem. Schließlich fand sie im nächsten Seitenfach des Portemonnaies einen Personalausweis. Sie bog die Seite um. Da stand die Adresse. *Via Gino 38.*

»Ich komme!«

Sie steckte sich die Sonnenbrille ins Haar und lief die Treppe hinunter.

Monica lehnte kreidebleich wie der Verputz an der Mauer und spähte nach oben. »Ist das Vadini?«

»Ja, er ist noch nicht lange tot.« Elena berührte Monica am Kinn und drehte ihren Kopf zu sich. Sie sah ihr in die Augen. »Ich brauche jetzt Ihre Hilfe.«

Monicas Augenlider flatterten. »Ich gehe da nicht rauf!«

»Müssen Sie nicht.« Elena deutete auf Monicas Handy in deren Jeans. »Rufen Sie die Polizei an. Warten Sie, bis die Beamten eintreffen. Erklären Sie ihnen, dass Sie bloß zum Turm raufgehen wollten, um Fotos vom Strand zu schießen. Dabei haben Sie die Leiche entdeckt.«

»Aber ich habe keine Kamera.«

»Ihr Handy kann bestimmt fotografieren, aber danach wird Sie niemand fragen.«

Monicas Stimme zitterte. »Und was machen Sie in der Zwischenzeit?«

»Ich werfe einen Blick in Vadinis Haus.«

»Wir wissen ja gar nicht, wo er wohnt!«

»Doch.«

»Aber wozu?«

Je weniger Monica wusste, desto besser. Elena atmete tief durch. »Ein Mann, der mit einer vollen Thermoskanne, einem angebissenen Schinkenbrot und einem begonnenen Roman in der Tasche seinen Arbeitsplatz betritt, ist nicht gerade der typische Selbstmörder.«

Elena verschwieg die Fesselspuren an den Handgelenken und den Schlag gegen den Schläfenpunkt, der – wenn er präzise ausgeführt wurde – zur sofortigen Bewusstlosigkeit führte. »Schaffen Sie das?«, drängte sie.

Monica nickte.

»Danke.« Elena schlüpfte durch die Tür ins Freie.

Elena lief die in den Fels gehauene schmale Gasse zum Ort hinunter. Am Strand wurden soeben einige Sonnenschirme zusammengeklappt, und ein Junge schleppte Liegestühle durch den Sand zu einer Hütte. Sie eilte unter einem Torbogen hindurch und an einer bunten Häuserfassade entlang. Von den Balkonen hingen Kleidungsstücke. Wasser tropfte von den Topfpflanzen. Da traf sie auf die spielenden Kinder.

»Via Gino?«, keuchte sie.

Die Buben hielten in ihrem Spiel inne. Einer mit blonder Stoppelfrisur, dessen Gesicht mit Sommersprossen übersät war, kam auf sie zu. Der Knabe hatte die gleichen strahlenden Augen wie Peter – und einen charmanten Blick, dem man nichts abschlagen konnte.

»Via Gino?«, wiederholte Elena.

Der Junge sah sie an, dann warf er einen scheuen Blick auf die Kappe, die aus der Gesäßtasche ihrer Jeans baumelte.

Elena nahm die Schirmmütze und beulte sie aus. »Gefällt sie dir? Ich schenke sie dir.«

Der Junge verstand kein Wort. Elena setzt ihm die Kappe auf. Schwarzer Stoff mit dem orangefarbenen Harley-Davidson-Emblem. Die Mütze war ihm viel zu groß und verdeckte seine Ohren und die Hälfte des Gesichts. Trotzdem grinste er breit und zeigte seine strahlend weißen Zähne.

Elena hob den Daumen. »Sieht klasse aus!«

Schließlich deutete er zu einer Gasse mit Eisengeländer, die an einem Steilhang entlang nach oben verlief. Auf der Bergseite drängte sich ein Haus neben dem anderen.

»*Grazie.*«

Elena gab dem Jungen einen freundschaftlichen Klaps auf die Schulter und eilte weiter. Endlich fand sie ein Straßenschild – Via Gino.

Sie suchte das Haus mit der *numero 38*. Aus dem Augenwinkel sah sie, wie zwei Carabinieri in schwarzen Uniformen zum Leuchtturm liefen. Das ging ja ruck, zuck. Ihr blieb nicht viel

Zeit. Vadinis Haus lag am Ende der Gasse. Eine kleine Unterkunft, aus Naturstein erbaut, mit bemooster Gartenmauer und einem Taubenschlag auf dem Dach. Unter dem Torbogen hingen Knoblauchzöpfe, Kräuterbüschel und Maiskolben.

Elena klopfte an. Nichts rührte sich. Sie zog ihr Etui hervor und öffnete die Tür mit dem Dietrich aus ihrem Pick-Set. Der süße Duft von Bienenwachs schlug ihr entgegen, aber ebenso der Geruch von Weihrauch. Er erinnerte sie an die zahlreichen langweiligen Kirchenbesuche in Warschau. Im Wohnzimmer standen eine zerschlissene Couch, eine Stehlampe und eine Kommode mit einem Radiogerät. Kein Fernsehapparat. Stattdessen hing ein Bücherregal an der Wand mit Romanen von Coelho, Allende oder Ruiz Zafón. Insgesamt schwermütige Literatur, die aber nicht unbedingt auf Depression oder Selbstmord hindeuten würde. Außerdem war Vadini Katholik gewesen. In einem kleinen vergoldeten Schrein mit einer Marienstatue stand ein gerahmtes Foto. *Paola, 1948–2004.* Daneben ragten die Stummel von zwei niedergebrannten Räucherstäbchen aus einem Stein. Vermutlich handelte es sich bei Paola um Vadinis verstorbene Frau. Elena war sicher, der Tischler hatte keinen Selbstmord verübt. Er würde damit als gläubiger Christ riskieren, im Fegefeuer zu landen und seine Paola nie wiederzusehen. Und falls doch, hätte er es vermutlich schon 2004 getan.

Als Elena aufgebrachte Stimmen hörte und mehrere Männer an dem Haus vorbeiliefen, ging sie zum Fenster und schob den Vorhang beiseite. Ein Menschenstrom zog die schmale Gasse zum Leuchtturm hinauf. Schon bald würden die Carabinieri einen Blick in Vadinis Haus werfen.

Sie betrat den nächsten Raum. Im Schlafzimmer roch es nach Kräutersalbe. Die rechte Hälfte des Doppelbetts war unangetastet und mit einer schweren Brokatdecke überzogen. Kissen und Leintuch der linken Hälfte waren zerwühlt. Ein Wasserkrug stand auf dem Nachtschrank, daneben lag eine angebrochene Packung Tabletten. Elena schob die Schachtel zur Seite, immer darauf bedacht, keine Fingerabdrücke zu hinterlassen. Das Medikament beinhaltete den Arzneistoff Metoprolol. Ein Betablocker. Vadini war herzkrank gewesen. Fast alle Pillen waren aus der Folie gebrochen worden.

Neben der Lampe standen einige Bilderrahmen. Zwei Fotos zeigten Vadinis verstorbene Frau, die anderen vermutlich seine Enkelkinder. Die Jungs und Mädchen waren etwas älter als jene auf den Bildern in seiner Brieftasche. Der Anblick der lachenden Kinder hinterließ bei Elena ein trauriges Gefühl. Plötzlich versetzte es ihr einen Stich ins Herz. Sie erkannte den Jungen mit der blonden Stoppelfrisur und den Sommersprossen – sie hatte ihm erst vor wenigen Minuten ihre Harley-Davidson-Schirmmütze geschenkt. Tränen stiegen in ihr auf.

Was für eine Scheißwelt!

Sie wischte sich eine Träne von der Wange und versuchte, an etwas anderes zu denken.

Auf der Toilette hing ein Duftbäumchen. Die Küche war ordentlich geputzt. Im Geschirrspüler stapelten sich Teller, Besteck und ein Kaffeebecher. Neben der Herdplatte lagen die gleichen Papierservietten, in denen Vadini sein Schinkenbrot eingewickelt hatte. Elena zog mit einer Serviette die Schubladen auf. In keinem der Räume fand sie Spuren eines Einbruchs, einen Hinweis auf Vadinis Mörder oder auf eine Auftragsarbeit für Salvatore Del Vecchio.

Eine Schiebetür führte unmittelbar in eine Tischlerwerkstätte. Es roch nach Beize, Leim und Sägespänen. In der Raummitte befanden sich eine Hobelbank, dahinter ein Ofen und eine Tischsäge. Jede Menge Bretter und Farbeimer standen herum. Fetzen von Schleifpapier lagen auf dem Boden. Elena hatte noch nie eine Schreinerei betreten, doch offensichtlich war Vadini sowohl Bau- als auch Möbeltischler. Segmente eines Treppengeländers lehnten an der Wand, Tischbeine, Schubladen, Fensterrahmen sowie Teile von Stuhl- und Banklehnen.

Sie blieb im Türrahmen stehen, um keine Fußspuren in den Sägespänen zu hinterlassen. Obwohl in einem der Regale eine Leinwandrolle lag, fand sie keine fertigen oder halb fertigen Keilrahmen. Daneben lagen in einer Tasse dünne Holzstäbe, die wie Pinsel ohne Borsten aussahen. War das alles? Bis auf die Entdeckung von Vadinis Leiche war die Fahrt nach Monterosso eine verdammte Sackgasse gewesen. Kein einziger Hinweis auf Del Vecchios Aufenthaltsort. Nur ein Toter. Was hieß »verflucht« auf Italienisch? *Maledetto?*

Es wurde Zeit, aus dem Haus zu verschwinden. Elena schlüpfte durch den offenen Seiteneingang der Tischlerei nach draußen. Sie stand wieder in der Via Gino. Nachdem sie die Eingangstür zu Vadinis Haus mit dem Dietrich verschlossen hatte, setzte sie sich einige Meter weiter unten auf die Begrenzungsmauer der Straße und blickte zum Leuchtturm hinüber, wo sich eine Menschentraube bildete.

Endlich allein. Monica war sicher noch eine Weile beschäftigt. Elena wählte Peters Nummer. Das Gespräch wurde nach dem zweiten Klingelton weggedrückt. *Scheiße! Das darf doch nicht wahr sein.* War er noch sauer auf sie? Oder steckte er gerade in einer Ermittlung? Sie blieb auf der Mauer sitzen und wählte die Nummer von Bankdirektor Hödel. Sie wollte sich vergewissern, dass es ihm gut ging und dass die Situation mit seiner Tochter in ihrer Abwesenheit nicht eskalierte. Doch Hödel war in einer Besprechung; seine Sekretärin würde ihm ausrichten, dass sie angerufen hatte.

Mit zusammengekniffenen Augen blickte sie zum Leuchtturm hinüber. Immer noch keine Spur von Monica. Da läutete ihr Handy. Peters Nummer! Ihr Herz schlug schneller. Rasch nahm sie das Gespräch entgegen. »Hallo?«

»Hallo, Elena«, sagte er. Seine Stimme klang distanziert.

Dafür zitterte ihre Stimme umso mehr. »Danke, dass du zurückrufst. Es tut gut, dich zu hören.« Sie atmete tief aus. Hoffentlich war er diesmal besser gelaunt.

»Ich dachte, ich komme um in diesem Kaff. Warum bist du vorhin nicht rangegangen?«

»Ich bin mit Monica Del Vecchio in den Cinque Terre. Du hast sie mir vermittelt. Ich habe erst jetzt endlich eine freie Minute für mich …«

»Involviere nie eine Klientin in den Fall!«, zitierte er sie.

»Du hast recht, aber es kam anders.«

Er schwieg eine Weile. »Dino steht neben mir. Wir sind in Florenz.«

»Ich weiß«, seufzte sie. Sie wusste auch, dass er gerade nicht reden konnte. Ein ungünstiger Zeitpunkt, um den Streit beizulegen und ihre Beziehung zu kitten. »Monica und ich bleiben noch ein paar Tage in Italien, dann fliegen wir heim. Wenn wir zurück sind, würde ich dich gern sehen … falls du überhaupt willst«, fügte sie rasch hinzu. »Du fehlst mir.« Tränen liefen ihr über die Wangen. »Ich weiß, es war unfair, einfach kommentarlos abzuhauen«, schluchzte sie, »aber ich … ich wollte mich für das bestrafen, was ich dir angetan habe.« *Bevor es jemand anders tut!*

Peter sagte nichts.

»Ich weiß jetzt, was ich will.«

»Was ist das?«, fragte er.

»Dich! Ich will dich, ich will unsere Ehe wieder so, wie sie früher war.«

»Elena, das ist jetzt ein ungünstiger Zeitpunkt.«

»Ich weiß.« Ihr Magen stülpte sich um. Was, wenn er sie nicht mehr sehen wollte? Wenn er genug von ihr hatte? Sie begann hemmungslos zu weinen.

»Elena, ist ja gut … Wir kriegen das hin. Beruhige dich.«

»Versprochen?«

»Ja sicher. Hör auf zu weinen. Konzentrier dich auf deinen Fall und pass auf, dass dir nichts zustößt. Versprich mir das!«

»Ja, versprochen. Ich weiß, wie du dich fühlen musst, wenn du mit Dino zusammenarbeitest. Denk bitte nicht darüber nach. Mir liegt nichts an ihm, es war eine Dummheit. Ich bereue es, bitte glaub mir das.«

»Okay … Wir übernachten übrigens in der miesesten Absteige in Florenz, die du dir vorstellen kannst, in der Hochzeitssuite mit Rosenblättern und Plüschherz auf dem Bett, und Dino schnarcht wie ein Seelöwe.«

»Stimmt doch gar nicht!«, hörte sie Dinos Stimme im Hintergrund.

Auf einmal musste sie lachen, obwohl ihr die Tränen übers Gesicht liefen. Sogar in einer Situation wie dieser brachte er sie zum Schmunzeln.

Sie wischte die Tränen weg. »Wenn es für dich okay ist, möchte ich gern mit dir über Monica Del Vecchio reden. Ich glaube, wir …«

»Dino bekommt gerade einen Anruf«, unterbrach er sie. »Wir müssen los. Ich melde mich später bei dir, okay?«

»Gut, danke.«

Er hatte aufgelegt.

Sie stand auf und atmete tief durch. Der Wind fuhr ihr ins Gesicht und trocknete ihre Tränen. Erst jetzt merkte sie, wie ihr eine Last von der Seele fiel. Während sie zum alten Leuchtturm ging, musste sie plötzlich erleichtert lachen, weil sie sich Peter und Dino in der Hochzeitssuite vorstellte.

Auf halbem Weg sah sie Monica auf der Hauptstraße. Einige

Carabinieri folgten ihr in etwa hundert Metern Entfernung, bogen aber in die Seitengasse ein, die zu Vadinis Haus führte. Elena drückte sich an den Polizisten vorbei, erreichte die Hauptstraße und holte Monica nach einigen Metern ein.

Die junge Frau war außer Puste. »Gott sei Dank treffe ich Sie hier.« Sie wischte sich den Schweiß von der Stirn.

»Beruhigen Sie sich. Hat man Ihnen die Geschichte mit den Fotos abgenommen?«

»Ja sicher.« Monica nickte. »Die haben meinen Namen, meine Adresse und Telefonnummer notiert. Zum Glück hatte ich einen alten Personalausweis dabei, sonst hätte ich die Carabinieri auf die Wachstube begleiten müssen. Wir können also weiterfahren.«

»Wie haben die Beamten auf den Namen Del Vecchio reagiert?«, fragte Elena.

»Gar nicht.« Monica deutete zur Anhöhe. »Gehen wir zu unserem Wagen?«

»Ja, wir sind ja schon unterwegs.«

Monica war aufgebracht. Sie gingen nebeneinander den Weg zum Parkplatz hinauf, aber die Italienerin legte ein Tempo vor, als wollte sie so schnell wie möglich von diesem Ort verschwinden.

»Haben Sie etwas herausgefunden?«, keuchte sie mit trockener Kehle.

»Leider nein.«

»Glauben Sie an einen Zusammenhang? Ich meine, zwischen dem Toten, dem Verschwinden meines Vaters und meiner Tante?«

»Bis auf die Tatsache, dass Vadini früher die Keilrahmen für Ihren Vater und möglicherweise auch den von *Isabellas Antlitz* angefertigt hat, scheint es keine Verbindung zu Ihrer Familie zu geben … außer dass Vadini ausgerechnet einen Tag nach der Versteigerung gestorben ist.«

»Zufall?«, fragte Monica.

»Ich glaube nicht an Zufälle.« Elena machte eine kurze Pause und wandte sich um. Auf dem Plateau des Leuchtturms bildete sich eine gewaltige Menschentraube. Es schien, als wäre der gesamte Ort zusammengelaufen. »Mein ehemaliger Chef, Koslovsky, sagte immer, dass es keine voneinander isolierten Ereignisse gebe. Alles stehe miteinander in Verbindung.«

»Falls das stimmt«, sinnierte Monica, »und Vadini *nicht* Selbstmord verübt hat, könnte das bedeuten …«

»… dass wir es beim Verschwinden Ihres Vaters mit einem Verbrechen zu tun haben«, vollendete Elena den Gedanken.

Monica schauderte. »Bereitet Ihnen das keine Angst?«

»Nur ein Dummkopf hätte keine.« Angst gehörte schließlich zu ihrem Job. Eigentlich musste man nur lernen, richtig mit den Fakten umzugehen. An Monicas Gesichtsausdruck merkte Elena plötzlich, dass die Italienerin gar nicht so cool war, wie sie vorzugeben versuchte. Bestimmt war ihre spröde Art, die sie manchmal an den Tag legte, nur Selbstschutz, um eine gewisse Unsicherheit zu überspielen.

Elena ging weiter. »Meiner Meinung nach lassen sich die Ursachen sämtlicher Verbrechen in drei einfache Kategorien einteilen«, sagte sie rasch, um Monica auf andere Gedanken zu bringen. »Leidenschaft, Gewinnsucht und Geisteskrankheit.«

Die Italienerin sah sie fragend an.

»Um einen Fall zu lösen, muss man als ersten Schritt herausfinden, zu welcher Kategorie das Verbrechen gehört«, fuhr Elena fort. Unwillkürlich dachte sie an den alten Kauz Koslovsky. Es waren exakt seine Worte und Ansichten, die seit Jahren ihre Arbeit begleiteten. »Leidenschaft und Gewinnsucht sind leicht zu erkennen – die Motive liegen klar auf der Hand. Geisteskranke Verbrecher sind die gefährlichsten. Nur die machen mir richtig Angst. Haben Sie Hunger?«

»Nein.« Monica warf ihr einen vorwurfsvollen Blick zu, wie sie in einer Situation wie dieser nur an essen denken konnte. »Womit, glauben Sie, haben wir es hier zu tun?«

»Noch habe ich keine Ahnung.« Elena kam der Deutsche Viktor König in den Sinn und Thomas Duneks Worte. *König ist gefährlich. Er ist wie ein Phantom, das unbemerkt auftaucht und ebenso schnell wieder von der Bildfläche verschwindet.* Falls König die Spur des Gemäldes auf der Suche nach Salvatore zurückverfolgte, hatte er bei Vadini möglicherweise einen Hinweis gefunden und den Mann anschließend getötet.

»Da es bei der Sache möglicherweise um viel Geld geht, können wir Geisteskrankheit ausschließen.« *Hoffentlich,* fügte Elena in Gedanken hinzu.

Sie erreichten den Wagen. Elena lehnte sich an die Motorhaube. »Wir sollten etwas essen, mein Magen knurrt.«

Monicas Blick sprach Bände. Ihr stand der Sinn im Moment bestimmt nach allem, nur nicht nach essen. Sie wollte einfach nur fort von hier. »Und danach?«

»Wir folgen weiterhin der Spur des Gemäldes. Finden wir seinen Ursprung, finden wir Ihren Vater.«

Monica hob die Schultern. »Aber wie?«

»Ihr Vater arbeitete ja nicht nur auf eigens für ihn gefertigten Keilrahmen, sondern auch mit besonderen Pinseln und speziell zusammengemischten Farben«, überlegte Elena laut. »Aber in der Rinaldi's-Mappe, in die ich in Duneks Villa einen Blick geworfen habe, befanden sich nur Gutachten und Expertisen ohne Namen oder Adressen. Bloß der Hinweis, dass er wie üblich mit Pirolipinseln gemalt hatte. Diese Marke gibt's wahrscheinlich wie Sand am Meer.«

»Pirolipinsel?«, wiederholte Monica. »Piroli ist keine Marke, sondern ein Name – Damiano Piroli.«

Elenas Herz machte einen Satz. »Wohnt der etwa auch hier?«

Monica stieß die Luft zischend aus. »Soweit ich mich erinnere, erwähnte mein Vater einmal, dass Piroli aus derselben Stadt stamme wie meine Mutter.«

»Siena«, sagte Elena gedankenverloren. Sie lud die Straßenkarte aufs Handy. Die Stadt lag südlich von Florenz, von hier waren es zweihundertfünfzig Kilometer. Sie würden am späten Abend dort ankommen. »Ich schlage vor, wir besuchen die Heimatstadt Ihrer Mutter.« Sie sprang in den Wagen.

Monica beugte sich zum Fenster herunter. »Haben Sie keinen Hunger mehr?«

»Schlagartig verschwunden. Steigen Sie ein! Wir sollten uns beeilen.«

»Siena ist ein ganz schönes Stück entfernt«, gab Monica zu bedenken.

»Eben deshalb! Wir suchen uns dort eine Übernachtungsmöglichkeit. Auf dem Weg dorthin werden wir versuchen, Damiano Piroli zu erreichen.«

Hoffentlich baumelte er nicht ebenfalls an einem Strick.

35

Endlich hatte Gerink es geschafft, mit Elena zu telefonieren und ein halbwegs vernünftiges Gespräch zu führen. Als Scatozzas Handy läutete und der Italiener ihm mit einer Geste bedeutete, dass es ein wichtiger Anruf sei, beendete Gerink das Telefonat mit Elena. Vielleicht war Nicola am Apparat.

Während sie den Vorgarten von Beatrice Del Vecchios Haus verließen und zum Pajero gingen, schaltete Scatozza das Handy auf Lautsprecher, damit Gerink mithören konnte.

»Was treibt ihr eigentlich?«, drang eine blecherne Frauenstimme aus dem Telefon.

Lisa Eisert!

»Ich dachte, wir hätten vereinbart, dass ihr regelmäßig Bericht erstattet. Die Staatsanwältin sitzt mir im Nacken.«

Scatozza hielt Gerink das Handy hin und warf ihm einen genervten Blick zu. *Willst du mit ihr reden?*

Gerink nahm das Handy an sich und schaltete die Lautsprecherfunktion aus. »Peter hier. Wir stecken mitten in den Ermittlungen.«

»Ach was? Und ich dachte, ihr seht euch den Schiefen Turm von Pisa an.«

»Wir sind in Florenz«, korrigierte Gerink sie.

»Wenigstens *das* habt ihr hinbekommen«, schnaubte sie. »Ich brauche Details. Wie sieht die Zusammenarbeit mit den Italienern aus?«

Zusammenarbeit? Beinahe hätte Gerink lauthals losgelacht.

»Ich hoffe, ihr habt ein paar gute Neuigkeiten«, fügte Eisert hinzu. »In zwei Stunden bin ich mit Staatsanwältin und Bürgermeister zum Abendessen verabredet.«

Zum Abendessen! Wie fein. Vermutlich lief es in Wien genauso wie in Florenz. Staatsanwälte trafen sich mit Politikern auf Staatskosten zum Essen, wo dann entschieden wurde, welche Ermittlungen vorrangig waren und welche aufs Abstellgleis geschoben wurden.

»Erzähl ihr, dass wir nur *ein* Bett haben!«, zischte Scatozza.

»Wir haben nur Vermutungen«, sagte Gerink.

»Lass hören!«

»Es ist nicht nur so, dass Teresas Bruder Salvatore vor einem Jahr spurlos verschwunden ist, sondern …«

»Finger weg!«, unterbrach sie ihn. »Das geht uns nichts an.«

»Erzähl ihr, dass wir in einer Absteige in der Hochzeitssuite übernachten müssen!«, zischte Scatozza.

»Ich weiß, dass uns das nichts angeht, aber …«

»Erzähl ihr, dass …«

»Willst du selbst mit ihr reden?«, rief Gerink, während er das Telefon mit der Hand abdeckte. »Nein? Dann halt gefälligst die Klappe!«

Er wandte sich von Scatozza ab und hielt das Telefon wieder ans Ohr. »Das weiß ich, aber vor zwei Monaten starb Teresas älterer Bruder Matteo bei einem Autounfall und vor einem Monat ihr jüngerer Bruder Lorenzo bei einem Bootsunfall.«

»Wo?«, fragte Eisert.

Verflucht! Gerink biss sich auf die Zunge. »In Siena und in Florenz.«

»Mein Gott!«, rief Eisert. »Du bist doch kein Anfänger! Wenn du in fremden Akten schnüffelst, hängen uns die Italiener womöglich Behinderung einer laufenden Ermittlung an. Du weißt, was das bedeutet!«

Natürlich. Disziplinarverfahren und Suspendierung! Aber es

ging nicht nur darum, dachte Gerink. Sie hatten sogar eine Akte gestohlen! Außerdem hatten sie eine der Angehörigen belästigt und würden heute Nacht in die Familiengruft einbrechen. Und falls jemand sie dabei erwischte, würde Scatozza womöglich seine Knarre ziehen, die er ins Land geschmuggelt hatte.

»Hört Dino zu?«, fragte sie.

Gerink blickte sich um. Scatozza stand einige Meter entfernt. »Nein.«

»Wirf ein Auge auf ihn. Du weißt, wie unkalkulierbar er manchmal ist.«

Manchmal?

»Versprichst du mir das?«, hakte sie nach.

»Ich wollte nicht mit ihm nach Italien fahren«, zischte Gerink.

»Er ist nun mal der Einzige in unserer Abteilung, der Italienisch spricht.«

Was uns bisher nicht viel weitergeholfen hat!

»Was hast du über Teresa herausgefunden?«

Gerink massierte seine Schläfe. »Sie wurde entführt. Aber nicht zufällig. Der Täter – ein Glatzkopf, der sich während der Begräbnisfeier aufs Grundstück geschlichen hat – muss es konkret auf sie abgesehen haben. Das Verbrechen war geplant. Wo immer Teresa oder ihre Leiche jetzt ist: Es geht nicht nur um sie. Es betrifft die ganze Familie. Vielleicht hat die Sache sogar mit Salvatore Del Vecchios Verschwinden begonnen.«

»Ein Glatzkopf?«, wiederholte sie nachdenklich. »Sagt dir der Name Viktor König etwas?«

»Viktor König? Nein.«

»War nur so eine Idee. Dieser Glatzkopf, ein ehemaliger Stasi-Offizier, hat Elena ein Veilchen verpasst.«

»Was?« Davon hatte Elena gar nichts erwähnt.

»Aber es geht ihr gut«, beruhigte Lisa ihn. »Was hat die italienische Kripo in den Fällen ermittelt?«

»Nichts. Womöglich stecken die Carabinieri, die leitenden Ermittler oder sogar der Staatsanwalt in der Sache mit drin.«

»Der Staatsanwalt?«, wiederholte sie überraschend ruhig. »Wie heißt er?«

»Francesco Fochetti. Der Knabe ist siebenundsechzig, verheiratet, sammelt Oldtimer und hat möglicherweise ein Verhältnis. Allerdings haben wir noch keine Verbindung von ihm zu den Del Vecchios entdeckt.«

»Okay … Fochetti also … Vielleicht finde ich etwas über ihn.« Er hörte ihre Tastatur klappern. »Und, Peter – keine krummen Touren.«

Er biss sich auf die Lippen. »Natürlich.«

»Verdammt, warum weiß ich, dass du lügst?«

Dem Grauen Wolf konnte man nichts vormachen.

Doch dann sagte sie nur: »Ruf mich an, gleich morgen früh. Und pass auf dich auf.«

»Okay.« Gerink legte auf, griff in die Hosentasche und schluckte eine Tablette gegen seine Magenschmerzen.

Scatozza trat an seine Seite. »Warum hast du ihr nicht gesagt, dass wir in einer versifften Wanzenbude übernachten müssen?«

Oh Gott! Waren das Scatozzas einzige Probleme? »Was würde das ändern?«

»Eine Spesenerhöhung hätte mich zumindest versöhnlich gestimmt.«

»Stattdessen hätte ich ihr erzählen können, dass wir mit dem Fall nicht richtig vorankommen, weil wir ständig die Angebote von Dutzenden eBay-Versteigerungen im Auge behalten müssen!«

Scatozzas Pupillen begannen zu funkeln. »Aber dass dir mein Laptop bei den Recherchen behilflich war, ist dir recht, oder?«, sagte er leise.

Gerinks Gedanken drifteten für einen Augenblick ab. »Elena

ist auch in Italien«, sagte er. »Sie sucht nach Salvatore Del Vecchio. Lisa sagte, Elena habe eine Auseinandersetzung mit einem Glatzkopf namens Viktor König gehabt, einem ehemaligen Stasi-Offizier.«

»Derselbe Mann, der Teresa entführt hat?«

»Möglich.« Gerink schielte zu Vito, dem schmächtigen Kerl mit der Sonnenbrille, der etwa hundert Meter entfernt in dem grünen Fiat hockte und sie beobachtete. Was musste er von ihnen denken? Sie benahmen sich wie Kinder, die in der Sandkiste um einen Plastikeimer stritten.

Scatozza folgte seinem Blick. »Ich hätte gute Lust, zu dem Kerl zu gehen und ihm die Fresse zu polieren«, zischte er.

»Ich helfe dir … Nein, warte! Ich habe eine bessere Idee.« Gerink lächelte. »Wir benutzen Vito, um unbemerkt in die Familiengruft der Del Vecchios einzubrechen.«

36

Elena war genervt. Die Fahrt nach Siena dauerte länger als geplant. Immer wieder stockte der Verkehr auf der Autobahn wegen Baustellen, wodurch ihr die zweihundertfünfzig Kilometer wie eine Ewigkeit vorkamen. Dabei wollte sie Pirolis Haus so schnell wie möglich erreichen, denn wenn jemand etwas über Del Vecchio wusste, dann vielleicht der Pinselhersteller.

Kurz vor Siena hielten sie an einer Tankstelle. Während Monica sich auf der Toilette frisch machte, steckte Elena ihre Kreditkarte in die Zapfsäule und tankte den Alfa voll. Sie lehnte am Wagen und betrachtete den Sonnenuntergang, als ihr Handy läutete. Hastig zog sie es aus der Halterung am Armaturenbrett. Aber es war nicht Franco Citti, wie sie gehofft hatte. Stattdessen erschien der Name Gerhard Hödel auf dem Display.

»Hallo, Frau Gerink. Meine Sekretärin hat mir ausgerichtet, dass Sie mich sprechen wollten. Ich hoffe, ich störe nicht.«

»Keineswegs.«

»Wie geht es Ihnen?«

»Wie es *mir* geht?«, wiederholte sie. »Danke gut, ich …«

»Sie klingen so weit entfernt.«

»Ich bin kurz vor Siena.«

»Oh, wie schön.« Er zögerte. »Machen Sie Urlaub?«

»Ich arbeite an einem neuen Fall.«

»Schön«, wiederholte er. Plötzlich wurde seine Stimme ernst. »Ich habe mit meiner Tochter über alles gesprochen.«

»Über *alles*?«, vergewisserte sich Elena.

»Ich habe nichts ausgelassen. Es ist zwar jetzt nicht so, dass wir gemeinsame Urlaube planen, aber wir beginnen langsam von vorn.«

Noch mal von vorn. Das Zauberwort! Ohne es zu wollen, dachte sie an Peter. Aber ihr fiel auch Dindic ein. Hoffentlich blieb der serbische Auftragsmörder in seiner Heimat. Das Geld, das Lydia ihm bisher gezahlt hatte, würde sie jedenfalls nicht wiedersehen.

»Meine Tochter erzählte mir, dass sie gestern Besuch von einer mysteriösen Frau bekommen habe, die ihr riet, ihrer Familie eine Chance zu geben.«

Das musste ja kommen! Elena lehnte sich an den Wagen, schloss für einen Moment die Augen und inhalierte die Mischung aus Benzingeruch und kühler Abendluft.

»Dahinter stecken Sie, nicht wahr?«, fragte er schließlich.

»Ich musste beruflich zu Rinaldi's und traf zufällig auf Ihre Tochter. Ich musste das für Sie tun«, erwiderte sie, und es war nicht einmal gelogen.

»Danke.« Allerdings klang er nicht sehr erfreut darüber, dass sie sich in seine Privatangelegenheiten mischte.

»Die Spielsucht Ihrer Tochter lässt sich behandeln. Falls Sie Hilfe benötigen, ich kenne eine gute Therapeutin.«

»Danke, ich übernehme Lydias Schulden, im Gegenzug wird sie eine Therapie machen. Und nun verraten Sie mir, woher Sie davon wissen.«

Das war der springende Punkt. Elena dachte an die Prospekte des Casinos und der Pferderennbahn in Lydias Büro. Währenddessen sah sie durch die Glasfront des Shops, wie Monica durch die Regalreihen ging und die Zeitschriftenständer drehte. Ob sie wieder klaute oder nicht, war Elena in diesem Moment egal. Jedenfalls würde sich Monica, so wie es aussah, noch etwas Zeit lassen.

»Also gut …« Sie verstieß zwar gegen ihre Diskretionspflicht, erzählte Hödel aber schließlich von Monica Del Vecchios Auftrag, der Versteigerung des Gemäldes, ihrem Besuch in Lydias Büro, der DVD, dem Gespräch und dass sie Dindic' Namen erwähnt hatte.

»Ich habe etwas Ähnliches vermutet«, sagte er. »Danke, dass Sie so ehrlich waren.«

»Sie sind mir nicht böse?«

In diesem Moment verließ Monica den Shop mit einer zusammengerollten Zeitschrift in der Hand.

»Zumindest waren Sie ehrlich zu mir. Wie heißt die Therapeutin?«

Elena nannte ihm Namen und Adresse von Tonis Mutter. Sie hörte, wie er die Daten auf ein Blatt Papier kritzelte.

»Vielen Dank. Ich wünsche Ihnen viel Erfolg bei Ihrem neuen Fall. Sollten Sie meine Hilfe brauchen, zögern Sie nicht, mich anzurufen. Sie wissen ja, ich bin Ihr Juniorpartner.«

Elena schmunzelte. »Ehrensache.«

»Und grüßen Sie Ihren Mann von mir. Er ist ein Glückspilz«, fügte Hödel hinzu.

Danke, dachte sie, brachte das Wort aber nicht über die Lippen.

»Schönen Abend.« Sie legte auf und druckte die Quittung an der Zapfsäule aus. Monica wollte bereits in den Wagen springen, doch Elena hielt sie auf.

»Haben Sie die Zeitschrift geklaut?«

»Was?« Monica wurde rot. »Natürlich nicht!«

»Mittlerweile erkenne ich es, wenn Sie lügen.« Elena schüttelte fassungslos den Kopf und drückte Monica aus ihrer Brieftasche zwanzig Euro in die Hand.

»Was soll ich damit?«

»In den Laden gehen und zahlen!«

»Ich dachte, wir müssten uns beeilen?«

Elena blickte auf die Armbanduhr. »So viel Zeit haben wir noch.«

Widerwillig ging Monica in den Shop und kam eine Minute später mit der Zeitschrift und einer Getränkeflasche heraus.

Sie stieg in den Wagen. »Ich habe uns etwas zum Trinken gekauft.«

»Danke. Behalten Sie das Retourgeld.«

»Hätte ich sowieso.«

Sie fuhren auf der Autobahn weiter nach Siena. Nach einer Weile warf Elena einen Blick auf die Zeitschrift auf Monicas Schoß, ein italienisches Kunstmagazin. »Malerei?«

»Ja, hauptsächlich. Es ist aber auch ein kurzer Artikel über meinen Vater drin.« Ihre Stimme klang immer noch trotzig.

»Worüber?«

»Über seine Maltechnik.«

»Mein Gott, jetzt erzählen Sie schon!«

»Er behauptete immer, er sei zu nichts Geringerem bestimmt, als die Malerei vor den Dilettanten der Modernen Kunst zu retten.«

»Klingt nach einem Egozentriker«, kommentierte Elena, darauf bedacht, es vorsichtig zu formulieren.

»Egozentrisch … Hm, möglicherweise wurde er das im Lauf der Zeit. Vielleicht war es eine Art Überlebensstrategie gegen die strenge Erziehung seines Vaters.«

»Wurde er geschlagen?«

»Und wie!« Plötzlich begann Monica zu erzählen, als wäre der Vorfall an der Tankstelle nie passiert. »Eines Abends, als ich klein war, sah ich durch den Türspalt, wie er sich in seinem Zimmer das Hemd auszog. Bis zu diesem Zeitpunkt hatte ich mich stets gewundert, weshalb er es vermied, seinen nackten Oberkörper zu zeigen. Nun wusste ich es. Im Licht der untergehenden Sonne bemerkte ich die Narben auf seinem Rücken. Angeblich hatte er keine schöne Kindheit gehabt; er war ein Bettnässer und krankhafter Lügner gewesen.«

»Und wie verhielt sich Zenobia, Ihre Großmutter?«

Monica lachte abfällig. »Meine Tante erzählte mir, dass Zenobia die Erziehung ihrer Kinder übernahm, wenn Großvater Angelo mehrere Tage nicht zu Hause war. Und sie stand meinem despotischen Großvater in nichts nach. Angelo war *kein* ›Engel‹, aber sie auch nicht. Schließlich starb der alte Tyrann, als mein Vater sechsunddreißig Jahre alt war.«

»Woran?«

»Nach einem Ausritt war er allein im Stall. Angeblich hat ein Pferd ausgeschlagen.«

Angeblich, wiederholte Elena in Gedanken. Sie rief sich Salvatores Affinität zu Pferden ins Gedächtnis. Sie würde sich nicht wundern, wenn Salvatore bei diesem Unfall nachgeholfen hätte.

»Traurig«, bemerkte sie. »Aber im Lauf der Zeit hat sich Ihr Vater aus den Klammern seiner Eltern befreien können, nicht wahr?«

»Schon während des Studiums, aber da hatte er es auch nicht leicht. Er war Anarchist und gehörte einer intellektuellen marxistischen Gruppe an. Später gründete er mit Freunden eine sozialistische Vereinigung. Damals wurden ihm homosexuelle Neigungen nachgesagt, aber das halte ich für ausgemachten Schwachsinn. Jedenfalls reichte das Gerücht aus, dass er wegen ungebührlichen Betragens von der Akademie verwiesen wurde. Aber die gute Zenobia bog mit ihren Kontakten alles wieder hin, obwohl sie nichts davon hielt, dass ihr ältester Sohn Künstler war.«

Die gute Zenobia!

Plötzlich schmunzelte Monica. »Was die wenigsten wissen: Vater schrieb auch ein Theaterstück. Während seiner surrealistischen Phase Ende der Siebzigerjahre, als er Drogen nahm. Aber wegen der gewagten Bühnenbilder erhielt es Aufführungsverbot. Er hat mir die Skizzen leider nie gezeigt.«

»Gab es eigentlich je Skandale um Ihren Vater?«, fragte Elena.

»So richtige? Erst nach der Heirat mit meiner Mutter. Ab diesem Zeitpunkt quälte ihn rasende Eifersucht. Aber nicht nur das. Er war für seine Wutausbrüche bei Vernissagen bekannt. Wenn er jemanden für einen Plagiator hielt, verprügelte er ihn. Daher gab es in Florenz, Mailand, Genua und Neapel bald keine Ausstellungen seiner Werke mehr.« Monica lachte zynisch. »In Siena wollte man seine Werke ohnehin nicht sehen. Aber da Mutter in Wien studiert hatte, wurde er auf Wien aufmerksam und bezeichnete die Stadt als die größte Entdeckung seines Lebens.«

»Ach ja?«, fragte Elena. So berauschend war Wien nun auch wieder nicht. »Franco Citti soll dort einige Vernissagen mit Del-Vecchio-Werken veranstaltet haben.«

»Stimmt, allerdings ist es gleich zu Beginn der Zusammenarbeit vor fünf Jahren auch in Wien zu einem Eklat gekommen. Ich habe mit Vater nie darüber gesprochen, aber die Presse schrieb, dass er eines seiner Gemälde auf dem Kopf eines Kunstkritikers zertrümmert habe. Es kam zu keiner Anzeige. Der Kritiker wurde nicht verletzt, aber die Leinwand des Gemäldes war zerrissen.«

»Kennt man die Gemälde Ihres Vaters auch in anderen Ländern?«

»In Polen, Ungarn, Tschechien … Vater erhielt sogar mal eine Einladung ins MoMA, das New Yorker Museum of Modern Art, um einen Vortrag in italienischer Sprache über surrealistische Freiheit und paranoische Bilder zu halten. Allerdings schlug er die Reise mit der Begründung aus, er finde es ironisch, einen Vortrag über Freiheit ausgerechnet in den USA zu halten.«

Da war etwas dran, dachte Elena. »Wie hielt Ihr Vater es mit der Religion?«

»Oh Gott«, stöhnte Monica. »Als Johannes Paul II. Papst wurde, generell die Verwendung von Kondomen verbot, die Abtreibung untersagte und Homosexuelle und Lesben zur Keuschheit aufforderte, hat mein Vater den Petersplatz mit drei Schafen an der Leine betreten und die Tiere bis auf die Treppe zum Petersdom getrieben. Er nannte es die *Scheinheilige Dreifaltigkeit*.«

Elena musste schmunzeln. »Klingt nach Aktionismus.«

»Er wurde exkommuniziert«, seufzte Monica. »Das war ein gefundenes Fressen für viele internationale Kritiker, denen er wegen seiner kirchen- und vor allem europafeindlichen Aussagen schon lange ein Dorn im Auge war. Die reagierten natürlich prompt und zerrissen sich das Maul über ihn.«

»Zum Beispiel?«

»Plötzlich fanden sie in seinen Gemälden Hinweise auf seine sexuelle Obsession, Masturbation, Impotenz und wieder einmal die Homosexualität. Viele dieser Rückschläge versuchte er, mit seinem exzessiven Lebenswandel wettzumachen. Diese Zeit erlebte ich als Jugendliche mit. Er liebte Rennautos und Pferde, schuf einen eigenen Equus-Gemäldezyklus und ließ sich gern mit kräftigen Hengsten fotografieren.«

Elena warf ihr einen kurzen Blick zu.

»Ja, ich weiß, wie das klingt. Aber ich glaube nicht, dass er impotent war. Ich meine … Hm!« Sie hob die Schultern. »Jedenfalls hat sich meine Mutter nie etwas anmerken lassen. Und er muss sie über alles geliebt haben. Nach ihrem Tod reagierte er mit Nahrungsverweigerung. Das war eine schlimme Zeit. Und dann war er plötzlich weg.«

»Was denken Sie? Hat Ihre Mutter Ihren Vater geliebt?«

»Sie hat ihn geachtet und respektiert … Allerdings machte er es ihr verdammt schwer, ihn zu lieben. Er war einfach zu exzentrisch.«

Elena lenkte den Wagen von der Autobahn hinunter.

Monica sah aus dem Fenster. »Über viele Künstler sagt man, dass ihre Besessenheit im Alter zunimmt«, murmelte sie. »Mein Vater ist bestimmt kein einfacher Zeitgenosse. Aber er ist erst einundfünfzig, und ich möchte nicht wissen, wie es wird, wenn sich sein Wahn und seine Phobien noch steigern.«

»Phobien?«, wiederholte Elena.

»Er hat eine Heuschreckenphobie, daher werden Sie in keinem seiner Bilder ein Insekt finden.«

Und das in der Toskana! Anfänglich hatte Elena eigentlich mehr über Monicas Mutter erfahren wollen, stattdessen erzählte Sternschnuppe ihr eine Geschichte nach der anderen über ihren Vater.

Elena schaltete das Fernlicht ein. »Sie könnten eine Biografie über Ihren Vater schreiben.«

Monica nickte nachdenklich. »Ich wundere mich gerade selbst, wie viel ich über ihn weiß. Aber seit wir heute Morgen in Florenz aus dem Flugzeug gestiegen sind, kommt es mir vor, als wäre ich nie weg gewesen.«

»Hat mal jemand ein Buch über Ihren Vater verfasst?«

»Es gab zwei italienische Autoren, die sich an einer Biografie über ihn versucht haben.«

»Und was kam dabei heraus?«

»Raten Sie mal.« Monica lächelte traurig. »Einen ließ er nach dem ersten Gespräch aus dem Haus werfen, den anderen, nachdem er den ersten Entwurf gelesen hatte.«

Typisch Salvatore! Ein jähzorniger Egozentriker bis in die Knochen.

Elena drosselte das Tempo. »Ich glaube, wir sind da.«

Vor ihnen lag Siena. Die Sonne war schon lange hinter den Häusern versunken. Es wurde rasch dunkel, und die Straßenbeleuchtung flackerte auf. In wenigen Minuten würden sie Pirolis Haus erreichen.

37

Es herrschte bereits finstere Nacht, als Vito Tassini in seinem grünen Fiat durch das toskanische Hinterland nach San Michele fuhr. Ohne Licht! In drei Nächten war Vollmond, und keine Wolke bedeckte die nahezu kreisrunde Scheibe. Dieser Schein reichte völlig aus. Vito kannte die Strecke in- und auswendig. Er jagte den klapprigen Wagen über den kurvenreichen Asphalt und folgte den beiden roten Rücklichtern des Geländewagens. Liebend gern hätte er das Fenster heruntergekurbelt und eine Zigarette geraucht, aber dadurch hätten sie ihn eventuell entdecken können.

Gestern Nacht waren die sogenannten *Kollegen* aus der Alpenrepublik nicht so aktiv gewesen wie heute, sondern gegen halb elf Uhr in ihrem schnuckeligen Zimmer in der *Casa delle Rose* in der Via Farfalle verschwunden und erst heute Morgen wieder aus den Federn gekrochen. Die beiden waren mit sich selbst und ihren Streitereien so beschäftigt gewesen, dass sie nicht bemerkt hatten, dass er ihnen den ganzen Tag über gefolgt war. Und jetzt – ohne Licht im Hügelland der Toskana – würden sie sowieso nicht mitbekommen, dass er ihnen in etwa dreihundert Metern Entfernung an den Fersen klebte.

Der Auftrag des Maresciallo war simpel: *Finde heraus, was die beiden Kerle den ganzen Tag treiben und was sie wissen.* Merkwürdigerweise hatte ihr Weg zu Matteo Del Vecchios Witwe nichts mit Teresa zu tun. Die gute Beatrice, die hin und wieder zu tief ins Cognacglas blickte, hatte sie schon bald vor die Tür gesetzt – und zwar in jenem Moment, als sie Vitos grünen Fiat in der Seitengasse entdeckt hatte und sich ihre Blicke für einen Sekundenbruchteil begegnet waren.

Eigentlich hatte Vito gehofft, keine Nachtschicht einlegen zu müssen, doch der Auftrag des Maresciallo lautete unmissverständlich, die beiden keine Sekunde aus den Augen zu lassen. Vito fragte sich, was die zwei Homos aus Wien um diese Zeit bei den Del Vecchios wollten. Zenobia würde diese Pappnasen nie und nimmer ins Haus lassen. Und falls doch, dann nur, um sie den Hunden zum Fraß vorzuwerfen. Vielleicht würde er in dieser Nacht ja erfahren, wie viel sie wussten, was ihm gewiss einen kleinen finanziellen Bonus oder zumindest die Bezahlung der Überstunden einbrachte. Der Maresciallo war ein gieriger Hund, doch Vito würde ihm mit seiner Spesenabrechnung schon etwas aus den Rippen leiern.

Er schob sich einen Kaugummi in den Mund. Jetzt würden die beiden gleich links abbiegen und die Straße zum Grundstück der Del Vecchios hinunterfahren, das zwischen den Zypressen und Olivenhainen lag. Für einen Moment vergaß Vito zu kauen. Die Typen hatten doch glatt die Abzweigung verpasst! Sie gaben Gas und fuhren die Straße ins Hügelland hinauf. Vito beschleunigte ebenfalls. Sie durften ihm nicht entwischen. Wohin wollten sie bloß?

Nach wenigen Sekunden erreichte er ebenfalls die Abzweigung und fuhr geradeaus weiter. Die Rücklichter des Pajeros rasten über die Bergstraße und entfernten sich immer weiter vom Anwesen der Del Vecchios. Wohin wollten die nur? In dieser Richtung kam bald der Wald, und danach machte die Bergstraße einen Bogen und mündete in eine Umfahrungsstraße, die aus San Michele hinaus- und zurück nach Florenz führte. Vito schob sich einen weiteren Kaugummi in den Mund. Die Verfolgungsjagd wurde interessant. Jedenfalls glaubte er nicht, dass sich die beiden Kerle verfahren hatten. Sie führten etwas im Schilde – und er würde herausfinden, was. Er war nicht umsonst der ehrgeizigste Mann des Maresciallo, auch wenn dieser das nie zugeben würde.

Plötzlich waren die roten Rücklichter verschwunden. *Maledetto!* Vito hielt am Straßenrand. Eine Staubwolke stieg vor der Motorhaube auf. Geistesgegenwärtig schaltete er den Motor ab und kurbelte die Seitenscheibe herunter. Hatten die beiden gestoppt? Vito hielt den Kopf aus dem Fenster und lauschte. In weiter Ferne hörte er das Brummen ihres Motors. Da! Zwischen den Bäumen blitzten die Rücklichter auf. Die zwei hatten den Pfad durch den Wald genommen. Diese raffinierten Hunde! Nun ahnte Vito, was sie vorhatten. Der Weg ging etwa einen Kilometer durch den Wald und endete auf einer kleinen Lichtung bei dem abgesperrten Eisengatter. Von dort führte ein Forstweg an der Pferdekoppel entlang zur Rückseite der Del-Vecchio-Villa, wo sich ein Tor befand, das früher als Lieferanteneingang benutzt worden war.

Vito lenkte den Wagen ebenfalls in den Wald, fuhr jedoch nicht bis zur Lichtung, sondern hielt nach etwa fünfhundert Metern zwischen den Bäumen. Von dieser Stelle würde er anschließend relativ leicht ausparken und im Rückwärtsgang zur Bergstraße fahren können, ohne dass die beiden Pappnasen ihn bemerken würden.

Er stieg aus und lief den Rest des Pfades zu Fuß hinunter. Kurz vor der Lichtung versteckte er sich hinter einem Baum. Wie er es vermutet hatte, stand der Pajero vor dem Eisengatter. Die beiden waren nicht einmal darübergeklettert, sondern hatten das Schloss mit einem Dietrich geöffnet. *Vergehen Nummer eins!* Vito notierte es in Gedanken. Nun hatte der Maresciallo endlich etwas gegen sie in der Hand. Noch mehr, wenn Beatrice Del Vecchio aussagen würde, dass sie von den beiden belästigt worden war.

Vito schlich zum Pajero, verbarg sich hinter der Hecktür und lugte seitlich hervor. Die beiden Kerle liefen geduckt an der Pferdekoppel entlang zum Hintereingang. Im Mondlicht waren ihre langen Schatten zu erkennen. Vito schlüpfte am Wagen vorbei und wollte ihnen folgen, als er innehielt. Er spähte in den Pajero. Das Mondlicht fiel durch die Windschutzscheibe auf die Armaturenablage. In der Handyhalterung klemmte ein Mobiltelefon. Auf dem Beifahrersitz lag ein Notizbuch. Vito gluckste vor Freude. *Diese Deppen!* Er fuhr mit den Fingern in den Türgriff und zog vorsichtig daran. Der Wagen war offen. Vorsichtig schob er die Tür auf. Die Innenbeleuchtung ging nicht an. So dumm waren die beiden also doch nicht, immerhin hatten sie das Licht ausgeschaltet. Vito schnappte sich das Notizbuch. Im nächsten Moment richtete er sich auf, um zu sehen, wo sich die beiden *Kollegen* befanden. Sie liefen immer noch am Wegrand zum Hintereingang der Villa.

Vito ging wieder in die Hocke, zog seine kleine Stabtaschenlampe aus der Hosentasche und knipste sie im Schutz des Pajeros an. Er hatte das Glas mit dunklen Klebestreifen so präpariert, dass nur ein winziger Punktlichtstrahl durchfiel. Damit beleuchtete er die Seiten des Notizbuchs. Mehrere Einträge auf Deutsch, die er nur bruchstückhaft übersetzen konnte. Mit den Namen konnte er mehr anfangen.

Beatrice
Nicola
Cristina
Zenobia
Matteo
Lorenzo
Salvatore

Hinter jedem Namen stand eine Handynummer. Diese Mistkerle! Vito schielte zum Mobiltelefon in der Halterung des Pajeros. Damit ließe sich herausfinden, wen die beiden wann angerufen hatten. Er öffnete die Autotür noch einmal, fingerte das Handy aus der Vorrichtung und ließ es in der Hosentasche verschwinden. Leise drückte er die Tür zu.

Ein schlechtes Gewissen hatte Vito noch nie gehabt. Außerdem hätte jeder beliebige Dieb, der durch den Wald streifte, Handy und Notizbuch klauen können. Die beiden würden nicht vermuten, dass ein Carabiniere dahintersteckte. Der Maresciallo würde stolz auf ihn sein und vielleicht eine Prämie rausrücken.

Rasch lief Vito zum Eisengatter und hastete den Hügel hinunter. Er hielt sich ebenso wie die beiden am Rand des Mohnfeldes, um sich rechtzeitig darin verbergen zu können, falls einer der Homos auf die Idee kam, sich umzudrehen. Doch das passierte nicht. Sie waren mit sich selbst beschäftigt und hatten nur ein Ziel vor Augen: die Del-Vecchio-Villa.

Bald standen sie vor dem mit Weinranken verschlungenen Torbogen und hantierten am Schloss des ehemaligen Lieferanteneingangs. Es war unglaublich! Die beiden drangen tatsächlich in das Haus ein. Im Geiste notierte er *Vergehen Nummer zwei*!

Vito würde ihnen nur noch ein kleines Stück folgen, um zu sehen, wohin sie wollten und ob sie den Mumm besaßen, in die Schlafräume einzudringen. Das wäre *Vergehen Nummer drei* gewesen. Danach würde er den Rückzug antreten. Für heute hatte er genug erfahren.

Nachdem er die Villa ebenfalls betreten hatte, blickte er sich um. Die beiden Mistkerle waren ihm tatsächlich entwischt. Vito lauschte. Nichts! Es gab zwei Möglichkeiten. Entweder waren sie noch im Haus oder an der Küche vorbeigeschlichen, zum breiten Treppenaufgang und Vorplatz ins Freie, wo Schwimmbecken, Glashaus, Kapelle und Familiengruft lagen. Vito entschied sich für Letzteres. Er ging durch das Gebäude, stahl sich durch den von Weinreben überwucherten Torbogen und gelangte zu der dunklen Allee aus Zypressen. Von seinem letzten offiziellen Besuch bei den Del Vecchios wusste er, dass am Ende der Allee die kleine Kapelle, die Familiengruft und das Gebäude der Angestellten lagen. Er blickte auf die Uhr. Kurz vor elf Uhr. Bald würden die Glocken in San Michele läuten. Im Haupthaus brannten nur wenige Lichter. Bis auf das Zirpen einiger Grillen und das Glucksen des Springbrunnens war alles ruhig. Vito fand die Situation unheimlich. Sollte er nicht lieber sofort von hier verschwinden, bevor sie ihn erwischten?

Da zuckte er zusammen. Unmittelbar neben ihm kläffte ein Hund. Mit rasendem Herzen fuhr er herum. Doch da war nichts. Nun kam das Knurren wieder von der Seite. Er fuhr wieder herum. Nichts!

Maledetto, das Handy!

Er riss es aus der Hosentasche. Das Display leuchtete. Unbekannter Anrufer. Er versuchte, es auszuschalten, doch die Tastensperre war aktiv. Die Idioten hatten ein Hundekläffen als Klingelton installiert!

In diesem Moment begriff er, dass er ihnen auf den Leim gegangen war.

Als er echtes Hundebellen in der Nähe hörte, geriet er in Panik und warf das Handy zwischen die Weinstöcke. Er machte auf der Stelle kehrt, rannte zurück zum Vorplatz, über die Treppe, durchs Haus zum Hinterausgang. Wenn er die Beine in die Hand nahm und den Weg zum Wald hinaufrannte, würden ihn die Köter der Del Vecchios nicht erwischen, da sie zuvor bestimmt das Handy zerbeißen würden.

Im Haus war es immer noch still. Vito erreichte den ehemaligen Lieferanteneingang. Er wollte die Tür aufziehen, aber sie

ließ sich nicht öffnen. Er zerrte an der Klinke. Jemand musste den Eingang hinter ihm abgesperrt haben. Er wusste auch,
wer ...

Als er sich umdrehte, um in eine andere Richtung zu laufen,
ging das Licht an, und er sah die beiden Pitbull Terrier durch
den Gang auf sich zurasen.

38

Elena wusste nicht viel über Siena, bloß dass die ehemalige etruskische Stadt irgendwann einmal unter die Herrschaft der Römer gefallen war. Sonst kannte sie nur die Fernsehübertragung vom alljährlichen Pferderennen auf der Piazza del Campo. Ihr waren die letzten Bilder von den Tausenden Menschen noch gut in Erinnerung, die sich auf dem Platz drängten, um die Rösser anzufeuern. Dieses Ereignis war spektakulärer als jeder Stierkampf, aber leider auch brutaler, da sich dabei jedes Jahr einige Pferde die Beine brachen. Und Menschen, die Tiere quälten, konnte Elena schon aus Prinzip nicht leiden.

In dieser Nacht waren aber nur wenige Leute auf den Straßen.

»Mann, hier ist nichts los.« Elena trat hastig auf die Bremse, als ihr ein Junge auf einem Moped ohne Helm und ohne Licht beinahe in den Wagen krachte.

»Pass doch auf!«, rief sie ihm durchs offene Fenster nach.

»*Idiota!*«

»Ja klar«, knurrte sie.

Sie fuhren über die Via Fiorentina ins Zentrum.

»Bald ist der zweite Juni, der Tag der Republik, ein Feiertag«, erklärte Monica. »Dann ist in Siena die Hölle los.«

Heute würden sie ohne Probleme eine Übernachtungsmöglichkeit finden. Aber es wurde immer später, und im Moment konnten sie sich nicht darum kümmern. Während sie durch Siena fuhren, hatte Elena mehrmals versucht, den Museumsdirektor Franco Citti zu erreichen, aber immer nur dessen Mobilbox erwischt. Außerdem hatte sie herausgefunden, dass

Damiano Piroli am südwestlichen Stadtrand von Siena wohnte, in der Via della Pergola. Monica hatte mit dem Pinselhersteller telefoniert. Er war zu Hause, klang wohlauf und erwartete sie bereits, was Elena ein wenig entspannte.

Die Straßenkarte auf dem Handy führte sie neben einer dunklen Basilika in eine schmale Seitengasse. Einige Laternen waren ausgefallen. Das Kopfsteinpflaster war löcherig, und der Wagen holperte von einer Mulde in die nächste.

»Das ist also die Geburtsstadt Ihrer Mutter«, stellte Elena fest. »War sie als verheiratete Frau noch oft hier?«

»Wäre sie gern gewesen«, seufzte Monica. »Sehen Sie, es gibt seit jeher eine Rivalität zwischen Florenz und Siena, vor allem unter den Künstlern. Die Del Vecchios sind mit Fleisch und Blut Florentiner. Nicht umsonst ist auf ihrem Familienwappen eine Brücke über einen Fluss zu sehen.«

»Die Ponte Vecchio?«

»Erraten, aber es heißt *der* Ponte Vecchio«, korrigierte Monica sie. »Die Familie hört es nicht gern, doch meine Vorfahren waren einfache Handwerker und Brückenbauer. Vor über vierhundert Jahren renovierten sie die Segmentbogen und errichteten die Ladenzeile für die Medici. So kamen sie zu ihrem Namen.«

»Wie ist Ihre Mutter mit dem Streit zwischen Florenz und ihrer Heimatstadt zurechtgekommen?«

»Sie hat sich für meinen Vater entschieden.« Monica blickte aus dem Fenster und drehte gedankenverloren eine Haarsträhne um den Finger. »Es war nie einfach für sie ... Angeblich war mein Vater schon als Kind eifersüchtig auf seine jüngeren Brüder, da er einmalig und ein Original sein wollte. Der Name *Salvatore* stammt aus dem Lateinischen und bedeutet so viel wie Erlöser.«

Blieb nur zu hoffen, dass in der Zwischenzeit niemand *ihn* von seinem Dasein erlöst hatte ...

»Wir sind da«, sagte Elena.

Die Via della Pergola am Stadtrand von Siena entpuppte sich als Sackgasse. Im Licht der Scheinwerfer sah Elena, dass der Weg am Fuß eines Hügels endete, umgeben von den höchsten Zypressen, die sie je gesehen hatte. Sie hielt vor einem offenen schmiedeeisernen Tor, das von Oleandersträuchern eingerahmt war. Dahinter lag ein kleines einstöckiges Haus.

Plötzlich setzte sich Monica ruckartig auf. »Sehen Sie doch!«

Elenas Finger umklammerten das Lenkrad. Sie hatte es bereits bemerkt. Im Inneren des Hauses flackerten orangefarbene Lichter. Sie schaltete das Fernlicht des Wagens aus. Der Anblick sah gespenstisch aus.

Im Haus loderte ein Feuer!

»Festhalten!« Elena trat aufs Gaspedal. Sie rasten durch das offene Tor in den Garten. Mit einer Vollbremsung hielt sie unmittelbar vor dem Hauseingang. In beiden Etagen brannte es.

Elena öffnete den Sicherheitsgurt und sprang aus dem Wagen. »Verständigen Sie die Feuerwehr!«

Sie riss die Hintertür des Wagens auf und zog ihre Glock aus der Reisetasche.

»Sie wollen doch da nicht etwa reingehen?«, rief Monica.

Elena steckte die Waffe in den Hosenbund ihrer Jeans. »Rufen Sie die Feuerwehr!«, wiederholte sie. »Und fahren Sie den Wagen aus der Einfahrt!« Dann lief sie ums Auto herum zum Hauseingang.

Im selben Moment zersplitterten die Fensterscheiben im oberen Stockwerk. Ein Meter hohe Feuersäulen schossen aus dem Gebäude. Glasscherben prasselten zu Boden. Schlagartig spürte Elena die Hitzewelle im Gesicht und die trockene Luft, die ihr den Atem raubte.

Sie riss die Tür auf. Die Klinke war noch nicht heiß. Der Brand war bestimmt in der oberen Etage ausgebrochen.

»*Signor Piroli?*«, rief sie ins Haus.

Keine Antwort.

Der frische Luftzug, der durchs Haus fegte, peitschte die Flammen wie wilde Tiere umher. Elena schirmte ihr Gesicht mit dem Arm ab. Das Feuer loderte an den Tapeten und züngelte zur Holzdecke. Am Ende des Flurs stand ein Teppich in Flammen. Durch den Wind zog der Qualm ab. Trotzdem tränten ihre Augen.

»*Signor Piroli?*«, rief sie erneut.

Sie presste den Oberarm über Mund und Nase und trat mit dem Fuß die erste Tür im Flur ein. Eine gekachelte Toilette. Glück im Unglück! Rasch drehte sie den Wasserhahn des Handwaschbeckens auf und hielt ein Handtuch unter den Wasserstrahl. Sie wickelte sich das Tuch um Mund und Nase und lief zum nächsten Raum. Die Küche, der Abstellraum und das Wohnzimmer waren ebenfalls leer. In sämtlichen Räumen brannten bereits Möbel und Vorhänge. Elena brach der Schweiß aus allen Poren. Die Hitze brannte auf ihrer Haut. Aber noch hielt sie es aus. Nur nicht bewusstlos werden, schärfte sie sich ein. *Krieg bloß keine Rauchvergiftung, alles andere ist halb so schlimm.*

»*Signor Piroli?*« Nichts.

Sie blickte die Treppe hinauf ins darüberliegende Stockwerk. Dort oben tobte das Feuer am schlimmsten. Eine Holztreppe wäre sie nicht raufgestürmt, aber die gemauerten Stufen wirkten massiv. Elena hörte, wie Glas explodierte. Vermutlich zerbarsten soeben Vasen, Spiegel und Glasvitrinen.

Sie versuchte, tief Luft zu holen, und lief nach oben. Eine unsägliche Hitzewelle schlug ihr entgegen. Sie hatte das Gefühl, ihre Augäpfel würden geröstet, und ihr Haar könnte jede Sekunde Feuer fangen. Sie wollte bereits auf der Halbetage der Treppe umkehren, da es keinen Sinn hatte weiterzugehen, als sie auf dem oberen Flur ein Paar Beine entdeckte. Der Teppich brannte. Die Flammen züngelten bereits an der Hose des Mannes, der ausgestreckt im Korridor lag.

Ohne lange zu überlegen, lief Elena weiter. Der grauhaarige Mann bewegte sich nicht. Mit dem Handtuch drosch sie auf die Flammen ein, die gierig nach seinen Kleidern griffen.

Elena bekam keine Luft mehr. Zu viel Rauch staute sich in der oberen Etage. Außerdem fühlte sich ihre Haut an, als schälte sie sich bereits vom Fleisch. Sie musste umkehren, doch sie konnte den Mann unmöglich seinem Schicksal überlassen. Sie schnappte nach Luft, inhalierte aber nur beißenden Qualm. Sie hustete, ihre Augen tränten. Der Rauch brannte wie Säure.

Halt durch! Nur noch ein paar Sekunden!

Sie warf das Handtuch weg, packte den Mann unter den Achseln und schleifte ihn mühsam zum Treppenansatz. Wie sollte sie den schweren Kerl nur hinunter- und vor allem aus dem Haus bekommen?

Ihr drehte sich alles.

Luft!

Endlich erreichte sie die erste Stufe. Sie versuchte, den Mann über die Treppe zu hieven. Sein Kopf fiel zur Seite. Da sah sie die blaue Druckstelle an seiner Schläfe wie von einem kräftigen Schlag mit Fingerknöcheln. Im selben Moment wurde ihr schwarz vor Augen. Schmerzen rasten durch ihr Hirn. Sie kippte zurück und stieß mit dem Hinterkopf gegen die Mauer. *Du musst hier raus! Sofort!*

Sie verschränkte ihre Finger vor der Brust des Mannes und zerrte ihn mit einer wilden Kraftanstrengung über die Treppe nach unten. Seine Schuhe polterten über die Stufen. Im Erdgeschoss hielt sie kurz inne. Hier war die Luft etwas besser. In der Ferne erklang eine Sirene.

Zu spät!, dachte sie. *Zu weit weg!*

Die Kopfschmerzen wurden so heftig, dass sie nicht mehr klar denken konnte. Sie wollte nicht ohne den Mann aus dem Haus verschwinden. Aber sie hatte nicht einmal die Kraft, ihre eigenen Beine zu bewegen.

»Monica!«, krächzte sie.

Luft!

Ihre Beine sackten unter ihr zusammen, und ihre Augen tränten und brannten so stark, dass sie nichts mehr sah.

»Monica, verdammt!«

Sie spürte, wie eine Hand nach ihr griff. Die junge Italienerin stand neben ihr, Stirn und Wangen vom Ruß geschwärzt. Mittlerweile züngelten die Flammen an den Wänden des Treppenhauses empor.

Zu zweit packten sie den Mann und zogen ihn durch den Korridor zum Ausgang. Elena hatte das Gefühl, direkt den Rauch aus einem Kaminschlot einzuatmen. Ihr Brustkorb wurde immer enger und drohte ihre Lunge zu zerquetschen.

»Hier entlang!«, rief Monica.

Elena sah nichts mehr. Sie hörte nur, dass Monica hustete, und spürte, wie der Mann immer schwerer wurde. Überall um sie herum knisterte und prasselte das Feuer.

Als sie ins Freie gelangten, setzten ihre Gedanken aus. Sie ließ den Mann fallen. Das Grundstück begann sich um sie zu drehen. Sie sackte auf der Wiese zusammen. Plötzlich hörte sie die Schritte schwerer Stiefel auf dem Kiesweg neben sich. Zwei Männer in grauer Uniform mit gelben Streifen und Helmen packten sie und zerrten sie vom Haus weg. Dankbar schloss sie die Augen und ließ sich rücklings in ein schwarzes Nichts fallen.

39

Scatozza nahm das Nachtsichtgerät herunter. »Ich schätze, sie haben Vito beim Hinterausgang erwischt. Uns bleiben etwa fünfzehn Minuten, bis sie ihm glauben, dass er reingelegt worden ist.«

Gerink zog sich eine schwarze Wollmütze über die kurz geschorenen Haare. Ebenso wie sein Partner hatte auch er Tarnfarbe auf Stirn und Wangen aufgetragen. Mit den schwarzen Haaren und dem dunklen Teint war Scatozza in der Nacht ohnehin kaum zu erkennen. Wie ein schwarzer Kater, dachte Gerink.

Er selbst trug eine schwarze Hose und einen dunklen Rollkragenpullover. »Deine fünfzehn Euro für das Wertkartenhandy haben sich gelohnt.« Geschmeidig trat Gerink aus seinem Versteck hinter der Kapelle hervor.

Scatozza folgte ihm. Geduckt liefen sie im Schatten der Zypressen zur Familiengruft. Ein halbes Dutzend Männer rannte zum Hauptgebäude. Im Moment konzentrierten sich alle auf den Hinterausgang. Wichtig war Gerink nur, dass die beiden Pitbull Terrier die nächsten Minuten mit einer anderen Fährte beschäftigt waren und nicht vor der Gruft herumschnüffelten.

Sie erreichten den Eingang des Mausoleums, der mit grauen Backsteinen direkt in den Hügel gebaut worden war. Über dem Torbogen prangte das Familienwappen der Del Vecchios.

Gestern Abend hatte das Eisentor noch offen gestanden, nun war es geschlossen, aber nicht abgesperrt. Gerink zog die Tür auf. Sogleich schlug ihm ein muffiger Gestank entgegen, gepaart mit einer Spur Weihrauch. Er trat ein. Scatozza folgte ihm und schloss leise die Tür hinter sich.

Gerink streifte sich die Mütze vom Kopf. Schweiß stand ihm auf der Stirn. In dieser absoluten Dunkelheit würde ein Nachtsichtgerät, das bloß das Restlicht verstärkte, nichts bringen. Selbst sein Leuchtkugelschreiber hätte nicht viel an dieser Situation geändert. Er zog eine Stabtaschenlampe aus der Seitentasche seiner Zipphose. Vor ihm führte eine breite gemauerte Treppe steil in den Abgrund hinunter. Die gewölbte Decke erinnerte ihn an den Abgang eines Weinkellers.

»Ich hoffe nur, dass wir keine weitere Serviette mit Hinweisen entdecken«, flüsterte Gerink. »*Antworten finden Sie in der Villa!*«

Etwa zwei Meter unter der Erde gelangten sie in ein längliches Gewölbe mit zahlreichen Rundbogen. Es sah aus wie ein kleiner Bereich der Wiener Michaelergruft. Marmorplatten auf dem Boden, kein Verputz, sondern nur roher Backstein. An den Wänden verliefen einige freiliegende Kabel. Gerink fand einen Lichtschalter und betätigte ihn. Nichts! Er leuchtete zur Decke. In den rostigen Fassungen steckten keine Glühlampen. Bestimmt war die Feuchtigkeit hier unten so groß, dass es ständig zu Stromausfällen kam. Bei heftigen Regenfällen stand dieser Keller möglicherweise einen Fingerbreit unter Wasser, wie eine grüne Verfärbung in Bodennähe vermuten ließ. Dementsprechend roch es auch.

Scatozza knipste ebenfalls seine Stablampe an. »Mann, hier sieht es aus wie bei dir zu Hause.«

Gerink leuchtete zwischen den schmiedeeisernen Kerzenständern in die Nischen. Ähnlich wie in einem Columbarium standen die Särge in übereinander angebrachten Nischen. Die Öffnungen waren nicht von Abdeckplatten verschlossen.

Gerink beleuchtete die Mahagonisärge mit den schweren goldenen Griffen. Auf den Messingplatten waren jeweils ein großes Kreuz sowie Namen und Daten eingraviert.

»Die Kollegen liegen hier seit 1860«, rief Scatozza von der anderen Seite. »Da! Vittorio Del Vecchio – gestorben 1841.«

Aber kein Hinweis auf Teresa. Am Ende der Gruft befand sich Platz für sieben weitere Särge, danach musste das Gewölbe erweitert werden. Wenn die Del Vecchios weiterhin in diesem Tempo starben, sollten sie rechtzeitig mit dem Ausbau beginnen.

Im hinteren Bereich ruhten zwei nagelneue wuchtige Mahagonisärge auf einem Sockel. Messingtafeln und vergoldete Griffe funkelten im Licht der Lampen.

Matteo Del Vecchio und *Lorenzo Del Vecchio*.

Gerink blickte auf die Armbanduhr. Zwei Minuten waren vergangen, und sie hatten keine Antworten gefunden. Möglicherweise war der Hinweis auf der Serviette nur ein blöder Scherz einer Pubertierenden gewesen.

»Hilf mir, den Deckel abzuschrauben!«, flüsterte Scatozza.

»Ist nicht dein Ernst!«

»Mach schon!«

Gerink leuchtete seinem Partner ins Gesicht. »Als ich sagte, ich will einen Blick in die Familiengruft werfen, war nicht die Rede davon, dass wir ein Grab öffnen.«

Scatozza starrte ihn fassungslos an. »Und wozu denkst du, habe ich fünfzehn Euro ausgegeben?«

»Oh Mann!« Gerink stellte sich auf die andere Seite von Matteos Sarg und nahm die Lampe zwischen die Zähne. Gleichzeitig öffneten sie die sechs großen Schrauben mit den Ziergriffen. »Nicola hat sicher nicht gemeint, wir sollen den Sarg ihres Vaters öffnen«, nuschelte er.

»Das hätte sie sich vorher überlegen müssen«, ächzte Scatozza.

Als sie den Deckel herunterhoben, sahen sie, dass es sich um einen doppelwandigen Sarg handelte. Im Mahagoni war ein Zinnsarg als Einsatz eingepasst, der mit einem millimeterdünnen Zinnblech luftdicht abgeschlossen worden war.

»Den bekommen wir nie auf«, seufzte Gerink.

»Nicht einmal ein italienischer Sarg ist für die Ewigkeit gebaut.« Scatozza nahm einen Kerzenständer zur Hand und schlug mit der Kante auf die Lötnaht.

»Nicht so laut!«, zischte Gerink.

Nach einer Minute konnten sie den Deckel mit Gewalt hochbiegen, sodass die restlichen Lötstellen brachen.

Gerink hatte im Lauf seiner Dienstzeit schon viele Leichen gesehen. Wasserleichen, die mit aufgeschlitzten Bäuchen und Gewichten beschwert wochenlang auf dem Grund eines Sees vor sich hin gefault waren, oder Tote, die tagelang aufgeknüpft im Wald gehangen hatten – ganz zu schweigen von abgerissenen oder verkohlten Leichenteilen in der Wiener Gerichtsmedizin. Natascha, die Pathologin, brachte Gerink trotz der makabren Umstände immer wieder mit ihrem trockenen Humor auf andere Gedanken – besonders wenn er blass um die Nase wurde.

Gerink beugte sich über den Sarg. Diesmal brauchte er keine von Nataschas Autopsiewitzen und auch keine Mentholcreme für die Nasenflügel. Zwar schlug ihm der typisch süßliche Geruch des Toten entgegen, aber er war nicht so schlimm. Das lag am luftdichten Verschluss und an der Tatsache, dass der Tote teilkonserviert worden war. Der Bestatter hatte Matteos Leichnam eine Konservierungsflüssigkeit eingespritzt, weshalb er erstaunlich gut erhalten war – bis auf die Tatsache, dass Arme und Beine fehlten. Der Torso steckte in einem Smoking; der Stoff der Hosenbeine war wie bei einem Kleid im Schrank zusammengelegt, die leeren Ärmel über der Brust gefaltet.

»Scheiße«, fluchte Scatozza. »Von dem ist nicht mehr viel übrig.«

»Trotzdem, so unversehrt sieht keiner aus, der in einem Wagen verbrannt ist«, sagte Gerink.

Scatozza leuchtete in den Sarg. »Stimmt, der Kerl hat nicht einmal eine Brandblase … zumindest das, was noch von ihm da ist.«

Die etwa 45-jährige männliche Leiche war geschminkt und pietätvoll auf rotem Samt gebettet. Aber Rumpf und Kopf wirkten surreal und unheimlich. Vor allem weil die Haut an den Wangen eingesunken war und die Bartstoppeln hervortraten.

Gerink nahm die Taschenlampe zwischen die Zähne und schob mit dem Finger den Kragen des Smokings zur Seite. Keine Verbrennungen. Jemand anders war in Matteos Ferrari explodiert und bis zur Unkenntlichkeit verbrannt. Und wo waren die Gliedmaßen der Leiche?

Scatozza nickte zu dem zweiten aufgebahrten Sarg. »Ich wette, Lorenzo ist genauso wenig in seinem Boot verbrannt.«

Die Zeit lief ihnen davon, aber Gerink wollte ebenfalls eine Antwort auf diese Frage erhalten. Gemeinsam schraubten sie den Mahagonideckel des zweiten Sargs ab. Scatozza schlug erneut das verlötete Zinnblech herunter. Auch hier lag eine auf den ersten Blick unversehrte Leiche auf rotem Samt. Ihr fehlten ebenfalls Arme und Beine.

Gerink schob den Kragen des Smokings beiseite. »Siehst du den feinen Einschnitt in der Halsschlagader?«, murmelte er. »Wie bei Matteo.«

Scatozza leuchtete ebenfalls in den Sarg. »Ausgeblutet«, stellte er fest und fummelte in seiner Tasche herum.

»Was tust du?«

Er zog sein iPhone hervor und machte ein Foto.

»Scheiße!« Geblendet schloss Gerink die Augen. Nachdem sich die Sterne vor seinen Augen verflüchtigt hatten, sah er, wie Scatozza den Smoking und das Hemd des Toten aufknöpfte.

»Bist du verrückt? Was zum Teufel machst du da?«

»Ich will wissen, woran er gestorben ist und warum seine Gliedmaßen fehlen.«

»So viel Zeit haben wir nicht, Doktor Frankenstein!« Gerink lauschte einen Moment, dann sah er auf die Uhr. Elf Minuten waren vergangen. Es konnte nicht mehr lange dauern, bis die Del Vecchios auf den Gedanken kamen, in Begleitung des Carabiniere einen Blick in die Familiengruft zu werfen. Dann hatten sie ziemlichen Erklärungsbedarf – denn die Geschichte mit der Serviette würde ihnen niemand abnehmen.

In der Zwischenzeit hatte Scatozza Lorenzos Oberkörper freigelegt. »Heilige Scheiße!«

Gerink traute seinen Augen nicht. Der Leichnam war völlig unversehrt. Keine Brandspuren, keine Abschürfungen oder Quetschungen von einem Bootsunfall. Bloß der typische Y-förmige Einschnitt der gerichtsmedizinischen Autopsie, links und rechts über der Brust und das Brustbein entlang. Allerdings war der Körper mit zahlreichen vernähten Schnitten übersät. Es sah so aus, als hätte jemand den armen Lorenzo bei lebendigem Leib gefoltert oder die Leiche mit einem scharfen Skalpell verunstaltet. Die länglichen Schnitte zierten den Körper an den Stellen, wo sich Herz, Lunge und Galle befanden.

Gerink blickte auf die Uhr. Zwölf Minuten! »Wir sollten verschwinden.«

»Einen Moment noch! Jetzt wird es doch gerade interessant. Heb den Körper an der Seite hoch! Ich brauche eine bessere Aufnahme vom Schnitt an der Niere.«

Es hatte keinen Sinn, mit Scatozza zu diskutieren. Gerink griff unter das Becken des Leichnams und hob ihn hoch. Das Blitzlicht blendete ihn.

Scatozza knöpfte die Kleider des Toten weiter auf und machte Aufnahmen vom Schnitt an der Leber.

»Wir haben keine Zeit«, zischte Gerink und schob in der Zwischenzeit Matteos Sargdeckel zu. Scatozza fotografierte immer noch.

»Deckel zu! Lass uns verschwinden!«, drängte Gerink.

»Ja, ja.« Scatozza tippte auf dem iPhone herum. »Das glaubst du nie! Ich habe hier unten sogar ein Handynetz – zwei von fünf Balken.«

Während Scatozza mit dem Gerät beschäftigt war, knöpfte Gerink Lorenzos Hemd zu und stopfte es in den Hosenbund des Toten. Dann schloss er den Smoking, richtete hastig die Fliege und faltete die leeren Ärmel vor der Brust. Perfekt sah es nicht aus.

Draußen kläfften die Hunde. Die Geräusche kamen näher.

»Du könntest mir helfen!«

»Ja, gleich«, murmelte Scatozza.

Gerink schloss den Zinndeckel, wuchtete den Mahagonideckel auf den Sarg und begann, die Schrauben zuzudrehen. Schlimm genug, dass sie den Toten mit schlampig zugeknöpftem Hemd zurücklassen mussten.

»Hilf mir!«

»Ja, gleich!«

»Verflucht, was tust du?«

»Ich sende die Fotos an unsere Gerichtsmedizin. Natascha soll nicht untätig auf ihrem süßen kleinen Hintern sitzen«, flüsterte Scatozza.

»Verdammt, doch nicht jetzt!«, fluchte Gerink. »Lass uns abhauen.«

Scatozza schüttelte den Kopf, dann deutete er zum Ausgang.

»Du glaubst doch nicht allen Ernstes, dass wir ungeschoren vom Grundstück kommen. Falls die uns erwischen, sehen wir das iPhone nie wieder. Ich muss die Bilder *jetzt* verschicken!«

Gerink hielt beim nächsten Kläffen der Hunde inne. Diesmal ertönte es in unmittelbarer Nähe des Grufteingangs. Sogar Scatozza blickte kurz auf.

»Mach schon!«

»Ja, ich schreibe Natascha nur noch eine kurze Nachricht.«

Scatozzas Finger flogen über die Tastatur. Dann drückte er auf Senden. »Scheiße, bloß noch ein Balken!«

Er legte das iPhone auf die Mahagoniplatte. Während das Gerät die Verbindung aufbaute und sendete, drehten sie die Schrauben zu.

»Hast du Lorenzo wenigstens das Hemd zugeknöpft?«, presste Scatozza hervor.

Wenigstens? Gerink kochte innerlich. »Halbwegs«, ächzte er.

»*Mamma mia.*«

Stimmen drangen von draußen durch die Tür. Hunde kläfften.

»Wir müssen noch Matteos Sarg zuschrauben.«

In dem Moment, als sie die letzten Ziergriffe in die Schraubenmuttern drehten, hallte das Klicken der sich öffnenden Tür zu ihnen herunter.

40

Elena spürte, wie ihr jemand mit der flachen Hand auf die Wange schlug. Zunächst zaghaft, danach fester. Brech- und Hustenreiz übermannten sie, doch dann schnappte sie gierig nach Luft. Jeder Atemzug schmerzte, dennoch inhalierte sie die kühle Luft. Sie konnte wieder befreit atmen. Langsam löste sich der Krampf in ihrem Brustkorb, doch der gallige Geschmack blieb. Erst jetzt merkte sie, dass sie aufrecht im Fond eines Krankenwagens saß mit dem Rücken an der Wand. Sie zog sich die Sauerstoffmaske vom Gesicht.

Durch die aufgeklappte Hecktür sah sie, wie etwa dreißig Meter entfernt die Flammen aus dem Haus schossen. Es knackte und prasselte. Die hohen Zypressen spiegelten die rötlichen Farben wider, aber auch das Aufblitzen des Blaulichts. Zwei Wagen der *Vigili del Fuoco* standen in Pirolis Garten direkt vor dem Haus. Kommandos wurden gerufen und Schläuche ausgerollt. Kupplungen klickten ineinander. Dann hörte sie auch schon das Zischen des Wasserstrahls. Das Haus war zwar nicht mehr zu retten, aber die Feuerwehrleute mussten hier, am Ende der Sackgasse, verhindern, dass die Flammen auf die Bäume übergriffen.

Elena zuckte zusammen, als ihr eine dicke Ärztin im weißen Kittel mit einer Stabtaschenlampe in die Augen leuchtete. Die Frau mit dem pausbäckigen Gesicht redete auf sie ein. Elena verstand kein Wort. Als die Ärztin auch noch begann, sie nach Verletzungen abzutasten, rieselte Elena trotz der Hitze ein kalter Schauer über den Rücken.

Die Glock!

Etwas zu schroff stieß Elena die Arme der Frau beiseite. Sie griff unter ihr Sweatshirt zum Hosenbund. Die Waffe steckte noch in der Jeans. Erleichtert ließ sie die Schultern sinken. Sie hatte die Pistole zwar legal mit Waffenschein ins Land einge-führt, aber es hätte nur Scherereien gebracht, wären die Feuer-wehrleute im Haus auf ihre Glock gestoßen. Monica und sie hät-ten wertvolle Zeit verloren. Sie wusste selbst nicht, warum sie die Waffe ins Haus mitgenommen hatte. Vermutlich reiner Instinkt.

Jedenfalls musste sie die Pistole so rasch wie möglich im Auto verschwinden lassen, bevor die Carabinieri auftauchten und ihr unangenehme Fragen stellten.

Die Ärztin redete immer noch auf sie ein.

»*Grazie*«, krächzte Elena. »*Bene!*« Sie versuchte zu lächeln und wehrte einen neuerlichen Versuch ab, abgetastet zu wer-den. Wo war Monica, und wo hatte sie das Auto geparkt?

Elena rutschte von der Bank. Ihre Knie zitterten. Sogleich re-dete die Ärztin aufgeregt auf sie ein. In der Hand hielt sie eine Spritze. Offensichtlich ein Beruhigungsmittel.

»*Bene!*«, wiederholte Elena. Sie griff unter ihr Sweatshirt und schob den Griff der Waffe tiefer in die Hose. Wo verdammt noch mal stand der Wagen?

»*Benissimo*«, beruhigte Elena die Ärztin erneut. Dann war sie mit ihren Italienischkenntnissen auch schon am Ende. Sie stieß sich mit der Hand von der Hecktür ab und stolperte über die Wiese. Auf der Straße vor dem Grundstück stand ein zweiter Krankenwagen, der wegen des aufblitzenden Blaulichts nicht zu übersehen war. Möglicherweise saß Monica darin. Langsam ging sie darauf zu. *Bloß nicht umkippen! Du musst die Waffe ver-schwinden lassen!* Sie wischte sich mit den Handballen die Trä-nen aus den Augen. Ihre Finger waren von Ruß geschwärzt und stanken entsetzlich nach Rauch.

Elena sah sich um. Sie hatte es befürchtet. So leicht war die

Ärztin nicht abzuwimmeln. Als sie erkannte, wohin Elena wollte, ging sie ihr nach, stützte sie am Arm und begleitete sie auf die Straße. Wenn die Ärzte Elena damals ebenso rasch und fürsorglich geholfen hätten, als ihr der Medikamentenmischer in den Oberschenkel geschossen hatte, hätte sie nicht eine halbe Stunde lang wie ein Schwein blutend im Dreck gelegen. Bei dem Gedanken an die besorgte italienische Ärztin kamen ihr vor Rührung die Tränen. Ihre Gefühlswelt drehte sich im Moment wie ein Karussell. Sie biss sich auf die Zunge. *Bekomm jetzt bloß keinen hysterischen Anfall!*

Als sie in Begleitung der Ärztin das Grundstück durch das schmiedeeiserne Tor verließ, raste soeben ein drittes Feuerwehrauto auf die Wiese. Die Einsatzkräfte sprangen heraus und liefen zur Rückseite des Hauses.

Elena erreichte den anderen Krankenwagen. Monica saß tatsächlich im offenen Heckbereich. Sie sah entsetzlich aus. Ihr langes schwarzes Haar war verklebt, ihr Gesicht mit Ruß verschmiert und die enge Bluse aufgerissen und versengt. Bestimmt machte Elena einen ebenso ramponierten Eindruck – zumindest fühlte sie sich wie halb verdaut und ausgekotzt.

Auf einer Trage im Wageninneren lag der grauhaarige Mann, den sie aus den Flammen gerettet hatten. Eine Sauerstoffmaske bedeckte sein Gesicht. Ein Arzt kümmerte sich um ihn. In der offenen Tasche steckten die Instrumente für eine eventuelle Intubation, doch wie es schien, war diese nicht notwendig. Der Hemdsärmel des verletzten Mannes war zerrissen. Der Arzt hatte ihm bestimmt schon ein den Kreislauf stabilisierendes Aufputschmittel injiziert. Das regelmäßige Piepen des tragbaren EKG-Monitors wirkte beruhigend auf Elena.

Obwohl Monica ziemlich erschöpft aussah, lächelte sie. »Sie sehen schrecklich aus.«

Elena lehnte sich an den Wagen. Sie hatte höllische Kopfschmerzen. »Danke, das Kompliment kann ich zurückgeben. Sagen Sie der Ärztin bitte, dass mit mir alles in Ordnung ist.«

Monica übersetzte, doch die Ärztin bedachte Elena nur mit einem skeptischen Blick.

»Ist das Piroli?« Elena reckte den Kopf. »Ist er bei Bewusstsein?«

»Ja, er kommt durch ... dank Ihnen«, sagte Monica.

Unter den verschwitzten Haaren sah Elena erneut den Bluterguss. *Von einem Schlag gegen die Schläfe!* Oder war es bloß ein verschmierter Rußfleck?

»Sie müssen ihn unbedingt etwas fragen«, bat Elena die Italienerin.

»Hat das nicht Zeit? Sie sehen doch, dass er kaum Luft bekommt.«

»Nein«, widersprach Elena. »Sobald die Polizei kommt, werden uns die Beamten vernehmen. Währenddessen liefern die Sanitäter Piroli in ein Krankenhaus ein, dann kommen wir mindestens einen Tag lang nicht an ihn ran. Also fragen Sie ihn bitte: Wer außer ihm und Vadini hat noch Materialien an Ihren Vater verkauft?«

Monica schien entrüstet. »Wie können Sie ausgerechnet jetzt an so etwas denken?«

»Wollen Sie Ihren Vater finden oder nicht?«, fragte Elena scharf. »Denken Sie an den erhängten Vadini und daran, was mit Piroli geschehen ist. Das Feuer war kein Zufall. Die anderen Männer, die Ihren Vater beliefert haben, schweben womöglich in Lebensgefahr!«

Monica schluckte. Sie setzte sich neben den Arzt, der Pirolis Puls fühlte und ihm anschließend mit einem Tuch die Stirn abwischte.

Elena stellte sich auf die Zehenspitzen.

Es war kein Rußfleck ...

Währenddessen hörte sie, wie die junge Frau sich als Monica Del Vecchio vorstellte und ihre Frage an den Mann auf der Trage richtete.

»*No!*«, rief der Arzt.

»*Sì!*«, widersprach Elena laut.

Pirolis Finger griffen nach Monica. Sie nahm seine Hand und redete auf den Arzt ein. Offensichtlich versuchte sie, ihn zu überzeugen, dass Menschenleben auf dem Spiel standen. Schließlich schob der Arzt die Maske von Pirolis Mund. Der alte Mann versuchte, etwas zu sagen, brach jedoch ab, kämpfte gegen die Tränen an und versuchte es erneut.

»Er bedankt sich bei Ihnen«, übersetzte Monica.

»Ja doch«, entfuhr es Elena. Im Moment war keine Zeit für rührselige Szenen. »Fragen Sie ihn!«

Die Minuten vergingen, und Piroli presste mühsam seine Worte hervor. Währenddessen blickte der Arzt ungeduldig auf seine Armbanduhr und die Anzeige des EKG.

»Normalerweise hat mein Vater die Farben in Signore Bugatis Laden gekauft«, übersetzte Monica. »Ich erinnere mich, von ihm gehört zu haben.« Sie wollte bereits aus dem Wagen klettern.

Elena stoppte sie. »Was heißt *normalerweise*? Fragen Sie nach!«

Monica runzelte die Stirn, fragte jedoch weiter.

»*No!*«, protestierte der Arzt. Diesmal klang es endgültig. Er wollte Piroli die Atemmaske eben wieder aufsetzen, als der alte Mann weiterredete.

Indessen erschienen zwei Krankenpfleger an der Rückseite des Wagens. Einer war vermutlich der Fahrer. Der Arzt deutete auf Elena, und die Italiener begannen hitzig miteinander zu diskutieren. Elena verstand kein Wort, doch offensichtlich sollten sie schon längst ins Krankenhaus fahren.

»Und?«, drängte Elena.

»Diesmal hat mein Vater für sein Gemälde nicht Bugatis Farben verwendet.«

»Sondern?«

Der Arzt setzte dem Verletzten die Atemmaske auf und drängte Monica aus dem Wagen.

»Piroli erinnert sich nur noch dunkel. Vor einem Jahr brachte er seine Spezialpinsel zu einem Farbhersteller in Florenz. Im Keller eines abbruchreifen Hauses wurde getestet, auf welchen Borsten die neue Farbe besser haften blieb.«

Monica stand neben Elena auf der Straße. Der Fahrer warf die Hecktüren zu, danach sprang er in die Kabine und startete den Wagen.

»Wie lautete die Adresse?«

»Ich weiß es nicht«, antwortete Monica. »Aber der Farbmischer heißt Lyashenko oder so ähnlich – ich habe es nicht genau verstanden.«

Elena wurde von einem merkwürdigen Gefühl erfasst. Falls sie nicht rasch etwas unternahmen, würde Lyashenko vermutlich als Nächster sterben.

41

»Licht aus!«, zischte Gerink.

Er schaltete seine Taschenlampe aus. Im nächsten Moment erlosch auch der Schein von Scatozzas Lampe.

Mit einer langsamen Bewegung griff Gerink zum Gürtel, nahm das Nachtsichtgerät ab und setzte es sich auf. Scatozza tat es ihm gleich. Mit dem Kippschalter aktivierten sie die Apparate. Da die Tür zur Gruft geöffnet worden war und etwas Mondlicht die Treppe herunterfiel, hoben sich die Särge und der lange Tunnel mit grün fluoreszierendem Licht vom dunklen Hintergrund ab. Gerink konnte sich an den Nuancen der Schatten orientieren und ging in Richtung Ausgang. Scatozza folgte ihm.

Gerink hörte, wie jemand die Treppe herunterstieg. Scatozza zog die Waffe, entsicherte sie und lud sie durch. Im nächsten Moment sah Gerink ein Paar Beine und die Umrisse einer dünnen Gestalt, die auf der letzten Stufe stehen blieb.

»*Pronto?*«, flüsterte eine Mädchenstimme.

»Nicola?«, wisperte Gerink.

»*Sì!*«

Er hörte, wie sein Partner die Walther wegsteckte, das Nachtsichtgerät ausknipste und sich an ihm vorbeischob. Im nächsten Moment flammte auch schon Scatozzas Stablampe an.

»Scheiße!« Gerink schloss die Augen. Grüne Sterne zerplatzten wie eine Supernova nach der anderen vor seinem Gesicht. Das machte der Kerl absichtlich!

Gerink zog sich ebenfalls das Gerät vom Kopf. Scatozzas Lampe strahlte zu Boden. Das Mädchen trug Strümpfe, Slipper, eine Weste und einen knielangen Rock. Sie stand bereits neben Scatozza und flüsterte mit ihm auf Italienisch. Sie unterhielten sich etwa zwei Minuten lang. Die Sätze sprudelten wie ein Wasserfall aus ihrem Mund. Gerink hörte mehrmals die Worte Zenobia, Padre und Lorenzo.

»Sì.« Plötzlich packte Scatozza ihn an der Schulter und schob ihn zur Treppe. »Komm! Nicola hat mir erklärt, welchen Fluchtweg wir nehmen sollen.«

»Was hat sie noch gesagt?«

»Später.« Scatozza folgte Nicola die Treppe nach oben. »Während sie die Pitbull Terrier mit Hundekuchen ablenkt, hauen wir an der Ostseite durch die Zypressen ab.«

»Moment!« So viele Fragen lagen Gerink auf der Zunge.

»Keine Zeit«, drängte Scatozza. »Vito hat ihnen verraten, wo unser Wagen steht. Die Typen werden erst in der Gruft nach uns suchen. Wenn sie uns nicht finden, wird ein Trupp zu unserem Auto gehen.«

Sie erreichten den Eingang und versteckten sich hinter der angelehnten Tür.

»Ciao.« Nicola schlüpfte nach draußen.

»Wir warten dreißig Sekunden«, flüsterte Scatozza.

Gerink blickte auf die Uhr.

Draußen ertönte das Rufen der Männer. Taschenlampen blitzten über den Rasen. Nahezu alle Lichter im Haus brannten. Sogar das Natursteinbecken war beleuchtet. Im nächsten Moment flammte die Außenbeleuchtung auf – Dutzende Lampen entlang der Gehwege, die ums Haus zur Scheune, zum Marmorbecken und Orchideenglashaus führten. Am Kläffen der Hunde hörten sie, dass sich die Köter entfernten.

»Los!«, flüsterte Gerink.

Scatozza zwängte sich durch den Türspalt. Gerink folgte ihm. Sie liefen um das Mausoleum herum, Gerink machte die Räuberleiter, und Scatozza sprang auf den bewaldeten Hügel. Er klammerte sich an Wurzeln und Dornengestrüpp, dann zog er Gerink zu sich auf die Böschung. Nebeneinander kletterten sie auf den Hang, unter dem die Gruft lag. Nach etwa vier Metern erreichten sie ein bewaldetes Plateau, wo sie sich auf den Bauch warfen. Gerinks Hände waren von Dornen zerkratzt.

Von hier hatten sie einen guten Ausblick auf das Grundstück. Das längliche Natursteinbecken in der Mitte leuchtete wie ein hellblau fluoreszierender Teppich. Ein halbes Dutzend Männer mit Halogenscheinwerfern lief zwischen den Gebäuden umher. Gerink hörte das Knacken von Funkgeräten. Italienische Befehle wurden über das Anwesen gebellt. Die waren viel zu gut vorbereitet. Beinahe sah es so aus, als hätten sie einen Einbruch erwartet. Doch von wem?

Scatozza deutete mit einer knappen Geste zum Seitentrakt, der gestern von dem Kerl mit den beiden Pitbulls bewacht worden war und in dem angeblich nur die Hausangestellten wohnten. Mittlerweile tummelten sich vor dem Gebäude die meisten Männer. Breitschultrige Kerle, die nervös in alle Richtungen blickten.

Gerink wäre gern noch länger liegen geblieben, um das Spektakel zu beobachten, doch Scatozza packte ihn an der Schulter. »Wir sollten abhauen.«

»Moment noch.« Unter den Männern entdeckte Gerink sogar Vito, der ihnen den ganzen Tag über an der Backe geklebt hatte. Es sah nicht so aus, als würden die Del Vecchios ihn bedrängen oder verhören. Vito lief am Marmorbecken entlang und telefonierte. Warum hatten die Del Vecchios einen so guten Draht zur Polizei? Das passte doch alles nicht zusammen.

»Ich habe genug gesehen«, sagte Gerink. »Laufen wir zum Auto, bevor die Italiener dort auftauchen.«

Sie erhoben sich und sprinteten gebückt über den Hügel.

Schon bald erreichten sie die ersten Zypressen. Sie kletterten über den zwei Meter hohen Maschendrahtzaun, benutzten dabei die Wollmützen, um den Stacheldraht umzubiegen, und sprangen auf der anderen Seite hinunter. Dahinter erstreckte sich ein Waldstück, das die Bergstraße vom Anwesen der Del Vecchios trennte. Sie liefen quer durch den Wald und erreichten nach einem Kilometer die Lichtung, auf der ihr Pajero stand.

Scatozza war außer Atem, und Gerink ging es nicht anders. Seine Seite stach. Er öffnete die Wagentür und ließ sich in den Sitz fallen, doch Scatozza blieb keuchend stehen.

»Scheiße!«, fluchte er. »Ich habe meine Waffe verloren.«

Gerink sprang aus dem Wagen. »Du bist ein verdammter Idiot!«, zischte er.

Scatozza lachte. »Mann, bist du leicht reinzulegen.«

»Arschloch!« Gerink klemmte sich hinter das Lenkrad und startete den Wagen.

Scatozza sprang ebenfalls hinein. »Warum bist du so schlecht gelaunt? Ist doch alles glattgelaufen.«

»Um ein Haar hätten sie uns erwischt.« Er wendete den Wagen und fuhr die ersten fünfzig Meter im Mondschein, ehe er das Standlicht einschaltete.

»Sieh nur.« Scatozza wies in den Wald. »Vitos Fiat. Denkst du das Gleiche wie ich?«

Gerink blieb abrupt stehen. Und ob er das dachte. »Er hat nicht nur das Handy, sondern auch das präparierte Notizbuch geklaut.« Gerink schaltete das Licht aus. »Auf dem Rücksitz liegen noch drei Wasserflaschen.«

Scatozza stieg aus dem Wagen, holte die Flaschen und schlug sich durch die Büsche zu dem Fiat. Währenddessen leuchtete Gerink mit der Stabtaschenlampe durch die Seitenscheibe. Er sah, wie Scatozza den Tankdeckel des alten Wagens mit dem Griff seiner Waffe aufbrach, den Verschluss öffnete und drei

Liter Mineralwasser in den Tank kippte. Das Benzin würde oben schwimmen, der Motor zuerst das Wasser ansaugen und jämmerlich absaufen.

Nachdem Scatozza fertig war, sprang er in den Wagen und warf die leeren Flaschen auf den Rücksitz. Gerink schaltete das Licht wieder ein und trat aufs Gas.

Ein paar Minuten später erreichten sie die Bergstraße. Gerink fuhr nicht den Weg zurück, den sie gekommen waren, da die Del Vecchios bestimmt eine Straßensperre errichtet hatten. Er lenkte den Wagen auf die Umgehungsstraße, die am Ort San Michele vorbeiführte, und würde über einen Umweg nach Florenz zurückkehren.

Er ließ das Seitenfenster herunter. Schwüle Nachtluft drang in den Wagen. In weiter Ferne zuckte ein Blitz am Horizont. Ein Gewitter in dieser Gegend würde nicht schaden, das Staub, Hitze und Schweiß wegwusch. Im nächsten Moment hatten sie wieder Asphalt unter den Rädern. »Schieß los: Was hat Nicola erzählt?«

Scatozza grinste. »Dass du ein hässlicher Kerl bist.«

»Sei doch einmal ernst.«

»Konzentrier du dich lieber auf die Straße«, mahnte Scatozza. »Du wirst nämlich nicht glauben, was ich dir gleich erzähle.« Er blickte durchs Seitenfenster in die Dunkelheit. »Zunächst habe ich sie gefragt, warum sie bei ihrer Großmutter und nicht bei ihrer Mutter in Florenz wohne.«

Gerink blickte kurz zur Seite. »Du verarschst mich doch wieder?«

»Nein, Tatsache! Sie besucht eine Hotelfachschule. Normalerweise verbringt sie nur die Sommerferien in San Michele, doch seit dem Tod ihres Vaters war sie nicht mehr in Florenz. Höchstwahrscheinlich muss sie das Schuljahr wiederholen.«

»Darüber habt ihr geredet?«

»Und darüber, dass sie *deshalb* hier ist, weil sie vermutet, dass Zenobia etwas im Zusammenhang mit dem Tod ihres Vaters verschleiert. Aber ihre Großmutter hat ihr das Handy weggenommen.«

Gerink dachte nach. Das ergab sogar einen Sinn. »Du hast ihr doch nicht erzählt, dass wir den Sarg ihres Vaters geöffnet und entdeckt haben, dass er gar nicht verbrannt ist?«

»Ich bin nicht so blöd, wie du aussiehst«, antwortete Scatozza. »Aber die Kleine weiß ohnehin, dass etwas nicht stimmt. Einen Monat vor seinem angeblichen Autounfall auf der Bergstraße nach Siena ist ihr Vater spurlos von der Bildfläche verschwunden. Dann fand die Polizei plötzlich seine Leiche. Aber nicht auf den Serpentinen, sondern unter dem Ponte Vecchio in Florenz. Weder die Polizei noch ihre Großmutter unternahmen etwas, um die wahre Todesursache aufzuklären.«

»Obwohl die Del Vecchios offensichtlich gute Kontakte zur Polizei haben.« Gerink legte den Pajero mit quietschenden Reifen in die Kurve und raste durch die Nacht. »Ihre Mutter ertränkt sich lieber in Cognac und Gin, und Nicola ließ in ihrer Verzweiflung den beiden ausländischen Beamten eine Nachricht zukommen.«

»In der Hoffnung, dass *wir* etwas herausfinden«, vollendete Scatozza seinen Gedanken.

»Unter dem Ponte Vecchio also«, wiederholte Gerink. »Einfach so?«

»Mehr weiß ich nicht, die Zeit war zu knapp. Ach ja …« Scatozza rutschte auf dem Sitz herum. »Auch ihr Onkel Lorenzo, der angeblich in seinem Speedboot verbrannte, war einen Monat lang verschwunden, bevor seine Leiche gefunden wurde. Ebenfalls unter dem Ponte Vecchio.«

42

Elena sah den Rücklichtern des Krankenwagens nach, der soeben mit Piroli davonfuhr. Das zweite Rettungsfahrzeug stand noch auf dem Grundstück. In der Zwischenzeit versuchten die drei Feuerwehrmannschaften, den Brand einzudämmen.

»Wo haben Sie unseren Wagen geparkt?«, fragte Elena.

Monica deutete zu einem Umkehrplatz am gegenüberliegenden Ende der Sackgasse. Der Alfa Romeo stand in der Nähe einer zuckenden Straßenlaterne halb im Schatten einer mächtigen Zypresse. Auf dem Platz drängten sich mittlerweile einige Schaulustige und glotzten auf Pirolis brennendes Haus. Die Rauchwolke schraubte sich wie eine schwarze Säule in den Nachthimmel, verdeckte den Mond und war bestimmt einige hundert Meter weit zu sehen. Und erst der Geruch! Als wäre ein Kuchen im Ofen zu einem Brikett verbrannt. Hätten die Feuerwehrleute das Ende der Sackgasse nicht mit einem roten Band abgesperrt und die Zufahrt mit einem Einsatzfahrzeug verbarrikadiert, wären die Anrainer vermutlich auf das Grundstück gelaufen, um einen besseren Blick auf die Löscharbeiten zu erhaschen.

»Können Sie die Telefonnummer von diesem Lyashenko aus Florenz herausbekommen?«, fragte Elena. »Es ist dringend!« Sie blickte auf die Armbanduhr. Es war schon verdammt spät. »Ich werde in der Zwischenzeit versuchen, jemanden von der Touristeninformation in Siena zu erreichen. Vielleicht finden die eine Unterkunft für uns, in der wir uns frisch machen können.«

Monica warf der dicken Ärztin mit dem pausbäckigen Gesicht, die immer noch neben ihnen stand, einen skeptischen Blick zu. »Die lässt uns bestimmt nicht einfach so weggehen.«

»Uns wird nichts anderes übrig bleiben, als abzuhauen«, antwortete Elena. »Oder haben Sie Lust, die ganze Nacht auf dem Revier die Fragen der Carabinieri zu beantworten?«

Monica schüttelte den Kopf. »Ich wundere mich, warum die nicht schon längst hier sind. Ist nur noch eine Frage der Zeit. Gut, ich besorge Lyashenkos Nummer. Wir treffen uns beim Wagen.« Sie verschwand.

Elena nickte der Ärztin lächelnd zu, mit der sie nun allein auf der Straße stand. Dann deutete sie zu ihrem Wagen. »*Pharmazia …*« Sie dachte nach. »*Medicamento!*« Sie tat so, als drückte sie eine Tablette aus einer Schachtel, und deutete erneut zu ihrem Auto.

Die Ärztin schien zu verstehen.

»*Bene*«, wiederholte Elena hoffentlich zum letzten Mal. Sie wandte sich ab und ging zu ihrem Leihwagen auf dem Parkplatz. Die Ärztin folgte ihr nicht. Zum Glück war sie sie los – zumindest im Moment.

Elena öffnete den Alfa Romeo und lehnte sich an die Tür. In weiter Ferne hörte sie das Knacken des Dachgebälks und das prasselnde Wasser aus den Feuerwehrschläuchen. Wie hypnotisiert fixierte sie die Flammen. Von dem Haus würde nicht viel stehen bleiben. Es war ein Wunder, dass sie und Monica es überhaupt ins Freie geschafft hatten.

Elena griff zum Handy, rief die Touristeninformation an, erreichte aber niemanden. *Verdammt!* Sie blickte sich auf dem Parkplatz um. Der Asphalt war mit weißen Rußflocken bedeckt. Aus dem Augenwinkel sah sie, wie Monica über den Parkplatz auf sie zukam und mit einem Notizzettel wedelte.

Da stockte Elenas Herzschlag. Hinter Monica blieben soeben zwei Einsatzfahrzeuge der Carabinieri stehen. Die Beamten stiegen aus. Monica bemerkte die Polizisten erst, als einer von ihnen mit der Taschenlampe zum Umkehrplatz leuchtete.

»Nicht laufen!«, raunte Elena ihrer Klientin zu. »Haben Sie Lyashenkos Nummer herausgefunden?«

»Ja«, keuchte Monica. »Ich habe den Fahrer des Krankenwagens becirct, der noch auf dem Grundstück steht. Der hat die Nummer über Funk von einem Kollegen erhalten. Allerdings musste ich ihm meinen Personalausweis zeigen.«

Verdammt, das war nicht gut.

»Sagen Sie mir die Nummer, rasch!«

Monica nannte ihr die Telefonnummer, und Elena tippte sie in ihr Handy. Es war zu spät, um mit dem Wagen davonzufahren. Die Carabinieri hatten sie bemerkt. Während einige Pirolis Grundstück betraten, kamen zwei von ihnen auf sie zu. Einer richtete den Strahl der Taschenlampe direkt auf Elenas Gesicht. Seine andere Hand griff zum Sicherheitsverschluss des Pistolenholsters.

Meine Waffe steckt immer noch im Hosenbund!, schoss es ihr durch den Kopf.

Während das Freizeichen in der Leitung ertönte, drehte Elena dem Beamten den Rücken zu. Sie lehnte sich an die offene Seite des Wagens. Langsam zog sie ihre Glock aus dem Hosenbund und ließ die Waffe ins Seitenfach ihrer Reisetasche gleiten, die auf dem Rücksitz stand. Der Griff verschwand großteils, doch fand sie keine Möglichkeit mehr, den Reißverschluss zu schließen. Dazu hätte sie sich ins Wageninnere beugen müssen, was dem Carabiniere aufgefallen wäre.

Das Freizeichen ertönte immer noch. Plötzlich sprang die Mobilbox an. Lyashenkos Stimme klang großväterlich, und er nuschelte wie jemand, der einen Sprachfehler hatte. Nach einem kurzen italienischen Satz sagte er auf Englisch, dass er im Moment verhindert sei, aber zurückrufen werde.

Der Carabiniere redete auf sie ein.

»Sie sollen das Handy runternehmen!«, zischte Monica.

Elena drehte sich um. Sie lächelte dem Beamten zu. »*Un momento, per favore!*«

Der Polizist wurde zornig.

»Nehmen Sie das Telefon weg!«, drängte Monica.

»Hier spricht Elena Gerink«, sagte sie auf Englisch. »Rufen Sie mich bitte zurück. Ihr Leben ist in Gefahr …«

Der Beamte kam auf Elena zu.

»Öffnen Sie nicht die Tür und reden Sie mit keinem Fre…!«

Der Carabiniere drückte sie mit dem Oberkörper an den Wagen, bog ihr den Arm auf den Rücken und nahm ihr das Telefon aus der Hand.

»*Nessun movimento!*«, mahnte er sie und tastete ihren Kragen und die Hosentaschen nach Gegenständen ab.

Der andere Uniformierte unterhielt sich indessen mit ziemlich schroffer Stimme mit Monica. Nach einigen Sätzen kramte Monica ihren Personalausweis hervor. Allerdings reichte sie die Papiere dem Mann nicht, sondern warf sie vor ihm auf den Boden. Natürlich – in diesem Ton sprach niemand mit Monica. Allerdings war ihre Zickigkeit nicht gerade förderlich.

Der Carabiniere hob den Ausweis auf. Kurz darauf knackte das Funkgerät an seinem Revers. Elena verstand nur den Namen *Monica Del Vecchio*. Es hörte sich an wie eine Personenbeschreibung.

Nach einem kurzen Gespräch über Funk hörte sie die Namen *Monterosso al Mare* und *Giuseppe Vadini*. Danach folgte auch noch der Name der Tankstelle, an der sie zuletzt gehalten hatten. Elena sah, wie Monicas Gesicht im Strahl der Taschenlampe erbleichte.

»Was passiert hier gerade?«, fragte Elena, obwohl sie es bereits ahnte.

»Die Carabinieri haben herausgefunden, dass ich mich in einer Taverne nach Vadini erkundigt hatte, bevor wir seinen Leichnam entdeckten, und außerdem …« Monica verstummte.

Elena schwante nichts Gutes. »Raus damit!«

»Die Carabinieri wollten mich in Monterosso al Mare aufs Revier mitnehmen, aber ich habe ihnen einen alten Personalausweis gegeben und bin abgehauen.«

Deswegen also hatte Monica so gestresst und nervös gewirkt. *Scheiße!* Elena hätte nicht zulassen dürfen, dass so etwas passierte. Zudem arbeitete die italienische Polizei schneller und gründlicher, als sie gedacht hatte.

»Und Sie haben im Shop der Tankstelle die Getränkeflasche gestohlen, stimmt's?«, fragte Elena. »Hat die Überwachungskamera Sie gefilmt?«

Monica schwieg.

»*Silenzio!*«, rief einer der Carabinieri. Mittlerweile hatten die Beamten begriffen, dass Elena bis auf die üblichen Floskeln kein Wort Italienisch sprach. Aber das war auch nicht nötig. Einer leuchtete in den Wagen und ließ den Strahl über den Rücksitz wandern. Für einen Moment ruhte sein Blick auf Elenas Reisetasche, aus der ein Teil des Pistolengriffs schaute. Er erkannte die Glock und fragte, warum sie eine Waffe besitze.

Als Monica eine patzige Antwort gab, hörte Elena, dass der Beamte die Handschellen vom Gürtel nahm, und gleich darauf spürte sie, wie er sie ihr hinten um die Handgelenke legte. Der verdammte Mistkerl schloss sie enger als nötig.

»*Andiamo!*«, sagte der andere.

Elenas Bewacher knipste die Lampe aus und steckte sie an seinen Gürtel. Danach wurde ihr Wagen abgesperrt, Elena am Arm gepackt und abgeführt. Mit Monica ging der andere Beamte nur unwesentlich sanfter um.

43

Gegen ein Uhr nachts kamen Gerink und Scatozza in die Via Farfalle. Gerink hatte den Eindruck, dass die *Casa delle Rose* von Tag zu Tag schäbiger wurde. Besonders nachts wirkte der abbruchreife Kasten, als wohnte kein Mensch in dem Gebäude.

Der fette Portier, der wie immer ein fleckiges und verschwitztes Unterhemd trug, lag rücklings in seinem Drehstuhl mit den Beinen auf dem Rezeptionstisch und schnarchte so laut, dass der kleine Hammer in der Tischklingel vibrierte.

Gerink ging nicht lauter als nötig an dem Mann vorbei zur Treppe. Scatozza war nicht so feinfühlig. Er trampelte absichtlich laut über die Dielenbretter und knallte die Hand im Vorbeigehen auf die Klingel.

»*Buonasera!*«

Der Fette fuhr im Schlaf hoch und wäre beinahe von seinem Drehstuhl gerutscht.

»Du bist so kindisch«, murmelte Gerink.

Scatozza schmunzelte.

Der Fettklops schickte Scatozza einen Fluch hinterher, den dieser großzügig ignorierte. Sie stiegen die Treppe hoch und gingen über das knarrende Parkett zu ihrem Zimmer. Die Honeymoon-Suite lag am Ende des Gangs. Auf den zwei großen roten Herzen des Fußabtreters klebte dunkle Erde.

In dem Moment, als Gerink die Tür öffnete und im Dunkeln nach dem Lichtschalter tastete, spürte er, dass etwas nicht stimmte. Zu spät zog er die Hand zurück. Der Faustschlag traf ihn wie eine Granate in den Solarplexus. Er rang nach Atem und schmeckte zugleich Magensäure in seinem Rachen. Noch bevor er die Arme hochreißen konnte, um den nächsten Schlag abzuwehren, wurde er von mehreren Händen gepackt und in den Raum gezerrt. Mit dem Gesicht voran krachte er an die gegenüberliegende Wand. Er schaffte es, sich zu drehen und einem Mann das Knie in die Lenden zu rammen, wurde aber sogleich von zwei Kerlen mit einem schmerzhaften Griff fixiert.

Scatozza erging es nicht anders. Gerink sah seine Silhouette im Türrahmen. Zwei Männer droschen im Gang auf seinen Partner ein, doch der Sizilianer reagierte so schnell, dass er einen von ihnen mit einem Faustschlag gegen die Nase auf die Bretter schickte. Im nächsten Moment hatten sie aber auch ihn mit einem Haltegriff gepackt und ins Zimmer gezerrt.

Dann flammte das Licht auf. Die Italiener waren zu fünft. Vier etwa so groß wie Scatozza und der fünfte ein Knirps mit Freistilringerfigur. Ihn hatte Gerink mit dem Knie getroffen. Sie hatten kantige Gesichter, einen wilden Blick und trugen ebenso wie Scatozza und er schwarze Hosen und dunkle Pullover. *Willkommen im Klub!* Die Luft im Zimmer war mit Testosteron so geschwängert, dass die Ausdünstung der Männer Gerink an die aufgeladene Stimmung bei einem Hundekampf in einem Kneipenkeller erinnerte. In diesem Moment hätten ein bloßer Blick, eine Bewegung oder ein falsches Wort genügt, und die Situation wäre eskaliert. Ziemlich unpassend für ein nächtliches Treffen in einer Honeymoon-Suite.

Der breitschultrige Mann mit der gebrochenen Nase wollte Scatozza am liebsten an die Gurgel gehen, doch der Freistilringer bremste ihn mit einer Handbewegung aus.

»Stopp, Massimo!«

Scatozzas Lippe war aufgeplatzt. Blut lief ihm übers Kinn und tropfte auf seine Brust. Zum Glück trug er keines seiner blütenweißen Hugo-Boss-Hemden, sonst wäre er durchgedreht. Während der Freistilringer mit dem Handy telefonierte, wurden sie von den vier Riesen nach Waffen abgetastet. Sie nahmen Gerink das Handy ab und fanden bei Scatozza das iPhone, die Walther und ein Reservemagazin. Sie legten alle Gegenstände auf den Tisch zu Scatozzas Laptop. Zum Glück lagen die Nachtsichtgeräte im Wagen.

Gerink bemerkte das Funkeln in Scatozzas Augen. Es besagte: *Jungs, lasst die Finger von meinem Computer!* Nachdem die Leibesvisitation beendet war, wurde jeder von ihnen auf einen Stuhl gedrückt.

Der Freistilringer hob den Zeigefinger. »*Un momento!*«

Mehr sagte er nicht. Die Männer verteilten sich im Raum und warteten. Soweit Gerink erkennen konnte, waren sie unbewaffnet. Aber sobald er auch nur einen Finger rührte, trat eines der Ungetüme an ihn heran und legte ihm die Pranke auf die Schulter. Was immer sie bis jetzt erfahren oder welches Nest sie aufgewühlt hatten – dadurch war jemand aufgescheucht worden, der mittlerweile verdammt nervös geworden war. An Scatozzas Blick sah er, dass ihm ähnliche Gedanken durch den Kopf gingen. Auf wen warteten die Kerle bloß? Da drangen auch schon die ersten Schritte durchs Treppenhaus und näherten sich ihrem Zimmer.

Gerink hatte mit Vito Tassini oder Zenobia Del Vecchio gerechnet, doch ein kleiner Mann trat ein, den sie ebenfalls gut kannten. Der Maresciallo von der Carabinieri-Wachstube! Allerdings ohne seine Montur. Bei diesem nächtlichen Auftritt verzichtete er auf die dunkelblaue Uniform und die Kappe mit dem Emblem. Der kleine Italiener trug ebenso wie seine Handlanger dunkle Kleidung. Sogar um ein Uhr nachts war er glatt rasiert und wirkte kein bisschen müde. Mit seiner typischen Geste warf er sich in die Brust und kreuzte die Arme hinter dem Rücken, während er sich zufrieden im Zimmer umblickte. Dann betrachtete er Scatozzas von Tarnfarbe verschmiertes Gesicht.

»Eine hübsche Make-up.«

»Wir hatten eine Wagenpanne«, fauchte Scatozza.

»Sì, sì.« Der Maresciallo lächelte. »Oh, ich sehe, Sie haben sich in die dunkle Zimmer gestoßen«, sagte er mit bedauernder Miene, als er Scatozzas aufgeplatzte Lippe bemerkte. »Wie ungeschickt! Sie sollten lieber auf sich aufpassen, wenn Sie betrunken Auto fahren und dann heimkommen.«

»*Cretino!*«, zischte Scatozza.

Der Maresciallo lächelte nur. Sein Blick fiel auf den Tisch. »Oh!« Diesmal war seine Überraschung echt. »Sie haben eine Waffe, sehr schön. Die Walther ist eine gute Modell – das erleichtert vieles.«

Der Freistilringer ging zur Kommode und zog eine Schublade auf. Darin lagen nicht nur die Kopien aus der Akte Teresa Del Vecchio, sondern auch die Originale, die Scatozza aus der Wachstube geklaut hatte.

Der Maresciallo blätterte durch die Papiere. »Die fehlende Protokolle, sehr schön!« Er nickte. »Wo waren Sie heute Nacht zwischen elf und zwölf Uhr?«

»Fragen Sie doch Ihren unterwürfigen Lakaien, der uns den ganzen Tag gefolgt ist«, spie Scatozza aus.

Gerink warf seinem Partner einen Blick zu. Es war besser, wenn er jetzt die Klappe hielt.

Der Maresciallo trug es mit Fassung. Diese Aussage spielte ihm nur noch mehr Anklagepunkte in die Hände. Schließlich setzte er wieder sein falsches Lächeln auf, das er so gut beherrschte, als wäre er damit zur Welt gekommen.

»Mittlerweile haben wir die Aussage einer Zeugin, die Sie in ihre Haus belästigt haben. Sie sind in die illegale Besitz einer Waffe, haben eine polizeiliche Ermittlung behindert und Beweismaterial gestohlen. Außerdem weiß ich mittlerweile, dass Sie Italienisch sprechen und uns absichtlich an die Nase herumgeführt haben. Das alles macht Sie zu Tatverdächtige, meine Herren!«

»Tatverdächtig in Bezug auf was?«, fragte Gerink.

Der Maresciallo breitete die Arme aus. »Auf alles.«

Auf alles? War der Kerl noch bei Sinnen?

Scatozzas Augen funkelten. »Sie und Ihre Leute behindern eine Ermittlung!« Er sprang auf und wollte dem Maresciallo an den Kragen, wurde jedoch sofort wieder auf den Stuhl gedrückt.

Der Maresciallo lächelte nur und hob ahnungslos die Schultern. »Ich weiß nicht, wovon Sie reden.« Er wandte sich an Gerink. »Wo waren Sie zwischen elf und zwölf Uhr nachts?«

»Ich möchte mit Staatsanwalt Francesco Fochetti sprechen«, sagte Gerink. Mehr würde der Spaghettifresser nicht von ihm zu hören bekommen.

Der Maresciallo nickte. »Sie werden Gelegenheit haben, mit die Richter zu reden! Eine gute Freund der *famiglia* Del Vecchio. Sie sind vorläufig wegen Waffenbesitz, Diebstahl, Einbruch, Grabschändung, Zerstörung fremden Eigentums, Verdacht auf Manipulation und Störung von eine Amtshandlung festgenommen und in Untersuchungshaft.« Er nickte seinen Männern zu. »*Andiamo!*«

Gerink wurde von zwei Kerlen hochgezogen und zur Tür gestoßen.

»*Subito!*«

»Ja, ja«, murrte Gerink.

Aus dem Augenwinkel sah er, wie die Männer ziemlich unsanft Scatozzas Waffe, das iPhone und den Laptop in eine schwarze Reißverschlusstasche steckten.

Drei Wochen vorher

Seit mindestens zwei oder drei Tagen lag sie in ihrem Kot und Urin. Davor hatten der Glatzkopf und der kleine alte Mann mit der Aschenbecher-Brille sie mit einem Schwamm gewaschen und ihr regelmäßig zu trinken gegeben.

Seit Tagen jedoch war kein Geräusch auf der Treppe und aus den Räumen über ihr zu hören. Niemand stand vor der Tür, niemand beobachtete sie, niemand schaltete das Licht im Treppenabgang ein.

War den Männern etwas zugestoßen? Hatte man sie vergessen? Würde sie hier unten elend verdursten? War es das, was der Glatzkopf mit ihren Brüdern angestellt hatte? Sie in Ungewissheit und völliger Dunkelheit dahinsiechen zu lassen, bis sie langsam verreckte?

Plötzlich schreckte Teresa hoch. Hatte sie geschlafen, oder war sie bewusstlos gewesen? Sie versuchte, sich zu konzentrieren. Welches Geräusch hatte sie gehört? Halluzinierte sie bereits? Da war es wieder!

Ein metallenes Knirschen. Eine Tür öffnete sich. Danach fiel Licht durch die Belüftungsschlitze der massiven Eisentür. Schritte kamen herunter. Kurz darauf folgte die Prozedur, die ihr bereits in Fleisch und Blut übergegangen war. Das Sicherheitsschloss wurde geöffnet, die Bolzen schoben sich aus der Mauer, der Riegel wurde zur Seite gedrückt, und die Tür öffnete sich mit einem Quietschen. Licht fiel in den Raum.

Sie war zu schwach, um die Lippen zu bewegen.

Wasser … Wasser …

Sie hörte ihre eigene Stimme nur in Gedanken. Doch der Mann wusste, was sie wollte. Er drückte ihr einen nassen Schwamm ins Gesicht. Ihre Haut brannte wie Feuer. Erst jetzt spürte sie, wie spröde und aufgerissen ihre Lippen waren. Zum Wasser mischte sich der Geschmack ihres Blutes.

Der Mann knipste die Lampe an, die sich unmittelbar über ihr befand. Sie presste die Augen vor dem grellen Licht zusammen. Der Schein der Lampe bereitete ihr unsägliche Schmerzen. Sie hörte, wie er den rostigen Lampenschirm an dem Seilzug nach unten zog.

Dann erklang die Stimme des Mannes – hohl und weit entfernt. Dennoch wusste sie, dass sie von dem Glatzkopf stammte.

Von Viktor!

»Leider verzögerte sich alles um ein paar Tage … Du musst nur noch kurz durchhalten.«

Er schlug ihr auf die Wange. Sie war zu schwach, um zusammenzuzucken. Mühsam öffnete sie die Augen.

»He, nicht abkratzen!«

Er zog die Lampe wieder nach oben.

Sie blinzelte, drehte den Kopf ein Stück und sah seitlich an sich hinunter. Ihr Körper war nackt. Eine gestrichelte rote Linie verlief über ihrem Oberarm. Mein Gott, wie dünn ihre Arme waren! Entsetzt zog sie das Kinn zur Brust und presste den Kopf hoch, soweit es der Lederriemen auf ihrer Stirn zuließ, um ihren Körper zu betrachten. Die Rippen zeichneten sich unmittelbar unter der Haut ab. Sie trug nur einen fleckigen Slip, der früher einmal weiß gewesen war.

Brust, Bauch und Seitenbereiche ihres Körpers sahen aus wie mit roter Farbe tätowiert. Gestrichelte Linien überall auf ihrer Haut. Welche kranken Sachen hatte dieser Scheißkerl mit ihr vor?

Ihr Kopf sackte kraftlos zurück. Sie schielte zur Seite. Die Antwort lag neben ihr. Auf einem Silbertablett befanden sich ein

Skalpell und Klammern. Neben einer Nierenschale Tupfer, Desinfektionsmittel und Nähzeug sowie Schläuche, Injektionsnadeln, Kanülen und leere Beutel für Blutabnahmen. Alles sah so verdreckt und schmutzig aus wie in einem Krankenhaus der lebenden Toten.

»Angst?«, fragte der Glatzkopf.

Sie war zu schwach, um zu antworten. Sogar zu schwach, um die Antwort für sich selbst in Gedanken herauszufinden.

»Brauchst du nicht zu haben.« Er knipste das Licht aus. »Morgen ist alles vorbei.«

IV

Donnerstag, 27. Mai

*»Was aus Liebe getan wird,
geschieht immer jenseits
von Gut und Böse.«*

Friedrich Nietzsche

44

Gerink und Scatozza waren in Handschellen aus dem Hotel gebracht worden. Man hatte sie in verschiedenen Wagen in die Carabinieri-Wachstube in der Via dei Gondi gefahren.

Gerink hatte die Nacht in einer Einzelzelle im Keller des Reviers auf einer harten Pritsche verbracht. Gegen drei Uhr früh begann es häufiger zu blitzen. Das dumpfe Krachen des Donners klang aber weit entfernt. Kein Regen, doch zumindest strömte kühle Luft durch den vergitterten Lichtschacht in seine Zelle und vertrieb die schwüle Hitze.

Die Carabinieri hatten ihm alles weggenommen, sogar seine Tabletten gegen die Magenschmerzen; aber brauchte er die überhaupt noch? Er hatte gestern mit Elena telefoniert, und sie würde vermutlich zu ihm zurückkehren. Außerdem konzentrierte sich seine Wut im Moment auf die italienische Kripo. Trotz des Zorns auf die Kollegen fiel Gerink vor Erschöpfung auf die Pritsche und konnte schlafen, zumindest besser als in dem weichen Kingsize-Bett ihrer Honeymoon-Suite. Ohne Schnarchgeräusche, nur das leise Donnern in der Ferne. Die Italiener wussten gar nicht, dass sie ihm damit einen Gefallen getan hatten. Für Scatozza hingegen, dem die Zelle sicher nicht fein genug war, würde diese Nacht bestimmt die Hölle werden.

Am frühen Morgen wurde Gerink geweckt. Nach einer Tasse kaltem Kaffee ohne Milch und Zucker legte man ihm wieder Handschellen an und brachte ihn in eine Verhörzelle. Offensichtlich hatten die Carabinieri das Untersuchungsergebnis von ihrem Einbruch in die Del-Vecchio-Familiengruft abgewartet und sich eine Vernehmungsstrategie zurechtgelegt.

Unrasiert, nicht geduscht, mit knurrendem Magen und ohne Gelegenheit, auf die Toilette zu gehen, saß Gerink in dem fensterlosen Raum, der nur aus einem Tisch und zwei Stühlen bestand. Wenigstens hatten sie auf die Demütigung verzichtet und die Handschellen vorn und nicht hinter seinem Rücken geschlossen.

Nach einer Wartezeit von fünfzehn Minuten betrat ein Mann den Raum. Er hatte ein breites Heftpflaster über dem Nasenrücken. Die Partie unter den Augen schimmerte blau und violett. Es war Massimo, der Beamte, dem Scatozza in der Nacht die Nase gebrochen hatte. Er stellte ein Aufnahmegerät auf den Tisch und postierte sich neben der Tür. Als Nächstes betrat der Maresciallo das Zimmer. Wie üblich war er wie aus dem Ei gepellt und trug die dunkelblaue Uniform mit Kragenspiegeln und Rangabzeichen. Doch die Ringe unter den geröteten Augen verrieten, dass er die Nacht durchgearbeitet hatte. Im Gegenzug dazu war Gerink ausgeschlafen und fit – und dieser ganze Einschüchterungsscheiß, den die Italiener hier abzogen, konnte ihn sowieso nicht beeindrucken.

»Ich würde Ihnen gern die Handschellen abnehmen«, begann der Maresciallo und verschränkte die Arme hinter dem Rücken. »Doch unglücklicherweise werden Sie als gefährlich eingestuft, und ich habe die Verantwortung für die Wohl meiner Männer.« Er blickte kurz zu seinem Kollegen mit der gebrochenen Nase, der wie ein Pfeiler neben der Tür stand.

Gerink sah auf die Blutergüsse auf seinen Unterarmen, die von den Schlägen der Carabinieri stammten, sagte aber nichts. Er würde abwarten, welche Geschütze der Maresciallo auffuhr.

»Sie haben uns an die Nase herumgeführt, indem Sie behaupteten, nicht Italienisch zu sprechen.«

»Ich spreche nicht Italienisch.«

»Sehen Sie!« Der Maresciallo schritt an ihm vorbei. »Damit haben Sie die wertvolle Zeit meiner Mitarbeiter vergeudet.«

Wer hat hier wohl die Zeit von wem vergeudet?, dachte Gerink bitter. Aber es war unmöglich, mit diesem Idioten vernünftig zu reden.

»Mittlerweile liegen sogar mehrere Parkstrafen gegen Sie vor.«

»Ist nicht Ihr Ernst«, sagte Gerink. »Deswegen sitze ich hier in Handschellen?«

»Außerdem Belästigung einer Zeugin, die Sie auf eigene Faust aufgesucht haben, Diebstahl von Protokollen aus einer laufenden Ermittlung, Behinderung dieser Untersuchung sowie Einbruch in die Villa der *famiglia* Del Vecchio …« Er hob die Augenbrauen. »Und Irreführung von eine Beamte.«

Damit meinte er wohl Vito, der so dumm gewesen war, ihr Handy mit dem Hundegebell als Klingelton aus ihrem Wagen zu stehlen.

»So stelle ich mir keine Kooperation unserer Länder vor. Grundsätzlich würden wir solche Kollegen sogleich des Landes verweisen. Doch Ihre kurze Auftritt in unsere schöne Land wird noch weitere Konsequenzen haben. Die *famiglia* Del Vecchio wird wegen Sachbeschädigung und Ruhestörung Anzeige gegen Sie und die Bundeskriminalamt von Ihre Republik erstatten.«

Der Maresciallo setzte sich mit steifem Rücken vor Gerink auf den Tisch, betrachtete ihn von oben und steckte sich eine Zigarette an. Zweimal blies er Gerink den Rauch direkt ins Gesicht. Dieser zuckte nicht einmal mit der Wimper.

»Dazu kommen die illegale Waffenbesitz Ihres Kollegen bei eine Auslandseinsatz. Wir werden Sie länger hierbehalten, und es wird zu eine Prozess kommen.«

Der Maresciallo blies Gerink erneut den Rauch ins Gesicht.

Nimm mir die Handschellen ab, dann breche ich dir die Nase, dachte Gerink.

Vornübergebeugt ballte er die Fäuste im Sekundentakt unter dem Tisch. *Ballen und locker lassen,* sagte er sich. *Tief durchatmen, es geht gleich vorbei.* Die Kriminalpsychologin auf ihrem Revier hatte nicht unrecht. Es half tatsächlich. Er wollte den Maresciallo nur noch in den Magen schlagen.

Der Italiener blickte zum Tonband hinüber. »Wie lautet Ihre Stellungnahme?«

»Mir steht ein Telefongespräch zu«, antwortete Gerink.

»Ihnen steht gar nichts zu.«

»Ein Fehler mehr, der Sie den Job kosten wird.«

Der Maresciallo hob erneut eine Augenbraue. »Sie wollen telefonieren? Gut. Wenn Sie eine Anwalt wollen, rufen wir für Sie an. Wir können auch Ihre Angehörige verständigen.«

»Mir steht ein Telefongespräch zu«, wiederholte Gerink.

»*Scusi,* aber das hat Ihre Kollege bereits geführt.«

»Ich sage es zum letzten Mal«, sprach Gerink leise. »Mir steht ein Telefongespräch zu.«

»*Va bene!*« Der Maresciallo zerdrückte die Zigarette vor Gerink auf dem Tisch und blies ihm noch einmal den Rauch in die Augen. »Meine Kollege bringt Sie zu eine Telefonapparat. Sie haben eine Minute Zeit.«

»Ich brauche das iPhone, das Ihre Leute konfisziert haben.«

»*Oh, no, no, no …*«, widersprach der Maresciallo lächelnd. »Diese Telefonapparat wird genügen.«

»Ich habe die Nummer nicht im Kopf. Sie ist im iPhone gespeichert.«

Der Maresciallo überlegte. »*Va bene!* Eine Gespräch in eine Privatraum«, sagte er schließlich und nickte seinem Kollegen zu. Der Kerl mit der gebrochenen Nase zog Gerink vom Stuhl hoch und führte ihn aus dem Zimmer in einen langen Korridor. Der Maresciallo folgte ihnen. Sie gingen an einigen Milchglastüren vorbei, hinter denen Gerink Stimmen hörte. Eine davon glaubte er als die von Scatozza zu erkennen. Am Ende des Gangs wurde er in einen engen Raum geführt.

Der Maresciallo bellte einige Befehle, worauf ein Mann Scatozzas iPhone vermutlich aus der Asservatenkammer holte. Das Gerät wurde Gerink in die gefesselten Hände gedrückt. Er blickte mit einem auffordernden Blick auf die Handschellen, worauf der Maresciallo bedauernd den Kopf schüttelte.

»Tut mir leid, ich muss mich an unsere Sicherheitsvorschriften halten.«

Natürlich. Ich könnte dir ja die Nase brechen!

»Sie haben eine Minute Zeit, Ihre private Gespräch zu führen.«

Der Maresciallo verließ das Zimmer, doch sein Kollege blieb und beobachtete, was Gerink tat. *Das war klar! Etwas Privatsphäre wäre auch zu viel verlangt gewesen.* Außerdem war Gerink sicher, dass der Maresciallo das Gespräch über Mikrofone im Nebenraum belauschte.

Das iPhone hatte eine Tastensperre.

Scheiße!

Gerink versuchte, sie zu lösen. Scatozzas Geburtsjahr war der falsche Code. Seine Dienstnummer funktionierte ebenso wenig. *Verflucht!* Einen Versuch noch. Was kam in Frage? Er dachte an *Ferragosto,* den italienischen Feiertag am 15. August, der Scatozza heilig war und an dem er jedes Jahr freihatte. Er tippte 1508. Diesmal klappte es.

Hier unten fand das iPhone zwar ein Handynetz, aber keine drahtlose Internetverbindung. Er konnte also nichts googeln oder auf andere Weise herausbekommen. Außerdem beobachtete Massimo jede seiner Fingerbewegungen mit Adleraugen.

Wie Gerink im Menü sah, hatte Scatozza seit gestern Nacht

kein Gespräch mehr mit diesem iPhone geführt. Allerdings hatte er um sieben Uhr früh eine SMS erhalten, von Natascha aus der Wiener Gerichtsmedizin. Gerink öffnete den Text und tat so, als kannte er sich mit dem Gerät nicht aus, während er die Nachricht las.

Habe die Fotos analysiert. Ziemlich schräges Zeug! Leider schlechte Qualität. Nehme an, der Mann ist seit etwa fünf Wochen tot. Entsprechend den Narben wurde die Leiche bei lebendigem Leib an Milz, Galle, Niere, Leber und Lungenflügel operiert. Ich nehme an, posthum am Herzen. Vermutlich wurde der Mann wochenlang am Leben erhalten, und die Organe wurden ihm nach und nach entnommen. Wann bist du wieder in Wien, mein Großer?

Gerink schloss die Textnachricht. *Mein Großer!* Er wollte Natascha so vieles fragen, doch konnte er unmöglich eine SMS tippen. Der Kerl würde ihm das Gerät beim ersten Wort aus der Hand schlagen.

»*Andiamo!*«, drängte der Polizist.

»*Sì, sì*«, antwortete Gerink. Wen sollte er anrufen? Elena, um zu erfahren, ob es ihr gut ging? Natascha, um zu fragen, ob die Eingriffe mit einem Skalpell gemacht worden waren, in welchen zeitlichen Abständen, von einem Chirurgen oder einem Amateur? Oder Lisa Eisert, um sie darüber zu informieren, dass sie inhaftiert worden waren? Er musste sich entscheiden. Nur ein Gespräch! Schließlich reifte in ihm die Idee einer Strategie gegen die Einschüchterung und Drohungen des Maresciallo. Er wählte Lisas Privatnummer und führte das iPhone mit gefesselten Händen zum Ohr.

Eisert meldete sich mit kratzbürstiger, müder Stimme. »Dino, was willst …«

»Hier ist Peter«, fiel er ihr ins Wort. »Ich habe nur eine Minute Zeit, und es ist wichtig. Was hast du über Staatsanwalt Fochetti erfahren?«

Lisa schwieg eine Weile. Gerink kam sich vor wie beim Gespräch mit dem Telefonjoker in der Millionenshow. Im Geiste hörte er, wie die Zeit verrann.

»Seid ihr etwa in Untersuchungshaft?«, fragte Lisa.

Die Frau konnte verdammt rasch kombinieren.

»Wo seid ihr, und wer hat dort das Sagen?«

»Lisa, mir läuft die Zeit davon!«

»Okay.« Plötzlich klang ihre Stimme professionell und hellwach. »Francesco Fochetti ist verheiratet und hat tatsächlich eine Affäre. Allerdings gibt es keine Verbindung zu den Del Vecchios.«

»Das ist schlecht«, knurrte Gerink. »Erzähl mir mehr über das Verhältnis.«

»Doktor Botenbender, ein befreundeter Richter vom österreichischen Justizministerium, hat Kontakt zu seinen italienischen Kollegen. Bei einem Golfspiel …«

»Ist doch egal, woher du das weißt«, unterbrach Gerink sie. »Erzähl mir von dem Verhältnis!«

Lisa blieb gefasst. »Eine Dame um die fünfundsechzig. Gut aussehend, schlank, erhaben, graue Haare. Leider haben wir weder Foto noch Namen.«

»Woher weißt du dann, wie sie aussieht?«

»Doktor Botenbender hat sie in Florenz kennengelernt und sich mit ihr unterhalten.«

Der Beamte deutete auf seine Armbanduhr, trat auf Gerink zu und streckte die Hand nach dem iPhone aus.

»Un momento!«, sagte Gerink. »Sie spricht Deutsch?«

»Vermutlich schon. Botenbender kann kein Italienisch.«

»Was hat sie ihm gesagt?«, drängte Gerink.

Der Beamte griff nach dem iPhone, doch Gerink drehte den Kopf zur Seite.

»Sie erzählte stolz von ihrer Enkeltochter. Die spielt Klavier wie eine Elfe, Geige wie ein Engel und ist die Beste ...«

»*Scusi!*« Der Mann wand ihm das Telefon aus der Hand und unterbrach die Verbindung.

Doch Gerink hatte genug gehört. Er konnte den Satz im Geiste beenden ... *und ist die Beste im Ballettunterricht.*

45

Elena und Monica waren auf eine Wachstube der Carabinieri in der Innenstadt von Siena gebracht worden, wo man ihnen alles abnahm, sogar Schnürsenkel, Feuerzeug und Kugelschreiber. Da Elena kein Wort Italienisch sprach, hatte man sie dort gemeinsam vernommen. Dass der einflussreiche Familienname Del Vecchio in Florenz viel bedeutete, nutzte ihnen im siebzig Kilometer entfernten Siena nichts. Auch die Tatsache, dass Monica keine beliebige Touristin, sondern Italienerin war, half ihnen kein bisschen weiter. Im Gegenteil. Monicas sture Zickigkeit reizte die Carabinieri nur noch mehr. Die Einvernahme endete um drei Uhr früh.

Elena blieb in Polizeigewahrsam und übernachtete mit einer muffigen Decke auf einer Holzpritsche in einer Zelle der Wachstube. Nach einem kargen Frühstück, das nur aus einem schwarzen Kaffee mit einer Toastscheibe bestand, ging das Verhör um sieben Uhr früh weiter. Mittlerweile war ein Dolmetscher eingetroffen, und Elena wurde in einem eigenen Zimmer von Monica getrennt vernommen. Sie musste die gleichen Fragen beantworten, wie sie es schon bis drei Uhr früh getan hatte.

Warum war sie nach Italien gekommen? Woher kannte sie Monica? War sie tatsächlich Privatdetektivin? Warum besaß sie einen Waffenschein für eine Glock? Konnte sie mit der Pistole überhaupt umgehen? Was hatte sie im Leuchtturm von Monterosso al Mare gesucht? Warum hatte sie sich nach dem Tischler Vadini erkundigt? Was wusste sie über seinen Selbstmord? Weshalb war Monica vor den Polizisten davongelaufen? Was hatten sie in Siena im Haus des Pinselherstellers Piroli zu suchen gehabt? Warum hatten sie in dessen Haus Feuer gelegt?

»Feuer gelegt?«, wiederholte Elena. Sie gab keine Antworten mehr, sondern verlangte eine Anwältin. Der Dolmetscher versuchte, sie zu beruhigen.

»Verdammt, wie soll ich mich beruhigen, wenn diese Idioten mich ständig den gleichen Müll fragen?«, fuhr sie ihn an. »Ich habe das Feuer nicht gelegt. Ich habe Piroli das Leben gerettet!«

Der kleine Mann, der mit schmaler Lesebrille und kariertem Stoffsakko wie ein Universitätsprofessor aussah, zuckte unwillkürlich zusammen. Die beiden Carabinieri reagierten ebenfalls angespannt auf das Wort »Idioten«, das man ihnen nicht übersetzen musste.

»Signora Gerink, die Carabinieri versuchen nur, die Zusammenhänge zu verstehen«, sagte der Übersetzer.

Elena sprang vom Stuhl hoch. »Zum letzten Mal! Die Zusammenhänge sind diese: Giuseppe Vadini wurde höchstwahrscheinlich von einem Mann getötet, der Viktor König heißt und Stasi-Offizier war. Vermutlich hat König auch den Brand in Pirolis Haus gelegt, da Piroli mit derselben Technik bewusstlos geschlagen wurde.«

Der Übersetzer wollte sie unterbrechen, doch sie sprach weiter.

»Beide Männer haben Utensilien für den vor einem Jahr verschwundenen Maler Salvatore Del Vecchio hergestellt. Meine Begleiterin ist die Tochter dieses Malers. Jemand versucht, eine Spur zu Del Vecchio zu finden, und geht dabei über Leichen. Der einzige Hinweis, der dem Killer noch bleibt, ist der Farbenhersteller Lyashenko in Florenz. Er schwebt in Lebensgefahr, und Sie sollten ihn unter Personenschutz stellen! Ist das angekommen?«

»Angekommen?«, wiederholte der Übersetzer.

An dieser Stelle gingen Elena endgültig die Nerven durch. Wutentbrannt trat sie mit dem Fuß einen Stuhl beiseite, sodass er an die gegenüberliegende Wand krachte. Einer der Carabinieri sprang sofort auf, bog ihr den Arm auf den Rücken und drückte sie mit dem Oberkörper auf den Tisch.

Elena hob die freie Hand. »Schon gut.«

Er ließ sie los, und sie setzte sich wieder an den Tisch. Während der Beamte hinter ihr stand, sprach sie mit ruhiger Stimme auf den Dolmetscher ein. »Wir verlieren wertvolle Zeit! Lyashenko ist in Gefahr. Er könnte uns vielleicht einen Hinweis auf den Mörder geben. Übersetzen Sie bitte alles, was ich gesagt habe!«

Der alte Mann schwitzte so stark, dass seine Brille beschlug. Einige Minuten lang sprach er mit den Carabinieri auf Italienisch. Nach einer Weile sah er sie bedauernd an. »Die Beamten glauben Ihnen kein Wort. Sie wollen wissen, warum Ihre Tochter in Monterosso al Mare vor der Polizei geflohen ist und warum Sie das Feuer in Pirolis Haus gelegt haben.«

»Tochter?« Elena atmete tief durch. Das war nicht zu fassen. Sie bekam Kopfschmerzen. Erging es Monica ähnlich? Dann wäre sie einem der Beamten bestimmt schon längst wie eine Wildkatze an die Gurgel gesprungen. So viel geballte Dummheit und Ignoranz vertrug nicht einmal der nervenstärkste Phlegmatiker.

»Ich habe eine Bitte«, sagte sie schließlich. »Der diensthabende Leiter dieser Wachstube soll in San Michele bei Florenz eine gewisse Zenobia Del Vecchio anrufen und ihr mitteilen, dass ihre Enkeltochter hier in Siena sitzt und von der Polizei vernommen wird.«

Der Dolmetscher übersetzte ihre Bitte, worauf sich ein Beamter erhob und das Zimmer verließ.

Eine Stunde später standen Elena und Monica vor der Wachstube. Eine dunkle Wolkendecke hing über der Stadt, und trotzdem war es zu dieser Morgenstunde bereits unerträglich schwül.

Monica sah ziemlich geschafft aus. Blutergüsse zeichneten ihre Unterarme. Bestimmt hatten die Carabinieri sie während der Befragung auf einem Stuhl festgehalten. Elena fragte nicht danach.

Stattdessen wollte Monica einiges wissen. »Wie ist es Ihnen gelungen, dass man uns entlässt?«

Elena orientierte sich kurz auf dem Stadtplan ihres Handys und ging dann in die Richtung des Polizeiparkplatzes, auf den die Carabinieri gestern Nacht ihren Leihwagen abgeschleppt hatten. »Ich habe mit Ihrer Großmutter telefoniert«, sagte sie. »Es ging nicht anders.«

»Und Zenobia hat ihre Kontakte spielen lassen?«

Elena nickte. »Sieht so aus.«

»Wollte Zenobia wissen, weshalb ich hier bin und wie es mir geht?«

»Nein, nichts davon. Aber ein gewisser Staatsanwalt Fochetti hat sich eingeschaltet. Wir dürfen nach San Michele zu Ihrer Familie fahren, müssen dort aber auf dem Kommissariat der *Polizia di Stato* unsere Aussage zu Protokoll geben.«

Monica starrte auf Elenas Rücken, wo der Griff ihrer Waffe aus dem Hosenbund ragte. »Die haben Ihnen sogar die Pistole zurückgegeben?«

»Sie konnten nicht anders, ich habe einen europäischen Feuerwaffenschein. Allerdings haben sie mir aus reiner Schikane alle Patronen abgenommen und mir bloß das leere Magazin gegeben.«

»Dann ist die Waffe nutzlos.«

»Nicht ganz«, widersprach Elena. »Die Stümper haben die Patrone im Lauf vergessen.«

Monica warf ihr einen unbehaglichen Blick zu. »Ich stinke immer noch nach Rauch, brauche eine Dusche und danach ein Frühstück.«

»Mir geht es genauso. Aber ich will so schnell wie möglich zu Lyashenko nach Florenz.«

»Veranlasst die Polizei keinen Personenschutz?«

»Das glauben Sie doch nicht im Ernst?« Elena drückte die Wahlwiederholung von Lyashenkos Nummer, erreichte aber wieder nur dessen Mobilbox. Erneut sprach sie ihm eine Warnung aufs Band. Danach beschleunigte sie ihren Schritt. »Wenn wir von Siena geradewegs nach Norden fahren, erreichen wir nach siebzig Kilometern Florenz. In etwas mehr als einer Stunde sind wir dort.«

Sie erreichten den Abschleppplatz der Carabinieri. Der Schlagbaum war unten. Elena händigte dem Beamten die Papiere aus und bekam den Autoschlüssel.

Weiße Ascheflecken klebten auf dem Lack des Wagens. Der Alfa Romeo sah aus wie gesprenkelt.

Bevor sie einstiegen, schaltete Monica ihr Handy ein. Es piepte mehrmals. »Fünf Anrufe in Abwesenheit«, murmelte sie.

»Von Ihrer Großmutter?«

Verdutzt schüttelte Monica den Kopf. »Alle aus Wien, von Thomas Dunek.«

46

Auf dem Weg zurück in den Verhörraum kam Gerink wieder an der Milchglastür vorbei, hinter der er erneut Scatozzas Stimme hörte. Vor der Tür ging er in die Hocke und band sich die Schnürsenkel.

»*Andiamo!*«, befahl der Beamte mit der gebrochenen Nase.

Gerink ließ sich Zeit. Scatozza wurde auf Deutsch vernommen. Neben dem Maresciallo sprach also noch jemand Deutsch in dieser Wachstube.

»Wozu haben Sie einen Laptop mit?«

»Aus privaten Gründen«, antwortete Scatozza.

»Die da wären?«

»Ich kaufe bei eBay.«

»Das haben unsere Computerspezialisten schon herausgefunden. Wozu ...?«

Ein Stuhl wurde bewegt. »Sie haben in meinem PC gestöbert?«, brüllte Scatozza.

»Was machen Sie mit diesen Holzschnitzereien?«

»Das geht Sie einen Scheißdreck an!«

Da wurde Gerink unsanft von Massimo gepackt und weiter in den Gang geschoben.

Holz? Für einen Moment vergaß Gerink alles, was mit dem Fall Del Vecchio zu tun hatte. Scatozza sammelte *Holzschnitzereien*?

Gerink wurde wieder in den Verhörraum gebracht. Massimo bewachte den Ausgang, und wenige Minuten später betrat der Maresciallo das Zimmer.

»*Va bene, Signor Capitanini*«, sagte der Beamte zum Maresciallo. Dieser schritt auf Gerink zu, setzte sich diesmal an die gegenüberliegende Seite des Tisches und schaltete das Tonbandgerät ein. »So, Sie hatten Ihre Gespräch. Was ist Ihre Stellungnahme zu die Vorwürfe, die wir gegen Sie vorbringen?«

»Ihr Name ist Capitanini?«, stellte Gerink amüsiert fest.

Der Maresciallo verzog keine Miene.

»Ein großer Name für einen so kleinen Mann«, sagte Gerink.

Der Maresciallo ballte die Faust. »Ihre Zeugenaussage, bitte!«

Gerink beugte sich vor und schaltete mit gefesselten Händen das Tonbandgerät aus. »Sie hören mir jetzt gut zu.«

Er blieb mit vorgebeugtem Oberkörper sitzen und fixierte die Augen des Maresciallo. »Teresa Del Vecchio ist österreichische Staatsbürgerin, die in Ihrem schönen Land von einem glatzköpfigen Mann mit Chloroform betäubt und entführt worden ist. Die Wiener Gerichtsmedizin besitzt Fotos von den Leichen von Teresa Del Vecchios Brüdern, die kürzlich verstorben sind. Aber nicht an den Folgen eines Auto- oder Bootsunfalls. Sie verschwanden jeweils einen Monat, bevor man ihre Leichen unter dem Ponte Vecchio fand – ohne Unfallspuren, aber dafür fehlen ihre Gliedmaßen.«

Der Maresciallo wurde unruhig. Sein gerötetes Augenlid zuckte.

»Mit einem Schnitt an der Halsschlagader und ausgeblutet. Verstümmelt und ausgeweidet ... Ihnen wurden die Organe entnommen«, fügte Gerink hinzu. »Teresa Del Vecchios Entführung liegt schon einen Monat zurück. Vermutlich steht ihr ein ähnlicher Tod bevor, falls er nicht schon eingetreten ist. Daher eilen die Untersuchungen des österreichischen Bundeskriminalamts. Aber Ihre Beamten behindern die Arbeit durch falsche Informationen an die Presse, durch Vorenthaltung der richtigen Fakten uns gegenüber und durch eine widerrechtliche Festnahme.«

Der Maresciallo schnappte nach Luft. »Sie …!«

»Ich bin noch nicht fertig«, unterbrach Gerink ihn. »Wenn Sie keinen internationalen Skandal über die Unfähigkeit der Florentiner Polizei heraufbeschwören wollen, sollten Sie uns endlich in Ihre Ermittlungen einweihen!«

»Sie …!«

»Und wenn Sie mir noch einmal Rauch ins Gesicht blasen, breche ich Ihnen die Nase. Und jetzt hauen Sie mit Ihrem lächerlichen Tonbandgerät ab. Ich möchte mit dem Haftrichter sprechen oder mit Staatsanwalt Francesco Fochetti!« Gerink lehnte sich zurück.

Das ausgeschaltete Tonbandgerät blieb auf dem Tisch stehen. Nach einer Weile erhob sich der Maresciallo. Er nickte seinem Kollegen zu, und gemeinsam verließen sie den Raum.

Sie ließen Gerink zwei Stunden lang warten. Gegen zehn Uhr öffnete sich die Tür, und ein graumelierter Mann im weißen Anzug betrat den Raum. Während er durch den Raum stolzierte und Gerink musterte, hallte das Klappern seiner genagelten Designerschuhe durchs Zimmer.

Gerink erkannte Staatsanwalt Fochetti von den Fotos auf der Facebook-Seite seiner Enkeltochter, die ihn *fochi-nonno* nannte. Der hochgewachsene, aufrechte Mann ging langsam auf Gerink zu.

»Guten Morgen, Herr Staatsanwalt«, eröffnete Gerink das Gespräch.

»Guten Morgen.« Fochetti warf einen Blick auf die Handschellen. Dann straffte er seine Hemdsärmel mit den goldenen Manschettenknöpfen. »Hatten Sie Frühstück?«

Er sprach gut Deutsch. Außerdem erkannte Gerink Fochettis

Stimme aus dem Verhörraum hinter der Milchglasscheibe wieder.

»Nein, aber noch dringender brauche ich eine Toilette.«

Fochetti blieb unbeeindruckt. »Ich bin der Staatsanwalt der Republik Florenz, wie Sie richtig vermuten, und ich habe gehört, Sie haben den Maresciallo nicht nur beleidigt, sondern auch bedroht?«

Ging dieser Schwachsinn denn ewig weiter?

»Hören Sie!«, sagte Gerink. »Entweder vergeuden wir noch mehr Zeit und spielen dieses sinnlose Machtspiel, bis wir wissen, wer von uns beiden die größeren Eier hat, während weiterhin Menschen sterben, oder Sie holen meinen Partner an den Tisch, und wir sprechen wie vernünftige Menschen ...« *Fochinonno* lag ihm auf der Zunge, doch er behielt es für sich.

Fochetti überlegte eine Weile. In seinem Haar steckte eine Spiegelsonnenbrille, und er wirkte, als käme ihm diese Unterredung ziemlich ungelegen, weil er eigentlich zum Brunch und anschließend zu einem Golfturnier wollte. Schließlich bellte er einige Befehle.

Gerink wurden die Handschellen abgenommen, er durfte endlich auf die Toilette und bekam einen Kaffee mit zwei Buttercroissants. Als er wieder in den Verhörraum geführt wurde, stand Fochetti immer noch da, schob die Unterlippe vor und warf einen abfälligen Blick auf Scatozza, der an dem Tisch saß.

Dino sah grässlich aus. Keine Dusche, keine Rasur, kein frisches Hemd, kein Haargel und kein Aftershave. »Hallo, Partner.«

»Hi.« Gerink setzte sich. »Wie hast du geschlafen?«

»Sieht man das nicht?«, brummte Scatozza.

»Ich konnte dich durch drei Zellenwände schnarchen hören.«

»Träum weiter, ich habe kein Auge zugetan.«

Schließlich wurde es Staatsanwalt Fochetti zu dumm. Er setzte sich zu ihnen an den Tisch und beendete ihr Gespräch mit einer ungestümen Handbewegung. »Sehr interessant, das alles. Mir ist zu Ohren gekommen, dass Sie sich für die Honeymoon-Suite entschieden haben.« Er hob die Arme. »Aber bitte, das geht mich nichts an.«

Gerink ignorierte die Anspielung.

»Neidisch, weil Sie die Suite gern für sich selbst hätten?«, knurrte Scatozza.

Fochetti rümpfte die Hakennase. »Können wir jetzt endlich?« Er faltete die Fingerspitzen wie zum Gebet vor dem Mund und senkte die Stimme. »Ich weihe Sie nun in die Ermittlungen ein, hinter denen in Wahrheit – wie Sie richtig vermuteten – viel mehr steckt. Das ist für Ihr internes Protokoll, und nach diesem Gespräch verlassen Sie Italien.«

Gerink und Scatozza schwiegen.

»*Allora* … Matteo Del Vecchio verschwindet in der Nacht des vierundzwanzigsten Februar in Florenz nach einem Besuch in einem, sagen wir, einschlägigen Etablissement. Einen Monat danach taucht er plötzlich wieder auf an einer gemauerten Bootsanlegestelle unter dem Ponte Vecchio. Verstümmelt, ausgeblutet und mit entnommenen Organen. Die Tauben hatten den Leichnam noch nicht entstellt. Also war der Fund frisch. Zu diesem Zeitpunkt war der Mann gerade zwölf Stunden tot.«

Fochetti machte eine Pause. Er nahm die Hände vom Mund und legte sie vor sich auf den Tisch. »Am siebzehnten März verschwindet Lorenzo Del Vecchio ebenfalls spurlos von der Bildfläche. Auch seine Leiche wird einen Monat nach seinem Verschwinden unter der Brücke gefunden. Exakt dieselbe Stelle, exakt die gleichen Verletzungen.«

»Bis auf wenige Details kennen wir die Geschichte«, unterbrach Gerink ihn rüde.

»Abwarten«, raunzte Fochetti. »Wir haben die grausamen

Morde aus zwei Gründen geheim gehalten und offiziell als Unfälle dargestellt: weil Zenobia Del Vecchio es so wollte und wir ihrer Familie die Peinlichkeit in der Öffentlichkeit ersparen wollten.«

»Weil es deren Ruf geschadet hätte?«, unterbrach Scatozza ihn. »Seit wann schert sich die italienische Polizei um die Bedürfnisse der Opfer?«

Fochetti ignorierte den Seitenhieb. »Und zweitens, damit Maresciallo Capitanini ungestört und auf Hochtouren verdeckt ermitteln kann.«

Scatozza lachte schallend auf. »Was soll dieser Schwachsinn? Verdeckt ermitteln? Auf Hochtouren? Wer? Der Maresciallo? Dass ich nicht lache!«

»Eh.« Fochetti hob ungestüm die Hand. »Maresciallo Capitanini von den Carabinieri leitet ein Sondereinsatzkommando, das ausnahmsweise der *Polizia Criminale* der Staatspolizei unterstellt ist. Das ist effizienter, als Sie denken.«

»Und was hat er erfahren?«

»Es geht um mehr als nur um diese beiden Morde.«

»Um Salvatore Del Vecchios Verschwinden?«

»Wissen wir nicht«, gab der Staatsanwalt zu. »Die Morde an Matteo und Lorenzo sind bloß die letzten Ereignisse einer langen Kette von Todesfällen, die Florenz seit einem Jahr in Atem hält. Davor wurden die verstümmelten und ausgebluteten Leichen eines Arztes und zweier Ermittler gefunden, denen ebenfalls bei lebendigem Leib Organe entnommen worden waren. Der Pathologe vom Gerichtsmedizinischen Institut der Stadt Florenz hat an allen Leichen die gleichen Verletzungen festgestellt.«

»Wer waren die anderen Toten?«

»Doktor Alchieri, ein Arzt aus Florenz, und Gioretti und Guliano, zwei Kripoermittler der Polizia di Stato.«

»Wo liegt der Zusammenhang?«

Fochetti hob die Schultern. »Ein wahnsinniger Serienmörder? Vielleicht geht es um Organhandel? Vielleicht waren die Ermittler einer großen Sache auf der Spur?«

»Schwachsinn!«, knurrte Scatozza. »Es ist doch kein Zufall, dass Mitglieder der Familie Del Vecchio unter dem Ponte Vecchio gefunden wurden.«

Gerink sah das genauso.

»Möglicherweise geht es um die Rache der Mafia«, sagte Fochetti. »Die Familie ist in einige finanzielle Transfers verwickelt. Wir müssen die wahren Todesursachen verbergen, sonst kommt es in Florenz zu einer Panik. Deshalb müssen Sie das Land verlassen. Sie gefährden unsere Ermittlungen.«

Gerink war anderer Meinung, aber das würde Fochetti noch früh genug erfahren. »Wann begannen die Morde?«

»Am vierundzwanzigsten Juli.«

»Genau einen Monat nach Salvatores Verschwinden«, überlegte Gerink laut. »Teresa Del Vecchio ist das jüngste Opfer und wurde am vierundzwanzigsten April entführt. Heute ist der siebenundzwanzigste Mai. Mehr als ein Monat ist vergangen. Wurde ihre Leiche heute Morgen schon gefunden?«

Der Staatsanwalt schüttelte den Kopf.

»Dann kann das jeden Moment passieren.« Gerink fixierte Fochettis Augen. »Wir werden *nicht* vorzeitig abreisen. Ich habe dieses Bauchgefühl, dass Teresa noch lebt. Heute ist der letzte offizielle Tag unserer Dienstreise. Ihre Leute haben uns lange genug verarscht. Wir dürfen keine weitere Minute verlieren!«

»Sie irren sich. Wir haben bereits Ihr Zimmer im Hotel geräumt. Ihre Sachen befinden sich hier. Wir werden Sie in einer Stunde zum Flughafen begleiten. An Ihrem Dienstwagen arbeitet noch die Spurensicherung. Der wird in etwa einer Woche nach Wien überstellt werden.« Fochetti richtete Krawattenknoten und Manschettenknöpfe – zum Zeichen, dass für ihn die Unterhaltung beendet war.

Gerink blieb gelassen. »Ihr Vorschlag ist inakzeptabel und nicht verhandelbar. Ich sage Ihnen jetzt, was wir brauchen, damit wir mit unseren Ermittlungen zügig vorankommen.«

Fochetti forderte ihn mit einer Handbewegung heraus. »Sonst was?«

Scatozza warf Gerink einen fragenden Blick zu. Seine Augen verrieten, dass Gerink und er in keiner guten Verhandlungsposition waren.

»Sonst«, sagte Gerink, »sind wir gezwungen, Kontakt zur italienischen Presse aufzunehmen.«

Fochetti schmunzelte amüsiert. »Was wollen Sie denen sagen? Dass wir zum Schutz der Bevölkerung auf Hochtouren verdeckt an einer Mordserie ermitteln?«

»Nein, dass Sie Zenobia Del Vecchio persönlich kennen, deshalb befangen sind und schwerwiegende Fehlentscheidungen bei diesen Mordfällen getroffen haben.«

Fochetti blickte immer noch amüsiert drein. »Ja, ich kenne mehrere Mitglieder der Familie Del Vecchio persönlich. Die Del Vecchios haben seit Jahrzehnten gute Beziehungen zu Justiz und Florentiner Polizei.« Er breitete die Arme herausfordernd aus. »Und?«

Gerink dachte an den Facebook-Eintrag von Fochettis Enkeltochter und das Foto, das ihr Schulkollege von ihrem *fochi nonno* gemacht hatte. Die grauhaarige Frau von hinten. *Zenobia del Vecchios Enkeltochter spielte Klavier wie eine Elfe, Geige wie ein Engel und war die Beste im Ballettunterricht.*

»Sie haben ein Verhältnis mit Zenobia Del Vecchio. Sie ist Ihre Geliebte.«

Fochettis Gesicht lief rot an. Er hielt für einen Moment den Atem an. »Eine unverschämte Unterstellung!«

»Ihre Reaktion hat mir das Gegenteil bewiesen«, antwortete Gerink. »Sie wissen, was für Folgen das hat. Man wird Ihnen
in den Del-Vecchio-Mordfällen Befangenheit und Amtsmiss-
brauch vorwerfen.«

Fochettis Kiefer mahlten eine Minute lang, in der sie alle
schwiegen. »Also gut, was brauchen Sie?«

»Eine Liste mit Namen und Adressen aller Chirurgen in der
Toskana.«

47

Auf den ersten Blick glich Florenz einem gigantischen Taubenschlag. Der schwüle Kessel dieser alten etruskischen Stadt
strahlte ein mystisches und zugleich düsteres Flair aus. Die gelben, grünen und braunen Häuser hatten nichts Modernes. Tür-
me aus verwaschenem Marmor reihten sich aneinander, unterbrochen von Torbogen und Plätzen mit zahlreichen Skulpturen.

Kurz nach elf Uhr erreichten Elena und Monica das Stadt-
zentrum und stellten den Wagen auf einem öffentlichen Parkplatz ab. Von hier aus liefen sie zu Fuß. Elena ging voraus,
während Monica sich zurückfallen ließ, um mit Dunek zu telefonieren. Elena hörte nur, dass Monica sich nicht mit ihm treffen könne, weil sie zurzeit nicht in Wien sei – der Rest ging im
Straßenlärm unter. Schließlich steckte Monica das Handy weg
und holte Elena ein.

»Sieht so aus, als hätten Sie sich einen Millionär geangelt.«

»Meine Sorge ist eher, wie ich den wieder loswerde«, antwortete Monica.

Schließlich war sie mittlerweile selbst Millionärin.

Dunkle Wolken zogen über die Spitzen der Glockentürme
und spiegelten sich im schwarzen Wasser des Arno wider, der
träge unter den wuchtigen Brücken dahinfloss.

Lyashenko wohnte in der Via dei Girolami 5, einem abbruchreifen grauen Haus, eingequetscht zwischen zwei Türmen, mit
vorspringenden Erkern und gusseisernen Wappen, die über den
Bürgersteig ragten.

Das Blech der Hausnummer rostete auf dem schwarzen Holztor vor sich hin. Der Ponte Vecchio lag in der Nähe. Ein Windhauch trug den beißenden Gestank in die Gasse. Diese Ecke der Stadt wirkte harmlos verlassen, und das Tor sah auch nicht so aus, als wäre es aufgebrochen worden. Elena läutete. Ein blecherner Ton erklang hinter der Holztür.

Sie warteten. In Elenas Hosenbund steckte zur Sicherheit die Glock, auch wenn sie nur noch eine Patrone hatte.

Schließlich krächzte eine großväterliche Stimme in italienischer Sprache aus dem Haus.

Elena warf Monica einen auffordernden Blick zu. Diese stellte sich vor und erklärte, woher sie kamen.

»Sie haben also angerufen«, bemerkte der Alte auf Deutsch. Seine Aussprache hatte keinerlei italienischen Akzent, aber er nuschelte wie jemand mit einem Sprachfehler.

»Ja, wir müssen Sie dringend sprechen.«

»Sind Sie von der Polizei?«

»Nein, ich bin Privatdetektivin und komme aus Wien. Meine Klientin ist Salvatore Del Vecchios Tochter.«

»Was wollen Sie von mir?«

»Uns mit Ihnen über Salvatore Del Vecchio unterhalten.«

»Den kenne ich nicht.«

Elena atmete tief durch. »Sie haben die Farben für sein letztes Gemälde hergestellt.«

»Woher wissen Sie das?«

»Damiano Piroli schickte Ihnen eine Auswahl seiner Pinsel, damit Sie testen konnten, wie gut das Material haften bleibt.«

Der Alte schwieg.

»Ich fürchte, Ihr Leben ist in Gefahr«, fügte sie hinzu.

»Ist es vielleicht, sobald ich diese Tür öffne.«

Elena warf Monica einen auffordernden Blick zu. »Überzeugen Sie ihn, dass Sie Salvatores Tochter sind.«

Monica sprach längere Zeit auf Italienisch auf Lyashenko ein.

Schließlich öffnete er die Tür einen Spalt. Der Mann war etwa einen Meter sechzig groß und hatte einen grauen Haarkranz. Sein Gesicht war deformiert. Eine lange tiefe Schnittverletzung, die erst vor wenigen Wochen genäht worden war, zog sich quer über sein Gesicht, weshalb die Augen schräg lagen und die Lippen ebenso leicht nach unten versetzt wirkten. Daher stammte also die undeutliche Aussprache.

Lyashenko betrachtete sie mit ängstlichem Blick durch eine Brille, deren Gläser Aschenbecherböden glichen.

Elena musste sich zwingen, nicht in sein deformiertes Gesicht zu starren. »Danke, dass Sie uns geöffnet haben. Dürfen wir reinkommen?«

Lyashenko zog die Tür auf, und sie traten ein. Er trug einen beigefarbenen Kittel mit Farbspritzern und Sicherheitsschuhe mit Metallkappen. Möglicherweise war ein Bein kürzer, denn der linke Schuhabsatz war um zwei Zentimeter höher.

Im Haus war es dunkel, und es roch muffig. Lyashenko hauste in ziemlich engen Räumen mit niedriger Decke. Durch einen Türspalt erkannte Elena eine Wohnküche mit zerschlissenem Fernsehstuhl und einer Kochzeile, in deren Spüle sich das Geschirr stapelte. Fliegen surrten herum.

»Weshalb sprechen Sie so gut Deutsch? Stammen Sie aus Deutschland?«

Der alte Mann nickte und reichte ihr die knöcherne Hand. »Felix Lyashenko«, stellte er sich vor. »Aus Dresden. Ich bin achtundachtzig nach Italien gekommen.«

Aus der DDR. Ein Jahr vor dem Mauerfall. Lyashenko war geflohen! In Elenas Kopf schrillten die Alarmglocken. »Kennen Sie einen Mann namens Viktor König?«, fragte sie einem Instinkt folgend. »Er war Stasi-Offizier.«

Der Oberkörper des Mannes wich eine Spur zurück. »Kommen Sie von ihm?«

»Nein«, beruhigte Elena ihn. »Woher kennen Sie ihn?«

Erleichtert ließ Lyashenko die Schultern sinken. Er fuhr sich über die wulstigen Lippen und schluckte. »Ich würde lügen, wenn ich behauptete, ihn nicht zu kennen. König ist der Teufel in Menschengestalt. Was haben Sie mit ihm zu tun?«

»Ich bin ihm bei einer Versteigerung in Wien begegnet.«

»Er war in Wien? Was wollte er dort?«

»Vermutlich das letzte Gemälde kaufen, das Salvatore Del Vecchio geschaffen hat.«

Lyashenko schüttelte abfällig den Kopf. »Ein Mann wie König ist nicht an Gemälden interessiert. Der ist auf anderen Gebieten tätig.«

»Aber in der Kunstbranche ist viel Geld zu machen«, widersprach Elena. »Das Gemälde wurde für siebzehn Millionen Euro versteigert.«

Lyashenko stieß einen Pfiff aus. »Deshalb sind Sie den weiten Weg von Wien hergefahren? Wie kommen Sie darauf, mein Leben sei in Gefahr?«

»Viktor König wird Ihnen möglicherweise schon bald einen Besuch abstatten.«

Eine Gänsehaut überzog Lyashenkos Handrücken. »Warum sollte er das tun?«

»Weil Sie die Ölfarben für Del Vecchios letztes Gemälde hergestellt haben.«

Lyashenko wirkte verwirrt. »Was zum Teufel hat das alles mit König zu tun?«

»Er ist wahrscheinlich auf der Suche nach Salvatore Del Vecchio.«

Lyashenko hob die Schultern. »Ich habe Salvatore persönlich nie kennengelernt und weiß nicht, wo er steckt.«

»Das würde König nicht daran hindern, Sie zu töten.«

Lyashenko musterte sie. »Und *Sie* wollen mir helfen?«

Nun mischte sich Monica in das Gespräch ein. »Was ist so besonders an den Ölfarben gewesen, die Sie für meinen Vater gemischt haben?«

»Sie waren in der Tat etwas Besonderes.« Lyashenko sperrte die Haustür zweimal ab. »Nur zur Sicherheit.« Er lächelte unbeholfen. Dann öffnete er eine Tür im Vorraum, knipste einen Lichtschalter an und deutete auf eine schmale Treppe, die in den Keller führte.

»Folgen Sie mir in meinen Arbeitsraum. Dort unten habe ich die Farben erzeugt.«

48

Gerink und Scatozza bekamen im obersten Stock der Wachstube der Carabinieri ein Büro zur Verfügung gestellt, allerdings ohne PC. Dafür erhielten sie Handy, iPhone, Laptop sowie ihre Gepäckstücke aus dem Hotel wieder. Scatozza bekam sogar seine Walther mit dem Reservemagazin zurück.

Fochetti instruierte den Maresciallo, ihnen bei den Ermittlungen behilflich zu sein. Sicherheitshalber hörte Scatozza bei dem Gespräch zu, damit hinter ihrem Rücken keine krummen Dinger liefen. Dann verließ Fochetti sie kommentarlos.

Mittlerweile war der Himmel zur Gänze bewölkt, Blitze zuckten am Horizont, Donnerschläge krachten in weiter Ferne, und der Wind drückte die schwüle Hitze durch das gekippte Fenster. Gerink wusch sich und schlüpfte in ein frisches Hemd. Kurz vor elf Uhr vormittags erhielten sie eine Liste aus dem Tintenstrahldrucker mit Namen, Telefonnummern und Anschriften aller Chirurgen, Sanitäter, Krankenpfleger, Tierärzte, Medizinstudenten und Einwanderer mit medizinischer Ausbildung, die zu einer Organentnahme in der Lage gewesen wären.

»Die italienische Polizei hat diese Liste schon mehrmals durchgearbeitet«, kommentierte der Maresciallo.

»Das ist gut möglich.« Scatozza schlug den Computerausdruck auf perforiertem Endlospapier auf. Darauf befanden sich mehrere hundert Namen in blasser Tinte. *Gibt es hier keinen Laserdrucker?*, schien sein Blick zu sagen.

Der Maresciallo stand steif im Türstock. »Wir haben alle Querverweise untersucht.«

»Erfolglos, nehme ich an«, sagte Gerink.

Der Maresciallo erwiderte nichts, sondern schob bloß die Unterlippe nach vorn.

»Noch was?«, fragte Gerink.

»Ich weiß nicht, wie hart Sie in Ihre Land Vernehmungen durchführen, aber bei einige von diese illegale Einwanderer, Vorbestrafte und asoziale Dreck« – er deutete auf die Liste – »haben wir sogar die *cassetta* angewendet, aber nichts gefunden.«

Gerink wusste, dass die Carabinieri mit Ausländern nicht gerade zimperlich umgingen, aber als der Maresciallo zugab, die *cassetta* anzuwenden, verachtete Gerink ihn noch mehr als vorher. Irgendwo gab es eine Grenze. Bei dieser Methode wurde auf dem Gesicht des Verhörten eine Gasmaske befestigt und langsam ein Eimer mit Meerwasser in die Maske geleert. War es das, was Staatsanwalt Fochetti vorhin gemeint hatte? *Der Maresciallo ist effizienter, als Sie denken!* Allerdings kam es nicht immer darauf an, die Dinge *richtig* zu tun, sondern man musste auch *effektiv* sein, nämlich die *richtigen* Dinge tun.

Der Maresciallo ging zur Tür, drehte sich noch einmal um und murmelte nahezu unverständlich: »Falls Sie noch etwas …«

»Gut, dass Sie es ansprechen«, unterbrach Gerink ihn. »Zwei Cappuccino, aber nicht zu viel Milchschaum.«

Eine Stunde später hatten sie die Liste durchgeackert. Scatozzas iPhone und sein Laptop hingen am Netz, sie hatten fast jeden Namen damit gecheckt. Die meisten Personen auf dem Ausdruck waren Italiener, einige Spanier und Franzosen. Gerink fiel auf, dass sich sogar ein ostdeutscher Armeearzt im Ruhestand darunter befand, der mittlerweile in Florenz lebte.

Gerink brauchte eine Pause. Er stand auf und streckte das Kreuz durch. Er wusste nicht, was schlimmer war: die brütende Hitze unter der Glut der Sonne oder die schwüle Hitze, die sich im Moment unter der Wolkendecke zusammenbraute. Er trat ans geöffnete Fenster und blickte über die roten Schindeldächer zum Horizont. Immer wieder erhellte ein Blitz die schwarze Wolkenbank, doch kein einziger Regentropfen fiel zu Boden.

»Du ersteigerst Holzschnitzereien?«, fragte er.

»Was?« Scatozza sah ihn verblüfft an. Offensichtlich hatte sein Partner mit vielem gerechnet, aber nicht damit.

»Diese Räume haben dünne Wände«, erklärte Gerink. »Ich …«

»*Un momento!*« Scatozza hob den Finger. Dann senkte er die Stimme. »Erstens geht dich das einen Scheiß an …«

»He, du schämst dich doch nicht etwa dafür? Ich finde das okay, aber es passt gar nicht zu dir«, unterbrach Gerink ihn.

»Du findest das okay?«

»Klar, Elena sammelt Porzellanfiguren. Warum nicht?«

Scatozza kniff die Augenbrauen zusammen. »Du lachst doch, du Hund!«

»Nein, gar nicht.«

Scatozza musterte ihn prüfend. Plötzlich lehnte er sich bequem in den Stuhl und wurde gesprächig. »Mein Großvater mütterlicherseits war Stuhlflechter und Holzschnitzer in Catania. Er hat in den Fünfzigerjahren diese zweirädrigen sizilianischen Pferdekarren mit Schnitzereien verziert und anschließend bemalt. Nichts Besonderes, aber er hat auch eine Serie mit dreißig Krippenfiguren nach Motiven von Caravaggio geschnitzt. So groß.« Er zeigte die Umrisse einer etwa zwanzig Zentimeter hohen Skulptur.

»Und die Figuren sind wertvoll?«

Scatozzas Augen glänzten voller Stolz. »*Ziemlich* wertvoll sogar. Die Sammlung ging nach seinem Tod verloren. Seit Jahren versuche ich, sie zusammenzubekommen. Acht Figuren fehlen noch. Einige wurden jetzt verkauft.« Nachdenklich betrachtete er seine Hände. »Diese Sammlung ist das Einzige in meiner beschissenen Familie, auf das ich stolz sein kann.«

Noch nie hatte Gerink diese selbstkritische Seite an seinem Partner gesehen.

»Wir machen einen guten Job«, versuchte Gerink, ihn aufzubauen.

»Versuchen wir zumindest.« Scatozza faltete den Computerausdruck zusammen. Sie hatten fünfzehn Namen markiert, die in die engere Wahl kamen. Möglicherweise hatte einer davon die Menschen bei lebendigem Leib ausgeweidet, wieder zusammengenäht und anschließend deren Gliedmaßen amputiert. Möglicherweise war der Mörder aber auch nicht darunter. Und was zum Teufel war der Grund für diese irrsinnige Tat?

»Wir haben keine Zeit, alle fünfzehn in die Mangel zu nehmen«, sagte Scatozza. »Auf wen tippst du?«

Gerink setzte sich auf die Fensterbank. »Ich habe so ein Gefühl im Bauch. Mir geht dieser Armeearzt nicht aus dem Kopf.«

»Dieser …« Scatozza blätterte durch die Liste. »Felix Lyashenko? Warum ausgerechnet der?«

»Elena sucht doch nach Monica Del Vecchios Vater und ist dabei auf diesen Viktor König gestoßen, der ihr ein Veilchen verpasst hat. Von Lisa Eisert wissen wir, dass König ein Stasi-Offizier war. Vielleicht steht er in Verbindung zu diesem pensionierten ostdeutschen Armeearzt?«

Scatozza lehnte sich im Stuhl zurück und legte die Füße auf den Tisch. »Ich glaube nicht, dass die Spur in die Zeit der DDR führt. Das wäre zu weit hergeholt.«

»Frag doch mal den Maresciallo, was er über Lyashenko herausbekommen hat.«

Scatozza zog das schwarze Telefon mit der Wählscheibe zu sich und wählte die Durchwahl des Maresciallo. Nach einem kurzen Gespräch legte er auf.

»Fehlanzeige. Lyashenko ist zwar unehrenhaft aus der Armee entlassen worden, aber harmlos. Die Carabinieri haben sein Haus mit einem Durchsuchungsbeschluss vom Keller bis zum Dachboden auf den Kopf gestellt. Unmittelbar nach Teresas Entführung waren sie noch einmal bei ihm. Sie haben ihn drei Tage lang in U-Haft vernommen. In der Zeit hat er mehr Meerwasser geschluckt als so mancher Matrose bei der Marine. Außerdem hat er alle Lügendetektortests bestanden.«

Gerink verzog das Gesicht.

»Das stellt dich nicht zufrieden?«

Gerink schüttelte den Kopf. »Überleg doch mal. Als ehemaliger Armeeangehöriger ist er darauf trainiert, solche Tests zu bestehen. Er kann sich überzeugend verstellen. Bei jeder Frage, die er wahrheitsgetreu beantwortet, tritt er mit dem Fersenballen auf eine feine Nadel in seiner Schuhsohle, damit sich auch hier Atmung, Herzschlag und Adrenalinausstoß erhöhen.«

»Du bist paranoid«, murrte Scatozza. »Willst du zu Lyashenko fahren?«

Gerink wehrte ab. »Scheiße, ich weiß es nicht. Vielleicht ist es ein anderer, und wir vergeuden unsere Zeit mit dem alten Knaben.« In diesem Moment begannen die Mittagsglocken der Kirchen zu läuten. Er fingerte sein Handy aus der Tasche. »Ich brauche eine Pause. Ich rufe Elena an.«

»Mach das.« Scatozza erhob sich und griff nach dem iPhone. »Ich vertrete mir in der Zwischenzeit die Beine und erstatte Lisa Eisert Bericht. Unsere U-Haft erwähne ich nicht.«

Gerink lachte müde. »Glaub mir, die weiß längst Bescheid.«

Scatozza verließ das Büro, und Gerink wählte Elenas Nummer.

49

Lyashenkos Keller war größer, als das Haus von außen vermuten ließ. Allerdings bestand er aus mehreren kleinen Backsteinge-wölben, die mit Rundbogen verbunden waren. Die roten Stein-platten auf dem Boden wirkten kalt. Nackte Neonröhren surr-ten an der Decke, beleuchteten fast jeden Winkel, tauchten den Keller aber zugleich in einen düsteren rötlichen Schimmer.

In den Wandregalen stapelten sich riesige Einmachgläser mit pulverisierten Trockenstoffen und grobkörnigen Pigmenten in fast allen Farbtönen bis zur Decke. Auf Holztischen standen Propankocher und Destillationsgläser in unterschiedlichen For-men und Größen. Darunter stapelten sich Kanister mit Löse-, Verdünnungs- und Bindemitteln und Fässer mit gekochtem Leinöl. Dementsprechend hing ein bitterer Geruch in der Luft.

Monica stieg über einige Farbeimer. »Hier arbeiten Sie?«

Lyashenko schob mit dem Fuß einen Berg Stofffetzen in eine Ecke und rollte ächzend einen Teppich auf. »Ja, hier arbeite ich«, keuchte er. »Fühlen Sie sich unwohl?«

Unter dem Teppich kam eine Falltür aus Holz mit eingelasse-nem Eisenring zum Vorschein. Elena hätte nicht vermutet, dass sich unter dem Keller ein weiterer Keller befand.

»Ihr Vater wollte mit seinem letzten Gemälde einen realisti-schen und natürlichen Effekt erzielen, aber keine herkömmli-chen Materialien verwenden. Er wollte etwas Neues!«

»Hat er Ihnen das selbst gesagt?«, fragte Elena.

»Ich sagte doch, ich habe ihn nie persönlich gesprochen«, er-klärte Lyashenko. »Der Auftrag kam von Franco Citti.«

Monica warf Elena einen Blick zu. »Vom Leiter des Del Vecchio-Museums?«

»Sie hatten Kontakt zu Citti?«, fragte Elena. »Dann muss Citti doch wissen, wo Salvatore sich befindet.«

Lyashenko zuckte mit den Achseln. »Möglich.«

Elena hatte Citti bisher mehrere Nachrichten auf Band gesprochen, aber immer noch keinen Rückruf erhalten. »Was hat Citti Ihnen genau aufgetragen?«

»Das will ich Ihnen gerade zeigen.« Lyashenko zog am Eisenring die Bodenluke hoch. »Es ist noch nicht lange her, als ich die letzte Farbtube abgefüllt habe. Ich hoffe, Sie haben einen guten Magen.«

Ein süßlicher Geruch von vermodertem Fleisch drang durch die Öffnung im Boden. Monica verzog angewidert das Gesicht.

Lyashenko grinste. »Citti sagte, Del Vecchio wolle einen intensiven Farbeindruck erzielen und wünsche, dass ich aus Tierblut Ölfarben gewinne.«

»Aus Tierblut? Das geht?«, fragte Monica.

»Alles geht«, antwortete Lyashenko. »Ihr Vater wollte eine längere Trocknungszeit als üblich. Obendrein sollten die Farben auch bei dünner Auftragsstärke noch cremig sein und eine hohe Deckkraft besitzen.« Er rieb die Finger zart aneinander. »Sie sollten sich sowohl für Mischtechniken als auch für die Lösung mit Terpentinöl eignen … War alles nicht so einfach«, murmelte er und verschwand über eine Wendeltreppe aus grob gehauenen Steinen nach unten.

»Es waren mehrere Versuche notwendig, bis die Farbe auf den Borsten der Pinsel haften blieb und sich geschmeidig auf der Leinwand verstreichen ließ. Außerdem durfte die Farbe Tage später nicht abblättern.« Seine Stimme hallte von den Wänden wider.

Monica und Elena starrten sich an.

»Sollen wir da etwa runter?«, fragte Monica.

»Natürlich. Folgen Sie mir in mein Labor«, tönte es von unten herauf.

Elena zog instinktiv die Waffe. »Ich gehe zuerst«, flüsterte sie und stieg über die Steinquader nach unten.

Der Schacht war eng und löste ein beklemmendes Gefühl in ihr aus. Plötzlich kam sie auf die verrückte Idee, dass Lyashenko nicht aus Furcht vor König, sondern aus einem anderen Grund die Haustür zweimal abgesperrt hatte. Hatte er den Schlüssel abgezogen? Elena erinnerte sich, dass er ihn eingesteckt hatte. In diesem Moment drang schwach das Läuten der Mittagsglocken in den Keller.

Monica folgte ihr. »Was für ein Gestank«, raunte sie. Es klang, als hielte sie sich beim Sprechen die Nase zu.

Auf halbem Weg schrillte Elenas Handy. Sie fingerte das Telefon aus der Jeans und blickte aufs Display. Der Empfang hier unten war schlecht. Nur ein Balken. Sie blieb stehen und hielt das Handy hoch. Peters Nummer! Sie ging einen Schritt hinauf, und der Empfang wurde eine Spur besser. Rasch nahm sie das Gespräch entgegen. »Hallo?«

»Hallo, Elena …« Peters Stimme drang knisternd durch den Lautsprecher. »Dino und ich machen gerade eine Pause. Wie geht es dir?«

»Danke gut. Monica und ich sind gerade in Florenz.«

Monica zwängte sich an Elena vorbei und ging weiter hinunter. *Nein!* Sie wollte Monica am Hosengürtel packen und zurückhalten, doch die Italienerin lief bereits die Treppe hinab.

»Dann seid ihr in unserer Nähe, aber du klingst so weit weg«, sagte Peter.

»Ja, ich bin …«

»Wofür ist diese Metalltür?«, fragte Monica, die offensichtlich schon unten angekommen war.

Metalltür?

»Mit wem sprechen Sie?«, rief Lyashenko von unten herauf.

Elena sah, wie er sich an Monica vorbeidrängte, um sie zu erreichen. Rasch ließ sie die Waffe hinter dem Rücken verschwinden, damit er sich nicht bedroht fühlte. Doch vermutlich eine Sekunde zu spät.

Mit zusammengekniffenen Augen starrte er auf ihre Hand, die sie hinter dem Rücken verbarg.

50

»Hallo?«, fragte Gerink. »Ich verstehe dich so schlecht. Wo bist du?«

Gerink wartete eine Weile. Er hörte eine fremde Stimme im Hintergrund. »Elena?«, fragte er. »Bist du noch da?«

Warum zum Teufel war der Empfang so schlecht? Bei den sauteuren Roaming-Gebühren konnte man wenigstens ein besseres Funknetz erwarten.

»Ja, ich bin noch da«, antwortete sie. »Wir haben eine Spur zu Salvatore Del Vecchio gefunden. Wir sind bei einem Mann, der die Ölfarben seines letzten Gemäldes hergestellt hat. Ich brauche Personenschutz für ihn, aber die Carabinieri ignorieren alles, was ich sage.«

Gerink erhob sich vom Fensterbrett. Er stützte sich auf die Brüstung und spähte zum finsteren Horizont. »Da lässt sich was machen.« Er dachte an den Maresciallo, dessen volle Unterstützung er seit seinem Gespräch mit dem Staatsanwalt zugesichert bekommen hatte. »Wie heißt der Mann?«

»Er ist Deutscher. Felix Lyashenko …«

Gerink fühlte sich, als hätte ihm jemand einen Eimer Eiswasser über den Rücken geleert.

»Du bist jetzt gerade bei ihm?«, rief er.

»Ja, ich …«

»Lyashenko ist kein Farbenhersteller! Hau ab! Verschwinde sofort von dort!« Gerink rannte zum Tisch, griff zum Wagenschlüssel und klemmte sich den Computerausdruck unter den Arm.

»Was?«

Gerink stürzte aus dem Büro. »Lyashenko ist ein Arzt, der unehrenhaft aus der DDR-Armee entlassen wurde.« Er rannte durch den Flur. Am Ende des Gangs stand Scatozza, der mit seinem iPhone vermutlich ein eBay-Angebot checkte. Gerink stieß einen Pfiff aus und bedeutete Scatozza ihm zu folgen. Gemeinsam liefen sie im Treppenhaus hinunter.

»Bist du sicher? Ich …«

Gerink hörte einen Schlag, danach ein Knirschen. Es klang, als polterte Elenas Handy eine Treppe hinunter. Im nächsten Moment war die Verbindung weg.

»Was ist passiert?«, rief Scatozza.

Gerink drückte ihm den Computerausdruck in die Hand. »Lyashenko ist unser Mann.«

Sie erreichten die Wachstube im Erdgeschoss und liefen durch die Büros zum Ausgang.

»Warum so hastig?«, rief Scatozza.

»Elena ist bei ihm.«

Da legte der Italiener einen Zahn zu und blätterte, während er lief, durch das Endlospapier. »Der Typ wohnt in der Via dei Girolami 5. Das ist in der Nähe des Ponte Vecchio, gar nicht mal weit von hier.«

»Wo ist der Maresciallo?«, brüllte Gerink in ein Büro, in dem nur ein paar Carabinieri saßen, die von ihren Spaghettitellern aufsahen und ihn verständnislos anglotzten.

»Vergiss es«, keuchte Scatozza. »Die meisten sind in der Mittagspause. Wir sind schneller dort, wenn wir unseren Wagen nehmen.«

»Hast du die Walther mit?«

Scatozza klopfte auf sein Schulterholster. »Natürlich.«

Drei Wochen vorher

Diesmal erwachte Teresa, weil ihr jemand mit der Hand ins Gesicht schlug. Die Schläge wurden kräftiger und hörten erst auf, als sie die Augen öffnete.

Im grellen Licht sah sie die Umrisse zweier Männer. Der Glatzkopf und sein krummer kleiner Freund. Sie unterhielten sich.

Der kleine Mann mit der nuschelnden Stimme war ziemlich aufgebracht.

»Sie hätten sich besser um sie kümmern müssen. Womöglich stirbt sie während der Operation.«

»Was macht das schon?«, antwortete der Glatzkopf. »Sie bringen es ohnehin hier und jetzt zu Ende.«

»Alles?«

»Natürlich! Durch die Untersuchungshaft haben wir drei Tage verloren. Der Zeitplan ist knapp.«

Der alte Mann band sich einen Mundschutz über das Gesicht und schlüpfte in chirurgische Handschuhe.

»Was ...?«, murmelte Teresa.

Der Mann ignorierte sie. Während der Glatzkopf in den Hintergrund trat, desinfizierte der Alte ihre Armbeuge und punktierte ihre Vene mit einer Kanüle, die er mit einem Heftpflaster fixierte. Er setzte einen Schlauch an die Kanüle. Im nächsten Augenblick floss Teresas Blut ab.

Als ausgebildete OP-Schwester in der Chirurgie wusste sie, was passieren würde. Sie durfte sich nicht bewegen. Mit jeder Muskelanspannung würde ihr Körper mehr Blut verlieren – aber sie wollte nicht sterben. Sie hatte sich geschworen, den Glatzkopf zu töten. Aber die Aussicht, das noch irgendwie zu bewerkstelligen, war verschwindend klein geworden. Womöglich starb sie in den nächsten Minuten.

Sie hörte das Ploppen des Gummistopfens einer Flasche. Geruch von Alkohol stieg in ihre Nase, der sie sofort hellwach machte. Der Alte desinfizierte jene Stellen ihres Körpers, die er zuvor mit roten Linien markiert hatte. Die Flüssigkeit war eiskalt, und eine Gänsehaut lief über ihren Körper. Unwillkürlich zogen sich ihre Muskeln im Reflex zusammen. Entspann dich, schärfte sie sich ein. Du verblutest sonst zu schnell!

Wieder zuckte sie zusammen. Immer mehr Blut wurde mit jedem Herzschlag durch ihre Vene aus dem Körper gepumpt.

Der Alte desinfizierte jene Stellen, wo ihre Galle lag, die Milz, die Leber sowie den unteren Teil der Lungenflügel und schließlich die Markierungen um ihr Herz. Anschließend nahm er einen kräftigen Schluck aus der Flasche.

Das würde sie nicht überleben, schoss es ihr durch den Kopf.

Das Klimpern des chirurgischen Bestecks versetzte sie in eine Schockstarre. Der Alte würde mit dem Skalpell in ihren Körper eindringen, ohne ihr vorher zumindest eine Lokalanästhesie gegeben zu haben. Sie würde die volle Süße des Schmerzes zu spüren bekommen.

Das überlebst du nicht.

Die Schmerzen werden dich töten.

Besser, du verblutest rasch und verlierst das Bewusstsein.

Sie hatte den Überlebenskampf aufgegeben. Unwillkürlich begann sie, die Faust zu öffnen und zu schließen.

»Felix!«, rief der Glatzkopf. »Was macht sie da?«

»Oha, meine Kleine«, nuschelte der Alte. »Sie versucht, sich selbst zu töten. Nicht so schnell!« Er drehte an der Rollklemme und verengte den Durchmesser des Schlauchs, um ihren Blutfluss zu drosseln.

Im nächsten Moment hielt der Alte inne. Schweiß stand ihm auf der Stirn.

»Alles in Ordnung?«

»Ja, es geht wieder«, keuchte der Alte.

»Beeilen Sie sich! Alles muss bis heute Abend erledigt sein. Mehr Zeit haben wir nicht.«

»Ja, ja«, murrte der Alte. »Ich habe verstanden.«

Der Glatzkopf verließ den Raum. Teresa hörte seine Schritte, die langsam nach oben verschwanden.

Der Alte beugte sich über ihr Gesicht. Sie roch seine Ausdünstung, seinen Schweiß, der ihm auf der Stirn stand, und den Geruch brackigen Salzwassers. Sein Gesicht war so fahl wie ein Leichentuch in der Pathologie.

»So, meine Kleine, beiß die Zähne zusammen und sei stark. Onkel Lyashenko wird sich um dich kümmern.« Er griff zum Skalpell und schnitt tief in sie hinein.

51

»Lyashenko ist ein Arzt, der … aus der DDR-Armee … entlassen …« Peters Stimme überschlug sich förmlich. Aber wegen der schlechten Verbindung war er fast nicht zu hören.

Armeearzt? Steckte er mit Viktor König unter einer Decke? In diesem Moment wurde Elena bewusst, dass sie keine Hand frei hatte. Sie verbarg immer noch ihre Glock hinter dem Rücken und presste das Handy ans Ohr. Lyashenko stand in dem engen Treppenabgang vor ihr.

»Bist du sicher?« Für einen Augenblick sah sie zur Seite. »Ich …«

Etwas Hartes traf sie am Kopf. Sie ging sofort zu Boden und verlor das Handy. Lyashenko stand über ihr, hob die Hände über den Kopf und holte erneut mit einem Eimer aus.

Im gleichen Moment brachte sie die Waffe nach vorn und schoss. Das Projektil durchschlug Lyashenkos linke Schulter und schleuderte ihn gegen die Wand. Der Schuss hallte in dem engen Treppenabgang entsetzlich laut wider und erzeugte ein schrilles Klingeln in ihren Ohren. Lyashenko ließ den Eimer fallen, der polternd die Steinquader hinunterfiel.

»Du miese, kleine, dreckige Schlampe!«, fluchte er. »Ich habe es so satt mit euch!«

Elena rappelte sich auf. »Monica?«, rief sie, erhielt jedoch keine Antwort. Ihre Stimme klang so dumpf, als wäre sie beinahe taub. Sie richtete die Glock auf Lyashenko und bedeutete ihm hinunterzugehen.

Im elektrisierenden Licht der Neonröhre, das durch die

Bodenluke in den Schacht fiel, starrte Lyashenko auf Elenas Waffe. Als er sah, dass der Schlitten in der Fangvorrichtung eingerastet war, weil sie die letzte Kugel verschossen hatte, grinste er breit. Einen ehemaligen Armeearzt konnte sie nicht täuschen.

Sie wollte ihm den Lauf der Waffe ins Gesicht schlagen, mitten in die kürzlich vernähte Wunde, doch Lyashenko war schneller. Er zog eine kleine Handfeuerwaffe aus der Manteltasche und lud sie mit einer raschen Bewegung durch. Die Patrone sprang klickend in die Kammer. Im Dämmerlicht sah Elena, wie er den Lauf auf ihren Bauch richtete.

»So, und nun kommen Sie langsam runter«, befahl er, während er die freie Hand auf seine Schulter presste und Schritt für Schritt die Treppe rückwärts nach unten stieg.

Unten angekommen, etwa zwei Etagen tiefer, befand sich nur noch eine klobige Metalltür mit Sicherheitsbolzen, die in einen schmalen Raum führte, in dem eine Holzpritsche mit Lederfesseln stand. Eine Lampe hing von der Decke, und an der Wand standen einige Schränke mit Schubladen. Auf dem Boden lag Monica. Bewegungslos. Elenas Herzschlag setzte für einen Moment aus. *Dieser Mistkerl hatte sie doch nicht etwa …?*

»Wenn sie tot ist, dann …«, entfuhr es Elena.

»Noch lebt sie.« Lyashenko deutete mit dem Lauf der Waffe in die Kammer. »Noch!«

Elena wusste, sobald sie einmal in diesem Verlies eingesperrt war, gab es für sie kein Entkommen mehr. »Nein!«

Lyashenko richtete die Waffe auf den Boden und schoss. Das Projektil fuhr in den Stein und hinterließ ein rauchendes Loch mit Schmauchspuren. »Die nächste Kugel geht in Ihren Oberschenkel. Also los, rein da!«

Elena wartete einen Moment. Unter Lyashenkos Hand auf der linken Schulter bildete sich ein immer größer werdender Blutfleck auf dem Kittel, doch der Mistkerl wurde nicht bewusstlos. Warum fiel er nicht um? Das wäre ihre einzige Hoffnung gewesen.

»Rein!«, fuhr er sie an.

Elena ließ sich Zeit, während sie rückwärts in den Raum ging, bis sie mit dem Schuh gegen Monicas Körper stieß. Vor ihr schloss sich die Tür mit einem Quietschen. Ein Schlüssel drehte sich im Sicherheitsschloss, und mehrere Bolzen fuhren von der Tür in die Wand. Danach wurde ein Riegel vorgelegt.

Scheiße!

Rasch wandte sie sich um, beugte sich zu Monica hinunter und fühlte ihren Puls. Lyashenko hatte ihr mit dem Eimer auf den Hinterkopf geschlagen. Monicas Haare waren blutverklebt. Vielleicht hatte sie eine Gehirnerschütterung. Elena suchte den Raum ab und fand eine Decke, auf die sie Monicas Kopf bettete und seitlich drehte, damit sie nicht erstickte, falls sie sich übergeben musste. Mehr konnte sie im Moment nicht tun.

Sie zog die Deckenlampe an dem Seilzug herunter und leuchtete damit jeden Winkel des Raums aus auf der Suche nach etwas Brauchbarem, mit dem sie sich verteidigen konnte. Doch sie hielt inne, als sie Lyashenkos aufgebrachte Stimme hörte. Sie lief zur Tür und legte das Ohr an die Belüftungsschlitze.

Er telefonierte. Leise war seine Stimme aus dem Keller zu hören, der über dieser Kammer lag.

»Ich habe die beiden im Labor eingeschlossen.«

…

»Unmöglich, eine der Schlampen hat mich verletzt.«

…

»In die Schulter geschossen. Ich weiß nicht, ob ich das allein hinbekomme. Ich brauche vielleicht einen Arzt. Sie müssen das schon selbst tun.«

…

»Wo sind Sie? Dann beeilen Sie sich! Ja gut, ich warte.«

…

»Anschließend werde ich sie …« Lyashenkos Stimme wurde leiser. Dann knallte die Bodenluke zu.

Verdammt!

Elena blieben vielleicht nur noch wenige Minuten. Ihr Handy lag draußen im Treppenschacht. Selbst wenn sie einen langen steifen Draht fände und das Telefon durch den Belüftungsschlitz zur Tür ziehen könnte, würde sie es nicht durch den Schlitz bekommen. Sie konnte nur hoffen, dass Peter herausfand, wo sie sich befand.

Sie durchsuchte sämtliche Schubladen, fand jedoch nichts, mit dem sie sich und Monica hätte verteidigen können. Lyashenko musste sich seit ihrem Anruf darauf vorbereitet haben. Er hatte sämtliche Hilfsmittel aus der Kammer entfernt und sie in die Falle gelockt. Wenigstens hatte sie das Mistschwein mit ihrer letzten Kugel verletzt.

In einer der Kommoden fand sie eine Nierenschale und einen chirurgischen Spiegel. Sie brach mit dem Handballen das Glas aus dem Metallrahmen. Ein Riss entstand, und sie löste einen länglichen Splitter aus dem Spiegel. Danach wickelte sie ein Lederband von der Holzpritsche um den Splitter. Ein mehr als dürftiges Messer, mit dem sie vielleicht nur einmal zustechen konnte, doch damit würde sie denjenigen töten, der als Nächster diesen Raum betreten wollte.

Hinter ihr begann Monica zu husten. Sie kam zu sich und rappelte sich auf. »Wo sind wir?«

»In Lyashenkos Keller. Er hat uns eingesperrt.«

»Warum?« Panik glänzte in Monicas Augen. »Wie kommen wir hier wieder raus?«

Die Frage lautete eher, *ob* sie überhaupt je wieder hier rauskämen.

Monica sah die Antwort in Elenas Gesicht. »So schlimm?«

Elena reichte ihr ein Lederband von der Pritsche und einen weiteren Splitter von dem Spiegel. »Wickeln Sie das so herum, damit Sie sich nicht selbst schneiden.«

»Was soll ich damit?«

Es hatte keinen Sinn, Monica zu belügen. »Ihr Leben verteidigen.«

»Aber …?«

»Still!«

Die Holzluke wurde geöffnet. Jemand stieg die Steintreppe herunter. An der Schwere der Schritte erkannte Elena, dass es nicht der alte Lyashenko sein konnte. Sie legte den Kopf schief. Es waren *zwei* Männer, die hintereinandergingen. Lyashenko war einer davon. Elena erkannte ihn an dem außergewöhnlichen Gang mit seiner schiefen Hüfte und dem erhöhten Absatz des Sicherheitsschuhs. Vor fünfzehn Minuten hatte sie ihm noch das Leben retten wollen – jetzt hätte sie ihm am liebsten den Schädel eingeschlagen.

Instinktiv griff sie zu dem Lampenschirm, der an einem langen Kabel mit Seilzug hing, und schleuderte die Lampe gegen die Wand. Augenblicklich zersplitterte die Glühlampe, und es wurde finster im Raum. Der Schirm schwang in der Dunkelheit herum. Vom Treppenabgang fiel nur ein Lichtfächer durch die Belüftungsschlitze in den Raum. Sie hatte noch ein paar Sekunden Zeit, damit sich ihre Augen an die Dunkelheit gewöhnten.

Der Riegel wurde weggeschoben. Der Schlüssel drehte sich im Schloss, die Bolzen fuhren aus der Wand.

Elena hielt den Atem an. Ihr Herz schlug bis zum Hals. Neben sich spürte sie Monica, die den Glassplitter wie ein Messer vor sich hielt.

Die schwere Metalltür schwang quietschend auf, und die Silhouette eines großen breitschultrigen Mannes stand im Türrahmen. Deutlich war der kantige Glatzkopf zu erkennen.

»Ich habe Sie unterschätzt«, sagte er.

»Viktor«, entfuhr es Elena. Sie war nicht verwundert, den Mann hier zu treffen.

»Ich wusste, Sie machen Ärger. Ich hätte Sie gleich bei unserer ersten Begegnung töten sollen.« Seine Stimme klang ein wenig gelangweilt. »Erstaunlich, dass Sie es bis hierher geschafft haben.«

»Das ist der Mann, mit dem Vater gestritten hat«, flüsterte Monica. »Ich erkenne ihn an der Stimme.«

»Sagen Sie nichts!«, unterbrach Elena sie.

Viktor konnte nicht anders – er musste sie beide töten. Hinter ihm stand Lyashenko auf dem Treppenabsatz, mit der Pistole in der Hand. Elena wusste, sie hatten nur eine Chance: nach vorn zu stürzen und Viktor König den Splitter in die Halsschlagader zu treiben. Doch sie war realistisch genug, um zu wissen, dass ein Mann wie er sie vorher ausschalten würde. Es war besser, ihn zu sich in die Dunkelheit der engen Kammer kommen zu lassen.

In diesem Moment drang der blecherne Klang der Türglocke nach unten. Lyashenkos Blick wanderte nervös hinauf, doch König schien das nicht aus der Fassung zu bringen.

»Gehen Sie rauf und kümmern Sie sich darum«, sagte er ruhig. Er schlüpfte aus dem Sakko und hängte es an einen Nagel an der Wand. Ohne Sakko wirkten sein Stiernacken, die breiten Schultern und muskulösen Arme noch beängstigender. Er öffnete die Knöpfe des Hemdes, krempelte die Ärmel hoch und ließ die Fingerknöchel knacken. Bei keiner seiner Bewegungen ließ er Elena oder Monica aus den Augen. Auch er wartete, bis sich seine Augen an die Dunkelheit gewöhnten.

Die Türglocke läutete erneut.

»Machen Sie schon«, sagte König.

»Ja, aber lassen Sie die größere der beiden leiden. Die Schlampe hat mir in die Schulter geschossen.« Dann verschwand Lyashenko nach oben.

König griff mit einer Hand nach hinten und holte aus einer Scheide am Gürtel ein langes Messer hervor.

In dieser engen Kammer war ein Messer gefährlicher als jeder Pistolenlauf. Die beidseitig scharfe Klinge konnte blitzschnell in jede Richtung gezogen oder gestoßen werden. Wie sollte Elena diese Waffe abwehren? Der lange Stahl funkelte im trüben Licht des Treppenabgangs. Dagegen wirkte ihr Glassplitter wie ein Zahnstocher.

Oben fiel die Bodenluke zu.

»Ich lasse *beide* leiden«, murmelte König. Es klang wie ein Versprechen.

52

Gerink nahm den Finger von der Türglocke und wartete. Nach einer Weile läutete er noch einmal. »Ich könnte es mit dem Dietrich versuchen«, sagte er. »Aber das ist ein Sicherheitsschloss.«

Scatozza schüttelte den Kopf. »Das dauert zu lange.«

Gerink war der gleichen Meinung. »Die Verbindung zu Elena ist abgerissen. Los, es ist Gefahr im Verzug!«

Scatozza sah sich in der Gasse um, zog die Waffe aus dem Holster und zielte mit dem Lauf auf das Schloss. In diesem Moment war ein Geräusch aus dem Haus zu hören.

»Warte!« Gerink schlug mit der Faust gegen die Tür. »Aufmachen, Polizei!« Bei dem Ostdeutschen war es nicht notwendig, Italienisch zu sprechen.

Sie hörten Schritte hinter der Tür, dann wurde geöffnet. Scatozza ließ die Waffe im Holster verschwinden.

»Ist ja schon gut«, nuschelte ein kleiner Mann, der durch den Türspalt lugte.

Er trug einen Kittel mit Farbspritzern und ein schmuddeliges Handtuch über der Schulter, mit dem er sich den Schweiß von der Stirn wischte.

»Sind Sie Felix Lyashenko?«, fragte Gerink.

»Sind Sie von der Polizei?«, erwiderte der Mann skeptisch.

Gerink zog seinen Dienstausweis hervor. »Bundeskriminalamt Wien. Dürfen wir reinkommen?«

Lyashenko glotzte durch den Türspalt. »Nein.«

»Wir haben trotzdem ein paar Fragen«, sagte Scatozza, schob den alten Mann beiseite und drängte sich durch die Tür.

Lyashenko protestierte, doch Scatozza schnitt ihm das Wort ab. »Sie hatten kürzlich Besuch von einer Frau. Wo ist sie?«

Gerink betrat ebenfalls das Haus und schloss die Tür hinter sich.

»Welche Frau, verdammt? Sehe ich so aus, als bekäme ich Damenbesuch? Hier war schon seit Jahren keine Frau mehr«, nuschelte Lyashenko. »Sie geben mir jetzt Ihren Namen und Ihre Dienstnummer, und während ich ein Telefonat führe, bleiben Sie hier stehen!«

»Die Frau!«, rief Gerink, während er sich in der Wohnung umsah. »Wo ist sie?«

»Außer uns ist niemand hier!«

Sie standen im Vorraum. Gerink wollte durch die offene Tür bereits die Wohnküche betreten, als sein Blick auf Lyashenkos Sicherheitsschuhe fiel. Unter dem Mantel tropfte etwas auf den linken Schuh. Falls Gerink sich nicht irrte, glänzte Blut auf der Metallkappe.

Für einen Augenblick starrte er auf das fleckige Handtuch, das der Ostdeutsche über der Schulter trug. Lyashenko stand der Schweiß auf der fiebrig glänzenden Stirn. Ihre Blicke trafen sich. Im gleichen Moment griff der Deutsche in die Manteltasche und riss eine Pistole heraus.

Aus dem Augenwinkel sah Gerink, wie Scatozza ebenfalls die Waffe zog. Scatozza war schneller, und als der Deutsche auf ihn zielte, glitt Gerink vor. Er drückte Lyashenkos Waffenarm nach unten und versetzte ihm gleichzeitig mit der Stirn einen kraftvollen Stoß auf die Nase. Lyashenko taumelte nach hinten. Seine Brille brach, er blutete sogleich aus der Nase und quiekte wie ein Schwein.

Gerink hielt immer noch Lyashenkos Arm fixiert. Bevor er ihm die Pistole aus der Hand winden konnte, löste sich ein Schuss. Das Projektil fuhr in den Steinboden.

Da schoss auch Scatozza. Die Kugel schlug in Lyashenkos Brust und warf den Mann rücklings zu Boden.

»Bist du verrückt?«, brüllte Gerink. Die Kugel hatte nur knapp seinen Oberarm verfehlt.

Lyashenkos Pistole schlitterte über den Boden. Scatozza schob sie mit dem Fuß beiseite.

Während Scatozza mit der Waffe auf Lyashenkos Kopf zielte, kniete Gerink zu dem Deutschen nieder.

»Wo ist die Frau?«

»Ihr könnt mich mal am Arsch …«

Gerink schlug dem Mann die Faust ins Gesicht. Lyashenkos Lippe platzte auf, und ein Schneidezahn splitterte. Gerinks Fingerknöchel schmerzten, doch er würde den Mann noch einmal schlagen, wenn er nicht redete.

»Wo ist die Frau?«, brüllte Gerink.

Lyashenko gluckste. Er hustete Blut, grinste aber trotzdem. Die pure Schadenfreude sprang aus seinen Augen. »Glaubt ihr Arschgeigen allen Ernstes, ihr bekommt etwas aus mir raus?«

Gerink holte zu einem weiteren Schlag aus, hielt jedoch inne. Das Handtuch war von Lyashenkos Schulter gerutscht und offenbarte ein Einschussloch.

»Woher stammt die Verletzung?«, fragte Gerink.

Lyashenko schwieg.

Gerink bohrte seinen Daumen in die Schulterwunde, und Lyashenko schrie auf.

»Woher?«, brüllte Gerink.

»Ich habe drei Tage lang Salzwasser geschluckt«, gurgelte Lyashenko, »und habe nicht geredet.«

»Hast du ihn?«, fragte Scatozza.

Gerink fixierte Lyashenkos Arm. »Ja.«

Scatozza betrat mit der Waffe im Anschlag jeden Raum. »Elena?«, rief er.

Keine Antwort.

»Die Kellertür ist offen«, stellte Scatozza fest.

»Hoch mit dir, Arschloch!« Gerink zerrte Lyashenko am Mantelkragen hoch und schob ihn vor sich in Richtung Kellerabgang. Durch die Schussverletzung in der Brust verlor der Deutsche viel Blut. In wenigen Sekunden würde er wahrscheinlich bewusstlos werden.

Viktor König stieß den Messerarm zügig nach vorn. Elena ging nicht in die Defensive, sondern glitt ebenfalls vor und parierte den Hieb mit einem Block. Zugleich ritzte sie König mit dem Glassplitter die Wange.

Er wollte den Messerarm befreien, um erneut zuzustoßen, als Monica ihn wie eine Wildkatze von der Seite anfiel, ihn mit dem Splitter in den Hals stach und zugleich ihre Finger in sein Auge krallte. Ihre Fingernägel brachen.

König wurde zornig. Im Clinch mit den beiden Frauen fuhr er herum und schmetterte beide gegen die Wand. Die Holzpritsche wurde zur Seite gedrückt. Ein Holzregal bohrte sich in Elenas Rücken. König schlug Monica mit dem Faustrücken ins Gesicht, und sie ging zu Boden. Dann machte er einen Schritt zurück und versetzte Elena einen Tritt in den Bauch, so schnell, dass sie den Schlag nicht abwehren konnte.

Sie flog an die rückwärtige Wand und bekam für mehrere Sekunden keine Luft. Ihr tränten die Augen. Sie sah nur, wie König mit dem Messer auf sie zukam. Der Mann agierte gefühllos wie eine Maschine. Da krachten unmittelbar hintereinander zwei Schüsse.

»Wo ist die Frau?«, brüllte jemand.

König hielt inne.

»Hier unten …«, presste Elena kraftlos hervor.

Gerink betrat den Keller. Während Lyashenko auf der letzten Stufe zu Boden fiel und reglos liegen blieb, stürzte Scatozza in jedes Gewölbe. Hier unten stand jede Menge Gerümpel herum. Die Neonröhren an der Decke spendeten nur wenig Licht, und durch die Backsteine schimmerte alles rötlich.

»Elena ist nicht hier«, sagte Scatozza.

Ungläubig sah Gerink zu dem Deutschen. Hatten sie den falschen Mann angeschossen und niedergeschlagen? Das konnte nicht sein. Warum hatte Lyashenko die Waffe auf sie gerichtet? Er musste der Richtige sein! Aber Gerink konnte Lyashenko nicht weiter befragen. Er war bewusstlos und atmete nur noch flach. Unter ihm bildete sich eine Blutlache. Doch die inneren Blutungen vom Projektil in der Brust waren noch viel schlimmer. Vielleicht verreckte er innerhalb der nächsten Minuten. Aber im Moment hatte Gerink andere Sorgen, als dem Mann das Leben zu retten.

Ein Haufen Fetzen und ein zusammengerollter Teppich erregten Gerinks Interesse. »Dort hinten ist eine Tür im Boden.« Er stürzte hin und riss die Luke an dem Eisenring auf. Darunter befand sich ein Abgang, der in einen zweiten Keller führte.

»Peter!«, drang eine schwache Stimme von unten herauf.

Elena!

Sogleich lief er die enge Steintreppe hinunter. Etwa zwei Stockwerke tiefer erreichte er eine Zelle mit schwerer Metalltür. Elena stolperte ihm im fahlen Licht entgegen. Er fing sie auf.

»Bist du verletzt?«

»Alles in Ordnung«, keuchte sie.

Er hatte sich vorgenommen, nüchtern und sachlich zu bleiben, wenn er sie das nächste Mal sehen würde, doch im Moment waren alle Vorsätze beim Teufel. Er drückte sie fest an sich. Oh Gott, es tat so gut, sie in den Armen zu halten und ihre Stimme zu hören.

Plötzlich löste sie sich von ihm. »Viktor König ist noch hier. Er hat ein Messer.« Angst flackerte in ihren Augen. »Er muss dir begegnet sein.«

Ihm war niemand begegnet bis auf Lyashenko. »Dino?«, rief er nach oben. »Alles in Ordnung?«

»Alles okay«, drang Scatozzas Stimme zu ihm.

»Aber er war hier!«, widersprach Elena. »Er wollte uns töten. Als er die Schüsse und deine Stimme hörte, ließ er von uns ab und lief über die Treppe nach oben.«

»Dir kann nichts passieren, Dino ist oben.« Gerink strich ihr über die Wange. »Wer ist *wir*?«

Im gleichen Moment sah er Monica Del Vecchio hinter Elena. Sie saß auf dem Boden und rieb sich das Kinn. Er half ihr hoch. Sie sah mitgenommen aus und hatte nur noch wenig mit der italienischen Studentin gemein, die er vor Tagen im Reihenhaus besucht hatte.

»Sie hatten recht«, sagte Monica. »Ihre Frau ist eine gute Detektivin, aber ich hätte mir die Suche nach meinem Vater einfacher vorgestellt.«

»In was seid ihr da reingeraten?«

»Vermutlich hat König einen Mann getötet und einen zweiten schwer verletzt«, sprudelte es aus Elena heraus. »Den Rest erkläre ich dir später.«

Sie gingen über die Treppe nach oben in den ersten Keller. Auf den Stufen fand Elena ihr Handy und die Glock. Gerink hatte ein merkwürdiges Gefühl, als sie im nächsten Moment Scatozza gegenüberstand. Der steckte seine Pistole ins Holster, und sie stopfte ihre Glock in den Hosenbund. Sie nickten sich wortlos zu. Die peinliche Stimmung lockerte auf, als Monica schnaubend in der Bodenluke auftauchte.

»Hallo, schöne Frau«, entfuhr es Scatozza, der sichtlich erstaunt war. Er reichte Monica die Hand und half ihr galant nach oben. Die Italienerin sah sich ängstlich um. Schließlich fiel ihr Blick auf Lyashenko, der immer noch reglos auf dem Boden lag. Allerdings war er von der Stelle, wo Gerink ihn zuletzt gesehen hatte, einige Meter durch den Raum gerobbt. Eine Blutspur glänzte auf den Steinen. Lyashenkos Hand lag ausgestreckt auf der Steinplatte.

»Außer uns ist niemand hier«, erklärte Scatozza.

»König muss sich versteckt oder irgendwie abgesetzt haben, ohne dass wir es bemerkt haben«, widersprach Elena.

»Wenn es einer weiß, dann er.« Scatozza ging neben Lyashenko in die Hocke. Er schlug ihm mit der flachen Hand auf die Wange. Danach fühlte er seinen Puls, zunächst am Handgelenk, dann an der Halsschlagader.

»Er ist tot«, sagte er.

Drei Wochen vorher

Lyashenkos Gesicht verspannte sich vor Anstrengung. Das Skalpell drang in Teresas Unterbauch, wo der Blinddarm saß, und erzeugte die süßesten Schmerzen. Sie roch ihr Blut und sah vor ihrem geistigen Auge, wie es sich über ihren Körper ergoss und wie eine erblühende Rose verteilte.

Unwillkürlich öffnete und schloss sie die Faust, damit ihr Herz, solange es noch schlug, so viel Blut wie möglich aus ihrer Vene pumpte und sie schon bald das Bewusstsein verlor.

Sie hatte aufgegeben. Willenlos wartete sie darauf, dass das Skalpell tiefer in sie eindrang.

Plötzlich spürte sie, wie der Stahl der Klinge aus ihrem Körper gezogen wurde. Sie öffnete die Augen. Der Alte, der sich selbst »Onkel Lyashenko« genannt hatte, stand wankend vor ihr. Sein Oberkörper krümmte sich zusammen.

Er erbrach sich. Wasser klatschte auf den Boden.

Was war das für ein erbärmlicher Chirurg! Was für ein armseliger Engel des Todes, der nicht einmal einen Schnitt in den Blinddarm zustande brachte, ohne selbst ohnmächtig zu werden.

Teresa hörte, wie der Alte gurgelte und sich nochmals erbrach. Auf einmal musste sie lachen.

»Halt's Maul!«, keuchte er.

Wenigstens starb sie mit Würde. Der Gedanke brachte sie erneut zum Lachen.

»Halt's Maul!«, schrie er und steckte das Skalpell in die Manteltasche. »Die Schlampe ist kurz vorm Verrecken und lacht wie eine Irre.«

Vielleicht hatte ihr Verstand auf ein biologisches Notstrom-
aggregat geschaltet, um die Schmerzen in den letzten Minuten
ihres Lebens zu mildern. Vielleicht kam jetzt gleich das legendäre
Licht am Ende des Tunnels. Sie war völlig entspannt, hörte das
Würgen und Röcheln des Alten und lachte innerlich.

»Du armseliges Muttersöhnchen«, presste sie hervor.

Plötzlich war sein Gesicht über ihr. Er hatte die Deckenlampe
mit dem Seilzug heruntergezogen und leuchtete ihr in die Augen.
Das Gegengewicht klebte an der Decke.

»Was?«, kreischte er.

»Muttersöhnchen«, spie sie aus.

»Ich kann noch ganz anders«, schrie er, während Geifer von sei-
nen Lippen tropfte.

Wieder roch sie den penetranten Geruch von Salzwasser. Der
Alte würgte, Schaum stand ihm im Mundwinkel, und aus der
Nase tropfte ein zäher Schleim. Möglicherweise stand er kurz vor
einem Lungenödem.

»Weißt du, was deine Landsleute, diese Arschlöcher, drei Tage
lang mit mir gemacht haben?«, brüllte er sie an. »Die wollten
mich Dutzende Male ertränken, aber ich hab das Maul gehalten.
Du wirst mich nicht verarschen! Ich habe genug von euch italie-
nischem Dreckspack!«

Er zog die Lampe direkt vor ihr Gesicht und drückte ihr die
heiße Glühbirne auf die Stirn.

Teresa schrie auf.

»Jetzt vergeht dir das Lachen, was?«

Sie roch verbrannte Haut. Es fühlte sich an, als brannte sich die
Lampe durch die Stirn bis auf ihre Knochen.

»Alles muss heute Abend erledigt sein«, äffte der Alte den Glatz-
kopf nach. »Das Gemälde muss morgen fertiggestellt werden.
Scheiß drauf!«

Er presste ihr die heiße Glühlampe auf die Wange. »Ich lasse dich anders verrecken, auf meine Art, danach erst weide ich dich aus wie eine alte Kuh.«

Er nahm die Lampe von ihrer Wange.

»Schrei nur! Hier unten kann dich niemand hören.«

Er zog mehr Kabel vom Seilzug herunter, dann fuhr er ihr mit der Lampe in den geöffneten Mund. Ihre Lippen platzten auf, ihr Zahnfleisch verbrannte. Er presste die Glühlampe mit einer Besessenheit in ihren Mund, dass das Glas an ihren Zähnen splitterte. Augenblicklich wurde es stockfinster.

Mit einem Ruck fuhr ihr die Fassung mit dem Glühfaden in den Mund. Ein Stromstoß peitschte durch ihren Körper. Sie bäumte sich auf. Es dampfte und roch nach verbranntem Fleisch. Ihr Gaumen schwoll sofort an. Die Glasscherben zerschnitten ihre Zunge und den Gaumen. Blut lief ihre Kehle hinunter. Unwillkürlich musste sie schlucken und spürte, wie winzige Splitter ihren Rachen zerschnitten.

»Scheiße!«, fluchte er und zog die Fassung mit der kaputten Glühlampe aus ihrem Mund.

Teresas Herz schlug so schnell, als wäre sie einen Marathon gelaufen. Ihre Sinne waren hellwach.

Sie hörte, wie der Alte die Lampe am Seilzug wieder zur Decke zog und danach in der Dunkelheit nach der Kommode tastete, die Schubladen aufzog und durchwühlte. Es klimperte. Schließlich knallte er die Schubladen zu und stapfte nach oben.

Teresas Herzschlag beruhigte sich. Sie spuckte die Glasscherben aus, dann schluckte sie Blut. Aber ein besonders großer gebogener Splitter lag in ihrem Rachen. Sie würgte ihn nach vorn, hustete ihn auf die Zunge und schob ihn langsam aus dem Mund, bis sie die Scherbe zwischen den Lippen spürte.

Kraftlos sank ihr Kopf auf die Pritsche. Musste er sie so quälen? Warum konnte er es nicht einfach beenden? Du hättest ihn nicht provozieren dürfen, warf sie sich vor.

Sie wollte die Glasscherbe bereits wegspucken, als ein Hoff-nungsschimmer in ihr aufkeimte. Sie hob den Kopf, so weit es das Lederband an ihrer Stirn zuließ, und spuckte den Glassplitter über ihren Bauch auf ihren linken Oberschenkel. Sie drehte ihre Hüf-te ein wenig hin und her, bis der Splitter auf die Holzpritsche fiel. Mit den Fingern tastete sie danach, und nach einigen Versuchen hielt sie die Glasscherbe so in den Fingern, dass sie, wenn sie die Hand verbog, mit der scharfen Kante die Lederfessel berührte.

Mit einer inneren Ruhe, völlig ohne Hektik, begann sie, an der Lederfessel zu ritzen. Vorsichtig. Die Glasscherbe durfte nicht zer-brechen.

Während sie arbeitete, drehte sie den Kopf zur Seite und lausch-te. Oben hörte sie Lyashenko mit Schranktüren und Kommoden-schubladen klappern. Entweder suchte er eine Taschenlampe oder eine Ersatzbirne.

Sie ritzte weiter. Immer öfter glitt ihr die Scherbe aus den Fin-gern, und sie musste sie wieder in die richtige Position bringen. Als sich Blut und Schweiß vermengten, konnte sie die Scherbe nicht mehr ruhig halten und schnitt sich mehrmals in den Finger. Dennoch ritzte sie weiter. Aber die Schneidefläche war schon so schmierig und stumpf, dass nichts mehr ging. Außerdem schnitt sie sich immer öfter ins Handgelenk.

»Verflucht«, heulte sie. Warum konnte das jetzt nicht klappen? Nun kam doch die Panik.

Oben hörte sie, wie ein Lampengestell schepperte.

»Mach schon«, flehte sie. Hastig bewegte sie die Finger und ig-norierte die Schmerzen – aber dann brach die Scherbe entzwei.

»Scheiße!«

Tränen traten in ihre Augen. Warum ausgerechnet jetzt, wo ein kleiner Hoffnungsschimmer auf Flucht ihr Kämpferherz beseelt hatte? Zornig zerrte sie an der Lederfessel.

Sie hörte, wie Lyashenko ein Riesending die Treppe herunterzerrte. Vermutlich brachte er eine Stehlampe in ihr Verlies. Nur noch wenige Sekunden. Sie bäumte sich auf, biss die Zähne zusammen und zerrte an der Lederfessel. Sie gab nach, hing womöglich nur noch an einem Strang, riss aber nicht vollends durch.

Kraftlos sank Teresa auf die Pritsche. Ihre Bemühungen hatten keinen Sinn. Es wäre auch zu schön gewesen, hätten sie funktioniert. Lyashenko kam immer näher, mit einem Deckenfluter oder einer Neonlampe, was auch immer er mit sich trug. Damit würde er den Raum ausleuchten und sie langsam bei lebendigem Leib ausweiden und in Stücke schneiden.

»Schätzchen!«, rief er, als könnte er ihre Gedanken lesen. »Bald machen wir weiter.«

Wut flammte in ihr auf. Doch diesmal versuchte sie nicht, die Lederfessel zu zerreißen, sondern presste den Daumen in die Handfläche und machte die Hand so schlank wie möglich. Sie versuchte, aus der eingerissenen Fessel zu rutschen. Schweiß und Blut hatten sich zu einer Schmiere vermengt, und schließlich glitt sie mit der Hand durch.

Sie konnte es nicht fassen. Ihre Hand war frei! Nach so vielen Tagen. Lyashenko war nur noch wenige Stufen vom Eingang der Kammer entfernt. Rasch griff sie an ihren Kopf und versuchte, den Riemen zu lösen, der ihre Stirn fixierte. Sie tastete über das Leder. Die Bänder funktionierten wie Hosengürtel mit Dornen und Löchern. Augenblicklich ließ der Druck nach. Sie beugte sich auf die rechte Seite und löste die rechte Handfessel.

Weiter! Nicht schlappmachen, schärfte sie sich ein. Mit einem Ruck setzte sie sich auf und beugte sich vor, um an die Beinfesseln zu gelangen. Da wurde ihr schwarz vor Augen. Der Raum drehte sich um sie, und sie hatte das Gefühl, von der Pritsche zu fallen und sich übergeben zu müssen. Ihr Magen stülpte sich um.

Wozu das alles? In ihrem Zustand hatte sie doch ohnehin keine Chance gegen Lyashenko. Sie fingerte blindlings an den Fußfesseln und löste die Lederbänder. Langsam, um nicht bewusstlos von der Pritsche zu sinken, schob sie die Beine vom Tisch und berührte den Boden. Mit den nackten Füßen spürte sie das Salzwasser, das Lyashenko erbrochen hatte. Instinktiv presste sie eine Hand auf die Schnittwunde in ihrem Unterbauch. Blut sickerte zwischen ihren Fingern durch. Sie blickte zur offenen Tür. Ein feiner rötlicher Lichtschimmer fiel vom oberen Stockwerk in den Kellerabgang.

Sie tastete mit den Fingern nach der Kanüle, die in ihrem Arm steckte, und zog sie aus der Vene. Das Heftpflaster, das die Nadel fixiert hatte, klebte sie auf die Wunde, dann presste sie den Finger darauf. Viel würde das nicht helfen – aber immerhin.

Da fiel ein langer Schatten in den Raum. Lyashenko stand im Türrahmen. Sie hörte, wie er eine gusseiserne Stehlampe über den Boden schob.

»Schätz…« Er verstummte.

Sie stürzte zur Sicherheitstür und stemmte sich mit aller Kraft dagegen. Die Metallkante quetschte den Brustkorb des Mannes ein. Er ließ die Lampe fallen und ging in die Knie.

»Du verfluchte, kleine Schlam…«

Teresa wusste nicht, woher sie die Energie nahm, doch sie zog die Tür auf und schlug damit erneut gegen Lyashenko. Die scharfe Kante traf seinen Kopf. Sie hatte den Eindruck, sein Gesicht, eingequetscht zwischen Stahlrahmen und Tür, platze in der Mitte auseinander. Seine Nase brach, die Lippe sprang auf. Reglos blieb er auf dem Boden liegen.

Teresa stützte sich an der Tür ab. Sie konnte ihr Glück kaum fassen. Sie war frei! Sie musste nur noch einen Weg aus diesem Irrenhaus finden. Eine letzte Kraftanstrengung noch, bläute sie sich ein. Jetzt durfte sie bloß nicht zusammenbrechen. Für einen Augenblick musste ihr Körper noch einmal alle Reserven hochfahren.

Sie zwängte sich an der Stehlampe vorbei und stieg über den Körper des alten Mannes. Durch Nahrungsmangel, Wasserentzug und Blutverlust geschwächt schob sie sich an der Wand Stufe um Stufe nach oben. Wach bleiben, schärfte sie sich ein. Du schaffst es.

Nach über dreißig Stufen erreichte sie eine Falltür aus Holz. Wo zum Teufel befand sie sich? Immer noch in einem Keller. Das Licht von Neonröhren riss gewölbeartige Räume mit Rundbogen aus der Dunkelheit. Alles war in rötliches Licht getaucht. Farbeimer standen herum. Sie wankte durch die Räume … nichts als Regale mit Kanistern und Einmachgläsern. Endlich fand sie eine Treppe, die nach oben führte.

Darüber lag eine Wohnung.

Eine Wohnung! Tageslicht fiel in die Räume.

Ein Fernsehgerät, eine Küchenzeile, ein zerschlissener Liegestuhl. Im Schrank befanden sich gewiss Kleider. In der Küche bestimmt ein Laib Brot. Doch sie wollte nur raus und dieses Höllenhaus so schnell wie möglich verlassen, bevor der Glatzkopf zurückkam und sie wieder in den Keller zerrte.

Unschlüssig sah sie sich um. Da hörte sie plötzlich ein Geräusch aus dem Keller. Lyashenko rappelte sich auf. Panisch wankte sie durch die Wohnung und fand schließlich einen Vorraum mit einem wuchtigen Holztor. Sie stützte sich auf die Klinke und zog die Tür auf.

Kühle Luft und ein Dunst nach Kloake schlugen ihr entgegen. Sie befand sich in einer Gasse. Das war Florenz. Himmel, sie war mitten in Florenz! Die Via dei Girolami. Sie wusste, wenn sie geradeaus lief und sich links hielt, würde sie den Ponte Vecchio erreichen. Nach der diesigen Luft zu schließen, brach soeben der Morgen an. Feiner Nieselregen lag in der Luft. Sie trug nur ihren schmutzigen Slip und fröstelte.

Sie musste den Ponte Vecchio erreichen. Dort waren Kinder, Touristen und Ladenbesitzer. Dann wäre sie in Sicherheit.

»Du Schlampe!«, drang es aus dem Haus. Hinter ihr polterte Lyashenko durchs Haus.

Sie presste eine Hand auf die Schnittwunde an ihrem Bauch und lief über die Straße. Ihr Slip war bereits mit Blut vollgesogen. Sie spürte den kalten Wind im Schambereich. Mit nackten Füßen, dreckig und frierend lief sie zur nächsten Kreuzung. Die kalte Luft ließ sie taumeln. Sie wagte nicht, sich umzudrehen. Was würde sie sehen? Einen vor Wut, Hass und Mordlust bebenden Lyashenko mit blutüberströmtem Gesicht, der sie auf der Stelle packen, wieder ins Haus und in den Keller zerren würde.

Sie sah die ersten Menschen im Morgengrauen auf dem Ponte Vecchio. Da wurde ihr schwarz vor Augen. Ihr drehte sich alles. Nein, bloß nicht ohnmächtig werden! Sie stolperte über das Kopfsteinpflaster, wollte den Arm heben und um Hilfe rufen, da hörte sie das Quietschen von Autoreifen.

Die Stoßstange des Wagens erfasste sie und schleuderte sie wie eine Schaufensterpuppe über die Pflastersteine.

53

Monica Del Vecchio starrte entsetzt auf Lyashenkos gebrochene Augen.

Scatozza legte ihr die Hand auf die Schulter und schob sie sanft von der Leiche weg. »Ich bringe Sie von hier fort.«

Monica reagierte nur mit einem apathischen Blick.

»Fahr mit ihr zum Landsitz ihrer Familie. Ihre Großmutter Zenobia erwartet sie bereits«, schlug Elena vor.

Monica hatte die ganze Zeit über nichts gesagt. Erst jetzt machte sie den Mund auf. »Ich fahre sicher nicht zu meiner Großmutter.«

»Wohin sonst?«, fragte Gerink.

»Ich könnte Sie in Florenz zu Ihrer Tante Beatrice bringen«, schlug Scatozza vor.

Monica nickte, und Scatozza schob sie zum Treppenaufgang, der in die Wohnung darüber führte. Er blickte sich noch einmal um. »Kommt ihr nicht mit?«

Gerink lief wie ein Tiger durch den Raum. »Einige Leute haben sicherlich die Schüsse gehört. Ich schätze, die Carabinieri sind in fünf bis zehn Minuten hier. Wir haben nur *jetzt* die Möglichkeit, uns alles anzusehen.«

»Sehe ich genauso«, pflichtete Elena ihm bei. »Sind die Carabinieri erst einmal hier, haben wir keinen Zutritt mehr zum Haus. Im Gegenteil, ich würde erneut in U-Haft sitzen.«

»Wir auch.« Gerink hob den Blick. »Diesmal länger, weil wir einen Mann erschossen haben. Besser, du fährst mit Dino.«

Elenas Blick wurde hart. »Keine Chance.«

Es war sinnlos, mit ihr darüber zu diskutieren. Außerdem sahen vier Augen mehr als zwei, und er wusste, auf Elenas Instinkt konnte er sich verlassen. »In Ordnung.«

»Aber haut rechtzeitig von hier ab.« Scatozza reichte Gerink die Waffe. »Da. Falls König noch mal auftaucht.«

Im nächsten Moment war er mit Monica verschwunden. Gerink und Elena standen allein im Keller. Sie hörten, wie in der Wohnung über ihnen die Tür ins Schloss fiel.

Elena breitete die Arme aus. »Lyashenko hat also die Farben für Salvatore Del Vecchios letztes Gemälde gemischt. In diesem Labor, wie er es nannte, und zwar aus Tierblut.«

Gerink schüttelte den Kopf. Das passte nicht zusammen. »Lyashenko war kein Farbenmischer. Dieser Mann ist DDR-Armeearzt gewesen, ein Chirurg, der unehrenhaft entlassen wurde. Jemand hat Teresas Brüdern die Organe entnommen, sie ausbluten lassen und die Gliedmaßen abgetrennt, bevor er Rumpf und Kopf an einer Bootsanlegestelle unter dem Ponte Vecchio entsorgte. Vermutlich hat *er* das getan.« Er tippte Lyashenkos Leiche mit der Schuhspitze an.

Elena wurde blass. »Die Brücke ist in unmittelbarer Nähe.« Sie betrat das Gewölbe, in dem sich die Einmachgläser mit den Pigmenten und pulverartigen Trockenstoffen befanden. »Im geheimen Keller unter uns gibt es nur ein Verlies, das ich schon durchsucht habe. Das können wir uns sparen. Falls wir Hinweise finden, dann nur hier.« Hastig zog sie die Schubladen auf.

»Tierblut«, fauchte sie abfällig. »Dieser Mistkerl hat uns natürlich angelogen.«

Gerink hörte, wie sie sich durch die Schubladen wühlte.

»Skalpelle, Nierenschale, Kanülen, Schläuche, Kühlboxen, Klemmen, Knochensäge … Er hat die Farben aus *menschlichen* Organen hergestellt.«

Gerink öffnete in einem anderen Raum die Schränke, fand

aber nur Malerutensilien. »Und aus Menschenblut«, sagte er. »Aber wofür?«

Elena erzählte ihm in knappen Sätzen, was sie bisher über Salvatores letztes Gemälde herausgefunden hatte, von der Versteigerung, dem im Leuchtturm erhängten Vadini, dem fast in seinem Haus verbrannten Piroli und von Viktor König, der vermutlich das Gemälde hatte ersteigern wollen.

»Wahrscheinlich ist König ebenso wie du auf der Suche nach Salvatore Del Vecchio und vernichtet sämtliche Spuren hinter sich«, vermutete Gerink.

»Bis vor einer Stunde dachte ich das auch«, sagte Elena. »Doch er steckt mit Lyashenko unter einer Decke. Gemeinsam haben sie offensichtlich aus Matteos und Lorenzos Körpersäften Farben hergestellt, mit denen Salvatore ein Bild von seiner Frau gemalt hat. Dann müsste er doch wissen, wo Salvatore steckt!«

Gerink riss angewidert mehrere Schränke auf. »Wie krank ist das denn!« Ein Bündel blutgetränkter, aber mittlerweile steifer Fetzen fiel ihm entgegen. In einer Metallkiste fand er Klammern und Nähzeug.

»Schau mal!« Elena deutete auf einen Mörser aus Granit, in dem ein Stößel lag. Am Rand der Schüssel klebten weiße Pulverspuren. »Mir wird übel, wenn ich daran denke, woraus das Gemälde gemacht wurde.« Sie hob einen länglichen Splitter aus dem feinkörnigen Pulver. »Und dass er vielleicht sogar Arm- und Beinknochen zu Leim zerrieben oder mit Pigmenten zu Farben verkocht hat.«

»Deshalb blieb von den Leichen nur noch der Torso übrig.«

Elena war blass um die Nase. »Aber warum hat er das Bild ausgerechnet aus den Körperteilen seiner eigenen Brüder gemacht?«

»Nicht nur«, widersprach Gerink. »Es wurden auch zwei

Kripoermittler namens Gioretti und Guliano verstümmelt sowie Doktor Alchieri, ein Arzt aus Florenz. Möglicherweise auch Teresa. Ich nehme an, sie wurde auf die gleiche grausame Weise verstümmelt und zerstückelt. Vielleicht wurde sie in der unteren Kammer gefangen gehalten. Ich frage mich nur, warum ihre Leiche noch nicht aufgetaucht ist.« Er machte eine Pause. »Hörst du mir überhaupt zu?«

»Wie hießen diese Männer noch mal?«

»Gioretti, Guliano und Alchieri oder so ähnlich.«

Elena lehnte sich an den Rundbogen und massierte ihre Schläfen. »Monica erzählte mir vom Reitunfall ihrer Mutter.«

»Mir auch, aber was …?«

»Unterbrich mich nicht!«

Uhhh! Elena war in ihrem Element.

»Sie sagte, zwei Ermittler namens Gioretti und Guliano hätten auf Drängen ihres Vaters den Reitunfall untersucht, und ein Arzt, dieser Doktor Alchieri, hätte die Todesursache festgestellt. Sturz vom Pferd und Bruch der Halswirbel.« Sie sah ihn an. »Entschuldige bitte, dass ich dich angefahren habe.«

»Schon gut«, sagte er. »Und was folgerst du daraus?«

»Alle Ermordeten waren entweder mit Isabella Del Vecchio verwandt oder hatten zumindest indirekt mit ihrem Tod zu tun.«

»Sogar Staatsanwalt Fochetti, dem die Untersuchung der Morde obliegt«, überlegte er. »Er hat ein Verhältnis mit Zenobia, Isabellas Schwiegermutter.«

Elena hob die Augenbrauen. »Sieh an.«

»Denkst du an Rache?«

Sie hob die Schultern. »Jedenfalls hat diese Familie ein Geheimnis, das sie um jeden Preis hütet.« Sie stieß sich von dem Rundbogen ab. »Wir sollten uns beeilen. Für Spekulationen ist später immer noch Zeit.« Sie schob ihm mit dem Fuß eine Metallkiste zu, die mit einem Vorhängeschloss versperrt war. »Habe ich in einem verborgenen Fach unter dem Schrank entdeckt.«

Gerink nahm eine gusseiserne Stehlampe und schlug mit der Kante so lange auf das Schloss, bis es aufbrach. Die Kiste enthielt aber nur Broschüren, alte Zeitungen und Artikel, die sich mit der Del-Vecchio-Galerie befassten. Er warf Elena eine Zeitung zu. »Das hilft uns nicht weiter, es sei denn, du kannst Italienisch.«

Elena betrachtete das Blatt. Plötzlich bekam sie große Augen. »Das ist der Kerl!«

Sie lief unter eine Neonröhre und hielt die Zeitung ins Licht. Gerink trat näher. Der Artikel war fünf Jahre alt und zeigte ein Schwarzweißfoto von der Eröffnung der De-Vecchio-Galerie in Florenz.

»Das ist Viktor König«, sagte sie und deutete auf einen Mann im Hintergrund, mit dichten Haaren, Schnauz- und Kinnbart. »Damals hatte er noch volles Haar. Denk dir den Bart weg und stattdessen eine Glatze, dann hast du König.«

»Sicher?«

»Absolut!«

Gerink betrachtete das Foto. Elena musste sich irren, denn unter dem Bild waren die Namen der Fotografierten aufgelistet. Neben Salvatore Del Vecchio standen der Bürgermeister von San Michele, dessen Sekretärin und der Kulturstadtrat von Florenz. »Unter Viktor Königs Abbildung steht der Name Franco Citti.«

»Ich werde verrückt«, flüsterte Elena. »Seit gestern versuche ich, den Direktor der Del-Vecchio-Galerie zu erreichen!«

»Bist du sicher, dass das der Mann ist? Das Foto ist ziemlich unscharf.«

Elena warf ihm einen warnenden Blick zu. »Den Mann, der mich zweimal töten wollte, würde ich überall wiedererkennen. Wenn dieser Zeitungsartikel stimmt, sind Franco Citti und Viktor König ein und dieselbe Person.«

54

Gerink verschloss die Metallkiste wieder und steckte den Zeitungsartikel und eine Broschüre der Galerie in die Hosentasche. Während er durch den Keller ging und versuchte, sich jedes Detail einzuprägen, telefonierte Elena mit dem Handy. Er bekam nur mit, dass sie mit einer gewissen Lydia Hödel sprach, die offensichtlich in einem Auktionshaus arbeitete.

»Musst du unbedingt *jetzt* telefonieren?«, fuhr er sie an. »Wir sollten hier schleunigst …«

»Es ist wichtig!«, zischte sie und ging in den Nebenraum. »Entschuldigen Sie bitte. Sie hatten mir erlaubt, dass ich Sie anrufen darf, falls ich Ihre Hilfe brauche … Ja, ich fasse mich kurz. Sie sagten, Sie hätten Salvatore Del Vecchio und seine Frau vor fünf Jahren bei einer Vernissage in Wien kennengelernt. Haben Sie dort auch Franco Citti getroffen?«

Gerink betrat den Raum, in dem Lyashenkos Leiche auf dem Boden lag.

»Sie kennen ihn persönlich?«, drang Elenas erstaunte Stimme aus dem Nebenzimmer.

Gerink starrte auf den toten Deutschen. Ein armseliger Anblick. Elenas Kugel hatte seine Schulter durchschlagen und Scatozzas Kugel seine Brust zerfetzt. Trotzdem hatte er versucht, sich über den Steinboden zu schleppen. Er hatte doch gewusst, dass er nicht mehr lange leben würde.

»Haben Sie Fotos von dieser Veranstaltung?«, fragte Elena.

Gerink beugte sich zu dem Toten hinunter, dessen Hand ausgestreckt auf dem Boden lag, als wollte er sich in den letzten

Winkel des Kellers verkriechen. Wann hatte Lyashenko dies be-
werkstelligt? Während Gerink zu Elena in den darunterliegen-
den Keller gelaufen war? Wozu? Wäre er ohne Kraftanstrengung
ruhig liegen geblieben, hätte er vermutlich ein paar Minuten
länger gelebt. Ein Armeearzt hätte das gewusst.

»Könnten Sie mir das Foto von Citti als Bildnachricht senden?«, bat Elena.

Gerink kam eine Frage in den Sinn, deren Antwort sie bisher
vernachlässigt hatten: Wie und wohin war Viktor König verschwunden? Als die ersten Schüsse gefallen waren, hatte der
Glatzkopf die Kammer im unteren Keller verlassen. Doch weder Scatozza noch Gerink waren an ihm vorbeigelaufen. König
konnte sich doch nicht in Luft aufgelöst haben!

»Ja, quid pro quo … Ich schulde Ihnen was«, seufzte Elena.
»An diese Nummer, richtig. Vielen Dank.«

Gerink hörte, wie Elena das Handy wegsteckte und auf ihn
zukam. Er kauerte immer noch auf dem Boden.

»Hältst du hier eine Totenwache ab?«

Im gleichen Moment läutete es an der Tür. Elenas Blick wanderte unwillkürlich nach oben. Sekunden später wurde sie geöffnet. Jemand drang lautstark in die Wohnung über ihnen ein.
Italienische Befehle bellten durch die Räume.

»Wir bekommen Besuch von unseren Freunden, den Carabinieri«, stellte Elena trocken fest.

Gerink erhob sich. Sie würden schrecklichen Erklärungsbedarf haben, weil im Keller eine Leiche mit Projektilen aus zwei
verschiedenen Pistolen lag.

»Ich gehe rauf und rede mit ihnen«, sagte Elena. »Vielleicht
findest du ja …«

»Warte noch!« Gerink deutete auf Lyashenkos ausgestreck-
ten Arm. »Ich nehme an, er wollte sich von hier quer durch
den Raum in diese Ecke schleppen.« Er ging in den hintersten

Winkel des Kellers, der im Schatten einer mächtigen Regal-
wand lag.

»Da ist nichts ... Hab ich schon überprüft«, sagte Elena.

Gerink tastete den Steinboden nach einer verborgenen Luke
ab. »Irgendwie ist König aus dem Kellerloch verschwunden –
und Lyashenko wollte in *diese* Ecke kriechen.«

»Vielleicht bloß ein Zufall.« Elena schob einen Keilrahmen
mit zentimeterdick gespachtelten Ölfarben zur Seite und kniete sich daneben auf den Boden. Hastig tastete sie die Mauer ab.

Indessen kamen Schritte die Treppe herunter.

»Ich habe mich geirrt. Hier ist nichts«, gestand Gerink sich
ein. »Wir sollten ...«

Da gab ein Ziegelstein nach, und Elenas Hand verschwand in
der Wand. Erschrocken fuhr sie zurück. Im gleichen Moment
schwang ein etwa ein mal ein Meter großer quadratischer Teil
der Mauer an zwei gut geölten Scharnieren auf. Instinktiv zog
Gerink die Walther.

Hinter der Öffnung lag Dunkelheit. Nach Fäulnis stinkende
Luft schlug ihnen aus dem Loch entgegen.

Die Schritte erreichten bereits den Keller.

»Meinst du, König ist da durch?«, flüsterte Elena.

»Finden wir es heraus.« Gerink schlüpfte in die Dunkelheit.
Das Licht der Neonröhre leuchtete nur eine Handbreit der Kam-
mer aus. Der Raum entpuppte sich möglicherweise als Gang.
Gerink hörte, wie Elena ihm folgte und die Mauer bewegte.
»Schiebst du den Keilrahmen wieder vor den Durchgang?«

»Nein, ich wollte die Carabinieri fragen, ob sie uns folgen«,
flüsterte Elena und drückte die Mauer in ihre ursprüngliche Position. Dunkelheit umhüllte sie.

Gerink zog den Leuchtkugelschreiber aus der Hosentasche
und knipste ihn an. Der Strahl fiel auf die Mauer. Auf dieser Seite deutete nichts auf die Existenz des Geheimgangs.

»Seit wann besitzt du einen Leuchtkugelschreiber?«, flüsterte Elena. »Ist der etwa von Toni?«

»Ja, hat sie mir geschenkt. Damit schreibt sie im Kino ihre Notizen.«

»Du warst mit ihr im Kino?

»Natürlich nicht … Ach Scheiße, warum muss ich mich eigentlich rechtfertigen?«, murrte Gerink und drehte sich um. In einer Hand die Pistole, in der anderen den Leuchtkuli kroch er auf allen vieren in den Tunnel, bis sich vor ihm ein rundes Loch im Boden auftat. Die Sprossen einer Metallleiter führten in die Tiefe.

»Hier stinkt es wie in einer Klärgrube«, wisperte Elena hinter ihm. »Was siehst du?«

»Nichts, aber hörst du das?« Er hielt den Atem an. »Ein Plätschern. Ich schätze, hier geht es in die Kanalisation.« Er schwang die Beine in das Loch, klemmte den Kuli zwischen die Zähne und kletterte die Leiter hinunter. Nach drei Metern stand er knöcheltief im Wasser. Das Echo des Plätscherns hallte von den Wänden zurück. Gerink leuchtete in die Dunkelheit. Er stand in einem halbrunden Tunnel aus Backsteinziegeln. »Womit ist König bewaffnet?«, murmelte er.

»Mit einem Armeemesser.«

Es stank nach Pissoir und verendeten Tieren. Dieser Teil der Stadt musste mehrere hundert Jahre alt sein.

Elena kam neben ihm zum Stehen. »Ich glaube nicht, dass König sich hier irgendwo versteckt hält oder uns auflauert«, raunte sie ihm zu. »Falls er durch die Geheimtür verschwunden ist, ist er sicher längst über alle Berge.«

»Vermutlich«, sagte Gerink. Trotzdem hielt er die Pistole im Anschlag. »Folgen wir dem Wasser.« Er setzte sich gebückt in Bewegung. Elena blieb hinter ihm.

Nach hundert Metern erreichten sie eine leichte Biegung. Dahinter wurde es heller. Tageslicht! Gerink steckte den Kugelschreiber ein. Mittlerweile spürte er bereits das Wasser in den Schuhen.

Der Tunnel endete an einem kreisrunden Gitter, das sich jedoch an zwei verrosteten Scharnieren nach außen drücken ließ. Sie traten ins Freie und standen auf einer betonierten Plattform. Neben ihnen lief das Wasser aus dem Kanal in den schmutzig grauen Arno. Über ihnen lagen die großen Rundbogen einer Brücke, in denen zahlreiche Tauben nisteten.

Elena atmete tief durch. »Frische Luft.« Sie sah sich um. »Wir sind unter dem Ponte Vecchio.«

Gerink erspähte eine gemauerte Treppe, die nach oben führte. Neben dem Aufgang hingen einige Holzboote vertäut an Eisenringen. Die Kiele schlugen in der Strömung aneinander. »Ich schätze, hier wurden die Leichen der Entführten gefunden. Lyashenko hat sie einen Monat lang in seinem Kellerloch gefangen gehalten, seziert, durch den Geheimgang hergeschafft und hier Torso und Kopf entsorgt.«

Es war nicht zu fassen! Die Carabinieri, die Lyashenkos Haus durchsucht hatten, waren Stümper sondergleichen gewesen. Er konnte es sich nur so erklären: Während Lyashenko den Lügendetektortest und die Salzwasserfolter, ohne ein Wort zu verraten, über sich hatte ergehen lassen, waren die Beamten bei der Durchsuchung des Kellers nur halbherzig vorgegangen in der Gewissheit, dass sie ohnehin nichts finden würden.

Hätte der Maresciallo genauer hingesehen, wären ihm die Nähe der Fundorte zu Lyashenkos Haus und die Verbindung zu dessen Keller aufgefallen. Menschenleben hätten gerettet werden können!

»Was hast du?«, fragte Elena.

Gerink ballte instinktiv die Hand zur Faust. »Am liebsten würde ich dem Maresciallo den Hals umdrehen«, knurrte er.

Da piepte Elenas Handy, das offensichtlich wieder ein Netz gefunden hatte.

»Eine Bildnachricht von Lydia Hödel«, erklärte sie. »In deren Auktionshaus wurde Del Vecchios letztes Gemälde versteigert.«

Sie zeigte ihm das Foto jenes Mannes, den er bereits in dem Zeitungsartikel gesehen hatte. Nur diesmal schärfer und in Farbe. Ein großer breitschultriger Mann mit kantigen Gesichtszügen, dunklen Haaren, Schnauz- und Kinnbart.

»Franco Citti vor fünf Jahren in Wien«, kommentierte sie. »Vielleicht trägt er in seiner Rolle als Citti eine Perücke.«

Gerinks Wut auf den Maresciallo war kurzfristig verflogen. »Okay, wir wissen also, dass König Stasi-Offizier und Lyashenko Chirurg in der DDR-Armee waren und gemeinsame Sache gemacht haben«, zählte er auf. »Wir wissen, dass König unter dem falschen Namen Citti die Del-Vecchio-Galerie geleitet hat. Entweder will König den Maler finden und töten, oder die drei Männer stecken unter einer Decke.«

»Warum sollten sie gemeinsame Sache machen?«, fragte Elena. »Aus welchem Grund hätte König Salvatore Del Vecchio dabei helfen sollen, dessen Familie auszurotten?«

»Möglicherweise Rache. Aber die Theorie funktioniert nur dann, wenn beispielsweise seine Frau Isabella nicht an den Folgen des Reitunfalls gestorben ist. Wer könnte das wissen?«

»Nur die Del Vecchios.«

Scheiße! Die würden schweigen wie ihre Gruft. Gerink steckte die Waffe in den Hosenbund, zog das Hemd darüber und stieg die Steintreppe nach oben. Am Ende der Stufen erreichten sie ein hüfthohes Absperrgitter, über das er kletterte. Er half Elena hinüber. Sie standen am Beginn der Brücke. Nur wenige Meter von ihnen entfernt reihten sich die ersten Verkaufsläden aneinander. Einige Touristen gingen an ihnen vorbei. Eine schwüle Hitze drückte auf die Stadt, und der Himmel sah aus, als würde jeden Augenblick ein Gewitter über sie hereinbrechen.

Elena putzte den gröbsten Dreck von ihrer Hose ab. Wegen der Kriecherei durch die Kanalisation stanken beide entsetzlich, außerdem steckten sie in nassen Schuhen. Elena zupfte ihr struppiges brünettes Haar zurecht.

»Du siehst wunderbar aus«, sagte Gerink.

»Du auch.« Plötzlich musste sie lachen. »Warum hast du ausgerechnet dieses Hemd angezogen?«

»Was stimmt nicht damit?«

»Es ist viel zu eng – und dann noch die Farben!«

»Es ist im Wäschetrockner eingegangen.«

»Das solltest du doch nur noch zum Rasenmähen tragen, aber nicht auf einer Dienstreise. Deine Haare sind verdammt kurz. Und hier … eine graue Stelle.« Sie berührte ihn kurz.

Er ließ es sich gefallen. Am liebsten hätte er sie in die Arme genommen, so wie vorhin im Keller, doch er wusste, sie waren beide noch nicht so weit.

»Was machen wir als Nächstes?«, fragte sie.

»Eis essen?«

»Sei doch einmal ernst!«

»Können wir deinen Wagen erreichen, ohne dass wir den Carabinieri in die Hände laufen?«, fragte er.

»Er steht ein paar Gehminuten von hier auf einem öffentlichen Parkplatz.«

»Gut.« Gerink zog den Zeitungsartikel aus der Gesäßtasche und betrachtete das Foto. »Irgendwo muss sich dieser Del Vecchio aufhalten. Wahrscheinlich kennt König die Antwort. Und die beiden Mistkerle wissen garantiert, wo Teresa steckt.« Er klappte die Broschüre der Del-Vecchio-Galerie auf, die er aus dem Keller mitgenommen hatte. *Die Galerie verfügt auf drei Etagen über zahlreiche Ausstellungsräume,* las er auf Englisch.

Er zeigte Elena den Flyer. »Was hältst du davon?« Sie winkte ab. »Dort war ich schon. Da gibt es nichts außer weitem Hügelland, einem einsamen Telefonmasten, einem toten Esel in einem Wasserloch und viele nahezu leer stehende Ausstellungsräume …« Sie stutzte.

Gerink kannte diesen Blick. »Und?«

»Im Erdgeschoss ist eine Eisentür mit einer Kette und einem Sicherheitsschloss.«

55

Gerink saß am Steuer von Elenas Leihwagen. Sie lotste ihn am Stadtrand von Florenz auf einer schmalen Straße in die Berge. Der Alfa gab auf der Steigung nicht mehr als siebzig Sachen her. Vielleicht war es noch nicht zu spät, und sie würden Teresa rechtzeitig finden.

Mittlerweile war der Himmel von schwarzen Gewitterwolken überzogen. Endlich kam Wind auf. Gerink öffnete das Seitenfenster und ließ kühle Luft in den Wagen strömen. Blätter und Zweige wurden durch die Luft gewirbelt. Je höher sie kamen, desto mehr versank die Welt in Dunkelheit. Von einigen Serpentinen sahen sie auf Florenz hinunter. Inzwischen zuckten die Blitze nicht mehr am Horizont, sondern über ihnen. Aber immer noch fiel kein Regen.

Gerink schaltete das Licht an. Die Stimmung erinnerte ihn an die Sommergewitter in den Ferien seiner Kindheit, die er in der Gartenlaube seiner Großeltern verbracht hatte.

»Dort vorn links«, sagte Elena.

Sie kamen an einem Wegweiser vorbei. GALLERIA SALVATORE DEL VECCHIO. Gerink lenkte den Alfa einen holprigen Feldweg entlang, durch einen Olivenhain an einem Bauernhaus vorbei. Währenddessen beugte sich Elena zum Rücksitz und kramte ihr Pick-Set aus der Reisetasche.

Gerink schielte zu ihr. »Ist das meins?«

»Du weißt doch, dass ich keins habe«, antwortete sie.

»Hast du eigentlich noch mein Notebook mit dem Kamera-Set?«

»Ich habe es für eine Observierung im Hotel Caruso gebraucht. Ist nichts passiert damit. Es liegt sicher verstaut in Tonis Wohnung.«

»Prima«, sagte er nur. Falls Lisa Eisert jemals dahinterkam, dass Elena mit der Ausrüstung des BKA arbeitete, würde sie ihm den Kopf abreißen. Aber womöglich ahnte sie es ohnehin und sagte nichts, weil Elena ihre Schwester war.

Gerink hielt vor dem Backsteingebäude, dessen schroffer Glockenturm wie eine Ruine in den schwarzen Himmel ragte.

Er nahm Scatozzas Waffe und stieg aus. »Ist Toni nicht schon fürchterlich genervt, weil du bei ihr wohnst?«

»Musst du unbedingt jetzt davon anfangen?«, fragte sie. »Während der Fahrt hätten wir Zeit genug gehabt, darüber zu diskutieren.«

Ja, sie hatte recht. Was für ein blöder Zeitpunkt! Er schwieg.

»Hat es dich denn jemals genervt, als wir zusammenwohnten?«, entgegnete sie.

»Das ist doch was völlig anderes. Wir waren verheiratet und …«

»*Waren?*«, wiederholte sie. »Du willst also gar nicht mehr mit mir zusammen sein?«

Herrgott, warum hatte er nur damit angefangen? Sie konnte einem das Wort im Mund verdrehen.

Die massive Eingangstür mit dem Klopfer war abgesperrt. Er stapfte zur Rückseite des Turms. »Natürlich möchte ich, dass du zurückkommst. Ich habe dich schließlich nicht aus dem Haus geworfen.«

»Hättest du vielleicht, wenn ich nicht gegangen wäre.«

»Ja, du weißt immer alles besser.« Er erreichte die Rückseite. Die Holztür war nur mit einem einfachen Schloss versperrt. Für einen Moment roch es nach Minze und Lavendel, doch beim nächsten Windhauch wehte ein übler Verwesungsgeruch heran.

Gerink sah sich um. In einem Wasserloch zwischen den Hecken lag ein toter Esel. Offensichtlich kamen hier nur selten Menschen vorbei.

Elena hantierte mit dem Besteck des Pick-Sets am Schloss der Holztür.

»Ja, ich weiß immer alles besser«, bockte sie. »Aber du bist nahezu perfekt, das macht mich wahnsinnig.«

»Ich perfekt?«, entfuhr es ihm. »Wäre ich das, hättest du dich sicher nicht betrunken und mit Dino eine Nummer in der Gartenlaube geschoben!«

Sie biss die Zähne zusammen. »Ich ...«

Die Tür sprang auf. Gerink hob die Waffe.

»Pass auf, wohin du zielst«, zischte sie.

»Ich dachte, ich wäre so perfekt?«, sagte er zynisch und schlüpfte in das Museum.

Elena folgte ihm.

Drinnen roch es nach Papier und abgestandener Luft. Der Parkettboden knarrte. Gerink ging an einem Drehständer mit Broschüren und einer Nische mit staubiger Glasschiebetür vorbei. Zwei Ölgemälde hingen in einem Ausstellungsraum, daneben lag eine Cafeteria mit leeren Glasvitrinen. Dahinter sah er bereits die schwarze Metalltür, deren Türgriffe von einer Kette und einem massiven Sicherheitsschloss zusammengehalten wurden.

Gerink legte das Ohr ans Metall. »Teresa?«, rief er in den Türspalt. Keine Antwort.

»Du warst nie eifersüchtig«, flüsterte sie. »Ich weiß, das ist eine deiner Stärken, aber das macht mich krank. Du bist immer so beherrscht und *nett*! Ich dachte schon, ich wäre dir gleichgültig. Nach meinem Fehltritt auf Dinos Feier bist du zum ersten Mal ausgerastet, hast die Vitrine zerschlagen und ...«

»Red nicht so viel, gib mir lieber mein Pick-Set«, sagte er.

Sie reichte ihm das Werkzeug. »Damit bekommst du dieses Schloss niemals auf.«

Gerink gab keine Antwort. Das Schloss sprang auf, er zerrte die Kette mit einem Rasseln durch die Türgriffe und zog die zweiteilige Metalltür auf. Ein muffiger Kellergestank schlug ihm entgegen. Eine breite Steintreppe führte in die Dunkelheit. Er drückte den Lichtschalter an der Wand. Nichts.

»Ja, ich bin nicht immer so impulsiv wie du«, presste er schließlich hervor. »Und du hast recht, ich bin nicht so schnell eifersüchtig. Aber das heißt noch lange nicht, dass es mich kaltlässt, wenn meine Frau mit einem anderen Kerl in der Gartenlaube eines Restaurants fickt, während ich an der Bar auf sie warte. Du hättest doch mit mir über deine Probleme reden können!«

Endlich hatte er sich Luft gemacht. Er atmete tief durch und öffnete die Faust, die er instinktiv geballt hatte.

Elena starrte ihn verängstigt an.

»Tut mir leid«, sagte er. »Es ist nicht einfach, gemeinsam mit Dino an dem Fall zu arbeiten. Jedes Mal, wenn er einem Rock nachsieht oder mit einer Frau flirtet, würde ich dem verdammten Hundesohn am liebsten in die Schnauze hauen.«

Sie sah ihn treuherzig an. »Ich liebe dich«, seufzte sie.

Seine Kehle wurde eng. Rasch blickte er zur Seite in den dunklen Kellerabgang. »Hast du eine Taschenlampe im Wagen?«

»Bin schon unterwegs. Tu in der Zwischenzeit nichts Unüberlegtes!« Sie lief davon.

Als wenn er jemals unüberlegt gehandelt hätte! Er steckte das Schloss sicherheitshalber in die Hosentasche. Dann knipste er den Leuchtkugelschreiber an und stieg die Treppe hinunter.

»Teresa?«, rief er.

Falls sie Teresa tatsächlich lebend finden würden, könnte sie ihnen vielleicht einen Hinweis auf Salvatores Aufenthaltsort geben. Dann könnte auch Elena ihren Auftrag zu Ende bringen.

Die Treppe endete in einem geräumigen Keller aus rohem Stein. Gerink knipste den Leuchtkuli aus. Durch die vergitterten Schächte fiel genug Licht, damit er sich orientieren konnte.

Neben dem Eingang standen einige technische Geräte, fein säuberlich zusammengestellt. Auf dem Boden lag eine Stromleitung, der er bis zu einer Kabeltrommel folgte. Daran hingen zwei Lampen auf Stativen, die er einschaltete. Im Kabel war Saft, und die Röhren leuchteten den Keller aus. Tageslichtlampen! Für einen Moment blinzelte Gerink.

Er war allein im Keller, und es gab auch keine Möglichkeit, dass sich jemand hier hätte verstecken können. Nichts deutete auf weitere Türen oder eine Bodenluke hin. In der Mitte des Raums standen lediglich eine große leere Malerstaffelei und ein wackeliger Holztisch mit Gläsern, Pinseln, Spachteln, Tuben und Farbpaletten. Der Stuhl erregte sein Interesse. Die Metallbeine waren auf eine Platte gelötet, diese wiederum war kürzlich noch auf dem Steinboden befestigt gewesen. Die Schrauben mit abgedrehtem Gewinde lagen daneben. Die Stuhlfläche hatte ein Loch, darunter stand eine verschmutzte Bettpfanne. Es sah nicht so aus, als hätte hier jemand freiwillig gesessen. Vor allem wegen der Ketten, die über der Stuhllehne hingen.

Elenas Stimme drang nach unten. »Peter?«

»Komm runter, es ist alles okay.«

Sie betrat den Raum mit leeren Händen und sah sich überrascht um.

»Wo warst du so lange?«, fragte Gerink. »Wo ist die Taschenlampe?«

»Ich bin nicht bis zum Auto gekommen.« Sie zog ein Briefkuvert aus der Gesäßtasche. »Als ich die Taschenlampe holen wollte, fand ich diesen Brief unter der Fußmatte des Hintereingangs.«

»Haben wir ihn übersehen?«

Sie zuckte mit den Achseln. »Möglich. Ich bin bis zum Glockenturm vorgelaufen, danach zur anderen Seite und dann ins obere Stockwerk, doch da war niemand.«

Das Kuvert war bereits aufgerissen. Elena zog einen handschriftlichen Brief heraus. »Italienisch«, erklärte sie frustriert.

Gerink griff zum Handy und wollte Scatozzas Nummer wählen. »Dino könnte uns das übersetzen … Scheiße, hier unten ist keine Verbindung.«

Elena nahm ihm den Leuchtkuli aus der Hand und betrachtete den Stift. »So einen hat Toni mir noch nie geschenkt.«

»Bekommt man auch nur, wenn man *nett* ist.«

»Ja, ja, gib's mir nur!« Sie ging zu dem Stuhl. »Möglicherweise ist *Isabellas Antlitz* hier entstanden.«

Gerink steckte das Handy weg. »Sei vorsichtig!«

»Ich bin keine Anfängerin!« Sie hob die Kettenglieder mit dem Kuli hoch. An deren Ende befanden sich Handschellen. »Eingetrocknetes Blut und Hautfetzen.« Sie wischte den Stift an der Hose ab und gab ihn Gerink zurück.

Er sah sich um. »Ich war schon immer der Überzeugung, dass das Kunstschaffen einiges an Sadismus voraussetzt, doch das hier …« Er schüttelte den Kopf. »Salvatore hat das Gemälde nicht freiwillig gemalt. Stell dir vor, ein Jahr lang hier zu sitzen. Nicht gerade eine inspirierende Umgebung.«

Wer den Künstler in diesem dunklen, feuchten und dreckigen Loch gefangen gehalten hatte, musste wohl eine Rechnung mit ihm beglichen haben. Kein fröhlicher Raum mit duftenden Räucherstäbchen, Blumenbuketts, Obstschalen, Sonnenschein und klassischer Musik. Stattdessen nackt im eigenen Kot sitzend, mit schweren Eisenringen an den Händen, die bei jedem Pinselstrich die Gelenke aufscheuerten. Wissend, dass ein Stockwerk darüber die Galerie dem Verfall preisgegeben und die eigene Familie brutal gefoltert und dezimiert wurde.

Elena verzog angewidert das Gesicht. »Ich hätte mich geweigert.«

»Hat er anfangs sicher auch«, überlegte Gerink. »Daraufhin haben König und Lyashenko zwei Ermittler und einen Arzt getötet. Und als das noch nicht reichte, haben sie Salvatores Brüder ermordet und am Schluss vielleicht sogar seine Schwester. Außerdem sah er möglicherweise die Chance, dass jemand die Spur zurückverfolgen würde, wenn er das Gemälde fertigstellte.«

»Meinst du, er hat geahnt, dass er das Gemälde mit dem Blut seiner Brüder gemalt hat?«

Gerink hob die Schultern. »Ich frage mich, wozu das alles.«

»Siebzehn Millionen Euro«, antwortete Elena.

»Wer bekommt das Geld?«

»Seine Tochter Monica, seine Sternschnuppe.«

»Du kennst sie besser als ich; steckt sie in der Sache mit drin?«

Elena schüttelte den Kopf. »Ich glaube nicht, immerhin wollte König sie in Lyashenkos Kellerloch ebenso töten wie mich. Aber trotzdem ist irgendetwas faul an ihrer Geschichte.«

»Wie kommst du darauf?«

»Sie will Salvatore zwar finden, aber ich spüre weder Angst noch Besorgnis, als steckte ein anderer Grund hinter ihrer Suche.«

»Vielleicht erfahren wir es, sobald sie sieht, wie ihr Vater im letzten Jahr gehaust hat.« Gerink ging zur Tür, neben der die Geräte standen, vermutlich bereitgestellt für den Abtransport. Das technische Equipment stand in krassem Widerspruch zu dem trostlosen und bedrückenden »Maleratelier«. Auf einem schweren Stativ befand sich eine extrem große Kamera.

Elena folgte ihm. »Meinst du, jemand hat Salvatore bei der Arbeit gefilmt?«

»Unwahrscheinlich.« Gerink schaltete das Gerät mit dem Leuchtkugelschreiber ein, darauf bedacht, keine Fingerabdrücke zu zerstören. Der Akku der Kamera war voll, doch die Speicherkarte fehlte. »Das ist eine spezielle Spiegelreflexkamera, fast schon Labortechnologie wie in unserem Kriminaltechnischen Institut. Vermutlich dient sie zur Tiefenuntersuchung von Gemälden.«

»Aber vielleicht wurde Salvatore einfach nur fotografiert?«

Gerink schüttelte den Kopf. »Das ist Infrarotfotografie für Wellenlängen ab siebenhundert bis tausendzweihundert Nanometer.« Er deutete auf das Objektiv. »Siehst du das? Ein IR-Pass-Filter. Damit wird bei der Aufnahme sichtbares Licht unterdrückt und unsichtbares Licht auf dem Bildschirm sichtbar gemacht. Der Spektralbereich des Lichts und die Eigenschaften des Gemäldematerials werden analysiert.«

Gerink ging in die Hocke und deutete auf ein transportables Handgerät, das aussah wie eine moderne Strahlenpistole. Es hing an einer Stromleitung, die immer noch in der Kabeltrommel steckte. »Für diese Theorie spricht auch das Reflektionsspektrometer. Damit lassen sich Farbmischungen und Materialien untersuchen, ohne dass man eine Probe entnehmen müsste.«

Sie runzelte die Stirn. »Woher weißt du das alles?«

Wie immer war Elena skeptisch, wenn er etwas wusste, was ihr unbekannt war. »Glaubst du, unsere kriminaltechnische Abteilung arbeitet mit Hammer und Meißel?«

»Oh, entschuldige bitte, Horatio Cane«, murrte sie.

Meine Güte! Er erhob sich und ging zu einer etwa fünfzig mal fünfzig Zentimeter großen Fotoplatte, die an einem Gerät lehnte, das auf dem Boden stand. »Eine ziemlich teure Ausrüstung, die man normalerweise nur in Röntgenlabors findet. Diese Strahlen könnten das Gemälde vollständig durchdringen und es in seine einzelnen Schichten zerlegen.« Er klopfte mit dem Schuh auf den Kasten. »Aber welchen Sinn hat das alles?«

Elenas Augen hellten sich auf. »Ist doch klar! Viktor König

alias Franco Citti hat das Gemälde gar nicht an der Rückseite des Gebäudes gefunden. Sondern er hat Salvatore entführt, ihn hier gefangen gehalten und gezwungen, einen Abschiedsbrief zu schreiben und das Gemälde zu malen. Dann hat er das Exponat mit einer Spedition ins Auktionshaus nach Wien bringen lassen, wo er es ersteigern wollte, damit er es offiziell besitzt. Aber erfolglos.«

»Wer hat stattdessen den Zuschlag bekommen?«

»Thomas Dunek, ein Wiener Millionär. Er hat das Bild König vor der Nase weggeschnappt, als mir der im Treppenhaus mein Handy mit seinem Foto wegnehmen wollte.«

»Bestimmt hat König auch diese Aufnahmen gemacht«, führte Gerink den Gedanken weiter. »Infrarot- und Röntgenaufnahmen, die das Bild analysieren, um sicherzugehen, dass Salvatore keine Hinweise auf seinen Aufenthaltsort auf oder unter der Gemäldeoberfläche versteckt hat. Schließlich ist der Maler dafür bekannt, dass er Signaturen geschickt in die Motive einarbeitet.«

»*Isabellas Antlitz* war schließlich der einzige Gegenstand, den er aus seiner Gefangenschaft hinausschaffen konnte – das war seine einzige Chance.« Elena sah Gerink lange an. »Worüber denkst du nach?«

Ihm ging der Brief nicht aus dem Kopf. »Schauen wir uns oben um«, sagte er schließlich. »Vielleicht ist die Telefonverbindung oben besser.«

Nachdem sie den Keller verlassen hatten, hängte Gerink das Sicherheitsschloss an den Türgriff. Sie betraten die Cafeteria. Von hier aus sahen sie durchs Fenster den Vorplatz, wo ihr Wagen parkte. Gerinks Handy fand ein Netz. Er wählte Scatozzas Nummer. Der Italiener meldete sich sogleich, und Gerink schaltete auf Lautsprecher.

»He, wo bleibt ihr?«, rief Scatozza. »Hier ist die Hölle los. Die Carabinieri stellen Lyashenkos Haus auf den Kopf. Die Presse ist vor Ort, und jetzt drohen die verdeckten Ermittlungen zu den Morden aufzufliegen. Außerdem mischt diesmal auch die Polizei von Siena mit. Die Kollegen warten auf deine und Elenas Aussage. In der Zwischenzeit ist unser Freund, der Maresciallo, mit seinen Beamten wie eine Horde Heuschrecken auf dem Landsitz der Del Vecchios eingefallen. Er sagt, die alte Zenobia hätte mir am liebsten den Kopf abgerissen, als sie erfuhr, dass ich ihre Enkelin zu Beatrice gebracht habe. Sie will übrigens dort übernachten.«

»Wie geht es ihr?«, fragte Elena.

»Monica zickt herum, verweigert jede Zeugenaussage und telefoniert stattdessen ständig mit einem Typen.«

»Wem?«

»Er heißt Thomas Dunek oder so.«

Elena und Gerink warfen sich einen langen Blick zu.

»Hallo? Seid ihr noch dran?«

»Finde heraus, was Dunek von ihr will«, sagte Gerink. »Aber eigentlich habe ich angerufen, weil wir eine Übersetzung von dir brauchen.« Gerink las ihm den Brief vor.

»Dein Italienisch klingt ziemlich beschissen«, ätzte Scatozza. Dann übersetzte er das Schreiben.

Ich möchte mit meiner Krankheit niemandem länger zur Last fallen. Ich entschuldige mich bei meiner Familie für die Leere, die ich hinterlasse. Das Leben schmerzt zu sehr, jeder weitere Atemzug ist ohne Sinn. Einzig der Gedanke heilt mich, endlich mit Isabella vereint zu sein.

Der Brief war mit *S.* signiert und mit dem heutigen Datum versehen.

In diesem Moment raste ein Schatten am Fenster vorbei, gefolgt von einem dumpfen Aufprall im Kies.

56

Der Mann lag auf dem Vorplatz zwischen Zitronenbäumen und zersplitterten Terrakottatöpfen. Blätter, Tonscherben und schwarze Erde vermischten sich mit seinem Blut. Arme und Beine waren verrenkt und an vielen Stellen gebrochen. Der Schädel war mit voller Wucht in den Kiesboden gefahren und vom Aufprall deformiert worden.

Gerink fühlte den Puls des Mannes. Nicht einmal eine sofortige Notoperation hätte ihn retten können. Gerink schob die langen grauen Haare des Toten beiseite. Das Gesicht war schmal und unrasiert. Es sah ziemlich verhungert aus. Gerink kannte den Mann von einigen Fotos.

»Salvatore Del Vecchio«, entfuhr es Elena.

Gerink ahnte, was gerade in ihr vorging. Sie hatte tagelang nach diesem Mann gesucht, und nun war er vor ihren Augen gestorben.

Er blickte nach oben. Im zweiten Stock des Gebäudes ragte ein Balkon über den Vorplatz. Die Tür stand offen.

»Meinst du, er hat sich die ganze Zeit hier versteckt, um sich ausgerechnet dann das Leben zu nehmen, wenn jemand herkommt und das Geheimnis seiner Gefangenschaft lüftet?«, fragte sie.

Gerink schüttelte den Kopf.

»Siehst du, ich auch nicht«, pflichtete sie ihm bei. »Meinst du, er war schon tot, als er ...«

»Das Blut ist frisch, er hat während des Sturzes noch gelebt.«

In diesem Moment erhellte ein Blitz den Vorplatz, sodass der

Glockenturm einen bizarren Schatten warf. Zugleich krachte ein Donner über ihnen. Es begann zu tröpfeln.

Gerink beugte sich zu dem Leichnam hinunter und tastete über dessen Rücken, Arme, Beine und Oberkörper. Vermutlich war die Lunge gequetscht, und die Rippen hatten mehrere Schlagadern durchbohrt.

»Seine Wirbelsäule ist zusammengestaucht. Arm-, Fuß- und Beckenknochen sind mehrfach gebrochen. Die Handgelenke gesplittert.«

Elena nickte. »Das bedeutet, Salvatore wurde gestoßen.«

Gerink blickte zu dem Balkon. Der Regen fiel ihm ins Gesicht. Elena hatte recht. Wenn Selbstmörder von großer Höhe zu Boden stürzten, trafen sie meist mit dem Kopf oder Oberkörper auf. Dagegen hatte Salvatore versucht, den Fall im Reflex zu mildern, indem er mit den Füßen aufkam und sich mit den Armen abfangen wollte.

Gerink zog die Pistole. »Sein Mörder muss noch im Haus sein. Ruf Dino an. Er soll den Maresciallo mit seinen Leuten herschicken. Ich gehe rein.«

Elena griff zum Handy. »Sei vorsichtig.«

Er lief zum Hintereingang und betrat das Gebäude. Immer öfter krachte der Donner. Das Blitzlicht erhellte die düsteren Räume und warf zuckende Lichtfächer durch die Fenster.

Gerink lief zu der zweiteiligen Metalltür, die in den Keller führte, und drückte sie zu. Danach zog er die Kette durch die Griffe und ließ das Schloss zuschnappen. Falls sich Salvatores Mörder im Keller versteckt hielt, würde er von dort nicht mehr fliehen können. Anschließend lief er die Treppe nach oben und warf einen kurzen Blick in jeden Ausstellungsraum. In dem Gebäude befand sich niemand. Selbst der zweite Stock war leer. Bloß das Gemälde der schwitzenden Kirche hing an der Wand, dessen Reprint er in Teresas Wohnung gesehen hatte.

Er lief zur offenen Balkontür. Regen peitschte ihm ins Gesicht. Auf dem Vorplatz lag Salvatores Leiche. Elena stand mit dem Handy telefonierend neben ihrem Wagen. Als sie ihn sah, nahm sie das Telefon herunter und schirmte mit der Hand die Augen vor dem Regen ab.

»Jemand hat die Reifen unseres Wagens zerstochen!«, rief sie ihm zu.

Verdammt! Was für ein mieses Timing! Womöglich hatten sie den Mörder dabei überrascht, als er das Equipment aus dem Keller schaffen wollte und die Tür wieder rasch absperren musste. Bestimmt hatte er nicht damit gerechnet, dass sie das Geheimnis entdecken würden. Kurz bevor Elena das Gebäude verließ, um die Taschenlampe vom Wagen zu holen, hatte der Mörder vermutlich ihre Reifen aufgeschlitzt und den Brief unter die Fußmatte gesteckt.

Gerink hielt sich mit einer Hand an der schmiedeeisernen Brüstung fest und überblickte die Gegend. Er bekam gar nicht mit, dass er durch das Hemd bis auf die Haut nass wurde. Im Moment schossen ihm mehrere Gedanken gleichzeitig durch den Kopf. Was wusste er über den Mörder? Nachdem er die Reifen aufgestochen hatte, war er nach oben gelaufen, um Salvatore über die Brüstung zu stoßen. Er hatte dafür Sorge getragen, dass sie den Ort nicht verlassen konnten. Vermutlich wollte er verhindern, dass sie ihm folgten. Doch wie wollte er von hier abhauen? Weder an der Vorderseite noch an der Rückseite des Gebäudes hatte ein Fahrzeug gestanden. Es gab nur einen Bereich, den sie von hier aus nicht einsehen konnten – und zwar die Hinterseite des Glockenturms.

Über den etwa fünfzig Zentimeter breiten Spalt, der das Museumsgebäude vom Turm trennte, ragte das Vordach des Gebäudes. Gerink blickte vom Balkon zum Turm, der zum Greifen nahe schien. Die Fenster des Glockenturms waren nur Maueröffnungen, allerdings mit Brettern vernagelt. Nur ein schmales Fenster stand frei. Ziemlich sicher existierte keine direkte Verbindung zwischen Museum und Turm, aber es gab eine Möglichkeit hinüberzugelangen. Vielleicht hatte der Mörder sie gewählt und befand sich nun drüben.

Es gab nur einen Weg, das herauszufinden …

Gerink steckte die Waffe in den Hosenbund und stieg auf das schmiedeeiserne Balkongeländer.

»Bist du verrückt? Was machst du?«, brüllte Elena.

Er gab keine Antwort. Als er auf dem nassen Eisen ausrutschte, fing er sich mit der Hand an der Dachrinne. Das Blech gab nach. Er spürte, wie das Regenwasser durch die Rinne lief.

Elena lief unter den Balkon. »Hör auf damit! Das ist es nicht wert!«

Das Fenster des Glockenturms lag schräg unter ihm und war nur etwa einen Meter entfernt. Wenn er in den benachbarten Turm sprang, musste er bloß den Kopf einziehen und dann sofort abrollen.

»Komm auf der Stelle runter! Hörst du!«, rief Elena.

Er ging in die Hocke und sprang. Für einen Moment peitschte ihm der Regen ins Gesicht und nahm ihm die Sicht. Gerink spürte, wie er mit der Kopfhaut den oberen Mauersockel rasierte, dann kam er auf dem harten Holzbohlen auf und rollte ab. Der Aufprall war härter als erwartet. Ein Schmerz in der Schulter fuhr ihm wie ein Degenstich durch den Körper.

Als er in hockender Position wieder auf die Beine kam, griff er sogleich zur Walther. Er brauchte nur eine Sekunde, um sich an die Dunkelheit zu gewöhnen. Ein kreisrunder Raum. Backsteine. Vor ihm eine Wendeltreppe aus Holz.

Da traf ihn ein harter Gegenstand an der Schläfe.

Sogleich zerplatzten Sterne vor seinen Augen. Ein Tritt schlug ihm die Waffe aus der Hand, aber den dritten Hieb gegen seinen

Kehlkopf blockte er instinktiv mit dem Arm ab. Sogleich sprang er auf und wich einen Schritt zurück. Jetzt endlich sah er seinen Gegner. Ein glatzköpfiger breitschultriger Hüne mit kantigen Gesichtszügen und blutverschmiertem Hemd. Viktor König!

»Gut reagiert.« Der ostdeutsche Akzent war unüberhörbar.

Gerink schielte zu seiner Waffe, die einige Meter entfernt auf dem Boden lag.

»Oh, oh!«, brummte König. Er griff hinter seinen Rücken und zog ein langes scharfes zweischneidiges Messer aus der Scheide.

Gerink wusste, dass er es mit einem ehemaligen Stasi-Offizier zu tun hatte, vom am meisten gefürchteten Geheimdienst Europas, der nun auf eigene Rechnung arbeitete. Er sah in Königs skrupellosem Blick, dass er gewiss schon mehrere Menschenleben auf dem Gewissen hatte. Elena war ihm bisher zweimal entkommen, und Gerink hasste Typen, die sich an einer Frau vergriffen.

»Mit dem Abschiedsbrief und der Selbstmordnummer kommen Sie niemals durch«, sagte Gerink.

»Die Polizei ist frühestens in dreißig Minuten hier«, antwortete König. »Bis dahin sind Sie beide genauso tot wie Salvatore, und ich bin längst verschwunden.«

»Mit dem technischen Equipment aus dem Keller?«

König gab keine Antwort.

»Als Franco Citti mit Bart und Perücke haben Sie mir besser gefallen«, sagte Gerink.

Der Deutsche blickte ihn irritiert an. In diesem Moment startete Gerink nach vorn, blockte Königs Messerhand und schlug ihm mit der Stirn auf die Nase. Zugleich drängte er König mit Wucht nach hinten zur Holztreppe. Ineinander verkeilt stürzten sie die enge Wendeltreppe hinunter.

Während sie fielen, drückte Gerink Königs Messerhand zwischen die Holzstreben des Geländers. Königs Gesichtsmuskeln zuckten vor Schmerz einmal kurz auf. Die Holzstreben brachen, aber er ließ das Messer nicht fallen. Da packte Gerink seine Hand und schlug sie auf der gegenüberliegenden Seite an das Mauerwerk. Er hörte, wie Königs Knöchel knirschten und ihm das Messer aus der Hand fiel.

Als sie das nächste Stockwerk erreichten, war König über ihm. Die Faust traf seine Schläfe, und er hatte das Gefühl, sein Kopf zerberste in tausend Splitter.

Keuchend blieb er liegen. König sprang auf. Der Bastard durfte das Messer nicht zu fassen kriegen. Gerink rappelte sich mit schmerzendem Schädel auf. Seine Beine gehorchten ihm nicht. Außerdem war er kurz davor, sich zu übergeben. Er taumelte ins Erdgeschoss.

Aus dem Augenwinkel sah er, wie König mit dem Messer in der Hand durch die Tür ins Freie stürzte. Der Wind peitschte Regen und Blätter in den Glockenturm. Elena war in Gefahr! Im Getöse hörte Gerink ein metallisches Klicken. Im nächsten Moment taumelte König rücklings in den Turm und fiel zu Boden.

Elena stand im Türrahmen einen Wagenheber in der Hand. Hinter ihr erhellte ein Blitz die schwarze Nacht.

57

Gerink schüttelte seine Benommenheit ab, stürzte zu König und ließ sich auf ihn fallen. Mit den Knien presste er Königs Arme zu Boden, und noch bevor der Ostdeutsche etwas sagen konnte, schlug Gerink ihm die Faust ins Gesicht.

König gab keinen Ton von sich. Verzweifelt versuchte er, sich zu befreien, indem er das Knie hochriss, um es Gerink in den Rücken zu rammen.

Gerink presste die Faust fester zusammen und schlug damit mehrmals wie mit einem Hammer zu. Königs Lippe platzte auf, die Nase brach an mehreren Stellen, und die Haut unter seinen Augenbrauen riss auf. Immer noch gab der Deutsche keinen Ton von sich, obwohl ihm reichlich Blut übers Gesicht strömte. Dieser Mistkerl war anscheinend darauf trainiert, keine Schmerzen zu empfinden. Gerink würde das ändern.

Er sah, wie Elena an seine Seite trat.

»Versuch gar nicht erst, mich davon abzubringen, die Wahrheit aus diesem Schwein rauszuprügeln.«

»Keine Sorge, das habe ich nicht vor«, sagte Elena. »König ist immer noch gefährlich genug, um uns beide auszuschalten.«

Sie wand dem Deutschen das Messer aus der Hand, das er immer noch umklammert hielt, aber nicht einsetzen konnte, da Gerink auf seinem Arm kniete.

»Was hast du vor?«, fragte Gerink.

Elena drehte das Messer zwischen den Fingern, holte aus und trieb es durch Königs rechte Handfläche in den Holzboden.

König bäumte sich schreiend auf. Es war das erste Mal, dass

Gerink den Deutschen vor Schmerzen brüllen hörte. Und es tat gut.

Elena stand auf und wischte sich das Regenwasser aus dem Gesicht. »Du kannst ja doch schreien. Dabei dachte ich einen Moment lang, du wärst nur ein gefühlloser Muskelberg, der zum Spaß Frauen in Kellergewölben in Stücke schneidet.«

»Dich krieg ich auch noch, du Hure«, presste König hervor.

»Gib mir den Wagenheber«, verlangte Gerink.

Elena reichte ihm das schwere Gerät.

Kommentarlos holte Gerink damit aus und brach König die Finger der linken Hand. Anschließend erhob er sich.

König lag mit dem Messer durch die Hand auf dem Boden fixiert, wand sich wie ein Wurm, hatte aber keine Möglichkeit, sich zu befreien.

»Behalt ihn im Auge«, sagte Gerink und ging die Treppe nach oben. Er holte die Pistole, die immer noch in der mittleren Etage auf den Holzdielen lag.

Als er wieder unten war, stand Elena neben König, der aufgehört hatte, um sich zu schlagen. »Den Wagenheber habe ich übrigens von einem Lieferwagen, der vor dem Eingang des Turms steht«, erklärte sie. »Damit wollte er wohl türmen.«

Blitzlichter erhellten das Innere des Glockenturms für mehrere Sekunden. Ein lang anhaltender Donner krachte über das Land. Danach war nur das Prasseln des Regens zu hören.

Gerink stand der Schweiß auf der Stirn. Er beugte sich zu König hinunter und zog den Schlitten der Waffe zurück, sodass eine Patrone in die Kammer sprang. Er konnte nur ahnen, was im Kopf eines Mannes wie König vorging, der ein Leben lang Menschen für andere aus dem Weg geräumt hatte. Mit Folter konnte man nichts aus ihm herausbekommen, genauso wenig wie aus Lyashenko. Diese Männer hatten schon Schlimmeres in ihrem Leben mitgemacht und den Mund gehalten.

»In etwa fünfzehn Minuten sind die Carabinieri da«, sagte Gerink leise. »So lange haben Sie Gelegenheit, uns die Wahrheit zu sagen. Wenn Sie das tun, werde ich Sie in Notwehr mit einem sauberen Schuss töten. Falls nicht, überlasse ich Sie den Carabinieri. Ihre Entscheidung.«

Ein Mann wie König würde lieber sterben, als langsam im Gefängnis zu verrecken.

Elenas Augenlider begannen zu zucken. »Bist du verrückt?«, hauchte sie.

»Versuch nicht, mich abzuhalten!«

»Was ist in dich gefahren?«, rief sie. »Das ist Mord!«

»Dann geh raus!«, brüllte Gerink. Für einen Moment dachte er an den Mann, der Elena ins Bein geschossen hatte und den er damals fast umgebracht hatte. Er spürte, wie diese längst vergessene Aggression wieder von ihm Besitz ergriff. Gemeinsames Ballen der Fäuste mit der Kriminalpsychologin würde jetzt nichts nutzen.

Elena blieb stehen.

König fixierte Gerinks Augen, als wollte er seine Gedanken lesen. »Sie meinen es ernst«, stellte er fest.

»Todernst«, antwortete Gerink. »Warum haben Sie Salvatore Del Vecchio entführt? Warum seine Familie ausgerottet? Wo steckt Teresa?«

König biss die Zähne vor Schmerzen zusammen. »Als Franco Citti führte ich diese Galerie. Es war nur eines von mehreren Geschäften, das ich in Italien leitete. Nicht sehr einträglich. Salvatore kannte meinen wahren Namen und meine Vergangenheit, aber das stellte für ihn kein Problem dar. Vor einem Jahr beauftragte ich ihn, ein Porträt von seiner Frau zu malen. Er sagte zu. Doch nach ihrem Tod wurde er vertragsbrüchig. Ich wollte das Gemälde einfordern und bedrängte ihn in seinem Landhaus in San Michele, doch der Scheißkerl weigerte sich.«

»Monica hat den Streit beobachtet«, fügte Elena hinzu.

König lächelte, wobei sein Gesicht einer blutverschmierten Fratze glich. »Mein Fehler, ich dachte, Salvatore sei an diesem Abend allein im Haus gewesen.« Er hustete und spuckte Blut. »Ich entführte Salvatore und zwang ihn, einen Abschiedsbrief zu schreiben. Es gehörte nicht viel dazu, das Museum vollends vor die Hunde gehen zu lassen. In völliger Abgeschiedenheit zwang ich Salvatore, im Keller das versprochene Bild zu malen.«

»Und die Morde an Salvatores Brüdern?«

»Ein Anreiz. Salvatore war nicht immer motiviert.«

»Aber wozu das alles?«, fragte Gerink.

»Ich wollte das Gemälde haben.« Er wandte sich an Elena. »Aber Sie begegneten mir während der Auktion und nannten mich ›Viktor‹. Ich konnte nicht zulassen, dass jemand meinen echten Namen kannte.«

»Hätten Sie überhaupt siebzehn Millionen Euro gehabt?«, fragte Elena.

König lachte. »Die Summe hat mich selbst überrascht, aber sie wäre kein unlösbares Problem gewesen. Nach Salvatores dramatischem Selbstmord wäre der Wert des Gemäldes und seiner anderen Werke, die er noch zu Lebzeiten der Galerie vermacht hatte, ins Unermessliche gestiegen. Die Exponate hätten unglaubliche Summen auf dem Markt erzielt.«

»Es ging Ihnen die ganze Zeit also nur um Geld?« Elenas Stimme klang ungläubig und enttäuscht zugleich.

»Aber als der Zuschlag des Gemäldes an jemand anders ging«, vermutete Gerink, »hatten Sie Angst, jemand könnte das Gemälde genauer unter die Lupe nehmen. Die Spur hätte zu Lyashenko geführt, und alles wäre aufgeflogen.«

König schwieg.

»Da wurden Sie aktiv!«, mischte sich Elena in das Gespräch ein. »Sie haben Vadini im Leuchtturm getötet und wollten Piroli in seinem eigenen Haus verbrennen, um so alle Hinweise zu vernichten.«

»Was wollen Sie von mir?«, spie König aus. »Sie wissen doch ohnehin schon alles.«

»Nicht alles«, widersprach Gerink.

In diesem Moment erklang eine Polizeisirene.

König bäumte sich auf. »Tun Sie, was Sie versprochen haben!«

Zerhacktes Blaulicht fiel durch die offene Tür in den Turm. Die Sirene verstummte. Mehrere Autoreifen hielten knirschend im Kies.

»Tun Sie es!«, presste König hervor. Im gleichen Moment verzerrte er die Wangenknochen, sodass es aussah, als wollte er sich den Unterkiefer ausrenken.

Als Gerink das Knacken hörte, war es bereits zu spät.

»Nein!« Er griff zum Wagenheber und wollte die Eisenstange in Königs Mund zwängen.

»Was ist los?«, kreischte Elena.

Gerink versuchte, Königs Mund aufzupressen. »Er hat seinen Backenzahn zerbissen.«

Schaum quoll aus Königs Mund. »Ich gehe nicht ... ins Gefängnis ...«, gurgelte er und drehte den Kopf zur Seite. Der Wagenheber rutschte ab.

»Scheiße«, fluchte Gerink.

König hatte eine Giftpille zerbissen. Sein Herz würde nur noch wenige Sekunden schlagen.

»Wo ist Teresa del Vecchio?«, brüllte Gerink.

König verdrehte die Augen. Seine Arme und Beine begannen zu zucken.

Gerink schlug ihm mit der flachen Hand ins Gesicht. König öffnete die Augen. Sein Blick wurde für einen Moment klar.

»Lebt sie noch?«, brüllte Gerink. »Falls ja, wo haben Sie sie versteckt?«

König antwortete nicht.

»Wo haben Sie ihre Leiche verscharrt?«

»Verscharrt?«, presste König hervor. Sein Gesicht nahm einen verwirrten Ausdruck an.

Gerink sah das Aufblitzen von Taschenlampen und hörte, wie jemand über den Kies auf den Turm zulief.

»Wo ist sie?«

»Teresa ist vor Wochen …«, presste König zwischen zwei Atemzügen hervor. »Sie ist …«

Dann brachen seine Augen.

58

Elena hätte niemals gedacht, dass sie zu solchen Gräueltaten imstande gewesen wäre. König mit dem Wagenheber ins Gesicht zu schlagen, ihm ein Messer durch die Handfläche zu treiben und danach zuzusehen, wie Peter ihm die Finger der anderen Hand brach.

Aber sie hatte es getan, nichts davon verhindert, dem Mann anschließend beim Sterben zugesehen und nicht mal versucht, sein Leben zu retten, während Peter immerhin probiert hatte, ihm die Giftpille aus dem Mund zu reißen.

Vergebens.

Viktor König war unter Krämpfen gestorben. Und mit dieser weiteren Leiche in ihrem Repertoire hatten sie der Polizei gegenüber einen noch größeren Erklärungsbedarf. Zuerst Giuseppe Vadini, dann Pirolis niedergebranntes Haus, Felix Lyashenko, Salvatore Del Vecchio und jetzt auch noch Viktor König.

Der Maresciallo vernahm sie vor Ort und brachte sie anschließend nach Florenz, wo er ihre Aussage gelassen zu Protokoll nahm. Ein Kripobeamter aus Siena war ebenfalls anwesend sowie ein Dolmetscher und Staatsanwalt Fochetti. Dieser war zunächst aufgebracht, weil sie ohne Durchsuchungsbeschluss das Museum betreten und König ohne richterlichen Haftbefehl festgehalten hatten. Aber nach einer Weile verloren die Italiener ihre übliche Arroganz. Sie hörten aufmerksam zu und stellten nur wenige Fragen. Doch genau diese Zwischenfragen bewiesen Elena, dass sich Peters, Dinos, Monicas und ihre Aussagen deckten.

Die Beamten nahmen Elenas Fingerabdrücke, machten einen Abdruck ihrer Schusshand und konfiszierten Ausweis, Handy und Waffe.

Um zwei Uhr morgens waren sie fertig. Die Nacht war verdammt schwül, und es nieselte immer noch. Elena stand vor der Carabinieri-Wachstube und blickte in den Nachthimmel. Eine einsame Laterne flackerte an der Straßenecke. Elena brauchte eine Dusche, frische Kleider und ein weiches Bett mit duftenden Laken. Um nichts davon kümmerten sich die Carabinieri.

Dino, Peter und Monica traten nach dem Verhörmarathon ebenfalls ins Freie.

»Das war's fürs Erste«, stellte Scatozza fest. »Ich bringe Monica zu ihrer Tante. Die erwartet sie schon. Sie hat mir übrigens ein Gästezimmer angeboten, und ich werde dort übernachten.«

Während sich die beiden Männer verabschiedeten, trat Monica zu Elena unters Vordach. »Hat mein Vater noch irgendetwas gesagt, bevor er gestorben ist?«, wollte sie wissen.

Elena schüttelte den Kopf. »Nein, es tut mir leid. Er war sofort tot.«

»Bestimmt?«

Elena nickte.

»Okay, danke.«

Elena wollte noch etwas sagen, aber Monica wandte sich bereits wortlos ab und ging zu Scatozza, der sie zum Wagen brachte.

Elena wunderte sich über diese knappe Reaktion. Ein Jahr lang hatte Monica nach ihrem Vater gesucht, und nun war die ganze Sache mit einem »Okay, danke« abgehandelt worden.

Peter und Elena standen allein in der Gasse. Für einen Moment lief ihr ein Schauer über den Rücken.

»Ist dir kalt?«, fragte er.

»Nein, ich bin nur hundemüde.« Sie betrachtete sein Gesicht im flackernden Schein der Straßenlaterne. Eine Schläfe schimmerte blau.

»Hat sich ein Arzt deine Verletzung angesehen?«

Er lächelte erschöpft. »Das glaubst du doch nicht im Ernst? So weit geht die Gastfreundschaft der Italiener nun auch wieder nicht.«

»Königs Faustschlag hätte dich töten können.«

»Ich weiß«, antwortete er.

»Auch dein Sprung durchs Fenster.«

»Ich habe mir nur die Schulter geprellt.«

»Du hättest dir alle Knochen brechen können!«, entfuhr es ihr, und plötzlich spürte sie die ersten Tränen. »Du Idiot! Du hättest vor meinen Augen sterben können.«

»Tut mir leid.« Er nahm sie in die Arme und strich ihr mit der Hand übers Haar. »Du zitterst am ganzen Leib.«

Ihr war auf einmal eiskalt. Ein Schüttelfrost kroch ihr durch die Knochen. Schließlich begann sie, hemmungslos zu weinen. Sie hatte ihren Auftrag erfüllt und Salvatore Del Vecchio gefunden, wenn auch nur tot. Aber was zählte das? Im Moment war ihr das völlig egal. Sie hätte in dieser Nacht beinahe ihren Mann verloren. Daran wäre sie zugrunde gegangen. Mehr als je zuvor wurde ihr in diesem Augenblick bewusst, wie sehr sie ihn liebte.

»Es tut mir alles so leid«, schluchzte sie.

»Du brauchst jetzt Ruhe.«

»Ruhe? Ich habe nicht mal ein Zimmer für die Nacht.«

»Kein Problem.« Er wischte ihr die Tränen von der Wange und gab ihr einen Kuss auf die Stirn. »Ich weiß, wo wir übernachten.«

Hinter ihnen schwang die Tür der Wachstube auf, und der Maresciallo trat heraus. Ein Hemdzipfel hing ihm aus der Hose, sein Blick war angespannt, die Augen gerötet. Er zündete sich eine Zigarette an. »Staatsanwalt Fochetti möchte noch einmal mit Ihnen beiden sprechen.« Müde deutete er zur Tür.

Elenas Magen krampfte sich zusammen. Sie hatte weder die Kraft noch die Lust, alle Details ein weiteres Mal mit Fochetti durchzukauen und die restliche Nacht auf dem Revier zu verbringen.

»Was meinst du?«, flüsterte Peter.

Sie schüttelte den Kopf.

»Fochetti muss bis morgen warten.« Er nahm sie an der Hand und führte sie von der Wachstube weg.

»Wohin gehen Sie?«, rief der Maresciallo ihnen nach.

»Ins Bett.«

Die Honeymoon-Suite in der *Casa delle Rose* war immer noch frei. Der Fettklops schnarchte wie üblich hinter dem Tresen und reichte Gerink automatisch den Zimmerschlüssel, als dieser auf die Tischklingel schlug.

Minuten später lagen sie bei offenem Fenster im Himmelbett und lauschten dem Regen, der durch die Dachrinne plätscherte. Mittlerweile hatte das Gewitter den Geruch nach Katzenpisse von der Straße weggewaschen, und der Wind trug eine angenehme Kühle ins Zimmer.

Nur eine Kerze flackerte in der Zugluft.

Elena hatte sich nackt unter dem Leintuch zusammengerollt und presste das rote Plüschherz an ihre Brust. Peter lag mit Shorts bekleidet neben ihr und betrachtete ihr Gesicht, als sähe er es zum ersten Mal.

»Darf ich dich etwas fragen?«, flüsterte er.

»Sicher.«

»Warum hast du unser Haus verlassen?«

Sie ließ sich mit der Antwort lange Zeit und suchte in Gedanken nach den wahren Hintergründen. Wie war das alles nur gekommen?

»Mein Vater«, sagte sie schließlich. Natürlich hatte alles mit dem wichtigsten Mann im Leben einer Frau begonnen, dem Vater. »Meine Schwester hat er als Mädchen akzeptiert, mich nie. Er hat sich um jeden Preis einen Jungen gewünscht, und deshalb war ich in seinen Augen nichts wert. Ich durfte mich nicht einmal mit meinem ersten Freund treffen. Stattdessen musste ich ständig Leistungen erbringen. Aber es war aussichtslos, seine Zuneigung zu gewinnen. Er ließ mich nie an sich ran … bis zu seinem Tod.«

Gerink streichelte sie. »Weiß ich doch.«

Sie machte eine Pause. »Aber als ich unser Baby verlor, gingen mir die Worte meines Vaters ständig durch den Kopf. Schließlich habe ich selbst an mir als Frau gezweifelt. Ich suchte nach einer Bestätigung, die ich nicht finden konnte … Dinos Geburtstagsfeier kam, und alle Kollegen waren da. Ich erinnerte mich an unsere erste Begegnung auf dem Polizeiball, sah aber jetzt, wie unglücklich du warst, und erinnerte mich, wie lebensfroh du früher gewesen bist. Ich gab mir die Schuld an unserer Misere, ging hinaus und wollte einfach nur allein sein. Ich betrank mich, begegnete schließlich Dino in der Gartenlaube und machte alles nur noch schlimmer.«

Er unterbrach sie nicht, sondern hörte nur zu.

»Ich konnte dir nicht mehr in die Augen schauen. Ich wusste, ich würde dir nur noch mehr Kummer bereiten. Aber in Wahrheit wollte ich mich selbst bestrafen – für alles. Sich zu hassen ist letztendlich viel leichter, als man glaubt.«

Er schwieg immer noch.

»Kannst du das verstehen?«, fragte sie.

Er berührte ihre Wange. »Du hast zum ersten Mal ›unser Baby‹ gesagt.«

»Das war es ja auch.« Tränen liefen ihr übers Gesicht. »Ich habe mich so darauf gefreut. Egal ob Junge oder Mädchen – ich wäre eine gute Mutter gewesen und du ein großartiger Vater, viel besser als meiner.«

Sie presste das Plüschherz enger an sich. »Ich werde mir diesen Seitensprung nie verzeihen können. Und du?«

»Glaubst du, ich habe mit meinen Eltern gebrochen, um dich jetzt wegen dieser Sache aufzugeben? Da kennst du mich schlecht.«

Sie griff nach seiner Hand. »Selbst *dein* Vater wollte mich nie. In seinen Augen war ich schon immer eine Schlampe.«

»Vergiss ihn, er ist ein verbitterter alter Mann. Ich lebe mein Leben, er seines.« Er machte eine Pause. »Elena, ich weiß, du wärst gern tugendhaft und unfehlbar. Aber Moralisten sind verlogene Heuchler. Jeder von uns kommt einmal in eine Situation, in der er falsche Dinge tut. Aber wer sich nicht vergeben kann, zerstört sich am Ende selbst.«

Sie hatte sich noch viel mehr zu vergeben. Sie dachte an Viktor König, den sie über jede Notwehr hinaus gemeinsam zum Krüppel geschlagen hatten.

»Ein Teil des Falls ist gelöst«, sinnierte sie. »Wir haben Salvatore gefunden und seinen Mörder gefasst. Wenn der ganze Zirkus mit der Polizei morgen erledigt ist, fahre ich mit Monica nach Wien.«

»Ich glaube nicht, dass sich alles so einfach und rasch erklären lässt«, widersprach er. »Dahinter steckt noch mehr. Wir haben gerade mal an der Oberfläche gekratzt.«

Ein Kater miaute auf der Straße.

»Was meinst du?«

»Mir gehen die Erlebnisse in Lyashenkos Keller und dem Verlies im Museum nicht aus dem Kopf. Warum wurde das Gemälde aus dem Blut von Eingeweiden gemalt?«

»Viktor König war wahnsinnig«, schlug Elena vor.

»Ein ehemaliger Stasi-Offizier?« Peter schüttelte den Kopf. »Außerdem haben wir Teresas Leiche immer noch nicht gefunden, und der Einzige, der wusste, wo sie steckt, hat sich vor ein paar Stunden selbst das Leben genommen.«

»Hättest du König wirklich erschossen?«, fragte sie.

Er gab keine Antwort, und dieses Schweigen machte ihr Angst. Peter hatte noch nie ein Versprechen gebrochen. Ziemlich sicher hätte er abgedrückt.

»Die ganze Sache ist für mich noch nicht rund«, sagte er stattdessen. »Das Motiv und zu viele Details fehlen noch. Außerdem ist etwas faul an Königs Erzählung.«

»Was soll daran faul sein?«, fragte sie. »Lügt jemand, der kurz davor steht, sich umzubringen?«

»König wollte, dass der Wert der Del-Vecchio-Gemälde nach dessen Selbstmord ins Unermessliche steigt, um so an noch mehr Kohle zu kommen. Aber zugleich lässt er die Bilder in dem alten Gemäuer ohne jegliche Sicherheitsvorkehrungen verrotten. Wie leichtsinnig! Die müssten doch ein gefundenes Fressen für Diebe sein.«

»Darüber habe ich auch schon nachgedacht.«

»Warum hat er sie nicht in einem Safe aufbewahrt?«

»Gute Frage. Setz dein Talent ein, dann wirst du die Antwort finden.«

Er löste seine Hand aus ihrem Griff und strich ihr zärtlich über den Unterarm. Elena betrachtete sein Harley-Davidson-Tattoo, das aus einer Zeit stammte, als sie sich noch nicht gekannt hatten. Ihre feinen Härchen stellten sich auf. Eigentlich war diese Situation wie geschaffen, um sich zu lieben, dachte sie. Womöglich wäre es ein guter Zeitpunkt für eine Versöhnung und einen Neuanfang gewesen. Aber nicht nach diesem makabren Gesprächsthema über das Gemälde. Und schon gar nicht in dem Bett, in dem Dino übernachtet und den Geruch seines Aftershaves hinterlassen hatte.

Insgeheim hoffte sie, dass Peters Hand nicht unter ihr Leintuch glitt, um ihren nackten Körper zu berühren. Dass er nicht versuchen würde, sie an sich zu ziehen, um sie zu küssen. Diese Situation war perfekt, so wie sie war. Sex hätte die Stimmung nur zerstört und ihr Problem nicht gelöst.

Nachdem Peter sie eine Zeit lang gestreichelt hatte, griff seine Hand wieder nach ihrer. Ein Blitz erhellte das Zimmer. Peter lag stumm da. An seinem Blick sah sie, dass er den Moment genauso genoss wie sie. Er ging nicht zu weit und war einfach nur glücklich. Und sie wusste, er war der Richtige. Er ging es gemächlich an. Und gerade deshalb fühlte sie sich bei ihm geborgen. Sie gab ihm einen Kuss auf den Handrücken und die aufgeschürften Knöchel und wusste, dass er die Geste nicht missverstehen würde.

»Wie hast du eigentlich die Woche ohne mich verbracht?«

»Mit Jack Daniel's.«

»Du Armer. Immerhin besser, als die Flaschen durchs Wohnzimmer zu werfen.« Sie küsste ihn noch einmal auf die Hand.

»Außerdem habe ich die Harley poliert und bin unsere alte Strecke abgefahren.«

»Ich würde gern wieder, so wie früher, in den Wienerwald fahren.«

»Machen wir, sobald wir diese Scheiße hinter uns haben.«

Plötzlich lächelte sie. »Hier hast du also zwei Nächte mit Dino verbracht?«

»Nur eine, und die war schrecklich. Die zweite saßen wir in Untersuchungshaft.« Er schmunzelte. »Wusstest du, dass Dino Holzfiguren sammelt?«

»Er hat es mir auf seiner Party erzählt.« Sie blickte zur Decke. »Er sagte, nur sein Großvater tauge etwas in der Familie. Er fühle sich so unnütz. Darum hängt er sich auch so in den Job rein. Trotzdem ist diese Sammlung das Einzige, worauf er stolz sein kann. Traurig, oder?«

Von Peter kam keine Antwort.

Sie blickte zu ihm. Er war eingeschlafen.

Zwei Wochen vorher

Sie erwachte aus einem tiefen Dämmerschlaf. Behutsam und zärtlich wie nach einem langen, friedvollen Traum. Zuerst registrierte sie die Helligkeit, die zwischen ihre flatternden Augenlider fiel. Dann hörte sie das monotone Piepen – aber dieses Geräusch hatte nichts mehr von einer liebevollen Atmosphäre.

Sie versuchte, sich zu bewegen, doch ihre Glieder wogen tonnenschwer. Es fühlte sich an, als wären ihre Finger und Zehen meilenweit entfernt, ihr gesamter Körper unendlich gestreckt und in Watte gepackt. Ein weißes Laken bedeckte ihren Körper. Es roch frisch, aber trotzdem nistete irgendwo der Geruch von Salben und Alkohol in dem Stoff.

Ihre Kehle war so trocken. Sie wollte schlucken, zuckte jedoch zusammen. Der Schmerz fuhr ihr sogleich durch Lippen und Mund. Vorsichtig tastete sie mit der Zunge über ihren Gaumen und das Zahnfleisch. Sie spürte Wölbungen, eine Schwellung und Nähte. Ihr Herzschlag beschleunigte sich.

Wo war sie?

Was war mit ihr geschehen?

Und vor allem – wer war sie?

Sie wollte sich aufrappeln, fiel jedoch kraftlos zurück aufs Bett. Das Kopfkissen raschelte vertraut. Langsam stellte sich ihr Blick scharf. Das Zimmer war klein, hatte nur ein Fenster und zeigte einen grauen bewölkten Himmel. Über ihrem Gesicht befanden sich Monitore. Sie trug ein geblümtes Flügelhemd. In ihrer Vene steckte eine Nadel. Eine Infusionsflüssigkeit tropfte in ihren Körper. An ihrem Finger hing ein Clip, der ihren Puls maß.

»Hallo?«, krächzte sie.

Jemand öffnete die Tür und steckte den Kopf ins Zimmer. Doch als sie hinsah, war die Person wieder verschwunden. Die Tür glitt langsam zu und schloss sich geräuschlos.

»Hallo?«

Kurz darauf betrat ein junger Mann im weißen Kittel das Zimmer. Er hielt sich im Hintergrund, blieb in der Ecke stehen und beobachtete sie.

Ein zweiter Mann mit grauer Anzughose, Krawatte und weißem Mantel trat an ihr Bett, schob den Schwenkarm über ihrem Gesicht beiseite und setzte sich neben sie auf die Matratze.

»Sie sind wach, schön. Wie geht es Ihnen?« Er überprüfte die Anzeigen auf dem Monitor und leuchtete ihr mit einer Stablampe in die Augen.

»Ich weiß es nicht.«

Er warf ihr einen Blick über den Rand der Brille zu. »Woran erinnern Sie sich?«

Seine Stimme hatte ein dunkles Timbre. Sein Gesicht war schmal und kantig. Sie schätzte den Mann, den sie noch nie zuvor gesehen hatte, auf Mitte fünfzig.

»Wer sind Sie?«, presste sie hervor. »Und wo bin ich?«

Er lockerte den Knoten seiner Krawatte. »Sie befinden sich in der Universitätsklinik Careggi in Florenz. Mein Name ist Doktor Zolkin. Ich bin Psychiater.«

»Psychiater?«, wiederholte sie. »Warum?«

»Ich bin hier wegen der Umstände, wie Sie aufgegriffen wurden.«

Er ließ ihr einen Moment Zeit, ehe er fortfuhr. »Vermutlich stehen Sie noch unter Schock. Woran erinnern Sie sich?«

Sie schüttelte den Kopf. Sie erinnerte sich an gar nichts. »Wie bin ich hierhergekommen?«, fragte sie.

»Können Sie mir Ihren Namen nennen?«

Sie schüttelte den Kopf.

»Ihren Beruf?«

Nichts!

»Ihre Adresse? Sind Sie verheiratet? Haben Sie Kinder?«

Nichts!

»Irgendetwas, woran Sie sich erinnern? An einen Gegenstand aus Ihrer Wohnung? Die Farbe Ihres Lieblingskleides? Ein lieb gewonnenes Schmuckstück? Die Marke Ihres Wagens?«

Sie schüttelte den Kopf.

»Haben Sie einen Führerschein?«

»Was soll das, verdammt, ich ...« Das Sprechen fiel ihr schwer.

Doktor Zolkin atmete langsam aus und ließ ihr etwas Zeit. »Können Sie sagen, welchen Monat wir haben? Welches Jahr?«

»Welches Jahr?«, wiederholte sie ungläubig. »Das ist doch völlig egal.« Sie bäumte sich auf. »Was ist mit mir passiert?«

»Sie hatten einen Autounfall.«

Sie ließ die Information sickern. Dann war doch alles sonnenklar. »Wo sind meine Papiere?«

Doktor Zolkin warf ihr einen bedauernden Blick zu. »Ein Auto hat Sie angefahren, wenige Meter vor dem Ponte Vecchio. Der Fahrzeuglenker hat Sie ins Krankenhaus gebracht. Sie hatten keine Papiere bei sich ...« Er zögerte einen Moment. »Sie waren barfuß, ziemlich unterkühlt und trugen nur einen Slip, mehr nicht.«

Sie sah ihn an, als wäre er verrückt. Wie konnte das sein? Mitten in der Stadt?

»Sie sind seit einer Woche hier«, sagte der Psychiater. »Sie hatten ein schweres Schädel-Hirn-Trauma.« Er wollte sich erheben, doch sie packte ihn am Arm. Sie hatte erstaunlich viel Kraft in den Fingern, und er setzte sich wieder hin.

»Mein Mund?«, flüsterte sie.

»Das hat Zeit. Ruhen Sie sich erst einmal aus.«

»Mein Mund! Bringen Sie mir einen Spiegel!« Ihre Stimme bebte, sie verlangte nach Antworten.

Doktor Zolkin warf dem jungen Arzt, der immer noch im Hintergrund stand, einen Blick zu. Dieser nickte.

»Also gut, ich erzähle Ihnen, was passiert ist, aber lassen Sie bitte meinen Arm los ... danke.« Er zog den Krawattenknoten noch weiter auf. »Sie wurden in einem lebensbedrohlichen Zustand ins Krankenhaus gebracht. Aber nicht als Folge des Autounfalls. Sie waren völlig dehydriert und ausgehungert. Vermutlich hatten Sie mehrere Tage lang nichts getrunken und eine Woche nichts gegessen. Sie hatten durch eine Punktion der Armbeuge viel Blut verloren. Außerdem hatten Sie einen etwa sieben Zentimeter langen Schnitt im Bereich des Blinddarms, der vermutlich von einem Skalpell stammt.«

Sie nahm die Informationen gelassen hin. Jedoch versetzte sie die Tatsache in Panik, dass sie sich an nichts von alldem erinnern konnte.

»In Ihrem Gaumen steckten feine Glassplitter. Ihre Mundhöhle war verbrannt und zerschnitten, ebenso Lippen und Zahnfleisch. Einige Ihrer Körperstellen waren desinfiziert worden.« Doktor Zolkin beobachtete ihre Reaktionen. »Können Sie sich an irgendetwas erinnern?«

»Nein.«

»An Ihren Namen?«

Sie schwieg. Sie wusste nicht, wie alt sie war. Nicht einmal, wie sie aussah. Konnte ihr Doktor Zolkin keinen Spiegel vors Gesicht halten?

»Warum weiß ich nichts mehr?«, krächzte sie.

»Nun ...« Zolkin runzelte die Stirn. Falten bildeten sich auf seiner Nasenwurzel. »Wie es im Moment aussieht, leiden Sie unter einer retrograden Amnesie. Klingt schlimmer, als es ist. Sie können sich im Moment nicht an die Ereignisse vor dem Autounfall erinnern, aber diese Erinnerung wird im Lauf der Zeit wiederkehren. Diese Gedächtnislücke kann entweder durch den Autounfall verursacht worden sein, aber auch, und das ist viel wahrscheinlicher, durch die traumatischen Ereignisse davor – oder durch beides.«

»Was sagen die Carabinieri dazu?«, fragte sie. Oder die Polizei, fügte sie in Gedanken hinzu. Die Kripo. In diesem Moment registrierte sie, dass sie die ganze Zeit Italienisch gesprochen und gedacht hatte – bis auf die Wörter »Polizei« und »Kripo«! Plötzlich mischten sich deutsche Begriffe in ihre Gedanken, die sie noch mehr durcheinanderbrachten.

Woher kam sie, und wer zum Teufel war sie?

»Was sagen die Carabinieri?«, drängte sie.

Doktor Zolkin rückte seine Brille zurecht. »Die haben wir nicht verständigt.«

Sie fuhr vom Bett hoch. »Was?«

Doktor Zolkin drückte sie sanft aufs Kissen zurück. Da trat der junge Arzt, der sich bisher im Hintergrund gehalten hatte, einen Schritt vor. Er hatte einen messerscharfen Blick.

»Sie wurden gestern von der Unfallchirurgie in die psychiatrische Abteilung der Klinik überstellt und befinden sich jetzt in einem abgeschiedenen Trakt des Krankenhauses«, sagte er. »Mein Name ist Doktor Alchieri. Weder die Carabinieri noch die Polizia di Stato wissen, dass Sie hier sind.«

V

Freitag, 28. Mai

*»Wer auf Rache aus ist,
der grabe zwei Gräber.«*

Konfuzius

59

Am nächsten Morgen stand Gerink in der *Casa delle Rose* auf dem Balkon. Während Elena duschte, telefonierte er mit Lisa Eisert. Der Morgen war trüb, der Himmel bewölkt und Gerinks Stimmung so frostig wie das Wetter. Er beobachtete den Regen, der auf das Kopfsteinpflaster fiel, und gab seiner Vorgesetzten einen knappen Bericht. Das meiste wusste sie bereits von Scatozza und Staatsanwalt Fochetti.

»Klärt den ganzen bürokratischen Mist mit Fochetti und dann fahrt unverzüglich nach Wien und kommt sofort in mein Büro. Wir müssen da ein paar Sachen mit unseren Anwälten klären.«

War sie noch bei Sinnen? »Sobald wir zu Hause sind, lässt sich nichts mehr herausfinden«, protestierte er. »Der Knackpunkt könnte das Verhältnis zwischen Viktor König und Zenobia Del Vecchio sein. In welcher Beziehung stand König zu den Del Vecchios? Da sollten wir nachhaken. Womöglich sind wir knapp davor, Teresa zu finden«, sagte er, obwohl er nur diesen einen leisen Verdacht hatte.

»Ein *Womöglich* ist mir zu wenig«, antwortete sie. »Eure Dienstreise war schon gestern Abend zu Ende. In dieser Zeit habt ihr weiß Gott genug angerichtet.«

Seelenruhig hatte Lisa sich Gerinks Bericht über ihren Einbruch in die Familiengruft der Del Vecchios, den Gebrauch von Scatozzas Waffe und Lyashenkos, Königs und Salvatores Tod angehört. Dass König beinahe Elena und Monica erstochen hatte, war eines der Details, das ihr besonders naheging.

»Du hattest recht«, sagte sie. »Es war ein Fehler, dich mit Dino nach Italien zu schicken.«

»Aber wir haben mehr herausgefunden als die lahmarschigen Carabinieri. Gib uns noch einen Tag und …«

»Damit ihr den Rest der Florentiner umlegen könnt?«, unterbrach sie ihn. »Zuerst willst du nicht nach Italien fahren, dann willst du nicht zurück.«

»Die Lage hat sich geändert, wir könnten …«

»Zu spät. Mittlerweile ist es eine politische Entscheidung geworden, die ich nicht mehr allein treffen kann. Wir sehen uns am späten Nachmittag. Ihr schreibt euren Bericht, danach kläre ich mit unserer Staatsanwaltschaft, wie das BKA in dieser Angelegenheit weiter vorgeht.« Sie legte auf.

Nun war Teresa also nur noch eine bloße Angelegenheit, dachte er bitter. Bald nur noch ein Aktenvermerk in einem staubigen Ordner. Gerink konnte sich nicht erinnern, dass er einen Fall jemals so persönlich genommen hatte.

Elena kam mit nassen Haaren und einem unter den Achseln zusammengebundenen Handtuch aus dem Bad. »Wie ist mein Schwesterherz gelaunt?«

Er warf das Handy aufs Bett. »Giftig wie eine Kobra.«

»Hat sie euch von dem Fall abgezogen?«

Gerink gab keine Antwort. Er starrte auf die grauen Hausdächer.

Sie näherte sich ihm von hinten, legte ihm die Hände auf die Schultern und begann, seinen Nacken zu massieren. »Woran denkst du?«

»Zenobia ist doch kein italienischer Vorname«, überlegte er laut.

»Richtig, Herr Entführungsspezialist«, antwortete sie. »Zenobia ist ein polnischer Name.«

Das klang merkwürdig; aber Elena sollte es schließlich wissen.

»Wir müssen nach Wien zurück. Aber du könntest einen Tag länger hierbleiben, um eine Spur zu Teresa zu finden.«

»Ich brauche zumindest einen Anhaltspunkt, und den haben wir nicht.«

Sie hatte recht. »König ist unsere einzige Spur gewesen«, seufzte er. »Trotzdem … Dino wird allein nach Wien fahren. Ich bleibe hier.« Er drehte sich um und blickte Elena in die Augen.

»Okay«, sagte sie. »Gemeinsam finden wir Teresa.«

Auf der Wachstube der Carabinieri trafen sie Scatozza. Er hatte die Nacht in einem Gästezimmer in Beatrice' Villa in Florenz verbracht und Monica am Morgen zum Revier begleitet. Er war ebenso wenig begeistert von der Idee wie Gerink, den Fall an die italienischen Behörden abzugeben.

Der Tag verging mit erneuten Gesprächen, einem Besuch in Lyashenkos Wohnhaus und im Del-Vecchio-Museum, wo die Spurensicherung noch arbeitete. Weil Gerink und Scatozza unmissverständlich auf Kooperation drängten, erhielten sie vom Maresciallo sogar einige Informationen, die die Italiener in den letzten zwölf Stunden über Viktor König zusammengetragen hatten. Allerdings waren die Daten nicht gerade aufschlussreich. König stammte aus einem preußischen Adels- und Militärgeschlecht. Sein Vater war als junger Mann in den frühen Fünfzigerjahren am Aufbau des Ministeriums für Staatssicherheit der DDR beteiligt gewesen, und König war in seine Fußstapfen getreten. Nach dem Mauerfall wurde er wegen Beteiligung an einigen Mordanschlägen gesucht, tauchte unter und setzte seine unrühmliche Karriere als »Freelancer« fort. Er hatte eine Frau, die jedoch mit einem Italiener durchgebrannt war. Gerink hätte es ihm nicht verdenken könnten, wenn König – genauso wie er – die Italiener hassen gelernt hatte. Nun lag Königs Leiche im Keller der Gerichtsmedizin in Florenz neben der von Lyashenko und Del Vecchio, wo sie abends obduziert werden sollte.

Am späten Nachmittag unterzeichneten Gerink und Scatozza schließlich die zweisprachigen Protokolle. Ihnen wurden die Pässe und die Waffe ausgehändigt, allerdings ohne Magazin. Damit war ihr Auslandsaufenthalt offiziell beendet. Für alles, was sie jetzt noch anstellten, würden sie sich privat verantworten müssen.

»Ich sehe doch, dass du nicht vorhast, nach Wien zu fahren«, murrte Scatozza, als sie zu viert durch den Nieselregen von Florenz zum Pajero gingen.

Gerink legte mit geschlossenen Augen den Kopf in den Nacken und genoss den Wetterumschwung, der endlich die schwüle Hitze aus dem Florentiner Talkessel vertrieb.

»He, *amico*, was ist?«

Gerink blinzelte Scatozza zu, sagte aber nichts.

»Wir brauchen zumindest eine taugliche Spur«, antwortete Elena an seiner Stelle.

Monica presste fröstelnd die Arme an den Körper. »Nach allem, was wir in den letzten Tagen erlebt und gesehen haben, glaube ich nicht, dass Tante Teresa noch am Leben ist … oder?«

»Da fragst du am besten Rain Man«, antwortete Scatozza. »Der hört meistens auf sein Bauchgefühl, und das sagt ihm, ob deine Tante noch lebt oder nicht.«

Deine Tante! Seit wann waren Dino und Monica per Du? Offensichtlich war ihm seit gestern einiges entgangen. Sie waren schon ein merkwürdiger Haufen von Angehörigen, Privatschnüfflern und Ermittlern, denen der Fall entzogen worden war. Aber immerhin hatten sie in wenigen Tagen mehr auf die Reihe gebracht als die italienischen Kollegen in monatelanger Arbeit.

Sie erreichten den Parkplatz, auf dem ihr Geländewagen neben Elenas Leihauto stand. Gerink begann, Elenas und Monicas Gepäckstücke aus dem Alfa in ihren Dienstwagen zu räumen.

Elena trat an seine Seite. »Verrätst du mir, was du vorhast?«

»Wir fahren gemeinsam zu den Del Vecchios.«

Elena verschränkte die Arme. »Wozu?«

»Ich spüre, dass dort die Antwort auf unsere Fragen liegt.«

Von den Serpentinen in den Bergen aus betrachtet wirkte Florenz, als würde die Stadt in Dunkelheit versinken. Ebenso die umliegenden Felder und Olivenhaine.

Das Grundstück der Del Vecchios auf der Anhöhe von San Michele trotzte dem nahenden Sturm. Die Zypressen bogen sich im Wind, und die meisten Fensterläden waren geschlossen.

Als Gerink mit dem Pajero auf das Grundstück zufuhr, wurde das schmiedeeiserne Tor geöffnet. Sie rollten mit dem Wagen am Natursteinbecken und Orchideenglashaus vorbei bis zum Eingang der Villa. Auf dem ovalen Vorplatz aus Terrakottasteinen parkte ein Maserati. Gerink hielt daneben. Seine Begleiter stiegen aus und standen noch keine Sekunde lang neben dem Auto, als bereits die Haustür auffiog und Zenobia Del Vecchio zügig die Treppe herunterkam. Gerink ließ den Schlüssel im Wagen stecken und stieg ebenfalls aus.

Ähnlich wie bei ihrem letzten Besuch, bei dem Gerink von Zenobia so charmant aus dem Haus komplimentiert worden war, trug sie Riemenstöckelschuhe und einen eleganten Hosenanzug, diesmal in Weinrot, und eine dazu passende Stola. Ihr graues Haar war zu einem straffen Knoten hochgesteckt.

Ihr Auftritt hatte nichts Anmutiges mehr. Sie stand auf der letzten Stufe unter dem schützenden Balkon, sodass der Nieselregen sie nicht erreichte, alle anderen jedoch vor ihr im Regen stehen mussten und sie auf ihre Gäste herabblicken konnte.

Sie empfing Monica mit einer kühlen Distanz, die von ihrer

Enkelin genauso erwidert wurde. Gerink glaubte sogar, in Monicas Körperhaltung eine gewisse Abscheu ihrer Großmutter gegenüber zu erkennen, die sie ein Jahr lang nicht gesehen hatte.

Zuletzt reichte die Hausherrin Gerink die Hand, etwas länger als den anderen, sodass die Armreifen an ihrem Handgelenk klimperten. »Sie also haben die Leiche meines Sohnes gefunden.«

Gefunden? So konnte man es natürlich auch umschreiben.

»Gemeinsam mit meiner Frau.« Gerink nickte zu Elena, die zwar höflich lächelte, sich aber interessiert auf dem Grundstück umsah. Gerink kannte diesen Blick. In Elenas Kopf liefen gerade alle Rädchen auf Hochtouren. Sie blickte kurz in jene Richtung, aus der das Kläffen der Pitbull Terrier kam.

Zenobias hochgezogene Augenbrauen und die hervortretenden Wangenknochen unterstrichen ihre Arroganz. »Wie kann ich Ihnen behilflich sein?«, murmelte sie, aber es klang wie *Schert euch zum Teufel!*

Gerink hatte zwar Salvatores Leben nicht retten können, aber sie hatten immerhin seinen Mörder gefasst und dessen Handlanger getötet. Er hätte von Zenobia zumindest eine Floskel des Dankes erwartet – selbst wenn sie nicht ehrlich gemeint gewesen wäre. Der Besuch lief nicht gerade so, wie er sich das vorgestellt hatte. Doch sie hatten einen Plan B.

»Wir sind gekommen, um Ihnen Ihre Enkeltochter zu bringen«, sagte Gerink. »Monica möchte bis zur Beerdigung ihres Vaters hierbleiben.«

Zenobia warf Monica einen verächtlichen Blick zu. Dabei verengten sich ihre Lippen zu einem dünnen Strich. »Wir sehen uns immer nur zu Beerdigungen. Du scheinst der Familie kein Glück zu bringen.«

Monica ignorierte den Seitenhieb und ging die Treppe hoch.

»Bevor Sie nach Wien zurückfahren, möchte ich Ihnen eine Erfrischung anbieten«, sagte sie.

»Vielen Dank.« Scatozza zögerte keine Sekunde und ging an Zenobia vorbei die Treppe nach oben.

Die anderen folgten ihm.

Gerink kannte die Villa bereits von ihrem ersten Besuch, als Cristina sie durchs Haus und in Teresas Zimmer geführt hatte. Geradeaus ging es an der Küche vorbei zum ehemaligen Lieferanteneingang, links führte die Treppe zu den oberen Räumen hinauf, und nun marschierten sie rechter Hand durch die Eingangshalle in den großen Salon.

Da die Wolken des Sommergewitters den Himmel verdunkelten, flackerten einige Wandlampen im Haus und sorgten für eine unheimliche Atmosphäre. Auf einer Kommode standen Vasen, Kerzenleuchter und Holzschnitzereien.

»Hier sind ein paar Figuren, die du mitnehmen kannst«, raunte Gerink Scatozza zu, der neben ihm ging und seinen Blick nicht von Monica nehmen konnte.

»Blödmann«, knurrte Scatozza.

Der schwere Teppich im Salon dämpfte ihre Schritte. Einige Windböen drückten Äste an die breite Fensterfront. In der Mitte des Salons führte eine Glastür auf eine schmale Terrasse ins Freie. Der Vorhang war zur Seite gezogen. Von hier aus sah man die gekräuselte Oberfläche des Swimmingpools, in der sich die schwarze Wolkendecke spiegelte.

Elena stieß Gerink in die Rippen. »Beschäftige den Hausdrachen eine Zeit lang«, flüsterte sie.

Gerink betrachtete ein Gemälde an der Wand. »Wie laufen die Geschäfte der Borromeo-Bank?«

»Danke der Nachfrage.« Zenobia wedelte abfällig mit der Hand. »Das ist ein echter Caravaggio.«

Soweit er das beurteilen konnte, hing in diesem Salon kein einziger Del Vecchio. »Und die Produktion der Speedboot-Rennmotoren in Livorno?«

Zenobia gab keine Antwort.

Er sah sich um. Elena war verschwunden. »War Franco Citti als Leiter der Del-Vecchio-Galerie auch an diesen Firmen beteiligt?«

»Ich hatte keinen Einblick in die Geschäfte meiner Söhne.«

In diesem Moment betrat Monica den Salon mit einem Tablett, auf dem sie Gläser und einen Krug Limettensaft servierte. Zenobia beobachtete argwöhnisch, wie sie tranken.

»Weißt du, wo Elena ist?«, fragte Gerink seinen Partner leise.

Scatozza stellte das leere Glas auf den Tisch. »Keine Ahnung. Vermutlich wieder einmal hinaus in den Garten …« Er verstummte, als er Gerinks Miene sah.

Zenobia verschränkte die Arme vor der Brust. »Der Mörder meines Sohnes wurde gefasst. Er hat die gerechte Strafe erhalten. Der Fall ist gelöst, und Sie hatten Ihre Erfrischung.« Die Matriarchin blickte auffordernd zur Tür.

Gerink hasste es, wenn sich ihm gegenüber jemand überlegen fühlte und das auch noch mit jeder Faser des Körpers demonstrierte. Für ihn war der Fall noch lange nicht abgeschlossen.

»Dann scheint Ihnen gleichgültig zu sein, was Ihrer Tochter zugestoßen ist?«, schlussfolgerte er.

Zenobia funkelte ihn mit kalten Augen an.

Gerink erinnerte sich an Königs letzte Worte. »Wir wissen, dass Teresa zumindest vor einigen Wochen noch am Leben war. Dann muss etwas mit ihr passiert sein. Da für Sie alles in bester Ordnung ist, nehme ich an, dass Sie bereits von Teresas Tod erfahren haben oder …«

»Was erlauben Sie sich!«, fuhr Zenobia ihn an. Gleichzeitig reckte sie das Kinn nach vorn.

»… oder wissen, dass sie noch am Leben ist«, vollendete Gerink den Satz leise, aber doch so, dass jeder im Raum ihn verstehen konnte.

Zenobias Halsschlagadern pochten.

Gerink hielt ihrem Blick stand. »Falls Sie oder die italienische Polizei etwas wissen sollten, was wir nicht wissen, kriege ich Sie wegen Beihilfe zur Entführung dran.«

»Sie wollen mir drohen? Ich weiß nichts – und jetzt verlassen Sie mein Haus!«

»Genauso, wie Sie nicht wissen, dass die Leichen Ihrer Söhne verstümmelt, mit amputierten Armen und Beinen unter dem Ponte Vecchio gefunden wurden? Genauso, wie Sie nicht wissen, dass ein Arzt und zwei in den Unfalltod Ihrer Schwiegertochter involvierte Ermittler ermordet wurden? Genauso, wie Sie nicht wissen, dass die Polizei auf Ihren Wunsch unter der Schirmherrschaft Ihres Liebhabers Francesco Fochetti in den Mordfällen ermittelt und die Wahrheit vor der Öffentlichkeit vertuscht hat?«

Gerink hatte alle Fragen ruhig und gelassen formuliert.

Zenobia schnappte nach Luft.

»Du und Fochetti?«, entfuhr es Monica.

»Eine nützliche Beziehung«, erklärte Gerink, »wenn man bedenkt, in welche Transaktionen, Zinsabsprachen und Schmiergeldaffären die Borromeo-Bank Ihrer Familie verwickelt ist. Wenn man bedenkt, an wie vielen Skandalen und Affären Ihre Söhne beteiligt waren.«

Zenobias Hände zitterten. »Sie haben keine Ahnung, was es heißt, in Italien eine Familie zusammenzuhalten!«

»Ausgerechnet du! Du bist nicht mal eine *echte* Italienerin«, fuhr Monica ihre Großmutter an. »Erst nachdem du in dieses Land gekommen bist und Großvater geheiratet hast, wurdest du zur Herrin über dieses Anwesen.«

»Du weißt ganz genau, dass Angelo mich *gebeten* hat, in dieses Land zu kommen. Ohne mich wäre diese Familie nie so weit gekommen!«

»Tief versunken im Sumpf des Verbrechens ...«

»Halt den Mund!«, zischte Zenobia. »Du dumme Göre weißt nicht, wovon du sprichst.«

Gerink war auf ähnliche Vorurteile gestoßen, als Elena und er geheiratet hatten, dennoch empfand er weder Sympathie noch Verständnis für Zenobias Machenschaften. »Sie stammen aus Polen, nicht wahr?«, fragte er.

Zenobia presste die Lippen aufeinander. »Wenn man selbst keine erinnerungswerte Vergangenheit besitzt, die eigene Familie in Auschwitz niedergemetzelt wurde, man in Armut aufgewachsen ist, heimatlos und ohne Brot zum Essen, hat man da keinen Grund, die neue Familie mit strenger Hand zusammenzuhalten? Immerhin ist sie das Einzige, was geblieben ist.«

Durch den Lärm angelockt stand plötzlich Nicola in der Tür. Matteos fünfzehnjährige Tochter, die sie in der Nacht in der Familiengruft getroffen hatten, redete nur kurz auf Zenobia ein, als der Streit bereits auf eine persönliche Ebene kippte und zu hässlichen Anschuldigungen führte. Er wurde auf Italienisch ausgetragen, doch Scatozza musste nichts übersetzen. Unüberhörbar redete sich die junge Frau den Frust von der Seele. Diese Familie wurde nur noch durch gegenseitigen Hass zusammengehalten.

Schließlich mischte sich auch Monica in den Streit ein, und gemeinsam bildeten die beiden Cousinen eine Front gegen ihre Großmutter. Mehrmals fielen die Namen Teresa und Isabella, aber offensichtlich kamen keine großartigen Enthüllungen zu Tage, da Scatozza unbeeindruckt zuhörte.

Gerink schien es, als erhob in diesem Haus zum ersten Mal jemand das Wort gegen die Grande Dame. Eine Palastrevolution bahnte sich an.

Zenobia stand knapp davor, in wütendes Geschrei auszubrechen, doch plötzlich wurde sie äußerlich ruhig. Sie hörte sich alles mit stoischer Miene an, und nachdem sich die Frauen beruhigt hatten, richtete sie nur einen einzigen Kommentar an Gerink. »Es tut mir leid, dass Sie diesen unbedeutenden Familienzwist miterleben mussten.«

Scatozza antwortete an Gerinks Stelle auf Italienisch. Als Zenobia registrierte, dass er jedes Wort verstanden hatte, ging sie zu einer Kredenz aus Teakholz, öffnete die Heimbar, goss sich ein Glas Bourbon ein und stürzte das Getränk in einem Zug hinunter.

»Was hast du gesagt?«, fragte Gerink.

»Dass wir sie wegen Beihilfe zum Mord an Teresa anklagen, falls sie den Mund nicht aufmacht.«

Zenobia stellte das Glas mit einem lauten Knall ab und wandte sich um. »Also gut, ich habe meine Tochter nicht auf dem Gewissen. Im Gegenteil. Wenn Sie Teresa sehen wollen, folgen Sie mir …«

In diesem Moment begannen draußen die Pitbull Terrier wie verrückt zu kläffen. Gleichzeitig schrillte im Garten die Alarmanlage los.

Zwei Wochen vorher

Was zum Teufel ging hier vor? Sie lag seit immerhin einer Woche in diesem Krankenhaus, aber Doktor Alchieri und der Psychiater Zolkin hatten weder die Carabinieri noch die Polizia di Stato *über ihren Zustand informiert. Vermisste sie denn niemand? Jemand musste sie doch suchen!*

Und überhaupt … Was bedeutete die Aussage, sie liege in einem abgeschiedenen Trakt der Psychiatrie? Und weshalb spukten ihr ständig deutsche Begriffe durch den Kopf? War sie überhaupt Italienerin? Nicht einmal das *konnte sie beantworten.*

Panik ließ ihre Finger eiskalt werden.

Was war mit ihr geschehen? Wer hatte sie punktiert, ihr einen Schnitt mit dem Skalpell zugefügt und sie hungern und fast verdursten lassen? Wer hatte ihren Mund verbrannt und zerschnitten? Sie selbst etwa? Wer hatte in ihrem Kopf herumgepfuscht?

What's in your heeeaaaeeed,
in your heeeaaaeeed,
zombie, zombie, zombie …ie …ie?

Warum ging ihr ständig dieses Lied durch den Kopf?

Sie brauchte Antworten.

Jedenfalls würde sie keine Minute länger in diesem verrückten Krankenhaus bleiben. Sie musste es bis zur nächsten Carabinieri-Wachstube schaffen.

Mühsam quälte sie sich aus dem Bett, löste die Heftpflaster in ihrer Armbeuge und zog sich die Infusionsnadel aus der Vene.

Dann knipste sie den Clip von ihrem Finger und betrachtete das Ding. Es war ein Pulsoximeter, das Puls und Sauerstoffsättigung im Blut maß. Warum zum Teufel wusste sie das? Wieso kannte sie diesen Begriff? Hatte sie vielleicht im Halbschlaf gehört, wie die Ärzte dieses Wort in den Mund genommen hatten? Bestimmt nicht! »Pulsoximeter« war Deutsch! Eine Gänsehaut lief ihr über den Arm.

Sie rollte sich die Stützstrümpfe von den Beinen, die sie vor einer Thrombose bewahren sollten, und ließ das Flügelhemd über die Schultern zu Boden gleiten. Auf ihrem Bauch klebte ein wasserdichtes Pflaster. Sie tastete mit den Fingerkuppen darüber und spürte, dass die Nähte noch in ihr waren. Nur mit einem Slip bekleidet wankte sie mit weichen Knien zum Schrank.

Keine Kleider. Lediglich braune Korksandalen und ein beigefarbener Bademantel befanden sich darin, den sie sich mühsam anzog. Auf das Bettgestänge gestützt schob sie sich langsam zur Tür. Sie kam an einem Handwaschbecken mit Spiegel vorbei. Aus dem Augenwinkel sah sie, dass sie schwarze Haare hatte. Ihr Herz schlug augenblicklich schneller. War es eine gute Idee, sich jetzt zu betrachten? Würde die Erinnerung zurückkehren? Und falls nicht? Was sollte sie tun, wenn ihr eine völlig fremde, entstellte und hässliche Frau entgegenstarrte?

In Zeitlupe drehte sie den Kopf. Ihr Herz schlug bis zum Hals. Eine etwa vierzigjährige Frau mit rabenschwarzen schulterlangen Haaren blickte ihr aus dem Spiegel entgegen. Die Augen lagen tief. Ihre dichten Locken! Sogleich kam ihr das Wort Glätteisen in den Sinn, doch sie konnte nichts damit anfangen. Sie war attraktiv, hatte einen festen und selbstbewussten Blick, aber ihre Lippen sahen entsetzlich aus. Schwarze Nähte zierten ihre Unterlippe. Sie öffnete den Mund und zeigte sich selbst wie ein Raubtier die Zähne. Das Zahnfleisch war ebenfalls verletzt.

Weg von hier!

Sie schob sich weiter zur Tür. In diesem Moment wurde sie ge-öffnet.

Der junge Doktor Alchieri stand vor ihr. Bei ihrem Anblick schossen seine Augenbrauen überrascht in die Höhe. Im nächs-ten Moment musterte er sie bereits mit seinem scharfen Blick. »Wohin wollen Sie?«

»Auf die Toilette«, antwortete sie prompt.

»Dafür sind Sie noch zu schwach. Verwenden Sie bitte die Bett-pfanne.«

»Ich brauche frische Luft.«

»Ich öffne das Fenster.« Er nahm sie am Arm, führte sie zurück zum Bett und steckte ihr das Pulsoximeter wieder auf den Finger. Dann kippte er das Fenster. »In der Zwischenzeit haben wir he-rausgefunden, wer Sie sind.«

»Wie heiße ich?«, platzte sie heraus.

»Alessandra Sebastini.«

Enttäuscht sah sie ihn an. Er hingegen musterte sie interessiert.

Betont langsam wiederholte sie den Namen. Alessandra Sebas-tini. Er klang nicht vertraut. Kein Funke der Erinnerung regte sich in ihr.

»Und wo wohne ich?«, fragte sie.

»In Florenz.« Alchieri blickte kurz zum Monitor, dann schnalz-te er mit der Zunge. »Es tut mir leid, ich wollte testen, wie Sie re-agieren. Offensichtlich haben Sie tatsächlich keine Erinnerung.«

»Worauf wollen Sie hinaus?«

»Ihr Name ist nicht Alessandra Sebastini.«

Zorn stieg in ihr hoch. »Was sollen diese Spielchen? Wollen Sie mich verarschen?«

Alchieri blickte zur Tür. »Hier ist jemand, der Sie kennt.«

Sie fuhr abrupt auf dem Bett herum.

Im Türrahmen stand eine grauhaarige, hochgewachsene schlan-ke Frau mit stolzem Blick. Mit zügigen Schritten durchmaß sie das

Zimmer und baute sich aufrecht vor dem Bett auf. Kritisch musterte die Frau sie.

»Erkennst du mich nicht wieder?«

Ihr Hirn war wie ein tiefes schwarzes Loch. War das erneut eine Verarschung? Wer sollte das sein?

Sie blickte unschlüssig zu Doktor Alchieri, der sie aufmerksam beobachtete. »Ich kenne diese Frau nicht.«

Die Dame setzte sich an ihr Bett und griff mit ihren knöchernen Fingern nach ihrer Hand. »Teresa, ich bin es, deine Mutter.«

Sie lachte für einen Moment schrill auf. War das ein Witz? Ihre Mutter? Sie hatte diese Frau noch nie im Leben gesehen.

»Teresa, Sie brauchen jetzt Ruhe«, sagte Alchieri.

Die Frau tätschelte ihre Hand. »Doktor Alchieri ist der Sohn unseres ehemaligen Hausarztes. Seine Familie war uns immer treu ergeben. Wir bringen dich zu deiner eigenen Sicherheit zu uns nach Hause nach San Michele, und er wird sich um dich kümmern.«

Panik schnürte ihre Kehle zu. Was, wenn das alles nicht stimmte? Sie kannte wohl Florenz, hatte aber noch nie von einem Ort namens San Michele gehört.

»Teresa?«, wiederholte sie. »Und wie noch?«

Die Dame nickte. »Del Vecchio.«

Teresa Del Vecchio, wiederholte sie in Gedanken. Doch ihr Hirn blieb ein tiefes schwarzes Loch, das die Informationen schluckte, aber nicht das kleinste Echo warf.

60

Gerink stürzte zur Terrassentür und blickte in den Garten. Vor dem Wohntrakt der Angestellten zerrten die beiden Pitbull Terrier an den Ketten und bellten sich die Seele aus dem Leib. Neben dem Eingang lag ein Mann im dunklen Anzug reglos mit dem Gesicht in einer Regenlache auf dem Boden. Entweder bewusstlos oder tot.

Im nächsten Moment verstummte der Alarm. Zenobias dunkler Teint verlor alle Farbe.

»Das Sicherheitssystem ist automatisch mit der Polizei in Florenz verbunden«, sagte sie mit gefasster Stimme. »Die Beamten werden in wenigen Minuten hier sein. Warten Sie solange hier und verlassen Sie das Haus nicht.«

Ganz bestimmt, dachte Gerink. Er öffnete die Terrassentür und schlüpfte ins Freie.

Scatozza folgte ihm. Sie liefen am Pool vorbei zu dem gegenüberliegenden Gebäude für die Angestellten. Die Tür stand offen, im Schloss steckte der Schlüssel. Während Scatozza das Gebäude betrat, beugte sich Gerink zu dem Mann hinunter und tastete an der Halsschlagader nach dessen Puls. Er war noch am Leben. Im Gesicht hatte er keine Verletzung, auch nicht im Genick oder am Hinterkopf. Vermutlich hatte ihn ein Schlag ans Kinn umgehauen.

Die Hunde zerrten kläffend an der Kette und schnappten nach Gerink, konnten ihn jedoch nicht erreichen. Er schleifte den Bewusstlosen aus dem Regen, legte ihm den Arm unter den Kopf und brachte ihn in eine stabile Seitenlage.

Zenobia stand auf der Terrasse und blickte panisch zu ihm herüber. Gerink deutete ihr mit erhobenem Daumen, dass der Mann noch am Leben war. Aus dem Augenwinkel sah er, dass ein Mann auf das Gebäude zulief. Vermutlich eine Wache, die der Alarm aufgeschreckt hatte. Bevor sie ihn erreichte, verschwand Gerink durch die Tür ins Innere.

Er wischte sich den Regen aus dem Gesicht. Aus dem oberen Stockwerk drangen Schritte. Rasch nahm er die enge Steintreppe nach oben. Durch ein großes Dachflächenfenster fiel ausreichend Licht ins Treppenhaus. Regen trommelte gegen die Scheibe. In einer Schüssel verströmten Räucherstäbchen den Geruch von Zimt und Koriander. Hier herrschte eine Atmosphäre wie in einem türkischen Dampfbad.

Vom Ende der Treppe führten Durchgänge in drei weitere Räume. In einem davon stand Scatozza. Gerink stürzte ins Zimmer. Die Fensterläden standen offen. Weinreben rankten sich an der Fensterbank entlang. Ein Windstoß ließ die weißen Vorhänge ins Zimmer wehen. In der Mitte saß eine Frau aufrecht auf einem Doppelbett und bürstete ihr langes schwarzes Haar. Auf dem Stuhl daneben saß …

»Du?«, entfuhr es Gerink.

Elena drehte ihm den Kopf zu. »Es war kein Zufall, dass von allen Gebäuden auf diesem Grundstück ausgerechnet dieses so streng bewacht wird.«

»Sie hat den Wachmann k. o. geschlagen«, erklärte Scatozza.

Typisch Elena! Das war ihre Chamäleonstrategie, wie sie es nannte. Alles ausnutzen, was die Situation hergab. Letztendlich war die Lösung eines Verbrechens für sie bloß ein Spiel, bei dem jeder Trick erlaubt war.

»Du hast den Alarm im Haupthaus ausgelöst«, sagte Gerink.

Elena nickte zur Tür. »Ich habe den Lichtbalken am Treppenaufgang zu spät gesehen …«

Sie verstummte, als ein Mann mit kantigem Gesicht, Lackschuhen und dunklem Anzug den Raum betrat. Plötzlich hing ein aufdringlicher Dunst von Aftershave in der Luft. In seinem Hemdausschnitt steckte eine Sonnenbrille, und er hielt eine SIG Sauer in der Hand. Anscheinend sollte er nur den Raum sichern. Unmittelbar hinter ihm trat Zenobia ein, gefolgt von Monica.

»Alles in Ordnung«, rief Gerink.

»Das nennen Sie *in Ordnung*?«, antwortete Zenobia zynisch. Sie nickte ihrem Begleiter zu, der die Waffe senkte.

Schließlich richteten sich die Blicke aller Anwesenden auf die Frau, die im Bett saß, die Haarbürste sinken ließ und die Szene vor sich mit dunklen Augen gleichgültig und zugleich verwirrt betrachtete. Ihr apathischer Gesichtsausdruck wirkte auf Gerink, als wäre sie mit Medikamenten so voll wie eine Apotheke auf zwei Beinen.

Monica reagierte als Erste. »Tante Teresa!« Sie lief auf das Bett zu und flog der Frau in die Arme. Diese reagierte jedoch nicht.

Rasch kam Zenobia herbei, packte Monica am Arm und zog sie ungestüm zurück. »Lass meine Tochter in Ruhe! Sie lebt seit zwei Wochen auf diesem Landsitz. Das Gästehaus mit den Bediensteten ist nur für sie da, und bis du hier aufgetaucht bist, war alles in Ordnung.«

Gerink betrachtete die schwarzhaarige Frau. Ihretwegen waren sie nach Italien gekommen. Kürzlich hatte er noch daran gezweifelt, Teresa jemals lebend wiederzufinden. Sie war schlanker als auf dem Foto, das er von ihr besaß, und hatte eine ungesunde Blässe. Beinahe wirkte ihre Gesichtshaut durchsichtig. Ihre Augen lagen tief, und ihr Blick strahlte keine Wärme aus. Auf ihren blutleeren Lippen sah Gerink verheilte Narben, die von groben Schnitten herrührten.

Zenobia machte einen Schritt auf Gerink zu. »Ich weiß, was Sie jetzt denken.«

»Entführung und Freiheitsberaubung?«, kam Gerink ihr zu Hilfe. »Oder Irreführung der Polizei in einer Ermittlung?«

Zenobia richtete sich auf. »Meine Tochter wurde in der Nähe des Ponte Vecchio von einem Auto angefahren und ins Krankenhaus gebracht. Sie leidet unter Amnesie und kann bis heute nicht sagen, wer sie entführt hat und wo sie gefangen gehalten wurde.«

»Nennen Sie das hier etwa keine Gefangenschaft?«, konterte Gerink.

»Sie wird von den besten Psychiatern und Gehirnspezialisten betreut«, fuhr Zenobia fort. Sie setzte sich ans Bett und griff nach Teresas Hand, doch diese zog sie widerwillig weg.

Gerink sah Kummer, Angst und Verwirrung in Teresas Blick. Diese Gefühle waren nicht gespielt. Sie erkannte niemanden und wusste nicht, warum sie hier war und wem sie vertrauen durfte. Sie konnte ja nicht mal sich selbst vertrauen. Vermutlich wirkte das alles auf sie, als wollte man sie erneut gefangen halten – als hätte sie Lyashenkos Keller gegen einen goldenen Käfig eingetauscht. Irgendwie musste ihr die Flucht aus dem Kellerloch des Chirurgen gelungen sein. Doch die genauen Umstände waren im Moment unwichtig. Gerink interessierte nur eine Sache.

»Wissen Staatsanwalt Fochetti und der Maresciallo, dass Teresa hier ist?«

Zenobia schwieg eine Weile. »Ich wollte, dass die Polizei weiter unter Hochdruck nach den Mördern ermittelt, während Teresa gleichzeitig in Sicherheit ist. Außerdem sind die Ärzte der Auffassung, dass sie in einer ruhigen familiären Umgebung mehr aus Teresa herausbekommen als die grobschlächtigen Carabinieri. Obendrein genießt sie hier eine bessere Bewachung als durch die Carabinieri für den Fall, dass ihre Entführer …« Sie sprach den Satz nicht zu Ende.

»Wie haben Sie Teresa vor den Augen der Polizei hierherschaffen können?«, fragte Scatozza.

Zenobia presste die Lippen aufeinander. »Doktor Alchieri war unser Hausarzt und der Familie immer treu ergeben.«

»Er hat Ihre Schwiegertochter Isabella nach deren Reitunfall untersucht, konnte aber nur noch den Tod feststellen«, warf Elena ein.

»Vor einigen Monaten wurde seine verstümmelte Leiche unter dem Ponte Vecchio gefunden«, ergänzte Gerink. »Er konnte also von Teresas Auftauchen gar nichts wissen!«

Zenobia funkelte ihn an. »So ist es! Er starb genauso wie meine beiden Söhne. Aus diesem Grund hat sein Sohn, der Arzt an der Universitätsklinik Careggi in Florenz ist, sofort Kontakt zu uns aufgenommen, als Teresa eingeliefert worden ist. Er hat ihr Auffinden und ihre Verlegung auf unseren Familiensitz geheim gehalten. Schließlich ist er genauso daran interessiert wie wir, den Mörder seines Vaters zu finden.«

»Und was hat es gebracht?«, fuhr Monica ihre Großmutter an.

Zenobia blieb gefasst. »Teresas Erinnerung könnte schlagartig zurückkommen, vielleicht auch nie. Wir trainieren ihr Gedächtnis, um ihre Erinnerungen wieder zusammenzusetzen, die wie kleine Inseln in ihrem Unterbewusstsein verstreut liegen. Wir besuchen mit ihr die Orte ihrer Vergangenheit und führen sie regelmäßig auf dem Familiensitz herum.«

»In Wien ist sie besser aufgehoben!«, fuhr Monica dazwischen.

Zenobia ignorierte sie. »Aber ihr Unterbewusstsein hat die Pforten geschlossen und lässt nichts durch … Wien würde daran nichts ändern«, fügte sie feindselig hinzu.

Gerink kannte diese Situation von ähnlichen Fällen, die Scatozza und er bearbeitet hatten. Wenn traumatisierte Missbrauchsopfer ihr Gedächtnis verloren, blieben ihre Bewegungsabläufe und motorischen Fähigkeiten erhalten und waren weiterhin abrufbar. Ebenso einige Teile der Erinnerung. Beispielsweise konnten sie historische Ereignisse aufzählen.

Darüber hinaus hatte das Unterbewusstsein das eigene biografische Gedächtnis verschlossen und auf Stand-by geschaltet.

Monicas Körper spannte sich vor Wut an, doch der Anblick ihrer Tante hatte ihr zugleich Tränen in die Augen getrieben. Gerink warf Elena einen kurzen Blick zu. Ihr war dieses scheinbar unbedeutende Detail ebenfalls nicht entgangen. Das Wiedersehen mit ihrer Tante wühlte Sternschnuppe mehr auf als der Tod ihres Vaters. Wie Elena vermutet hatte, blieben Monicas Beweggründe zweifelhaft.

Gerink ging zu Teresa ans Bett. »Ich darf doch.« Er zog ein Foto aus der Brieftasche und reichte es Teresa. »Mein Kollege und ich sind Ermittler vom Bundeskriminalamt in Wien. Dieses Foto zeigt Sie und Ihre Nichte Monica vor einem Wiener Autohaus.«

»Wien«, wiederholte sie völlig akzentfrei und griff nach dem Bild.

Falls Gerink die Reaktion nicht falsch interpretierte, regte sich die Spur einer Erinnerung in ihrem Gesicht. Aber ihre Augen blieben trotzdem skeptisch.

»Ich komme aus Wien?«, fragte sie wie alles andere, was bisher in diesem Raum gesprochen worden war, auf Deutsch.

»*Tu sei italiana!*«, rief Zenobia. Ihre Stimme duldete keinen Widerspruch.

»Damit ist jetzt Schluss! Ich nehme Teresa mit nach Wien«, sagte Monica drohend leise.

Zenobia fuhr wie eine Furie herum. »Sie bleibt hier!«

Gerink sah Monica an, dass sie innerlich wie ein Vulkan brodelte. Äußerlich blieb sie jedoch ruhig. »Teresa hat nach dem Tod ihres Vaters vor fünfzehn Jahren Italien aus gutem Grund verlassen.«

Zenobias Wangenknochen arbeiteten wie Kolben unter der dünnen Haut. »Angelo hat nichts mit dieser Sache zu tun!«

»Aber nein«, spie Monica mit einem zynischen Lächeln aus. »Großvater Angelo war ja so ein Engel. Als er angeblich *allein* im Stall war, das Pferd ausschlug und ihm den Schädel zertrümmerte, hat er endlich seine gerechte Strafe erhalten.«

»Schweig, dummes Kind!«

»Glaubst du, ich weiß nicht, dass Angelo jahrelang seine Tochter missbraucht hat?«

»Sei still, du Missgeburt!«

»Die Zeiten des Schweigens sind vorbei.« Monica baute sich vor ihrer Großmutter auf. »Deine Tochter hatte nie die Chance, ein normales kleines Mädchen zu sein! Ich lasse nicht zu, dass sie an diesem Ort bleibt, wo sie jahrelang verletzt und erniedrigt wurde von euch Barbaren, Heuchlern und scheinheiligen notgeilen Böcken!«

»Es reicht!« Zenobia gab ihrer Enkeltochter eine Ohrfeige.

Monica blieb stehen und zuckte nicht einmal mit der Wimper, als hätte sie nichts anderes erwartet und als hätte diese Reaktion ihre Meinung über ihre Familie bestätigt. Langsam trat sie ans Bett und legte Teresa zärtlich die Hand auf die Wange.

»Arme Teresa, du hast im Leben so viel mitgemacht.« Monica strich ihrer Tante über die Stirn. »Was geht bloß in deinem Kopf vor?«

Die ganze Zeit über hatte Teresa wie geistesabwesend auf dem Bett gesessen und das Geschehen um sich herum beobachtet, als beträfe es sie nur indirekt. Das Foto, das Gerink ihr gegeben hatte, glitt ihr aus den Fingern. Plötzlich regte sich etwas in ihrem Blick. Ihre Lippen bewegten sich. Zuerst lautlos, dann hörbar.

Sie summte etwas – nein, sie sang, ganz leise.

What's *in your heeeaaaeeed,*
in your heeeaaaeeed,
zombie, zombie, zombie …ie …ie?

Gerink kannte dieses Lied. Es war auf der CD mit dem Sprung in der Plastikhülle, die er in Teresas Koffer gefunden hatte. Womöglich war es der letzte Song, den sie gehört hatte, bevor König sie in ihrem Zimmer betäubt und entführt hatte.

Plötzlich stellte sich Teresas Blick scharf. Entsetzt starrte sie in den Raum. Mit einem Mal lag panische Angst in ihren Augen. Sie tastete mit den Fingern zu ihrem Mund. Ihre Lippen öffneten sich, und ihnen entrang sich ein Wort.

»Lyashenko …«

Auch Elena trat nun an ihr Bett. »Sie beginnt, sich an die schreckliche Zeit vor dem Autounfall zu erinnern.« Sie zog die Schublade des Nachtschranks auf.

Zenobia protestierte, doch Elena kramte einige Medikamentenschachteln hervor. »Mich wundert nicht, dass sie so apathisch ist.« Der Reihe nach schmiss Elena Medikamentenschachteln aufs Bett. »Valium, Sedogelat und Temesta. Ein Cocktail aus diesen Sedativa haut sogar den stärksten Gaul um.«

Elena warf Gerink einen knappen Blick zu. Er ahnte, was sie gleich vorschlagen würde. Er war einverstanden damit und nickte.

»Wir bringen Teresa Del Vecchio nach Wien zurück«, sagte Elena. »Sie braucht dringend angemessene ärztliche Behandlung statt der von Ihnen inszenierten Gehirnwäsche.«

Zenobia hörte sich alles mit erhobenem Kinn an. Ein winziger Blick genügte, und ihr Begleiter hob die SIG Sauer. Gerink bemerkte, wie sich Scatozzas Körper anspannte. Im gleichen Moment betrat ein weiterer bewaffneter Mann das Zimmer. Es war jener Kerl, den Elena vor dem Haus bewusstlos geschlagen hatte. Bestimmt hatte er noch eine Rechnung mit ihr offen.

Zenobia und die beiden Männer stellten sich im Halbkreis vor Scatozza, Elena und Gerink auf.

Zenobia schüttelte den Kopf. »So wird es nicht ablaufen.«

61

Auf Gerink und Scatozza war jeweils der Lauf einer SIG Sauer gerichtet.

»Sie wollen uns doch nicht etwa hier festhalten?«, fragte Gerink. Wären die Waffen nicht gewesen, hätte er diese Farce bloß lächerlich gefunden. »Sie sind verrückt.«

»Ich bin bei klarem Verstand«, widersprach Zenobia. »Aber Sie verwechseln anscheinend Konsequenz mit Wahnsinn.« Sie nahm ein gelbes Handy mit altertümlichen Tasten von Teresas Nachttisch. »Ich werde jetzt mit Staatsanwalt Fochetti telefonieren.« Sie deutete auf Gerink. »Und Sie drohen mir nicht länger! Mir ist es nämlich gleichgültig, ob Sie meine Affäre mit Fochetti an die große Glocke hängen oder nicht. Diese Sache hier ist viel bedeutsamer!«

»Was wollen Sie Fochetti sagen?«, platzte es aus Elena heraus. »Dass wir eine Freiheitsberaubung aufgedeckt haben?« Auch sie schien perplex, als käme sie sich wie im falschen Film vor.

»Sie werden angeklagt wegen Mordes an Felix Lyashenko, Viktor König und vielleicht auch an meinem Sohn Salvatore, den Sie in den Tod getrieben haben. Außerdem haben Sie widerrechtlich mein Grundstück betreten und sind in dieses Haus eingedrungen.«

»Widerrechtlich?«, wiederholte Scatozza ungläubig.

»Der Alarm ist angegangen.« Zenobia schmunzelte. »Müssten Sie nicht schon längst auf dem Weg in Ihre Heimat sein?«

Zenobia bellte einige Befehle auf Italienisch. Daraufhin wurden sie mit vorgehaltener Waffe aus dem Raum geführt. Kaum gingen sie die Treppe nach unten, sah Gerink, wie ein Mann im weißen Kittel ein Gestänge mit einer Infusionsflasche in Teresas Zimmer rollte. Wenn sie jetzt nichts unternahmen, würde Teresa weitere Wochen mit Psychopharmaka betäubt werden, bis sich ihr Geist vollends in einen Graubereich verabschiedete. Doch im Moment standen zwei bewaffnete Männer hinter ihnen.

Durch den Regen wurden sie im Gänsemarsch ins Hauptgebäude eskortiert und erneut in den Salon gebracht. Die Männer stießen sie heftig in den Raum. Elena wehrte sich, worauf der Kerl, der eben noch bewusstlos im Regen gelegen hatte, sie mit einem Schlag in den Rücken antrieb.

Gerink wollte ihm die Faust ins Gesicht rammen, doch der Mann riss die Waffe hoch und zielte grinsend auf seine Brust.

Scatozza hielt Gerink mit festem Griff zurück. »Nicht jetzt, Kumpel«, zischte er. »Bleib ruhig, wir lösen das anders.«

Dino hatte recht; es war der falsche Zeitpunkt. Gerink ließ von dem Mann ab.

Elena rieb sich die Schulter. Schließlich spuckte sie dem Italiener vor die Füße. »*Cretino!*«

Auf der Terrasse wurde ein Scherengitter, das wie eine Ziehharmonika auseinanderklappte, geräuschvoll vor Fenster und Terrassentür gezogen und damit der Salon verriegelt.

Monica betrachtete die Szene wie ein begossener Pudel.

Zenobia maß sie mit strengem Blick. »Du musst dich entscheiden, auf wessen Seite du stehst.«

»Du schreibst mir nicht vor, was ich zu tun habe!«, spie sie ihrer Großmutter entgegen.

»Jetzt ist keine Zeit für Spielchen, Kleine. Entweder bist du auf der Seite deiner Familie – oder du bist gegen uns.«

Monica fletschte die Zähne. Ihre Oberlippe bebte, und ihre Nasenwurzel schlug Falten.

In diesem Moment hörte Gerink den Motor eines Autos. Durch die vergitterte Terrassentür sah er einen Lamborghini, der neben seinem Wagen hielt. Lorenzos Witwe Cristina stieg aus. Der Wind wirbelte ihr langes weizenblondes Haar durcheinander. Sie schirmte die Augen mit der Hand vor dem Regen ab und warf die Autotür schwungvoll zu. Dann stolperte sie zur Treppe, wo sie aus Gerinks Blickfeld verschwand.

»Die Familie ist mir scheißegal!« Monica warf die Arme in die Luft. »Sollen sie doch alle verrecken, um Himmels willen! Soll sich mein Vater doch das Leben nehmen oder vom Dach seiner großartigen Galerie gestoßen werden. Scheiß drauf! Wen kümmert es?« Wut glomm in ihren Augen. »Ich wollte ihm sowieso nur eine einzige Frage stellen, mehr nicht.«

Zenobias Hand zuckte bereits, als wollte sie ihrer Enkelin eine weitere Ohrfeige geben.

»Nur zu!«, rief Monica. »Ich habe mich immer nur zu meiner Mutter hingezogen gefühlt.« Plötzlich weinte sie. »Aber Mutter war viel zu gut für dieses Haus und den Abschaum dieser Familie! Und ihr habt sie nicht einmal in der Familiengruft beerdigt, sondern in einem kleinen unbedeutenden Grab auf einem verwahrlosten Friedhof in San Michele verscharrt.« Verachtung schwang in ihrer Stimme, und über ihr Gesicht liefen Tränen.

In diesem Moment betrat Cristina den Salon.

»Wenn du es unbedingt wissen willst«, triumphierte Zenobia. »Deine Mutter war nichts weiter als eine schäbige Hure!«

»Das sagst ausgerechnet du!«

»Ich habe Fochetti erst getroffen, als mein Mann längst …«

»Und deine feinen Söhne waren allesamt Hurenböcke, genauso wie dein Mann!«, fiel Monica ihr ins Wort. »Also erspare mir jeglichen Kommentar über meine Mutter.«

Cristina zwängte sich an den bewaffneten Männern vorbei und stellte sich in Gerinks Nähe. Sie brauchte einige Zeit, um sich zurechtzufinden. Gerink roch die eigenwillige Mischung aus Parfüm und Grappa, die sie verströmte. Aber er hätte auch an ihrer schiefen Haltung und dem glasigen Blick erkannt, dass sie ordentlich Alkohol getankt hatte. Obwohl sie wahrscheinlich kein Wort Deutsch verstand, hörte sie aufmerksam zu.

Zenobia ignorierte ihre Schwiegertochter. Stattdessen war ihr Blick auf Monica gerichtet, während ihre Hand zitterte. »Mein Sohn war krank, aber deine Mutter stand nie hinter ihm.«

»Du kannst die Wahrheit nicht schönreden!«, konterte Monica. »Die zügellosen Wutausbrüche meines Vaters trieben meine Mutter erst vor fünf Jahren in die Arme eines anderen. Lange genug hat sie ihn und seine Eskapaden ausgehalten.«

Zenobia horchte interessiert auf. »Du kleines verlogenes Luder wusstest es schon länger? Mein Sohn kam erst vor einem Jahr dahinter, dass deine feine Mutter ihn betrog und im Bett eines anderen die Beine breitmachte.«

»Nun ist es endlich ausgesprochen.« Monica ließ die Schultern sinken. Ihre Stimme wurde leiser. »Wie ist meine Mutter gestorben?«

Gerink bemerkte, wie Elena neben ihm den Atem anhielt. Auch Scatozzas Ohren waren gespitzt.

Zenobia schwieg. Ihr wurde offensichtlich bewusst, dass sie schon zu viel verraten hatte. Sie wollte Monica aus dem Salon drängen, doch Cristina stellte sich ihr plötzlich in den Weg.

Zenobia fuhr Cristina auf Italienisch an. Ihrer abwertenden Handbewegung zufolge musste es etwas Ähnliches bedeuten wie *Schau dich bloß an, wie du aussiehst!*

Cristina schlug Zenobias Hand beiseite, worauf Zenobia noch lauter wurde. Dann brach es aus Cristina hervor. Sie übertönte Zenobia und redete in italienischer Sprache auf Monica ein.

»*Silenzio!*«, unterbrach Zenobia sie, doch Cristina hörte nicht auf zu reden.

Scatozza trat an Gerinks Seite. »Das wird interessant«, flüsterte er. »Cristina war dabei, als Salvatore seine Frau zur Rede stellte.«

Aufmerksam verfolgte Scatozza das Gespräch und übersetzte gleichzeitig, immer wieder unterbrochen von Zenobias lautstarkem *Silenzio!*

»Der Streit eskalierte. Salvatores Brüder warfen Isabella Verrat an der Familie vor. Es kam zu Handgreiflichkeiten, Isabella stürzte über die Balkonbrüstung auf den Vorplatz und starb an inneren Verletzungen. Ihr Tod wurde als Reitunfall dargestellt ...«

Gerink beobachtete Monicas Reaktion. Die Anspannung ihres Körpers und in ihrem Gesicht lösten sich, als hätte sie endlich die lang ersehnte Antwort erhalten, nach der sie so verzweifelt gesucht hatte. Bestimmt hatte sie schon mehrmals versucht, die Familie zur Rede zu stellen, doch niemand hatte ihr je die Wahrheit erzählt.

Trotz der schrecklichen Erkenntnis schien Monica in diesem Moment Frieden zu finden. Wohl deshalb hatte sie Elena engagiert, ihren Vater zu finden.

Während Cristina immer noch ihr Gewissen erleichterte, hörte Zenobia auf, *Silenzio!* zu rufen. Sie warf das Handy auf die Kommode, drehte sich zu einem ihrer Leibwächter um, riss ihm die kurzläufige halbautomatische SIG Sauer aus der Hand, trat vor Cristina und schrie sie an, endlich ruhig zu sein.

»*No!*«

Zenobia schlug ihr den Griff ins Gesicht. Cristina verstummte und taumelte zurück. Augenblicklich floss ihr Blut vom Haaransatz übers Gesicht. Sie bekam weiche Knie, verharrte einige Sekunden in dieser Position, blickte völlig geistesabwesend durch Zenobia hindurch und fiel dann seitlich mit dem Kopf an die Kommode. Das hässlich knackende Geräusch fuhr Gerink in die Glieder.

Reglos und mit unnatürlich verdrehtem Nacken blieb Cristina auf dem Teppich liegen. Eine vollkommene Stille breitete sich im Raum aus. Niemand bewegte sich. Alle hielten den Atem an.

Gerink stürzte als Einziger zu Cristina hin. Die Wunde an der Stirn blutete noch, doch unter ihrer Bluse spürte er, wie ihr Herz zu schlagen aufhörte. Von ihrem Körper ging eine merkwürdige Wärme aus, die jedoch rasch versiegen würde. Ihre Augen waren leblos. Er schloss ihre Lider.

Langsam erhob er sich, wütend, verbittert und mit einem dicken Kloß im Hals. Das Schicksal hatte sich wiederholt, auch Zenobias zweite Schwiegertochter war an den Folgen eines Unfalls gestorben.

Zenobia starrte einen Moment lang entsetzt auf Cristina, während eine Spur des Bedauerns in ihrem Blick aufflackerte. Kurz darauf reichte sie ihrem Leibwächter die SIG Sauer, der damit abwechselnd auf Gerink, Scatozza und Elena zielte. An seinem Gesichtsausdruck erkannte Gerink, dass er von der Körperverletzung mit tödlichem Ausgang, die vor aller Augen stattgefunden hatte, genauso überrascht war wie Gerink.

Im nächsten Moment reckte Zenobia den Kopf nach oben, kalt, ohne Reue, und war wieder dieselbe gefasste Matriarchin wie zuvor. »Ich lasse nicht zu, dass irgendjemand den Namen dieser Familie besudelt«, sagte sie mit fester Stimme.

Sie war nicht nur impulsiv, sondern auch verrückt. Dass sie durch ihre Beziehung mit Fochetti den Familienruf selbst in den Dreck gezogen hatte, schien ihr in diesem Moment nicht bewusst zu sein. Das musste nun jedem in diesem Raum klar geworden sein.

Neben Gerink schnappte Elena nach Luft, wagte aber nicht, sich zu bewegen. Monica stand ebenso versteinert an der Wand und stützte sich mit den Händen an der Kommode ab. Sie würgte und schluckte zugleich.

Draußen prasselte der Regen an die Scheibe. Die Stille wurde von einer Sirene unterbrochen. Zwei Polizeiwagen hielten vor dem Eingang der Villa. Der Maresciallo stieg aus, gefolgt von dem schmächtigen Vito Tassini und Massimo, dem Kerl mit der Statur eines Schranks, dem Scatozza die Nase gebrochen hatte. Geduckt liefen sie durch den Regen zum Haus.

Von Cristinas Stirn tropfte Blut auf den Teppich. Zenobia machte keine Anstalten, die Spuren zu beseitigen. Stattdessen wandte sie sich seelenruhig an Monica. »Für welche Seite entscheidest du dich?«

Monica starrte entsetzt auf die Leiche ihrer Tante, dann zog sie die Schultern hoch und schielte mit einem kurzen beschämten Blick zu Elena. »*Famiglia*«, sagte sie und stürzte aus dem Raum.

Im nächsten Moment stand der Maresciallo im Türrahmen, hingter ihm seine Begleiter. Als diese die Leiche auf dem Teppich sahen, zogen sie sofort ihre Waffen. Der Maresciallo beugte sich zu Cristina hinunter und fühlte ihren Puls. Als er ihren Kopf zur Seite drehte und die gebrochenen Nackenwirbel bemerkte, ließ er von ihr ab und richtete sich auf.

Zenobia redet auf Italienisch auf ihn ein, und der Maresciallo spitzte die Ohren. Ebenso Scatozza.

»Wir sind widerrechtlich in das Haus eingedrungen«, übersetzte Scatozza. »Wir haben den Alarm ausgelöst. Cristina hat uns überrascht, es kam zum Handgemenge, Elena hat mit Cristina gerangelt und sie gegen die Kommode gestoßen. Zenobias Angestellte sowie ihre Leibwächter können das bezeugen.«

Gerink spürte, wie seine Halsschlagadern anschwollen. Im Moment war es jedoch besser, nichts zu sagen. Falls Zenobia Del Vecchio, der Maresciallo und Staatsanwalt Fochetti allen Ernstes ein Komplott gegen sie schmiedeten, um ihnen einen Totschlag oder sogar mehrere Morde in die Schuhe zu schieben, konnte das in Italien fatale Folgen für sie haben.

Offensichtlich erkundigte sich der Maresciallo nach dem Wahrheitsgehalt der Geschichte, denn Zenobias Wachmänner nickten, deuteten zu Elena und dann auf die Stelle, wo Cristina lag.

Gerink schielte zu Elena. Instinktiv griff er nach ihrer Hand. Ihre Finger waren eiskalt. Doch äußerlich blieb sie gefasst. Sie reagierte kaum auf Scatozzas Worte.

Der Maresciallo kam mit bitterem Gesichtsausdruck auf Gerink zu. »Sie haben Ihre Chance gehabt, glimpflich davonzukommen und in Ihre Land zurückzufahren. Nun werden wir dafür sorgen, dass Sie alle länger hierbleiben, als Ihnen lieb ist.«

Er löste die Handschellen von seinem Gürtel. »*Andiamo!*«, sagte er zu Elena.

Er und seine Begleiter nahmen ihnen Waffen, Handy und Schlüsselbund ab. Zuerst legten sie Elena, dann Scatozza und zuletzt Gerink die Handschellen an. Gerink kannte das Gefühl bereits, in Eisen abgeführt zu werden, doch diesmal machte der Maresciallo es offiziell und spulte einen Spruch auf Italienisch ab. Zwischen den Zeilen meinte er aber ganz bestimmt: *Alles, was du sagst, kann und wird vor Gericht zu deinem Nachteil umformuliert werden!*

»Die Geschichte von Einbruch und Totschlag glauben Sie doch selbst nicht«, zischte Gerink, während ihm die Arme auf den Rücken gedreht wurden und die Handschellen einrasteten.

»Das werden die Haftrichter und die Staatsanwalt beurteilen«, lautete der Kommentar des Maresciallo.

Vielleicht stieg Zenobia auch mit dem Haftrichter ins Bett – dann hatten sie glänzende Aussichten, Österreich für eine Weile nicht wiederzusehen.

Dass Scatozzas Hände hinter dem Rücken gefesselt waren, genügte Massimo wohl nicht. Er löste seinen Polizeieinsatzstock vom Gürtel und schlug Scatozza damit in die Kniekehle. Dino sackte zusammen, biss auf die Zähne und gab keinen Ton von sich.

Im Moment waren sie für die Carabinieri keine Kollegen aus dem Ausland mehr, sondern Privatpersonen – Querulanten, Einbrecher und mutmaßliche Mörder. Genauso wurden sie behandelt. Zudem konnten die Italiener nun die Lorbeeren für die Lösung des Falls ernten.

Der Maresciallo wollte sie bereits aus dem Salon scheuchen, als er einen Anruf auf dem Handy erhielt. Er redete eine Weile, fragte ein paarmal nach, und Gerink merkte, wie sein Gesicht immer blasser wurde.

Schließlich steckte der Maresciallo das Handy weg. Statt sie aus dem Salon zu treiben, bellte er neue Befehle, die offensichtlich seinen ursprünglichen Plan umwarfen. Die Carabinieri transportierten Cristinas Leiche ab, und alle verließen den Raum – bis auf Elena, Scatozza und Gerink.

Das verstanden die Italiener also unter Spurensicherung! Für die Carabinieri stand der Tathergang eindeutig fest.

Zuletzt warf der Maresciallo einen Blick auf das Scherengitter vor den Fenstern und der Terrassentür und überprüfte mit zufriedener Miene die massive Salontür. »Sie bleiben vorerst hier.«

Er schloss die Tür und sperrte von außen zu. Im nächsten Moment waren sie allein.

Elena zerrte an den Fesseln. »Seit ich in Italien angekommen bin, gibt es nur Hindernisse und Probleme. Ich könnte an die Decke gehen!«

»Probleme« war etwas untertrieben. Elena drohte noch viel mehr.

»Bis der Mordprozess anläuft, sitzen wir mindestens zwei Wochen in Untersuchungshaft«, sagte Gerink.

»Mir wird übel.« Elena verdrehte die Augen. »In der Zwischenzeit wird Teresa völlig den Verstand verlieren. Und wer weiß, was Zenobia mit Monica anstellt.« Sie blickte zu Scatozza. »Hast du mitbekommen, warum der Anruf den Maresciallo so in Rage gebracht hat?«

»Habe ich.« Scatozza schien etwas verwirrt zu sein. »Anscheinend ist Viktor Königs Leiche aus der Gerichtsmedizin verschwunden.«

62

»Verschwunden?«, wiederholte Gerink. »Aus dem Kühlfach?«

»Der Kühlraum stand offen, ein Medizinstudent wurde bewusstlos geschlagen … Mehr habe ich nicht gehört.« Scatozza ging zur Terrassentür und blickte durch die Gitter in den Garten. Der Wind drückte den Regen an die Scheibe. »Königs Leiche ist weg, und anscheinend macht das alle ziemlich nervös.«

»Wer sollte schon eine Leiche klauen?«, rief Elena und lief mit auf den Rücken gefesselten Armen wie ein gefangenes Raubtier durchs Zimmer. »Die lassen uns jetzt allen Ernstes hier schmoren?«

Für diese Situation gab es in ihrer Chamäleonstrategie wohl keinen Plan B.

»Lasst uns doch mal zusammenfassen, was wir eben gehört haben«, schlug Gerink vor, der sich im Schneidersitz auf die Couch setzte. Instinktiv spürte er, dass sie mit den fehlenden Teilen, die sie soeben erfahren hatten, das Puzzle vollständig zusammensetzen konnten.

Scatozza starrte nach wie vor aus dem Fenster.

»Wie kannst du hier nur seelenruhig sitzen!«, fauchte Elena. »Die Carabinieri müssen nur die DNS von der Waffe nehmen, dann wissen sie, dass ich Cristina nicht damit erschlagen habe.«

»Das werden sie nicht tun«, brummte Scatozza. »Die haben ihre Schuldige bereits gefunden.«

»Wir müssen raus aus diesem Drecksloch!«, fluchte Elena.

»Nur die Ruhe.« Gerink ließ die Schultern kreisen. »Lass uns zuerst ein paar Dinge rekapitulieren, danach sage ich dir, wie wir von hier verschwinden.«

Elena fixierte ihn einen Moment lang, dann setzte sie sich ihm gegenüber auf einen Stuhl. »Okay, schieß los!«

»Isabella hatte also einen Liebhaber. Als das herauskam, geriet die Familie in Streit, und Isabella starb. Das scheint der Knackpunkt an der ganzen Geschichte zu sein.« Gerink machte eine Pause. »Ich höre jetzt einfach mal auf mein Bauchgefühl.«

»Ja, schon klar, weiter!«, drängte Elena.

»Jemand entführt Salvatore und tötet alle, die in Isabellas Tod verstrickt waren. Wer steckt dahinter? Möglicherweise ihr Liebhaber? Eine Racheaktion? Da vermutlich nur Salvatore wusste, mit wem seine Frau ein Verhältnis hatte, lässt sich über die Identität des Geliebten nur spekulieren … eventuell Viktor König.«

Elena runzelte die Stirn. »Ziemlich weit hergeholt. König war ein Schlächter. Ich glaube nicht, dass Isabella mit *dem* eine Beziehung gehabt hat.«

»Immerhin war König als Franco Citti der Galerist ihres Mannes.«

Scatozza drehte sich um. Mit einem Mal schienen ihn die Spekulationen auch zu interessieren.

»Ich glaube, es war anders …«, murmelte Elena gedankenverloren. Plötzlich hellte sich ihr Gesicht auf. »Natürlich! Jetzt fällt mir wieder ein, wo ich die Röntgen- und Infrarotaufnahmen von Del Vecchios Gemälde schon mal gesehen habe. In einer Mappe in der Villa des Millionärs Thomas Dunek. *Er* hätte die Aufnahmen im Keller des Museums machen lassen können, um sicherzugehen, dass Salvatore keine Hinweise im Gemälde versteckt hat!«

»Aber du hast doch immer behauptet, dass König das Gemälde ersteigern wollte und Dunek es ihm vor der Nase weggeschnappt hat«, widersprach Gerink.

»Vielleicht habe ich mich die ganze Zeit geirrt!« Elena sprang auf und lief durchs Zimmer. »Jetzt ergibt alles einen Sinn. Mein Gott! Monica sagte, die zügellosen Wutausbrüche und manisch-depressiven Anfälle ihres Vaters hätten ihre Mutter vor *fünf Jahren* in die Arme eines anderen getrieben.«

»Worauf willst du hinaus?«, fragte Gerink.

»Salvatore war vor fünf Jahren auf einer Vernissage in Wien, wo er in Rage geriet und eines seiner Gemälde auf dem Kopf eines Kritikers zertrümmerte. Dunek hat erzählt, dass er Isabella dort kennengelernt hat.«

»Vielleicht kannten sie sich aber schon viel länger«, spekulierte Gerink, »und haben sich auf dieser Vernissage zufällig wiedergesehen.«

Scatozza kam interessiert näher und setzte sich zu ihnen.

»Du hast recht«, rief Elena aufgeregt. »Isabella hat früher auch an der Wiener Kunstakademie studiert. Da Dunek seit Lebzeiten an Kunst interessiert ist, kannten sie sich vielleicht von damals und sind schon seit zwanzig Jahren befreundet. Möglicherweise eine alte Studentenliebe?«

»Also, wenn ich eine Italienerin wäre«, sagte Scatozza, »die mit einem italienischen Despoten verheiratet ist und ein Verhältnis mit einem Ausländer hat ...«, er schnalzte mit der Zunge, »dann würde ich einen verdammt guten und unauffälligen Grund finden, wie ich Italien verlassen könnte, um mich mit meinem Liebhaber zu treffen – und beispielsweise meine Tochter dabei unterstützen, falls sie in Wien studieren möchte.«

»Damit sie sie regelmäßig in Wien besuchen konnte«, sagten Gerink und Elena wie aus einem Mund.

Sie schwiegen eine Weile und dachten über diese Vermutungen nach.

»Nehmen wir mal an, Isabella und Dunek begannen ein Verhältnis«, spann Elena den Gedanken dann weiter. »Jedes Mal, wenn Isabella ihre Tochter in Wien besuchte, traf sie sich heimlich mit Dunek in dessen Villa.« Sie ließ sich auf die Couch fallen. »Vielleicht ist Dunek deshalb ein so fanatischer Sammler von Del Vecchios Werken geworden, weil ihm Isabella nicht aus dem Kopf ging.«

»Das könnte bedeuten, dass König als Duneks Handlanger agierte«, ergänzte Gerink.

»Möglicherweise ... Oh Gott!«, sagte Elena. »Verdammt, ich muss telefonieren. Sag mir jetzt auf der Stelle, wie wir hier rauskommen!«

Gerink rollte sich auf die Seite und streckte Elena sein Gesäß entgegen. »Die Carabinieri haben übersehen, dass in meiner Hosentasche noch das Pick-Set steckt, das du mir geklaut hast.«

Elena riss die Augen auf. »Warum hast du das nicht schon eher gesagt?«, fuhr sie ihn an.

»Du hättest mir nicht zugehört und wärst blindlings, plan- und ziellos direkt in die Arme des Maresciallo gerannt.«

Scatozza schmunzelte, was in Gerinks Augen wie eine stillschweigende Bestätigung aussah.

»Ihr beiden seid ja so clever.« Gereizt fingerte Elena das Set aus Gerinks Gesäßtasche. Sie öffnete es hinter ihrem Rücken und breitete das Set auf der Couch aus.

»Gib mir die lange schmale Nadel«, sagte Gerink.

»Das gefällt dir wohl, wenn die Ehefrau ihren Mann bedienen darf.«

Er schmunzelte, entgegnete aber nichts. »Komm näher ran.«

Während Gerink an Elenas Handschellen herumfummelte, gab Scatozza Anweisungen, da er der Einzige war, der sah, was sie machten.

Schließlich klickten Elenas Handschellen auf. Sie rieb sich die Gelenke, stürzte sogleich zur Kommode und nahm das gelbe

Handy mit den altertümlichen Tasten, das Zenobia dort hatte liegen lassen.

Während Gerink mühselig am Schloss von Scatozzas Handschellen arbeitete, wählte Elena eine Nummer und lief durch den Raum, als hätte es unter ihren Fingernägeln gebrannt.

»Hallo, hier spricht Elena Gerink, ich würde gern mit Direktor Gerhard Hödel sprechen ... Ja, es ist dringend.« Sie wartete eine Weile. »Hallo, hier spricht Elena ... Danke gut. Ich bin leider in Eile. Sie sagten, falls ich eines Tages Ihre Hilfe benötigen würde, dann ... Fein, vielen Dank.«

Elena blieb vor der Terrassentür stehen und blickte in das Unwetter, das sich draußen zusammenbraute. »Ich möchte etwas über die Eigentümerverhältnisse einer Galerie in Florenz herausfinden. Haben Sie Zugriff zum Florentiner Stadtamt? Schade.«

Elena kaute am Fingernagel. »Haben Sie oder Ihr Notar vielleicht Zugang zum internationalen Firmenbuch? Sie selbst via Online-Abfrage? Fein. Nein, Sie müssen mir keinen Auszug faxen, mir genügt eine mündliche Auskunft.«

Sie wartete eine Weile, während Gerink der Schweiß auf die Stirn trat. »Du könntest uns ruhig ein wenig behilflich sein«, zischte er.

Elena deckte das Mikrofon des Handys zu und flüsterte: »Gleich wissen wir mehr.« Im nächsten Moment lief sie schon wieder durchs Zimmer. »Ja, okay, die Galleria Salvatore Del Vecchio in Florenz ... Einen Augenblick.«

Sie schnippte mit den Fingern. »Hast du den Prospekt noch?«

Gerink ließ von Scatozzas Handschellen ab und rollte sich auf die Seite, sodass Elena den Flyer von der Galerie aus seiner anderen Hosentasche ziehen konnte.

Sie blätterte durch die Broschüre, nannte ihrem Gesprächspartner schließlich die Adresse, Via del Monte 2, und wartete.

»Aha, Del Vecchio Cie.«, wiederholte sie nach einer Weile. »Eine italienische GmbH, und die Adresse ist der Firmensitz?«

Plötzlich pfiff sie durch die Zähne. »Fünf Millionen Euro Stammkapital. Wer sind die Gesellschafter?«

Sie bedeckte das Mikrofon mit der Hand und flüsterte ihnen zu. »Franco Citti ist Gesellschafter und zugleich Geschäftsführer.« Danach sprach sie wieder ins Handy. »Finden Sie Kontakte zu einer gewissen Borromeo-Bank? Gibt es Prokuristen? Vielleicht Geldtransfers?«

Gerink sah an ihrer enttäuschten Miene, dass es keine entsprechenden Einträge gab. Bisher hatten sie nichts erfahren, was sie nicht sowieso schon wussten oder geahnt hatten.

Elena kaute am Fingernagel. Mit einem Mal trat Farbe in ihr Gesicht. »Haben Sie Zugang zum internationalen Grundbuch? Fein. Dann machen Sie bitte eine Adressabfrage von der Via del Monte 2 in Florenz.«

Sie wartete eine Weile. Endlich sprangen Scatozzas Handschellen auf. Der Italiener schleuderte die Fesseln in eine Ecke und rieb sich die Gelenke.

»Leise!«, zischte Gerink. Er reichte Scatozza die lange Nadel und hielt ihm seine Fesseln hin. Der Italiener begann zu arbeiten.

»Haben Sie im System eine Einlagezahl und eine Katastralgemeindenummer von dem Grundstück gefunden?«, drängte Elena. »Okay, gut. Dann geben Sie diese Nummer noch einmal ein. Dann müssten Sie einen Grundbuchsauszug erhalten.«

»Was ist?«, drängte Gerink.

»Ich mach ja schon. Halt ruhig!«, knurrte Scatozza.

»Ich *bin* ruhig! Du zitterst wie ein nasser Chihuahua im Wind.«

»He, seid doch mal leise!«, rief Elena. »Ja, ich bin noch dran. Wer ist der Eigentümer des Grundstücks?« Unvermittelt schmunzelte sie. »Nun eignen Sie sich ja doch als Juniorpartner, wie ich es scherzhaft vorgeschlagen hatte ... Wie geht es übrigens Ihrer Tochter? Was? Sie ist jetzt sogar bei Ihnen? Darf ich sie kurz sprechen ...«

Gerink schielte zur Tür. Soeben waren Schritte im Gang zu hören gewesen. »Elena, beeil dich!«, zischte er.

Sie riss die Augen auf und warf ihm einen Blick zu, wie sie es immer tat, wenn sie nicht unterbrochen werden wollte.

Im nächsten Moment war sie wieder freundlich. »Hallo, hier spricht Elena Gerink, ich ...« Sie lauschte. »Ihr Vater hat Ihnen also alles gesagt. Es ist wohl das Beste, mit offenen Karten zu spielen. Es tut mir leid, dass ich Sie im Auktionshaus angelogen habe, aber ich konnte den Namen meines Klienten nicht preisgeben ... Ich möchte Sie bloß noch um einen Gefallen bitten ... Ja, schon wieder«, seufzte sie. »Versuchen Sie, sich an Salvatore Del Vecchios Vernissage vor fünf Jahren in Wien zu erinnern. Seine Frau Isabella und Franco Citti waren anwesend. Aber auch Thomas Dunek, nicht wahr? Ja, es ist wichtig! Hatten Sie den Eindruck, dass Dunek und Isabella sich gut verstanden oder vielleicht sogar schon länger kannten?« Sie hörte angespannt zu, ohne eine Miene zu verziehen.

Scatozza saß tatenlos neben Gerink und lauschte ebenfalls.

»In der Zwischenzeit könntest du ruhig weiter versuchen, meine Handschellen zu öffnen«, flüsterte Gerink.

»Der Dietrich ist abgebrochen. Die Spitze steckt im Schloss.«

»Du Blödmann!«

Scatozza hatte noch nie gut mit dem Pick-Set umgehen können. Es wäre besser gewesen, Elena hätte es versucht.

Schließlich bedankte sie sich und legte auf.

»Scheinst eine nette Freundschaft mit der Frau geschlossen zu haben«, sagte Gerink.

»Es ist eher ein Nichtangriffspakt«, erwiderte Elena. »Uns

fehlt eine dritte Frau, gegen die wir uns verbünden können.«
Sie baute sich triumphierend vor Gerink auf, der noch immer
als Einziger gefesselt auf der Couch saß. »Was ist? Los, macht
hin, ihr beiden!«, rief sie.

Gerink stieß genervt die Luft raus. Scatozza griff zum Set und
fummelte mit einer neuen Nadel die abgebrochene Spitze aus
dem Schloss.

In der Zwischenzeit lief Elena zur abgesperrten Tür des Salons
und lauschte. »Da draußen ist sicher jemand postiert.«

»Eher zwei«, sagte Gerink. »Was hast du …? Au! Pass doch
auf!« Er verzog das Gesicht. »Was hast du erfahren?«

»Halt still!«, knurrte Scatozza.

»Thomas Dunek war auf der Vernissage. Dort hat er Isabella
offiziell kennengelernt.« Beim Wort »offiziell« deutete sie mit
den Fingern Gänsefüßchen an. »Was auf die damalige Vizedirektorin von Rinaldi's allerdings ziemlich intim gewirkt hat.
Soweit sie weiß, studierte Dunek früher genauso wie Isabella an
der Luttenberg Akademie, obwohl er heute Manager und Bör-
senspekulant ist. Laut Grundbuch gehört ihm das Grundstück,
auf dem die Del-Vecchio-Galerie steht. Bestimmt hat *er* sie gegründet, möglicherweise aus Verehrung für Isabella oder um
einfach nur in ihrer Nähe zu sein.«

»Oder um seinem Rivalen näher zu sein«, ergänzte Gerink.

»Das würde auch erklären, warum er das Museum nach ihrem Tod schließen und verkommen ließ, ohne Sicherheitsvorkehrungen, und die wertvollen Gemälde sich selbst überließ, als
interessierte ihn nur noch eines – grausame und blutige Rache!«

Endlich gelang es Scatozza, die Handschellen zu öffnen. Er
steckte die Teile des Pick-Sets, die noch heil waren, wieder ein.
»Falls du recht hast, ist dieser Dunek mindestens genauso geis-
teskrank wie Zenobia. In Wahrheit hat natürlich *er* das Gemälde von seiner Geliebten in Auftrag gegeben.«

»Das muss Salvatore ziemlich merkwürdig vorgekommen sein«, vermutete Elena. »Welcher Künstler malt schon seine eigene Frau für einen Millionär? Darum hat er den Auftrag abgelehnt, und als er seiner Frau davon erzählte, reagierte sie vielleicht eigenartig.«

Gerink runzelte die Stirn.

»Na ja, wie Frauen eben reagieren«, antwortete Elena. »Sie ist vielleicht rot geworden, hat sich unnatürlich verhalten oder versprochen. Das hat Salvatores Verdacht geweckt, und er begann zu ahnen, dass sie ein Verhältnis mit dem Millionär hatte.«

»Aber nach ihrem Tod wollte Dunek das Gemälde erst recht besitzen, sich zugleich an dem gesamten Familienclan rächen und hat sich für diese kranke Art der Herstellung entschieden.«

Da mischte sich Scatozza in das Gespräch. »Monica telefonierte übrigens gestern die ganze Zeit mit diesem Kerl.«

»Stimmt, sie hat Dunek vor drei Tagen kennengelernt, als wir ihn in seiner Villa besuchten«, erinnerte Elena sich. »Seitdem ruft er sie ständig an.«

Elena wählte aus dem Gedächtnis Monicas Nummer, ließ jedoch nach einer Weile den Arm sinken. »Besetzt.«

Sie starrte zur Tür. »Ich muss Monica irgendwie vor Dunek warnen.«

Da krachte ein Schuss im Haus.

63

Schritte trampelten durch die Villa. Rufe erklangen. Türen knallten.

Gerink und Scatozza liefen zur Terrassentür, während Elena an der Tür zur Halle lauschte. Da Gerink sich zuvor auf das Öffnen der Handschellen konzentriert hatte, war ihm entgangen, dass ein metallicschwarzer Mercedes Geländewagen mit Wiener Kennzeichen auf das Grundstück gefahren war, der nun vor dem Eingang parkte.

Die Beifahrertür des Offroaders stand offen. Gerink erkannte Monica an den Kleidern. Sie stand im Regen und beugte sich in den Wagen. Offensichtlich sprach sie mit dem Fahrer. Wegen der zerplatzenden Tropfen auf der Windschutzscheibe konnte Gerink den Autolenker nicht erkennen.

»Elena!«, rief Gerink.

Sie lief zu ihm.

Indessen schob er den Vorhang beiseite und öffnete die Terrassentür. Der Wind peitschte Regen durch das Gitter in den Raum.

»Monica!«, rief Elena, als sie ihre Klientin erkannte. »Nicht einsteigen!« Sie rüttelte am Gitter. »Kannst du das mit dem Dietrich öffnen?«

»Keine Zeit.« Gerink machte einen Schritt zurück und trat mit dem Fuß gegen das Scherengitter. Das Gestänge verzog sich. Beim zweiten Tritt bröckelten Teile aus der Mauer, dann flog das Gitter aus der Verankerung und schlitterte über die Terrasse.

Sogleich rannte Elena ins Freie und winkte mit dem gelben Handy. »Nicht einsteigen!«

Doch es war zu spät. Gerink sah, wie Monica verwirrt zurückwich, jedoch am Arm gepackt wurde und gegen ihren Willen ins Wageninnere gezogen wurde. Im nächsten Moment fuhr der Offroader los. Wasser spritzte davon, als der Wagen beschleunigte. Er preschte so schnell an den geparkten Polizeiautos und dem Schwimmbecken vorbei, dass die Beifahrertür zuknallte. Danach waren nur noch die Rücklichter zu sehen.

Scatozza und Gerink traten neben Elena auf die Terrasse und sahen dem schwarzen Geländewagen nach, der über das Grundstück auf die Ausfahrt zuraste.

»Das Tor geht zu«, stellte Scatozza fest, »aber ich glaube nicht, dass …«

Kurz bevor sich das Tor ganz schloss, raste der Geländewagen ungebremst durch. Die Metallflügel krachten auseinander und wurden Funken sprühend aus der Verankerung gerissen. Dann war der Wagen außer Sichtweite.

In diesem Moment fiel im Haus ein weiterer Schuss. Instinktiv blickte Gerink zum Wohntrakt der Angestellten, in dem sich Teresa befand. Der Wachposten vor dem Eingang war verschwunden. Was immer in der Villa vor sich ging, die Italiener waren zu beschäftigt, als dass sie ihren Ausbruch bemerken würden.

»Du bleibst hier«, sagte Gerink zu Elena. »Dino und ich folgen dem schwarzen Mercedes.«

Scatozza kam soeben vom Schreibtisch zurück, wo er einen Brieföffner genommen hatte und im Hemdsärmel verschwinden ließ.

»Kommt gar nicht in Frage!«, widersprach Elena. »Monica ist *meine* Klientin! Ich trage die Verantwortung für sie.«

»Keine Sorge, wir werden sie nicht verlieren.«

»Erzähl du mir nichts über Verlust!«

Gerink warf Scatozza einen Blick zu.

»Ist vielleicht wirklich besser, wenn sie nicht allein hierbleibt.«

Scatozza blickte zur Tür. Soeben krachte ein weiterer Schuss; diesmal im Nebenraum. Ein Mann schrie auf. Jemand fiel zu Boden, gefolgt von klirrendem Geschirr.

Scatozza ließ den Brieföffner aus dem Hemdsärmel gleiten. »Ich bleibe hier und kümmere mich darum, dass Teresa nichts passiert. Nun haut schon ab!«

Gerink lief über die Stufen zum Pajero, Elena folgte ihm.

»Wo ist der Autoschlüssel?«, rief sie.

»Steckt im Wagen.«

Sie sprangen ins Auto und fuhren los. Im Rückspiegel sah Gerink seinen Partner auf der Terrasse stehen. Scatozza blickte ihnen eine Weile nach, dann wandte er sich um und verschwand im Haus.

Was suchte er dort drin? Der Salon war doch abgesperrt! Aber Scatozza würde schon seine Gründe dafür haben. Gerink trat das Gaspedal durch und raste zwischen den Trümmern durch das freigesprengte Tor.

Während der Geländewagen über die Straße holperte und in den Kurven knapp am Abgrund über die nasse Fahrbahn glitt, wurde Elena durchgeschüttelt. Sie legte den Sicherheitsgurt an.

»Bring uns bloß nicht um«, sagte sie.

»Willst *du* fahren?«, antwortete er.

Sie erwiderte nichts. Es war immer das Gleiche mit ihr.

Eine Zeit lang führte der Weg über die Serpentinen den Berg hinauf, doch als sie die Hauptstraße erreichten, gab es zwei Möglichkeiten, wie sie weiterfahren konnten. Entweder auf der Hauptstraße direkt nach Florenz oder auf jenem Weg, den er mit Scatozza in der Nacht nach ihrem Einbruch in die Familiengruft genommen hatte, über die Umgehungsstraße durch den Wald nach Florenz.

Gerink schlug aufs Lenkrad. »Wohin?«, presste er hervor. Von dem schwarzen Offroader war weit und breit keine Spur.

»Scheiße«, fluchte Elena. »Der hat doppelt so viel PS unter der Haube wie wir. Mit diesem Wagen holen wir den Kerl sowieso nicht ein.«

Gerink trat aufs Gas und nahm instinktiv den Weg durch den Wald. Elena widersprach nicht. Offensichtlich vertraute sie seinem Instinkt.

»Nach dem Schusswechsel werden noch mehr Carabinieri aus Florenz antanzen«, sagte er. »Vermutlich hat der Fahrer diesen Weg gewählt. Außerdem kommt man so unauffälliger zur Autobahn in Richtung Wien.« Er warf Elena einen Blick zu. Sie war blass. Vielleicht malte sie sich gerade aus, wie sie ihre Klientin verlor.

»Du glaubst doch auch, dass dieser Dunek den Offroader fährt?«, fragte er sie.

»Ich *weiß* es.« Sie kaute am Fingernagel. »Das macht mir ja Sorgen. Es ist sein Wagen. Ich habe ihn auf seinem Grundstück gesehen.«

Plötzlich läutete Zenobias gelbes Handy, das Elena mitgenommen hatte. Sie warf einen Blick auf das Display. »Monicas Nummer!«

Sie nahm das Gespräch entgegen, sagte bloß »Hallo?« und lauschte eine Weile. Schließlich klemmte sie das Handy in die Halterung auf dem Armaturenbrett und schaltete den Lautsprecher ein.

Gerink hörte nur Motorenlärm aus dem Telefon. Niemand sprach. Ein neuer Gang wurde gewaltsam eingelegt, das Getriebe ächzte, und der Motor heulte auf.

»Offensichtlich hat Monica automatisch den zuletzt eingegangenen Anruf in Abwesenheit zurückgerufen«, flüsterte sie.

»Meinst du, Dunek weiß nicht, dass Monica jemanden angerufen hat?«

Elena schüttelte den Kopf. »Hör doch …«

Eine Männerstimme drang aus dem Handy. Gerink erhöhte die Lautstärke.

»Du hast mir so gefehlt, Monica ...«

Er warf Elena einen Blick zu. Sie runzelte die Stirn.

»Du gehörst an meine Seite. Ohne dich bin ich nur halb ...«

»Aber die ganzen Morde!«

»Ich habe mir geschworen, dass alle, die an der Ermordung deiner Mutter beteiligt waren, ihr Blut vergießen würden, damit ihr Geist in dem Gemälde weiterleben kann.«

»Das ist doch Wahnsinn!«

»Vielleicht bin ich aber auch der Einzige, der klar sieht.«

»Die Ursache von Verbrechen kann in drei Kategorien eingeteilt werden: Leidenschaft, Gewinnsucht und Geisteskrankheit.«

Die zweite Stimme stammte eindeutig von Monica. Das ergab doch alles keinen Sinn. »Wovon zum Teufel spricht sie?«, flüsterte Gerink.

»Ich habe das zu ihr gesagt. Sie zitiert mich«, antwortete Elena. »Vielleicht hofft sie, dass ich am anderen Ende zufällig mithöre, und will mir eine Botschaft zukommen lassen.«

»Dann sollte sie uns einen Hinweis geben, wohin sie fahren.«

»Sei doch froh, dass ich dich aus diesem Irrenhaus aus Inzucht, Korruption und Unterdrückung befreit habe. Diese Familie ist krank! An meiner Seite hast du es besser.«

»Ist das Duneks Stimme?«, fragte Gerink.

Elena nickte. Angespannt lauschte sie dem Gespräch, das zwischen brummendem Motor und quietschenden Reifen nur undeutlich zu hören war.

»Warum lassen Sie mich nicht aussteigen?«

»Ahnst du es nicht? Obwohl deine Mutter von jemand anders schwanger war, hat sie diesen eitlen Gockel geheiratet. Aber dieses selbstverliebte impotente Arschloch war nicht dein Vater.«

Gerink schielte zu Elena, die ziemlich verdutzt dreinsah.

»*Das ist eine Lüge!*«

»*Warum glaubst du, habe ich veranlasst, dass ausgerechnet du den Erlös der Versteigerung bekommst? Du bist genauso stolz wie deine Mutter und hättest das Geld von mir nie angenommen.*«

Wie musste sich Monica jetzt fühlen? Vor wenigen Stunden hatte ihre schmerzvolle Odyssee ein Ende gefunden, als sie die Wahrheit über den Tod ihrer Mutter erfahren hatte. Und nun das! Falls Duneks Behauptung stimmte, war sie die Tochter eines wahnsinnigen Mörders. Ihr vermeintlicher Vater hatte ihre Mutter ermordet, und ihr leiblicher Vater hatte diese Tat an der gesamten Familie gerächt.

Gerink hielt an einer Weggabelung im Wald an. Er wusste nicht, wohin er fahren sollte. Rechts führte die Straße in den Ort San Michele, links ging es zurück nach Florenz. Über Florenz schimmerten an manchen Stellen die Strahlen der Abendsonne durch die Wolken, wohingegen San Michele von einer schwarzen Wolkendecke erdrückt wurde. Der Sturm tobte und peitschte Regen an die Scheibe.

»*Ich werde dir beweisen, dass ich dein Vater bin.*«

»*Nein, ich will es nicht hören!*«

»*Aber du wirst es sehen. Ich habe deiner Mutter vor einundzwanzig Jahren einen Ring geschenkt. Hast du das Farbenspiel des Feueropals je gesehen?*«

»*Sie hat den Ring nie abgenommen.*«

»*Auf der Innenseite ist eine Gravur.*«

»*Ich will das nicht hören!*«

»›*Zur Geburt unserer Tochter, in Liebe T. D.*‹«

Plötzlich drang Hundekläffen aus dem Handy. Elena fuhr reflexartig zurück.

»Verdammt«, presste sie ungläubig hervor. »Er hat seine Dobermänner mitgenommen. Edgar und Wallace.«

»Was für ein witziges Kerlchen!«

Das Gebell beruhigte sich. Gerink versuchte, das Handy noch lauter zu schalten, doch die höchste Stufe war bereits erreicht.

»Ich bin nicht die Tochter eines Monsters und verrückten Mörders! Meine Mutter hätte sich nie mit Ihnen eingelassen!«

Duneks Stimme wurde zornig. *»Die Familie Del Vecchio ist verrückt. Deine Mutter wusste das! Ich werde es dir beweisen. Wo ist der Ring?«*

»Meine Mutter trug ihn am Finger, als sie beerdigt wurde.«

»Dann fahren wir zum Grab deiner Mutter ...« Schlagartig änderte sich sein Tonfall. *»Was versteckst du da in der Hand? Ist das etwa ein Handy? Telefonierst du mit deiner Großmutter? Gib her!«*

»Nein!«

Die Verbindung brach ab.

»Scheiße!« Gerink schlug auf das Lenkrad. »Dieser Dunek ist irre.«

»Aber gerissen«, ergänzte Elena. »Er hat mir erfolgreich vorgespielt, dass er bloß ein Bewunderer Salvatore Del Vecchios ist, und mich vor König gewarnt, obwohl der für ihn gearbeitet hat.«

Wohin sollte Gerink fahren? Nach Florenz oder San Michele?

»Wo, sagte Monica, wurde ihre Mutter begraben?«

»In einem unbedeutenden Grab auf einem verwahrlosten Friedhof in San Michele«, zitierte Elena.

»Glaubst du, er ist so verrückt, dort nach dem Ring zu suchen?«

»Möglich. Die Kombination aus Leidenschaft und Geisteskrankheit macht ihn brandgefährlich.«

»Ein Grund mehr, ihn aufzuhalten.« Gerink trat aufs Gas und fuhr durch das Gewitter in Richtung San Michele.

64

Eine schwarze Wolkendecke zog über das Anwesen der Del Vecchios und ließ das Grundstück in Dunkelheit versinken.

Scatozza stand im Türrahmen und hatte den Lichtern des Pajeros nachgesehen, die sich einen Weg durch den Regen pflügten. Er wollte bereits über die Terrasse zum Gebäudetrakt der Angestellten laufen, in dem sich Teresas Zimmer befand, doch ein Klicken im Schloss der Salontür ließ ihn verharren.

Rasch verschwand er ins Haus. Er postierte sich hinter der Tür, drehte den Brieföffner zwischen den Fingern und hielt abwartend den Atem an. Wer immer die Schüsse in der Villa abgegeben hatte, war vielleicht im Begriff, auch diesen Raum zu betreten.

Die Tür öffnete sich langsam. Scatozza hob den Arm, um dem Eindringling, falls notwendig, seitlich in den Hals zu stechen. Als die Tür weiter aufglitt, sank der leblose Körper eines Mannes in den Raum und fiel leise auf den Teppich, auf dem zuvor Cristinas Leiche gelegen hatte. Der Mann musste draußen an der Tür gelehnt haben. Es war Vito Tassini.

Auf den ersten Blick hatte er keine Schussverletzung. Als sein Körper zur Seite rollte, sah Scatozza den Bluterguss an der Schläfe des Italieners und den zertrümmerten Kehlkopf. Aber seine Lider flatterten noch. Im nächsten Moment trat Nicola mit kurzen Schritten zaghaft um Vito herum. Zitternd stand sie im Salon.

Scatozza riss sie herum und presste ihr im selben Moment die Hand auf den Mund.

»Keinen Ton!«, flüsterte er auf Italienisch. »Es ist alles okay, ich bin es nur.«

Langsam nahm er die Hand von ihrem Mund. Sie starrte ihn mit verängstigten Augen an. Dann sah sie sich im Salon um und blickte irritiert zu der geöffneten Terrassentür und dem herausgebrochenen Gitter. Der Wind peitschte Regen ins Zimmer.

»Was ist hier los?«, formten ihre Lippen tonlos.

Scatozza beugte sich zu Vito und fühlte seinen Puls. »Ich hatte gehofft, du könntest mir das sagen«, sagte er.

Sie schüttelte den Kopf. »Ist der Carabiniere tot?«

»Nein.« Scatozza zerrte Vito in den Raum und rollte ihn in die Seitenlage. »Komm mit!« Er ergriff sie am Arm und zog sie aus dem Salon.

In der Vorhalle war niemand. Das Licht der Wandlampen flackerte unruhig und warf lange Schatten. Als ein Blitz die Halle für einige Sekunden erhellte und ein Donner in unmittelbarer Nähe krachte, fiel das Licht vollends aus. Nicola gab ein kurzes unbehagliches Kieksen von sich und klammerte sich noch fester an Scatozzas Hand.

Er beugte sich zu ihr und blickte ihr in die Augen. »Gibt es in diesem Haus ein sicheres Versteck?«, flüsterte er.

Im Dämmerlicht sah er, wie ihr Blick zu einer Nische mit einer Tür wanderte.

»Der Abstellraum im Keller«, hauchte sie.

Er zog Nicola zur Tür und rüttelte am Griff. Der Abgang war versperrt, aber der Schlüssel steckte.

»Okay, du gehst da jetzt runter.«

Ihre Augen bekamen einen panischen Blick. »Niemals!«

»Du hast uns doch den Hinweis mit der Familiengruft gegeben.«

Sie nickte.

»Ohne dich hätten wir den Fall niemals lösen können.«

Sie nickte erneut.

»Du bist fünfzehn, nicht wahr?«

»Ja.«

»Du bist ein tapferes junges Mädchen.«

Sie zögerte. »Ja.«

»Okay.« Scatozza öffnete die Tür und schob Nicola zur Treppe. »Du gehst da runter und gibst keinen Ton von dir, hast du verstanden? Nimm das zur Sicherheit.« Er drückte ihr den Brieföffner in die Hand.

Sie blickte ihn mit vor Entsetzen geweiteten Augen an.

»Da unten kann dir nichts passieren. Ich muss nur noch rasch was erledigen, dann komme ich und hole dich, einverstanden?«

Sie starrte ihn an.

»Hast du ein Handy?«

Sie nickte.

»Dann wähle die 112. Polizei und Rettung sollen herkommen. Sofort!«

Er schloss die Tür, sperrte von außen zu und ließ den Schlüssel in seiner Tasche verschwinden.

Scheiße noch mal! Er war kein guter Babysitter. Hoffentlich bekam die Kleine da unten keinen hysterischen Anfall. Mittlerweile hatten die Schüsse aufgehört.

Er lief zurück in den Salon zu dem reglosen Vito. Rasch durchsuchte er den Bewusstlosen, fand dessen Dienstwaffe, prüfte das Magazin und roch am Lauf. Vito hatte kürzlich damit geschossen. Scatozza legte das Magazin wieder ein, entsicherte die Pistole und lud sie durch.

Dann trat er ins Freie. Auf dem gesamten Grundstück war der Strom ausgefallen. Offensichtlich hatte jemand am Sicherungsschrank gespielt, denn der Blitz hatte sicher nicht im Transformator eingeschlagen. Vermutlich war das Festnetz genauso tot.

Scatozza lief außen an der Hausmauer entlang zu den beiden

Polizeiautos, die vor dem Eingang parkten. Die Haustür stand offen, und auf der Treppe lag ein Mann, halb im Freien, halb im Flur. Es war Massimo, der kräftige Begleiter des Maresciallo, der Scatozza mit dem Polizeistock in die Kniekehle geschlagen hatte. Sein Adamsapfel war genauso zertrümmert worden wie der von Vito Tassini, doch Massimo hatte kein Glück gehabt. Scatozza tastete nach der Halsschlagader. Kein Puls. Massimo hielt die Finger auffällig verkrümmt, als hätte jemand dem Leichnam die Dienstwaffe aus der Hand gewunden. Scatozza konnte sie nirgends finden.

Heilige Scheiße! Was zum Teufel war hier los? Scatozza entfernte das Reservemagazin vom Gürtel des Toten und steckte es in seine Hosentasche, sicherheitshalber, falls ihm die Patronen aus Vitos Waffe ausgehen würden. Dann schlich er im Regen zum Auto des Maresciallo. Die Tür stand offen. Er beugte sich ins Wageninnere und riss das Funkgerät aus der Halterung. Während er über das Grundstück zu dem Gebäudetrakt der Angestellten lief, sprach er auf Italienisch in das Funkgerät.

»Maresciallo Capitanini? Hören Sie mich? Wo stecken Sie?«

Er wiederholte den Spruch, schließlich knackte es. »Scatozza?«

»Ja, wo sind Sie?«

»Ich bin im …«

Ein gurgelnder Schrei gellte durch den Lautsprecher, danach folgten nur noch Knacken und Knistern.

»Maresciallo?«, brüllte Scatozza.

Keine Antwort, nur tödliche Stille. Erst jetzt fiel Scatozza auf, dass die beiden angeketteten Pitbull Terrier vor dem Nebengebäude nicht mehr kläfften. Sie lagen in einer Pfütze aus Blut, das vom Regen in einem breiten Rinnsal über die weißen Marmorplatten gespült wurde.

Scatozza stieg über die Tierkadaver und erreichte den Eingang. Er warf das Funkgerät weg, zog die Pistole aus dem Hosenbund und wollte die Treppe zu Teresas Zimmer hinauflaufen – doch der Maresciallo versperrte ihm den Weg. Er lag auf der Treppe und lehnte mit dem Kopf an der Wand. Sein Kehlkopf war zertrümmert. Speichel floss ihm aus dem Mundwinkel, aber er atmete.

Scatozza trat zu ihm und schlug ihm mit der flachen Hand leicht auf die Wange. »Hören Sie mich?«

Die Augenlider des Maresciallo flatterten. »Hinten«, röchelte er, als er Scatozza erkannte. Er wollte den Arm heben, doch ihm fehlte die Kraft dazu.

In diesem Moment hörte Scatozza das Schlagen einer Tür in derselben Etage.

»Ich bringe Sie hier weg«, flüsterte Scatozza.

»Nein.« Der Maresciallo verzog schmerzvoll das Gesicht. »Der Scheißkerl hat mir das Bein gebrochen.«

Scatozza berührte die blutgetränkte Hose des Maresciallo. Dieser zuckte zusammen. Der Auswölbung zufolge war das rechte Schienbein ein offener Knochenbruch.

»Wer war das?«

»Ich konnte ihn nicht erkennen. Es ging so schnell.«

»Wo ist Ihre Waffe?«

»Hat er mir abgenommen.«

Das darf doch nicht wahr sein! Zuerst hatte er sich um Nicola kümmern müssen, jetzt auch noch um den Maresciallo. Scatozza zögerte nicht und gab dem Kollegen die Pistole. »Massimo ist tot, Vito bewusstlos«, flüsterte er. »Sollte mir was passieren, Nicola ist im Keller des Haupthauses in Sicherheit.« Er drückte dem Maresciallo auch den Kellerschlüssel und das Reservemagazin in die Hand. »Schießen Sie den Mistkerl nieder, wenn er vorbeikommt. Ich muss oben etwas erledigen.«

Er kletterte über den Polizisten und eilte die Treppe hinauf.

Zuerst stürzte er in Teresas Zimmer. Das Bett war zerwühlt, der Raum menschenleer. Nur der Vorhang flatterte im Wind.

»*Merda!*«, fluchte er.

Hastig riss er die Türen zu den anderen Räumen auf. Niemand war zu sehen. Blieb nur noch eine Tür mit der Aufschrift *Bagno*. Es handelte sich um einen schmalen Raum mit Badezimmerhängeschrank, Wasserklosett, Bidet und Handwaschbecken. Niemand versteckte sich darin. Allerdings stand das kleine quadratische Fenster offen. Scatozza stieg auf die Klobrille und schob den Oberkörper ins Freie.

Regen peitschte ihm ins Gesicht. Teresa stand mit nackten Füßen eine Armlänge von ihm entfernt auf dem Gebäudesims. Sie krallte sich mit den Fingern in die Mauerrisse. Der Wind zerzauste ihr Haar und zerrte an ihrem Kleid.

»Was zum Teufel tun Sie da?«, rief er. »Kommen Sie rein, verflucht.«

»Hilfe!«, kreischte sie, so laut sie konnte.

War die Frau verrückt? »Ich will Ihnen helfen!« Scatozza streckte den Arm aus und versuchte, Teresa zu erreichen, bekam aber nur den Stoff ihres Kleides zu fassen. »Kommen Sie wieder rein, bevor Sie abstürzen.«

Ihr Blick war seltsam klar. »Niemals!«

»Ich helfe Ihnen.«

Sie schüttelte den Kopf. »Ich kann mich wieder erinnern. An Viktor und Lyashenko, die versucht haben, mich zu töten, und mich in dem Kellerloch fast verdursten ließen.«

»Ich bin vom Wiener Bundeskriminalamt. Ich bringe Sie heim.«

»Sie werden genauso sterben, wie all die anderen auf diesem Anwesen.« Sie wandte den Kopf ab und entfernte sich einen weiteren Schritt von ihm.

In diesem Moment krachte ein Schuss im Haus. Scatozza zog

den Kopf für einen Moment in den Toilettenraum zurück und lauschte. Er hörte einen Schrei. Danach polterten Schritte die Treppe hoch.

Rasch reckte er den Oberkörper wieder ins Freie. »Schnell verdammt, kommen Sie her!«

»Nein!«, kreischte Teresa. »Er ist hergekommen, um mich zu töten. Ich kann mir nur selbst helfen!«

»Wer?«

»Viktor!«

»Was? Der ist tot!«

»Nein, er ist immer noch hinter mir her.«

Die Frau musste von den Sedativa immer noch benebelt sein und fantasieren.

Scatozza kletterte wieder in den Raum und stieg von der Klobrille herunter. Nachdem er sich umgedreht und das Regenwasser aus dem Gesicht gewischt hatte, sah er in der engen Toilette plötzlich einen glatzköpfigen Hünen vor sich, der eine Waffe auf ihn richtete.

65

Elena hatte in ihrem Reiseführer gelesen, dass es in San Michele drei Friedhöfe gab, obwohl der Ort so klein war. Die Suche danach kostete sie extrem viel Zeit. Noch dazu waren die Parkplätze der ersten beiden menschenleer.

Das Navi lotste sie schließlich über einen holprigen Feldweg zur dritten Ruhestätte, die außerhalb der Stadt lag. Dieser Friedhof war der größte und älteste von allen und seinerzeit auf einem felsigen Untergrund errichtet worden. Dementsprechend nah an der Oberfläche lagen die Gräber. Es gab nur einen schmalen Eingang. Der Verputz bröckelte bereits von dem Mauerbogen, und die beiden grauen Engelsstatuen, die windschief auf ihre Besucher herabsahen, hatten statt Flügel nur noch Stummel.

Das Eisengitter stand offen und schwang quietschend im Wind. In der Nähe läuteten Kirchenglocken. Es war sieben Uhr abends, aber schon so finster, als wäre es tiefste Nacht. Die Sturmböen fegten Äste, Blumen und Kranzschleifen über die Grabhügel.

Dunek war tatsächlich zu diesem Friedhof gefahren. Gerink parkte den Pajero direkt hinter Duneks schwarzem Offroader, sodass der zwischen Friedhofsmauer und ihrem Auto eingekeilt war. Das würde zwar nur wenig nutzen, falls Dunek richtig Gas gab, aber immerhin wäre er einige Minuten beschäftigt.

Elena schlang die Arme fröstelnd um den Körper. »Tagelang schwitzt man in dieser Affenhitze, und dann könnte man glauben, die Welt geht unter.«

Gerink öffnete die Hecktür. Bis auf die Nachtsichtgeräte lag hier nicht viel Brauchbares. Er entschied sich für eine Decke.

»Was willst du damit?«

Er schlang sich die Decke um den Arm. »Du sagtest doch, Dunek hat zwei Dobermänner. Im Wagen sitzen sie jedenfalls nicht mehr.«

Dann betraten sie den Friedhof. Auf den Kieswegen hatten sich breite Rinnsale gebildet, und der Weg zur Kapelle versank bereits im Schlamm. Gerinks Schuhe füllten sich sogleich mit Wasser. Sie wateten durch den Matsch. Der Friedhof war alles andere als überschaubar. Jede Menge Mausoleen und Urnenwände boten genug Möglichkeiten, sich zu verstecken. Außerdem hatten sie durch die Suche nach dem richtigen Friedhof zu viel Zeit verloren. Duneks Vorsprung betrug mittlerweile sicher über eine Stunde.

Während sie durch den Regen schlichen, konzentrierte sich Gerink auf jedes Geräusch, denn zu sehen gab es in dieser trüben Regensuppe nicht viel. Wem immer sie begegneten, es musste Dunek oder Monica sein, denn bei dem Sauwetter betrat sonst sicher niemand freiwillig diesen abgeschiedenen Ort. Schließlich hörte er das Kläffen eines Hundes. Er folgte dem Geräusch und kam zu einem Geräteschuppen. Das Schloss hing aufgebrochen im Türrahmen.

Gerink nickte zu der Holzhütte. Elena trat ein und sah sich um. Sekunden später kam sie mit einer dreizackigen Unkrautharke heraus. *Besser als nichts,* schien ihr Blick zu sagen.

Sie folgten dem Bellen. Die Idee mit der Decke war nicht besonders gut gewesen. Der Stoff sog sich mit Wasser voll und wurde immer schwerer.

»Verfluchter Mist!« Gerink streifte die Decke ab und warf sie auf den Weg.

Schließlich erreichten sie die hinterste Ecke des Friedhofs.

Wo die Mauern zusammenliefen, stand eine mächtige Tanne, die ihre Äste über einem Grab ausbreitete. Vor dem schlichten Grabstein aus Marmor befand sich ein Loch. Monica stand fast bis zur Hüfte darin und grub mit einem Spaten im lockeren Erdreich. Dampf stieg von ihrem Gesicht auf. Sie heulte sich die Seele aus dem Leib. Ihre Kleider waren verdreckt, und Schlamm klebte auf ihren Wangen. Welcher Vater tat seiner Tochter das an? Zu beiden Seiten des Grabes erhoben sich Erdhügel. Auf jedem von ihnen saß ein ausgewachsener Dobermann mit silbernem Halsband und erhobener Schnauze. Sie unterschieden sich nur durch die Größe ihrer Ohren, stellte Gerink überrascht fest. Reglos starrten sie in den Regen.

Von Dunek fehlte jede Spur.

»Ich kann nicht mehr, meine Hände bluten«, schrie Monica. Elena wollte zu ihr laufen.

»Warte«, zischte Gerink. »Hier stimmt was nicht.«

Doch sie hörte nicht auf ihn und rannte auf Monica zu.

Gerink blieb stehen. Er hielt nach einem Mann Ausschau, sah jedoch niemanden. Währenddessen ließ Elena die Unkrautharke fallen und stürzte am Rand des Aushubs auf die Knie. Monica fiel ihr in die Arme. Diese Szene hatte nichts Rührendes, denn beim Anblick der Dobermänner setzte Gerinks Herzschlag für einen Moment aus. Er war angespannt und bereit, die Hunde zu attackieren, die aussahen, als würden sie Elena jeden Moment anfallen und ihr die Halsschlagader zerfetzen. Doch sie saßen nur reglos da und warteten auf ein Kommando.

Elena versuchte, Monica aus dem Grab zu zerren, doch diese wehrte sich.

»Er zwingt mich zu schaufeln.«

Von den Erdhügeln lief das Wasser in den Aushub. Ein Teil der schlammigen Wand bröckelte ab und stürzte in das Loch.

»Elena!«, mahnte Gerink. »Komm her. Hier ist was faul.«

»Und ob es das ist«, flüsterte eine Stimme hinter ihm.

Gerink fuhr herum. Vor ihm stand ein bis auf die Haut durchnässter Mann mit offenem Sakko, das Hemd bis zur Brust aufgeknöpft. Die kurzen blonden Haare hingen ihm wirr in die Stirn. Er lächelte, was dem kantigen pockennarbigen Gesicht einen merkwürdigen Ausdruck verlieh.

In der Hand hielt er eine Luger mit Schalldämpfer, ein Sondermodell, wie Sportschützen sie manchmal benutzten. Sein durchdringender Blick verriet, dass er ziemlich angepisst war. Er richtete den Lauf auf Gerinks Oberschenkel und drückte ab.

Die Waffe gab ein leises *Plopp* von sich, und der Schmerz raste Gerink wie siedendes Öl durchs Bein. Sein Knie gab sogleich nach, und er fiel zu Boden.

»Scheiße verdammt ...«, fluchte er und biss die Zähne zusammen.

»Ja, Scheiße verdammt«, wiederholte Dunek genervt. »Monica hätte nicht telefonieren sollen. Aber nein, sie musste Sie herlocken. Eigentlich habe ich mit irgendwelchen schwindsüchtigen Del Vecchios gerechnet, aber nicht mit Ihnen beiden. Mein Gott, konnten Sie nicht heimfahren?« Er tippte Gerink mit der Schuhspitze an. »Schmerzen?«

Das Projektil steckte noch im Bein und brannte höllisch. Es hatte nicht nur Muskeln und Gewebe zerrissen, sondern auch kurz unter der Leiste eine Arterie getroffen. Blut spritzte aus der Wunde, und Gerink presste die Handfläche auf die Verletzung. Ihm würden höchstens fünf Minuten bleiben, bis er das Bewusstsein verlieren würde.

Die Dobermänner witterten sein Blut und bewegten unruhig den Kopf hin und her.

»Ts, ts, ts«, zischte Dunek. Er richtete die Waffe auf Elena. »Monica muss sich die Wahrheit hart erkämpfen. Das ist immer ein schmerzvoller Prozess. Aber ihre Hände sind schon blutig.

Sie nehmen den Spaten jetzt und schaufeln weiter! Es kann nicht mehr lange dauern. Die Gräber sind hier nicht besonders tief«, rief er durch den Regen. »Monica, komm zu mir!«

Zum Zeichen, dass er es ernst meinte, drückte er Gerink von oben die Mündung an den Kopf. »Stillhalten und kein Wort«, flüsterte er, »sonst spritzt Ihr Hirn über den Friedhof.«

Monica kletterte auf allen vieren aus dem Schlammloch, während Elena in die Grube stieg und zu schaufeln begann. Ein Blitz erhellte den Friedhof, gefolgt von einem Donner, der so klang, als hätte er in unmittelbarer Nähe in ein Haus oder einen Baum eingeschlagen.

Gerinks Nackenhaare stellten sich auf.

»Tun Sie meinem Mann nichts«, bat Elena.

»Das hängt von Ihnen ab.« Der Druck der Mündung an Gerinks Kopf verstärkte sich. »Schneller!«

Elena trieb den Spaten in die feuchte Erde. »Wusste Salvatore eigentlich, dass *Sie* die Del-Vecchio-Galerie gegründet haben?«

Bitte? Hatte Elena keine anderen Sorgen, als Dunek ausgerechnet jetzt mit Fragen zu bedrängen? Gerink biss die Zähne zusammen, da er jeden Moment ein dumpfes Ploppgeräusch erwartete. Doch Dunek drückte nicht ab. Gerink sah hoch.

Der Blick des Millionärs war auf Elena gerichtet. Er betrachtete sie, als wollte er auf der Stelle abdrücken. »Wie haben Sie davon erfahren? Nur Franco Citti wusste das.«

»Mit ein wenig Grips ließ sich das herausfinden.«

Duneks Augen blieben auf Elena gerichtet, während er die Pistole weiterhin an Gerinks Kopf drückte. Gerink spekulierte darauf, Duneks Hand zu fassen zu bekommen, ihm das Gelenk zu brechen und die Waffe aus den Fingern zu winden. Doch die Gefahr, dass Elena, Monica oder er sich eine Kugel einfingen, war zu groß. Selbst wenn der Schuss danebenging, würden die Hunde sie Sekunden später zerfleischen.

Offenbar ahnte Elena, was in seinem Kopf vorging, denn sie warf ihm einen flehenden Blick zu. *Tu nichts Unüberlegtes!*, schienen ihre Augen zu sagen. *Lass mich machen!*

»Warum haben Sie mir Königs Namen genannt, als ich Sie in Ihrer Villa besucht habe?«, keuchte Elena.

»Warum hätte ich lügen sollen?«, fragte Dunek. »Er war bei Rinaldi's, um die Versteigerung zu überwachen. Aber Sie haben ihn im Treppenhaus als Viktor erkannt und sogar fotografiert. Er wollte das Foto vernichten, hat es aber verbockt.«

»Daraufhin gaben Sie ihm den Auftrag, alle Spuren zu beseitigen, damit keine Hinweise zu Lyashenko und zur Galerie führen.«

Dunek grinste. »Sie sind ein schlaues Mädchen … Graben Sie weiter!« Er blickte zu Monica. »Deine Mutter wäre nie vom Pferd gestürzt. Niemals! Schon gar nicht auf ihrer Lieblingsstrecke. Isabella war eine exzellente Reiterin. Hätte ich ihr sonst einen Reitstall hinter meiner Villa errichtet?« Sein Blick verlor sich für einen Moment in der Ferne. »Lyashenko war ein alter Bekannter von Viktor. Er hat Doktor Alchieri und die Ermittler so lange gefoltert, bis ich wusste, was die Familie deiner Mutter angetan hat … Ich kann die Wahrheit nicht ertragen. Sie zerfrisst mich innerlich.«

Gerink presste immer noch die Hand auf jene Stelle der Arterie, unter der sich der Knochen befand, um die Blutung zu verringern. Aber langsam bekam er einen Krampf in den Unterarmen. Er merkte, wie seine Kräfte schwanden. Sein Bein war bereits taub, die Hände völlig nass und klebrig. Wie lange sollte das Gespräch noch so weitergehen? Bis Isabellas Leiche exhumiert war und Dunek seiner Tochter den Ring zeigen konnte? Und dann? Wahrscheinlich würde danach das Töten erst recht beginnen.

Ein dumpfes Pochen ließ Gerink aufblicken. Elena war auf

den Sargdeckel gestoßen. Sie klopfte mit dem Spaten aufs Holz. »Ich kann nicht mehr«, keuchte sie.

Elena hatte nicht einmal mehr die Kraft, den Spaten zu heben. Sie warf Gerink einen hilflosen Blick zu, der so vieles ausdrückte. Sie fürchtete mehr um sein Leben als um ihres.

Duneks Finger legte sich auf den Abzug. »Weiterschaufeln, oder Sie können gleich ein zweites Grab für Ihren Mann ausheben.«

»Vater, hör auf!«, heulte Monica plötzlich. »Ich glaube dir ja!« Sie versuchte, ihre Stimme sanft klingen zu lassen, um in jene Rolle zu schlüpfen, die Dunek sich so verzweifelt wünschte.

Doch er schüttelte mit einem geduldigen Lächeln nur den Kopf. »Ich würde dir gern glauben, aber du willst dich doch nur aus dieser Situation winden. Warte ab, bis du den Ring gesehen hast.«

»Das ist nicht nötig. Lass uns den Friedhof verlassen und gemeinsam deine Rache beenden.«

»Was redest du? Die Rache *ist* vollendet.«

Monica beugte sich vor und streckte die Arme in einer hilflosen Geste von sich. »Meine Großmutter ist noch am Leben. Erinnere dich, was sie meiner Mutter angetan hat. Zenobia darf nicht ungestraft davonkommen. Ich kann dir zeigen, wo sie ist.«

Dunek zielte immer noch auf Gerinks Kopf. »Ich habe sie aus gutem Grund verschont. Sie sollte mit ansehen, wie ich ihre Kinder der Reihe nach entführen, verstümmeln, ausweiden, entleiben und zu Ölfarbe verarbeiten ließ … Nur für deine Mutter.«

»Aber Tante Teresa lebt noch«, widersprach Monica, und Gerink merkte, wie schwer ihr die Rolle fiel, die eigene Tante in Gefahr zu bringen.

»Darum kümmert sich Viktor in diesem Moment.«

»Viktor ist tot«, mischte Gerink sich in das Gespräch.

Dunek senkte den Kopf und starrte ihn mit zusammengekniffenen Augen an. Regen lief ihm übers Gesicht und tropfte von seiner Nase. »Halt dein verdammtes Maul, du blöder Bulle!« Er holte mit der Waffe aus und schlug Gerink den Griff der Luger an die Schläfe.

»Aufhören!«, kreischte Elena.

Die Dobermänner richteten sich kurz auf und spitzten wachsam die Ohren, gaben aber keinen Laut von sich.

»Grab weiter, sonst schieße ich deinem Mann ins andere Bein!«

Elena funkelte ihn an.

Gerink sagte nichts mehr. Blut lief ihm über die Wange, aber er wagte nicht, die Hände von der Schussverletzung zu nehmen.

»Darf ich meinem Mann wenigstens die Wunde verbinden?«, fragte Elena leise.

Duneks Stimme überschlug sich, Speichel lief ihm aus dem Mundwinkel: »Nein, verdammt! Aber du darfst endlich weitergraben!«

Elena schaufelte wieder, obwohl ihr der nasse, schlammige Griff immer öfter aus den Händen glitt. »Mein Mann hat recht, Viktor hat sich vor unseren Augen mit einer Giftpille das Leben genommen«, flüsterte sie.

Gerink zog instinktiv den Kopf ein. *Sei doch still!*

»Könnt ihr nicht einfach alle das Maul halten?«, brüllte Dunek. »Was wisst ihr schon über den Tod!«

Er packte Gerink am Kragen und zerrte ihn durch den Schlamm zum Grab. Gerink versuchte, sich auf das unverletzte Bein zu stützen, aber es gelang nicht. Das andere Bein war bereits taub und gefühllos geworden.

Dunek stieß ihn hart mit dem Schädel gegen die Marmortafel. Sterne zerplatzten vor Gerinks Augen. Er lag auf dem Erdhaufen, über ihm ein Dobermann. Aus dem Augenwinkel sah er Isabella Del Vecchios Namen, ihr Foto und ihren Todestag auf der Tafel.

»Da! Sieh sie dir an! Isabella ist tot. Ihre eigene Familie hat sie auf dem Gewissen. Ermordet und wie eine Aussätzige hier verscharrt. Alle haben zusammengehalten, und niemand ist je dafür zur Rechenschaft gezogen worden.« Dunek stand breitbeinig vor dem Grabstein. Vor Liebe wahnsinnig geworden stierte er in gekrümmter Haltung auf Isabellas gerahmtes Foto, die Kerzen und die Inschrift der Marmortafel. »Und trotzdem – nichts kann sie mir je wiederbringen.«

Er legte mit der Luger auf Elena an. »Weiter!«

Gerink ließ von der Wunde ab und wollte sich aufraffen, um Duneks Waffenhand zu packen, doch der trat einen Schritt zurück. Gleichzeitig verzog er den Mund zu einem abfälligen Lächeln.

»Ihr habt ja keine Ahnung«, flüsterte er. »Viktor ist am Leben, und er hat bisher noch jeden Auftrag zu Ende geführt …«

66

Scatozza starrte ungläubig auf den Glatzkopf, dann auf die Mündung der Waffe. »Sie sind tot!«, rief er.

Viktor Königs Hände waren bandagiert, sonst wirkte er ziemlich lebendig. »Irrtum. Noch nie von Mandragora gehört?«

»Der Pflanze?«

»Genau. Aber du wirst wirklich sterben.« Ein breites Grinsen überzog Königs Gesicht, dann zielte er auf Scatozzas Brust und drückte ab.

Doch die Waffe gab nur ein metallenes Klicken von sich, bevor der Schlitten hinten einrastete.

Scatozza hatte jede Körperfaser angespannt, darauf gefasst, dass ihn die Wucht des Projektils treffen würde. Nun löste sich seine Verkrampfung. Er spürte auf den Handflächen, wie ihm der Adrenalinausstoß den Schweiß aus den Poren trieb.

Wie es König geschafft hatte, mit einer Pille seinen eigenen Tod vorzutäuschen und aus dem Keller der Gerichtsmedizin zu entkommen, war Scatozza im Moment scheißegal. Er dachte an Teresa und hoffte, dass sie ihre Flucht fortsetzen würde.

König warf die Waffe zu Boden und ging auf Scatozza zu. Im gleichen Moment schoss seine Handkante nach vorn. Scatozza wich zurück. Der Schlag verfehlte seinen Kehlkopf um wenige Millimeter und ging ins Leere. Sogleich setzte Scatozza nach, packte Königs Arm und schlug dessen bandagierte Hand gegen die Fliesenwand. Der Ostdeutsche verzog keine Miene.

Mit der anderen Hand versuchte König, einen weiteren Schlag anzubringen, diesmal auf seine Schläfe, doch er konnte ihn abblocken. Im Infight war König ein Meister, aber Scatozza hatte auch einiges drauf. Er stieß den Ostdeutschen von sich und trat ihm das Bein in den Magen. König taumelte zurück.

Scatozza bemerkte, dass sich die Bandage an Königs rechter Hand mit Blut tränkte. Soweit er wusste, hatte Elena ihm ein Messer durch die Hand getrieben. Und Gerink hatte ihm die Finger der anderen Hand gebrochen. Bestimmt hatte sich König mit Schmerzmitteln vollgepumpt. Trotzdem waren die Hände Scatozzas Angriffspunkte, und er würde keine Gelegenheit auslassen, dem ehemaligen Stasi-Offizier an diesen Stellen Schmerzen zuzufügen.

Im Moment herrschte auf der Toilette allerdings eine Pattsituation, mit der König sicher nicht gerechnet hatte. So einfach würde sich Scatozza nicht aus dem Weg räumen lassen, auch wenn er jetzt weder den Brieföffner noch Vitos Pistole zur Verfügung hatte. Außerdem zählte jede Sekunde, die er den Wahnsinnigen aufhielt, bis Teresa endgültig in Sicherheit war.

»Okay, du italienischer Hundesohn«, knurrte König. »Wie ich dieses theatralische Pack hasse! Für dich lasse ich mir besonders viel Zeit.«

Gut so!

König ging zum nächsten Angriff über.

Scatozza griff zum Hängeschrank, riss die Spiegeltür auf, und König lief genau in die Türkante. Das Glas schmetterte ihm ins Gesicht. Die Scherben prasselten zu Boden, und das Türchen hing nur noch an einem Scharnier.

König marschierte wie eine Dampflok nach vorn und drängte Scatozza zurück. Neben ihnen kullerten Tuben und Cremedosen zu Boden. Scatozza schlug ihm die Faust in den Magen, und König schnalzte ihm die Handkante wie einen Peitschenhieb in den Nacken. Die beiden Männer blockten gegenseitig ihre Schläge und schoben einander über die knirschenden Scherben.

Sie keuchten und schwitzten. Endlich bekam Scatozza Königs rechte Hand zu fassen und drückte wie ein Schraubstock zu. Die Wunde riss auf und tränkte die Bandage weiter mit Blut. König biss die Zähne zusammen. Plötzlich fuhr sein Kopf vor, und seine Stirn traf Scatozzas Nasenbein.

Scatozza wurde schwarz vor Augen, er taumelte zurück und fiel auf die Klobrille. Trotzdem ließ er Königs Hand nicht los. Den Ostdeutschen so zu fixieren war seine einzige Chance, den Kampf zu überleben.

König holte mit dem freien Ellbogen aus und schlug nach Scatozzas Gesicht. Dieser wich gerade noch zur Seite, und Königs Ellbogen krachte in den Spülkasten. Die Keramikplatte brach, Wasser ergoss sich auf den Boden und Scatozzas Rücken.

Rasch umklammerte Scatozza Königs Ellbogen, sodass dieser nicht noch einmal zuschlagen konnte, und rammte ihm das Knie in den Unterleib. Unwillkürlich krampfte sich König zusammen. Sein Oberkörper beugte sich nach vorn, und Scatozza schlug ihm den Handballen gegen die Nase. Der Hieb saß nicht perfekt, aber er genügte, um dem Deutschen Tränen in die Augen zu treiben.

Scatozza hatte schon geglaubt, dem Sieg nahe zu sein, als König wieder in die Offensive ging. Seine Daumen schossen vor und versuchten, sich in Scatozzas Augen zu bohren.

Dieses Arschloch! Immer auf Kehlkopf und Gesicht!

Wütend presste Scatozza die Augen zu und spürte, wie Königs Daumen sich kraftvoll in seine Augenhöhlen bohrten. Blindlings schlug er nach Königs Kehle. Schließlich gelang ihm ein guter Hieb. Etwas knackte. König ließ los und begann hässlich zu röcheln.

Scatozza sah nichts als rote Sterne, die vor seinen Augen zerplatzten. Dennoch stieß er den Deutschen von sich, warf ihn auf den Fliesenboden und war über ihm. Glasscherben bohrten sich knirschend in Königs Hinterkopf.

Scatozza fixierte ihn mit den Knien in den Achseln, packte die verletzte Hand und drosch sie mehrmals gegen die Wand. Keuchend bäumte sich König auf, doch schließlich erstarb seine Gegenwehr. Er musste neue Kräfte sammeln.

Scatozza war ebenso am Ende, trotzdem packte er Königs andere Hand mit den gebrochenen Fingern und drückte auch hier zu. Er spürte, wie unter den Bandagen die kleinen Holzstäbchen zwischen den Fingern brachen. König schrie auf, und zum ersten Mal hörte Scatozza den Mistkerl richtig brüllen. Die Schreie klangen wie Choräle in seinen Ohren.

König biss die Zähne zusammen. »Warum bist du zur Wiener Kripo gegangen und nicht in Sizilien geblieben, du italienischer Hundesohn?«, presste er hervor.

König hatte Nerven, in dieser Situation daran zu denken.

»Woher weißt du Scheißkerl das?«

König versuchte, trotz der Schmerzen zu grinsen. »Stand in allen Zeitungen. Hast du es in deiner Heimat zu nichts gebracht?«

Scatozza beugte sich zu ihm. »Warum bist du nicht an deiner Scheißostsee geblieben?«

Königs Kopf schnappte nach oben. Seine Zähne bekamen Scatozzas Ohr zu fassen und bissen zu.

Scatozza brüllte. Instinktiv riss er den Kopf zurück. Der Schmerz fuhr ihm durch das Ohrläppchen. Königs Lippen waren blutig.

Dieses miese Arschloch gab nicht auf!

Scatozza hatte keine Hand frei, um den Ostdeutschen zu schlagen. Er konnte ihn nur so lange auf dem Boden fixieren, bis einem von ihnen die Kraft ausging. Und König schien wie ein bockiger Bulle über unendliche Energiereserven zu verfügen.

Scatozza keuchte. Schweiß lief ihm über die Schläfen. Aus dem Augenwinkel sah er, wie jemand über die Türschwelle in die Toilette kroch. Es war der Maresciallo. Der rechte Arm hing leblos an seiner Seite. Mit dem anderen Arm schob er sich in den Raum. König hatte ganze Arbeit geleistet, den Polizisten kampfunfähig zu machen. Aber der Maresciallo war offenbar nicht so schnell totzukriegen. Mit den Fingern schob er Vitos Waffe vor sich her. Schließlich ließ er die Pistole über die nassen Fliesen zu Scatozza schlittern.

»Wollte deine Mama nicht zurück nach Palermo …?«, röchelte König.

Scatozza griff nach der Pistole, presste sie König zwischen die Zähne in den Mund und schob ihm den Lauf tief in den Rachen. »Red ruhig weiter.«

König bekam große Augen und begann unwillkürlich zu husten.

»Schlechte Idee, wenn du so würgst«, knurrte Scatozza. »Da könnte sich leicht ein Schuss lösen.«

»Leck mich …«, gurgelte König.

»Später. Ich wette, du hast keine zweite Giftpille in deinem Backenzahn.«

In diesem Moment näherte sich Sirengeheul der Villa. König schnappte gierig nach Luft, doch der Würgereflex ließ ihn gleichzeitig röcheln.

»Richte Lyashenko schöne Grüße vom italienischen Hundesohn aus, wenn du ihn in der Hölle triffst!«

Scatozza krümmte den Finger um den Abzug.

67

Die Waffe gab ein dumpfes *Plopp* von sich. Elena zuckte zusammen. Der Schuss verfehlte nur knapp ihren Kopf, und die Kugel fuhr mit einem trockenen Geräusch in das Holz der Tanne.

Gerinks Herzschlag setzte für einen Moment aus.

»Lassen Sie Ihre Hände da, wo ich sie sehen kann«, befahl Dunek. »Und schaufeln Sie weiter.«

»Vater, ich …«

»Sei still!«, fuhr Dunek Monica an. Er massierte sich die Schläfe.

Während Elena weitergrub, presste Gerink die Handfläche auf seine Wunde. Wie lange würde Monica noch versuchen, die Rolle der verständnisvollen Tochter zu spielen? Und wozu? Dunek nahm ihr den Gesinnungswandel ohnehin nicht ab. Wollte sie Zeit gewinnen? Zwecklos! Während des Gewitters würde sie in dieser Regensuppe niemand hören oder sehen.

Gerink hatte nicht mehr die Kraft, die Eintrittswunde im Oberschenkel weiter zuzudrücken und die Blutung zu stoppen. Er würde verbluten. Und Elena stand ebenso kraftlos in dem Grab, links und rechts von einem Dobermann flankiert, die nur darauf warteten zuzubeißen.

Nach einer weiteren Minute stützte sich Elena auf den Spaten und kroch aus dem Grab. Schlamm klebte an ihr. »Ich bin fertig. Den Deckel müssen Sie selbst abnehmen.«

Gerink ahnte, was sie vorhatte. Sie wollte Dunek in die Grube locken und dort überwältigen.

»Zurück ins Grab!«, befahl Dunek.

Elena schüttelte den Kopf.

Oh Elena. Tu das bitte nicht!

Dunek legte erneut auf Elena an. An seinem Blick sah Gerink, dass er dieses Mal nicht danebenschießen würde.

Gerink nahm die Hand von der Wunde und ließ das Blut fließen. Hastig fuhr er mit den Fingern durch das nasse Erdreich auf der Suche nach der Unkrautharke, die Elena hatte fallen lassen.

Monica bemerkte, was er vorhatte. Rasch trat sie vor Elena, richtete sich auf und schützte sie mit ihrem Körper. »Du wirst dieser Frau kein Haar krümmen!«

Dunek neigte den Kopf vor, als hätte er sich verhört. »Warum hast du diese Schlampe überhaupt engagiert?«, fuhr er sie an, ohne die Waffe zu senken. »Was bedeutet sie dir?«

»Sie hat mir bei der Suche geholfen«, antwortete Monica.

»*Ich* biete dir die Wahrheit!«, rief er wie vor den Kopf gestoßen. »Was wolltest du von Salvatore? Sei doch froh, dass er in diesem Kellerloch verreckt ist. Jahrelang hat er deine Mutter gedemütigt, sie wie ein Hündchen an der Leine auf seinen Vernissagen herumgezeigt. Sie musste seine manischen Anfälle ertragen, unter seinen Depressionen leiden, lächeln, wenn die Presse sie fotografierte, und an seiner Seite belanglosen Small Talk von sich geben, während er selbstverliebte Gespräche mit Journalisten und Stadträten führte!«

Monica rührte sich nicht vom Fleck.

»Geh zur Seite!«

Sie wischte sich mit blutigen Händen Schlamm und Tränen aus dem Gesicht. »Nein.«

Gerink musste diese Harke finden, um Dunek zu überwältigen. Er brauchte dessen Pistole.

»Wie du willst.« Duneks Gesicht versteinerte. Er gab seinen Hunden ein Kommando. »*Beiß zu!*«

Wie der Blitz sprangen die Dobermänner von den Erdhügeln und rasten auf Elena zu. Als sie der erste Hund ansprang, trat sie zurück und riss die Arme hoch. Gerink glaubte seinen Augen nicht zu trauen – der zweite Dobermann fiel dem ersten knurrend in die Seite und biss ihn in die Flanke. Heulend und winselnd zugleich rollten die Tiere ineinander verkeilt vor Elenas Füße über das Erdreich.

Dunek war wie von Sinnen, als er sah, wie sich die Hunde gegenseitig zerfleischten. »Zerbeißt sie!«, brüllte er, doch der Hund, der Elena anfallen wollte, kämpfte jaulend um sein Leben.

Monica nutzte die Gelegenheit und jagte wie eine Sprinterin über die Grabhügel in den trüben Regen davon.

»Bleib stehen!«

Monica lief weiter.

Dunek richtete die Luger auf sie und folgte ihren Bewegungen mit dem Waffenarm. Da fand Gerink endlich die Harke und trieb sie Dunek so wuchtig, wie er konnte, in den Fuß.

Dunek brüllte auf, verriss den Arm, und die Kugel ging daneben. Augenblicklich holte er aus und drosch Gerink den Waffengriff ins Gesicht.

Gerink stürzte rücklings in die Grube und fiel auf den Holzsarg. Er sah, wie Dunek sich bückte. Kurz darauf folgte ein Schmerzensschrei, vermutlich hatte er sich die Harke aus dem Fuß gerissen. Im nächsten Moment war er verschwunden.

Sofort rappelte Gerink sich auf, grub die Finger in den Schlamm und zog sich aus dem Loch.

Elena kam ihm zu Hilfe. »Wie schlimm hat er dich erwischt?«

Er öffnete seinen Gürtel und zog ihn durch die Schlaufen. »Kein Durchschuss, aber eine Arterie ist getroffen.«

Neben ihnen jaulten die Dobermänner.

Er band sich den Gürtel um den Oberschenkel, zog ihn so

straff wie möglich und versuchte, den Dorn durch das Leder zu bohren. Aber es gelang nicht. Kraftlos hielt er das Ende des Gürtels fest und verknotete es schließlich. »Was zum Teufel ist mit den Hunden los?«

Im nächsten Moment lag einer der Hunde reglos auf dem Boden. Die blutige Schnauze des anderen hatte sich in seiner Kehle verbissen und zerfetzte die Halsschlagader.

»Wallace hat mir das Leben gerettet«, sagte Elena. »Ich glaube, er ist in mich verschossen.« Ihr Blick war voller Sorge, als sie Gerinks blutgetränkte Hose sah. »Ich bringe dich zum Auto und fahre dich ins Krankenhaus.«

»Später!« Gerink stützte sich auf den Spaten. Er stand immer noch unter Schock, und der Adrenalinschub hatte nicht nachgelassen. »Dunek ist verrückt genug, um Monica zu töten. Halt mir den Hund vom Leib. Ich versuche, sie zu finden.« Er humpelte in die Richtung, in der Monica und Dunek verschwunden waren. Aus dem Augenwinkel sah er, wie Elena den direkten Weg zu den Autos nahm.

Wegen des Schalldämpfers konnte er nicht einmal hören, ob Dunek erneut schoss. Da sah er den Wahnsinnigen. Er lief genau dorthin, von wo Gerink und Elena zuvor gekommen waren. Plötzlich rutschte Dunek aus. Seine Beine glitten zur Seite, und er schlug der Länge nach hin. Dabei knallte sein Kinn an die Einfassung eines Grabes. Der Sturz sah so merkwürdig aus, dass Gerink sich nicht erklären konnte, wie das hatte passieren können.

Auf den Spaten gestützt humpelte er näher. Sein rechtes Bein war völlig taub. Von dem Blutverlust war ihm übel, seine Atmung beschleunigte sich, und er zitterte am ganzen Leib. Ein extremes Durstgefühl breitete sich in seinem Mund aus. Kein gutes Zeichen!

Da sah er, dass Dunek auf der nassen Decke ausgerutscht war, die er sich an dieser Stelle vom Arm gezerrt hatte und die nun tief in den Kies hineingetreten worden war.

Dunek drehte sich auf den Rücken. Sein Unterkiefer war gebrochen, die Unterseite seines Gesichts komplett verschoben. Einige Zähne ragten bizarr aus dem Zahnfleisch, was ihm einen beängstigenden Ausdruck verlieh.

»Ich 'erde dich und deine Sch'ampe töten«, nuschelte er und versuchte, sich aufzurappeln.

Wie sollte Gerink den Mann außer Gefecht setzen, wenn er sich vermutlich selbst nur noch wenige Sekunden auf den Beinen halten konnte, bevor er ohnmächtig wurde?

Da richtete Dunek die Waffe auf ihn.

»Tun Sie das nicht!«, warnte Gerink ihn.

»*Bon voyage!*«, entgegnete Dunek.

Gerink holte mit dem Spaten aus und riss Dunek mit dem Schaufelblatt die Kehle auf. Duneks Hals klaffte wie die Kieme eines Hais auf. Er ließ den Arm sinken, und die Waffe glitt ihm aus den Fingern.

»Wir hätten das anders regeln können«, keuchte Gerink und ließ sich rücklings an einem Grabstein nieder, während Dunek röchelnd neben ihm verblutete. Doch im Moment gingen Gerink andere Dinge durch den Kopf, als dem Mistkerl das Leben zu retten.

Er saß in einer Regenpfütze und fischte mit den Fingerspitzen nach der Decke. Schwerfällig zog er sie zu sich. Mit den Zähnen versuchte er, den Stoff auseinanderzureißen, um einen Streifen abzutrennen und sich einen Druckverband anzulegen, aber seine Kräfte verließen ihn. Sein Kopf sank gegen den Grabstein. Zu mehr war er nicht mehr fähig. Emotionslos hörte er Dunek beim Sterben zu.

Als er die Inschrift der Marmortafel jenes Grabes sah, an dessen Kante Dunek mit dem Kinn aufgeschlagen war, begann er zu lachen. *Dr. Luigi Alchieri senior* lautete die Gravur. Was für eine grausame Ironie. Er lachte, obwohl ihm jede Bewegung wehtat. Ein letzter Anfall von Galgenhumor?

Da merkte er, dass sich der Friedhof langsam um ihn zu drehen begann, ihm immer kälter wurde und er die Augen nicht mehr länger offen halten konnte. Er war so durstig.

Neben ihm gurgelte Dunek die letzten Bläschen und Blutstropfen aus der Lunge.

Plötzlich spürte Gerink eine Bewegung neben sich. Elena stand vor ihm und wollte ihm die Decke aus den Händen ziehen.

»Das kann ich selber«, murmelte er.

»Klar. Mit zwei Händen zerreißt du den Stoff, und mit der dritten stoppst du die Blutung. Gib die Decke her, du Sturschädel!«

Er hörte, wie sie eine Grablaterne auf den Boden schmetterte und mit einem Glassplitter den Stoff mehrmals einritzte und schließlich zertrennte. Dann formte sie ein Knäuel über der Wunde und legte einen Druckverband an. Sie löste den Gürtel unter der Leiste für einen Moment, und der Druck ließ nach. Danach band sie das Bein wieder ab.

Gerink wusste, er war in guten Händen. Immerhin hatte Elena, kurz nachdem sie sich kennengelernt hatten, bei einem gemeinsamen Fall ebenfalls eine Kugel in den Oberschenkel bekommen.

Nachdem er sich nun eine Kugel eingefangen hatte, müsste als Nächstes Scatozza eine kassieren, dachte er. Das wäre nur fair! Plötzlich glaubte er, den typischen Mief der Notaufnahme zu riechen. Er fantasierte schon.

Bevor Gerink das Bewusstsein verlor, sah er, wie ein Hund gleichsam in Zeitlupe durch den Regen auf Elena zulief und die Schnauze an ihrem Bein rieb ... Und er wusste, dass dieser Hund von nun an zur Familie gehören würde.

EPILOG

Wien, einen Monat später

»Dort oben.« Elena stand vor dem Hotel Caruso und zeigte zur Balkonbrüstung über der schmuddeligen Neonreklame.

»Da hast du dich hinübergeschwungen?« Gerink musterte sie mit zusammengekniffenen Augenbrauen. »Und *du* regst dich auf, weil ich vom Balkon des Museums in den Glockenturm gesprungen bin? Du hättest selbst abstürzen können!«

»Gerhard Hödel hat mich gesichert.«

»Ja klar«, sagte er. »Mit dem Kabel meiner Videokamera. Du hast das Notebook übrigens immer noch.«

»Ist noch in Tonis Wohnung. Bei meinem nächsten Besuch nehme ich den Computer mit.«

Elena hakte sich bei ihm unter. Sie schlenderten am Hotel vorbei zur Fußgängerzone in der Wiener Innenstadt. Gerink humpelte immer noch, und das würde auch für immer so bleiben.

Vor ihnen lief Wallace und zog eifrig an der Leine. Gerink hatte den Dobermann bis jetzt kein einziges Mal kläffen oder knurren hören. Wahrscheinlich konnte der Hund gar nicht bellen. Außerdem hatte die erste Betrachtung des Tiers ergeben, dass Wallace kein Rüde war, sondern ein Mädchen. Vielleicht war sie deshalb so in Elena verschossen. Wer konnte eine wahre Frauenfreundschaft schon durchschauen? Gerink nicht. Jedenfalls durfte Wallace das Halsband mit ihrem Namen behalten.

Nach wenigen Metern erreichten sie die Fußgängerzone und bald darauf eine großflächige Künstlergalerie am Graben. Im

Schaufenster hingen drei Ölgemälde von Isabella Del Vecchio. Wallace zog zur Tür, als wüsste sie genau, dass in der Galerie ein Wassernapf für sie bereitstand. Als sie den klimatisierten Raum betraten, stellte sich ihnen ein Türsteher im dunkelblauen Anzug in den Weg.

»Der Hund darf nicht rein.«

»Wir wurden eingeladen, außerdem tut sie keiner Menschenseele etwas«, protestierte Elena.

»Nur wenn *du* in ihrer Nähe bleibst«, gab Gerink seinen Senf dazu. *Sonst beißt sie Dobermannrüden tot,* fügte er in Gedanken hinzu. »Ich warte draußen mit ihr«, sagte er schließlich.

Da drängte sich Scatozza zwischen den Leuten zu ihnen durch. »Ist nicht notwendig.« Er hielt dem Portier seinen Dienstausweis unter die Nase. »Ist schon okay, der Hund darf rein.«

Der Wachmann trat zur Seite. »Von mir aus.«

Scatozza schüttelte Gerink die Hand und gab Elena einen Kuss auf die Wange. Der Anblick weckte zwar immer noch ein mulmiges Gefühl in Gerink, aber Elena und er hatten sich gründlich ausgesprochen.

Scatozza lachte. »Ich hätte mir nie träumen lassen, jemals freiwillig so eine Galerie zu betreten.«

Elena schmunzelte. »Tja, wo die Liebe hinfällt.«

… bleibt sie nicht lange liegen, dachte Gerink. Zumindest bahnte sich bei Scatozza, dem ewigen Charmeur und Herzensbrecher, im Moment eine Beziehung an, die ihn ziemlich fordern würde.

Scatozza boxte Gerink in die Seite. »He, *amico,* warum so grüblerisch?«

»Alles okay, Dino, Held der Toskana.«

»Yepp, das bin ich.« Scatozza grinste. »Eifersüchtig?«

»Worauf denn?«

»Na ja«, murmelte Elena und ließ es wie nebensächlich

klingen. »Immerhin hat er Nicola, Teresa und dem Maresciallo das Leben gerettet.«

Scatozza gab sich selbst einen angedeuteten Kinnhaken. »Ja, ich bin der Größte!«

Typisch! Scatozza war wieder ganz der Alte.

Elena kraulte Wallace hinter dem Ohr. »Siehst du, dein Großvater ist nicht der Einzige in deiner Familie, der was taugt.«

»Jetzt hör aber auf!«, nörgelte Gerink. »Er hat ohnehin schon ein so großes Ego. Sonst wird er noch unausstehlicher, und einen eingebildeten Partner kann ich nicht brauchen.« Er wandte sich an Dino. »Hast du deine Holzpuppen endlich vollständig?«

»Es sind keine Puppen!« Scatozza wollte ebenfalls die Hündin streicheln, doch die zog die Lefzen nach hinten und versuchte, die großen Ohren anzulegen. »Ich habe die letzten Versteigerungen verpasst, zwei Figuren fehlen mir noch.«

»Na, ich freue mich schon auf unsere nächste Dienstreise«, ätzte Gerink. Sein Partner wusste ohnehin, dass sein Groll nur gespielt war.

Scatozza hatte nach seinem Kampf mit König die Waffe nicht abgefeuert, sondern König so lange auf dem Boden in Schach gehalten, bis die Carabinieri ihn festnehmen konnten. König schmorte bereits seit einem Monat in einem italienischen Gefängnis, wo er pausenlos verhört wurde, bis er endlich preisgeben würde, wie er im Keller der Gerichtsmedizin mit gestohlenen Kleidern entkommen konnte. Durch seinen langjährigen Hass auf die Italiener war er zum perfekten Handlanger für Dunek geworden. König hatte Dunek nach seiner Flucht sogleich informiert, und Dunek war augenblicklich nach Italien gekommen, um ihn zu treffen. Sie waren zu den Del Vecchios gefahren, wo König seinen Auftrag beenden sollte.

Nachdem die Del-Vecchio-Familie gewaltsam auseinandergerissen worden war, wohnte Nicola wieder bei ihrer Mutter in

Florenz. Zenobias Verhältnis mit Staatsanwalt Fochetti war herausgekommen. Im Moment musste sie sich wegen Totschlags an Isabella und Körperverletzung mit Todesfolge an Cristina verantworten – und Fochetti wegen Amtsmissbrauchs.

Kurz vor seiner Abreise hatte Gerink den Maresciallo und Vito im Krankenhaus in Florenz besucht. Im Prinzip waren sie keine üblen Kerle.

Wallace rieb ihre Schnauze an Gerinks Bein, und er streichelte die Hündin. Plötzlich spitzte sie die Ohren.

»Ah, da kommt Monica«, rief Scatozza.

Die rassige Schönheit in enger Jeans und hochhackigen Schuhen trat an Scatozzas Seite. Er legte seinen Arm um ihre Taille. »Wie gefallen euch die Werke meiner Mutter?«

»Wir sind noch nicht viel rumgekommen«, sagte Elena.

»Okay, kommt mit, ich zeige euch alles.«

Monica führte die anderen herum, und Gerink suchte mit Wallace den Wassernapf. Während sie in einer Nische schlabberte, beobachtete er die Besucher.

Nachdem Monicas letzte Abschlussprüfung an der Wiener Kunstakademie bestanden war, hatte sie – soweit er wusste – die Isabella-Del-Vecchio-Galerie gegründet. Einen Anfang stellte diese Ausstellung in Wien dar. Hier standen die Gemälde ihrer Mutter an insgesamt sieben Wänden zur Schau.

Sofort nach ihrer Heimkehr nach Wien hatte Monica einen Vaterschaftstest beantragt. Dunek war tatsächlich ihr Vater gewesen, und da kein Testament auffindbar war, hätte sie als sein einziges Kind den gesamten Besitz geerbt. Doch Monica hatte zugunsten der Hinterbliebenen von Duneks Opfern darauf verzichtet – mit Ausnahme des Gemäldes ihrer Mutter. Sie besaß ohnehin die siebzehn Millionen von der Versteigerung des letzten Gemäldes. Aber so wie Gerink sie einschätzte, war ihr Geld nicht allzu wichtig. Vielmehr *musste* sie die Galerie betreiben, weil es für sie der einzige Weg war, nicht wahnsinnig zu werden.

Gerink dachte an Teresa Del Vecchio. Sie hatte noch während des Gewitters an jenem Abend auf dem Hausdach ihre Erinnerung wiedererlangt. Er und Scatozza hatten sie anschließend nach Wien gebracht. Seitdem wurde sie medizinisch und psychologisch betreut. Teresa war eine tapfere Frau, und Gerink war stolz auf sie. Immerhin war sie eines der wenigen Entführungsopfer, das er während seiner Laufbahn beim BKA nicht nur gefunden hatte, sondern auch lebend hatte heimbringen können.

Wallace hörte auf zu trinken. Gerink sah in die Runde. Erst jetzt bemerkte er, dass an der gegenüberliegenden Wand Salvatores letztes Werk hing, das nicht länger Thomas Duneks Villa zierte. Das zwei mal drei Meter große Ölgemälde zeigte eine wunderschöne schwarzhaarige Frau, der Monica zum Verwechseln ähnlich sah – die langen Wimpern, die perfekt geschwungenen Lippen und die großen katzenförmigen Augen. Er betrachtete den dunklen Teint, das schulterfreie Kleid und den geheimnisvollen Blick. Kein Wunder, dass die Männer in ihrer Gegenwart verrückt wurden.

»Na? Verliebt?«

Gerink sah zur Seite. Elena stand neben ihm. »Nur in dich«, antwortete er.

»Lügner!« Sie boxte ihn gegen die Schulter, gab ihm jedoch sogleich einen Kuss und lehnte sich an ihn. »Wenn ich daran denke, wo dieses Gemälde entstanden ist«, sinnierte sie.

»Und vor allem, *wie* es entstanden ist.«

Gerink spürte, wie sich Elena innerlich schüttelte. Die feinen blonden Härchen ihrer Unterarme stellten sich auf.

»Trotzdem ist *Isabellas Antlitz* ein sagenhaftes Meisterwerk, das offensichtlich sogar dich Kunstbanausen fasziniert.«

»Eigentlich müsste es *Blutgemälde* heißen«, entgegnete er. Aber von diesem Detail wussten zum Glück nur Dino, Elena, er und ein paar italienische Kripokollegen. Er suchte Salvatores Signatur und folgte den geschwungenen Zügen, die sich farblich mit dem Hintergrund des Feueropalrings vereinten.

»Woran denkst du?«, fragte sie.

»In diesem Gemälde steckt mehr Herzblut als in anderen Werken.«

»Hör auf, du bist schrecklich!« Sie schüttelte den Kopf. »*Herzgrab* wäre die richtige Bezeichnung dafür.«

»Wenn du meinst. Die DNS-Spurensicherung hätte viel zu tun, sollte sie eines Tages die Ölfarben untersuchen.«

In diesem Moment fiel ein Sonnenstrahl durchs Fenster und brachte die Farben zum Leuchten.

Vielleicht bildete Gerink sich das nur ein, doch der Feueropal funkelte blutrot, und Isabella schien zu lächeln.

Danksagung

Die Idee zu diesem Roman und vor allem zur Entstehungsge-
schichte des Gemäldes trug ich viele Jahre mit mir herum, bis
ich sie nach den Thrillern *Rachesommer* und *Todesfrist* endlich zu Papier brachte. Für den Rat, die Personen der Handlung zusammenzudampfen, danke ich Robert Froihofer und
Uwe Neumahr. Mir ist bewusst, dass immer noch viele Figuren in dem Buch vorkommen, aber ich hoffe, der Stammbaum,
den Peter Gerink gezeichnet hat, konnte Ihnen einen hilfrei-
chen Überblick geben.

Damit dieser Plot funktionierte, musste ich diesmal in die
Kunstwelt eintauchen. Daher bedanke ich mich bei Monika
Schmidt-Gabriel und ihrem Team vom Wiener Dorotheum, die
mich an einer Auktion teilnehmen ließen, sich die Zeit nahmen, meine lästigen Fragen zu beantworten und mir den Ablauf
großer Versteigerungen erklärten. Ich hoffe, die Damen haben
Nachsicht mit mir, weil ich die übliche Vorlaufzeit einer Auktion für diesen Roman aus dramaturgischen Gründen verkür-
zen musste.

Außerdem danke ich Manfred Rauchberger und Manfred
Wasshuber für ihre detaillierten Erklärungen bezüglich Gemäl-
detiefenuntersuchung mit einer Kamera und dem Bestattungs-
unternehmer Thomas Sebesta für seine bildhafte Schilderung,
wie man einen Sarg öffnet.

Für medizinische Erklärungen danke ich Dr. Bettina Dreier,
Dr. Karin Koisser und Dr. Christian Wörgetter und für kri-
minalpolizeiliche Fragen mittlerweile schon zum fünften Mal

einem Wiener Kripobeamten, der nicht genannt werden möchte. Allerdings hat er mir versichert, dass sich an seiner Anonymität auch in Zukunft nichts ändern wird, selbst wenn er demnächst in den verdienten Ruhestand geht.

Francesca Succurro danke ich für die Übersetzungen ins Italienische. Allerdings habe ich mir bei den geografischen Gegebenheiten der Toskana einige schriftstellerische Freiheiten erlaubt, sofern sie der Handlung dienten.

Last but not least danke ich wie immer meinen Testlesern Heidemarie Gruber, Veronika Grager, Günter Suda, Gaby Willhalm, Robert Froihofer, Jürgen Pichler, Dagmar Kern, Michael Adam, Magdalena Adam, Peter Hiess, Ulrike Hornung und auch Vera Thielenhaus vom Goldmann Verlag, die sich die Zeit genommen hat, mir ausführliche Anmerkungen zum Manuskript zu schicken. Ohne ihre Kommentare würde das Buch vor unendlich vielen Fehlern strotzen. Sollte Ihnen dennoch etwas bitter aufstoßen, so bin nur ich dafür verantwortlich. Sie dürfen mich gern entführen und an einen Stuhl ketten. Aber bloß nicht in Italien. Ich könnte mir vorstellen, nach diesem Roman ist man dort nicht besonders gut auf mich zu sprechen. Doch ich versichere Ihnen: Ich habe nichts gegen dieses Land und seine Bewohner. Im Gegenteil – ich bin ein Fan von Dylan Dog, Lacuna Coil und Mario Bava. Die Charakterisierung der ortsansässigen Figuren und das bewusst gewählte altmodische Ambiente der Stadt Florenz dienten bloß dramaturgischen Zwecken.

Tja, und was den toten Esel betrifft … Vielleicht haben Sie es schon erraten – das Gemälde besteht nicht *nur* aus Menschenblut. Aber das bleibt unter uns.

Andreas Gruber

Andreas Gruber, 1968 in Wien geboren, lebt als freier Autor mit seiner Familie in Grillenberg in Niederösterreich. Er hat bereits mehrere äußerst erfolgreiche und preisgekrönte Erzählungen und Romane verfasst. Mehr zum Autor und seinen Büchern finden Sie unter www.agruber.com sowie unter www.facebook.com/Gruberthriller.

»An Andreas Gruber schätze ich vor allem, dass er eigene erzählerische Wege geht – und das atmosphärisch so glaubhaft, so greifbar, dass man ihm bereitwillig folgt.«
Andreas Eschbach

Bücher von Andreas Gruber im Goldmann Verlag:

Die Reihe um Maarten S. Sneijder
Todesfrist. Thriller · Todesurteil. Thriller
(📖 auch als E-Book erhältlich)

Die Reihe um Walter Pulaski und Evelyn Meyers
Rachesommer. Thriller · Racheherbst. Thriller
(📖 auch als E-Book erhältlich)

Die Reihe um Peter Hogart
Die Schwarze Dame. Thriller · Die Engelsmühle. Thriller
(📖 nur als E-Book erhältlich)

Außerdem lieferbar:
Herzgrab. Thriller (📖 auch als E-Book erhältlich)

GOLDMANN
Lesen erleben

Unsere Leseempfehlung

512 Seiten
Auch als E-Book
erhältlich

Unter einer Leipziger Brücke wird die verstümmelte Leiche einer jungen Frau angespült. Walter Pulaski, zynischer Ermittler bei der Polizei, merkt schnell, dass der Mord an der Prostituierten Natalie bei seinen Kollegen nicht die höchste Priorität genießt. Er recherchiert auf eigene Faust – an seiner Seite Natalies Mutter Mikaela, die um jeden Preis den Tod ihrer Tochter rächen will. Gemeinsam stoßen sie auf die blutige Fährte eines Serienmörders, die sich über Prag und Passau bis nach Wien zieht. Dort hat die junge Anwältin Evelyn Meyers gerade ihren ersten eigenen Fall als Strafverteidigerin übernommen. Es geht um einen brutalen Frauenmord – und eine fatale Fehleinschätzung lässt Evelyn um ein Haar selbst zum nächsten Opfer werden ...